antoni libera
# madame

Wydawnictwo **znak** rozstrzyga ogłoszony w 1997 r. konkurs na powieść lub zbiór opowiadań.

Zostały nagrodzone prace następujących autorów:

*Madame* ANTONIEGO LIBERY – I nagroda
*Kuracja* JACKA GŁĘBSKIEGO – II nagroda
*Słowa obcego* BRONISŁAWA ŚWIDERSKIEGO – II nagroda

Prace oceniało jury w składzie:

**Czesław Apiecionek, Jan Błoński** (przewodniczący), **Paweł Huelle, Jerzy Jarzębski, Olga Tokarczuk**. Wszystkie nagrodzone książki zostały opublikowane.

Konkurs, którego pierwszą edycję obecnie zamknęliśmy, będzie cyklicznie organizowany przez nasze wydawnictwo. Zapraszamy do udziału w nim wszystkich zainteresowanych publikacją swojej powieści w Znaku.

antoni libera

# madame

wydanie drugie
przejrzane

wydawnictwo
znak
kraków
2003

Opracowanie graficzne
Witold Siemaszkiewicz

Zdjęcie Autora na okładce: Fot. Dorys

Redakcja
Agnieszka Kołakowska

Korekta
Małgorzata Biernacka
Barbara Poźniakowa

Łamanie
Piotr Poniedziałek


Fundator nagród w konkursie Wydawnictwa Znak

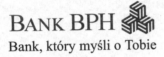

BANK BPH
Bank, który myśli o Tobie


Patronat prasowy

POLSKIE RADIO PROGRAM III

program

 Zamówienia: Dział Handlowy 30-105 Kraków, ul. Kościuszki 37
Bezpłatna infolinia: 0800-130-082
Zapraszamy do naszej księgarni internetowej: www.znak.com.pl

Nie mów: Jak to jest, że dni dawne
były lepsze niż te co są teraz?
Bo nie z mądrości zapytujesz o to.

*Eklezjasta* 7, 10


Romansopisarz powinien dążyć nie do tego,
by opisywać wielkie wydarzenia,
lecz by małe czynić interesującymi.

Arthur Schopenhauer

# ROZDZIAŁ PIERWSZY

### Dawniej to były czasy!

Przez wiele lat nie opuszczało mnie wrażenie, że urodziłem się za późno. Ciekawe czasy, niezwykłe wydarzenia, fenomenalne jednostki – wszystko to, w moim odczuciu, należało do przeszłości i raz na zawsze się skończyło.

W okresie mojego najwcześniejszego dzieciństwa, w latach pięćdziesiątych, „wielkimi epokami" były dla mnie, przede wszystkim, czasy niedawnej wojny, a także – poprzedzające je lata trzydzieste. Te pierwsze jawiły mi się jako wiek heroicznych, wręcz tytanicznych zmagań, w których ważyły się losy świata, drugie zaś jako złoty wiek wolności i beztroski, gdy świat, jakby opromieniony łagodnym światłem zachodzącego słońca, pławił się w rozkoszach i niewinnych szaleństwach.

Później, gdzieś z początkiem lat sześćdziesiątych, kolejną „wielką epoką" stał się dla mnie, niespodzianie, dopiero co miniony okres stalinowski, w którym żyłem już wprawdzie, lecz byłem zbyt mały, by świadomie doświadczyć jego złowrogiej potęgi. Oczywiście, doskonale zdawałem sobie sprawę, że – podobnie jak wojna – był to okres koszmarny, czas jakiegoś zbiorowego obłędu, upadku i zbrodni, niemniej, właśnie przez tę skrajność, kazał się on widzieć jako czas wyjątkowy, zgoła niesamowity. I było mi osobliwie żal, że ledwo się o niego otarłem, że nie zdążyłem się weń zagłębić, skazany na perspektywę dziecinnego wózka, pokoju czy ogródka na peryferiach miasta. Z najdzikszych orgii i rzezi, uprawianych i dokonywanych przez ówczesną władzę, z szaleńczych i opętańczych transów, w które popadało tysiące ludzi, z całego tego gigantycznego zgiełku, wrzawy i majaczenia na jawie dochodziły mnie zaledwie niewyraźne echa, których sensu najzupełniej nie pojmowałem.

Moje poczucie spóźnienia dawało o sobie znać w najprzeróżniejszych kontekstach i wymiarach. Nie ograniczało się tylko do sfery dziejowej, pojawiało się również przy innych okazjach, w skalach o wiele mniejszych, wręcz miniaturowych.

Oto rozpoczynam naukę gry na fortepianie. Moją nauczycielką jest starsza, dystyngowana pani z ziemiańskiej rodziny, po studiach pianistycznych w Paryżu, Londynie i Wiedniu jeszcze w latach dwudziestych. I już od pierwszej lekcji zaczynam wysłuchiwać, jak to kiedyś było wspaniale, a teraz jest beznadziejnie – jakie były talenty i jacy mistrzowie, jak szybko się uczono i rozkoszowano muzyką.

– Bach, Beethoven, Schubert, a nade wszystko Mozart, ten istny cud natury, wcielona doskonałość, zapewne postać Boga! Dzień, w którym przyszedł na świat, winien być czczony na równi z narodzinami Chrystusa! Zapamiętaj to sobie: dwudziesty siódmy stycznia tysiąc siedemset pięćdziesiątego szóstego. Teraz nie ma już takich geniuszy. W ogóle teraz muzyka... Ech, co tu wiele mówić! Nicość, pustynia, ugór!

Albo inny przykład. Interesują mnie szachy. Po kilku latach samodzielnych praktyk w domu zapisuję się do klubu, żeby rozwinąć swoje umiejętności. Instruktor, zdegradowany przedwojenny inteligent, nie stroniący obecnie od kieliszka, ćwiczy z nami – kilkuosobową grupką młodocianych adeptów – rozmaite debiuty i końcówki, i pokazuje, „jak się gra" taką to a taką partię. Wtem, po wykonaniu jakiegoś posunięcia, przerywa pokaz – a zdarza się to dość często – i zadaje pytanie:

– Wiecie, kto wymyślił ten ruch? Kto pierwszy raz zagrał w ten sposób?

Naturalnie nikt nie wie, a naszemu instruktorowi o nic innego nie chodzi. Przystępuje więc do tak zwanej ogólnokształcącej dygresji:

– Capablanca. W 1925 roku, na turnieju w Londynie. Mam nadzieję, że wiecie, kto to był Capablanca...

– No... mistrz – bąka ktoś z nas.

– Mistrz! – wyśmiewa tę mizerną odpowiedź nasz instruktor – mistrzem to i ja jestem. To był ARCY-mistrz! Geniusz! Jeden z największych szachistów, jakich nosiła ta ziemia. Wirtuoz gry pozycyjnej! Teraz nie ma już takich szachistów. Nie ma takich turniejów. W ogóle szachy zeszły na psy.

– No a Botwinnik, Petrosjan, Tal? – próbuje ktoś oponować, wymieniając aktualne w owym czasie sławy sowieckie. Na twarzy naszego instruktora pojawia się grymas niewymownej dezaprobaty, po czym popada on w posępną zadumę.

– Nie, nie – mówi wreszcie krzywiąc się z niesmakiem, który graniczy ze wstrętem – to nie to! To nie ma nic wspólnego z tym, jak k i e d y ś grywano w szachy i kim k i e d y ś byli szachiści. Lasker, Alechin, Reti, o, to byli giganci, tytani, obdarzeni prawdziwą iskrą bożą. Kapryśni, spontaniczni, pełni polotu, dowcipu. Renesansowe typy! I szachy rzeczywiście były królewską grą! A teraz... Ech, szkoda gadać! Zawody nakręconych robotów.

I jeszcze inna dziedzina: góry, wycieczki górskie. Mam może trzynaście lat i pewien przyjaciel rodziców, alpinista starej daty, zabiera mnie ze sobą w Tatry, na prawdziwą górską wyprawę. Bywałem już wcześniej w Zakopanem, lecz moje turystyczne doświadczenie ogranicza się ledwie do mieszkania w wygodnych letniskowych pensjonatach i spacerowania ścieżkami dla „ceprów" po dolinach i halach. Tym razem mam mieszkać w prawdziwym schronisku i iść w prawdziwe góry. Istotnie, lądujemy z moim wytrawnym przewodnikiem w samym sercu Tatr, w jednym ze znanych, a nawet legendarnych ośrodków PTTK. Śpimy nieźle: w zarezerwowanej przezornie – z odpowiednim wyprzedzeniem – „dwójce". Znacznie gorzej jest już jednak z jedzeniem: czekamy na posiłki w tasiemcowych kolejkach. To samo powtarza się przy korzystaniu z urządzeń sanitarnych. Wreszcie, pokonawszy te wszystkie przeszkody i niedogodności, wyruszamy na upragniony szlak – na spotkanie z mityczną przestrzenią i majestatem milczących masywów. Lecz oto upragnioną ciszę i pustkę coraz to zakłóca jakaś rozkrzyczana i rozbrykana wycieczka szkolna, a kontemplację otchłani, otwierającej się na szczytach i turniach, udaremniają śpiewy i harce zorganizowanych grup turystycznych z rajdu „szlakiem Lenina". I mój wytrawny przewodnik – w starym, ciemnozielonym skafandrze, w brązowych spodniach z grubego sztruksu o nogawkach sięgających nieco poniżej kolan i tam ściągniętych specjalnymi paskami, w wełnianych skarpetach w kratę ściśle opasujących łydki i w schodzonych, lecz dobrze zachowanych, francuskich wibramach, przysiadłszy z fasonem na skale, zaczyna z goryczą w te słowa:

– Nie ma już gór! Nie ma już taternictwa! Nawet i to wykończyli! Nie można zrobić kroku, by się nie natknąć na tę cholerną stonkę. Masowa turystyka! Kto to widział! Przecież to nie ma żadnego sensu. Gdy j a chodziłem w góry, przed wojną, ma się rozumieć, inaczej to wyglądało. Przyjeżdżałeś; ze stacji szedłeś naprzód na zakupy: kasza, makaron, boczek, herbata, cukier, cebula. Nie było to wybredne, lecz za to tanie i pewne. Następnie: do Roztoki lub do Morskiego Oka. Pieszo lub autobusem, ale nie pekaesem, lecz takim małym, prywatnym, odkrytym samochodem, co jeździł, kiedy chciał, gdy zebrali się chętni. W schronisku „na Roztoce" rodzinna atmosfera. A przede wszystkim pusto. Najwyżej piętnaście osób. Z tej bazy wypadowej robiło się wycieczki, nawet i kilkudniowe. Sypiało się po szałasach, a wyżej, w kolebach skalnych... Bo o co w tym wszystkim chodzi? O samotność i ciszę. O „sam na sam" z żywiołem i z własnymi myślami. Idziesz i jesteś sam, jak pierwszy człowiek na świecie. Na styku ziemi i nieba. Z głową w błękicie... kosmosie. Ponad cywilizacją. Spróbuj teraz to zrobić, przynajmniej tu i teraz, w tym tłumie gonionych „ceprów", wycieczek i „przewodników". To jest parodia, jarmark, że się niedobrze robi...

Tego rodzaju wybrzydzanie na marną teraźniejszość i nostalgiczne wzdychanie do świetlanej przeszłości było dla moich uszu – przez lata – chlebem powszednim. Dlatego też nie zdziwiłem się, gdy w wieku lat czternastu, zasiadłszy w ławce gimnazjum, znowu zacząłem słyszeć wariacje na ten sam temat. Tym razem były to hymny na cześć minionych roczników.

Nauczyciele, prowadząc zajęcia, odchodzili nieraz od tematu lekcji i opowiadali o niektórych swoich dawnych uczniach i związanych z nimi wydarzeniach. Były to zawsze osoby niezwykle barwne, a sytuacje – wprost fantastyczne. Myliłby się jednak ten, kto by sądził, że miały one charakter budujących bajeczek ku nauce i przestrodze o prymusach bez skazy czy odmienionych cudownie nicponiach. Nic podobnego. Bohaterami gawęd, owszem, były osobowości niezwykłe, bynajmniej jednak nie na sposób słodki, anielski. Ich wyjątkowość wyznaczały cechy raczej nie notowane wysoko w katalogu cnót ucznia. Promieniowali śmiałością i niezależnością, z reguły byli niepokorni, a nawet krnąbrni, miewali wygórowane poczucie własnej wartości i posuwali się nieraz do gestów wyzywających. Nieokiełznani, chodzący swoimi drogami, dumni. A jednocześnie – olśniewający taką czy inną zdolnością. Niebywałą pamięcią, pięknym głosem, błyskotliwą inteligencją. Gdy słuchało się tych historii, aż nie chciało się wierzyć, iż wydarzyły się naprawdę. Tym bardziej, że nauczyciel, przywołując na ogół jakieś niesłychane wybryki swoich podopiecznych, zdarzenia o skandalicznym posmaku, nie tylko ich nie piętnował, lecz relacjonował je ze swoistym sentymentem, a nawet ze szczyptą dumy, że to właśnie jemu przytrafiło się coś tak niecodziennego.

Oczywiście, wszystkie te obrazoburcze na pierwszy rzut oka, a niekiedy nawet gorszące opowieści zawierały w sobie pewien morał czy przesłanie, które nie było już tak atrakcyjne. Otóż ukryta wymowa owych wspomnień pełnych dezynwoltury i pikantnych smaczków sprowadzała się do następującej przestrogi: „To, że tak bywało, bynajmniej nie oznacza, że tak bywa dalej, a zwłaszcza że coś podobnego może się zdarzyć w tej klasie. Tamte roczniki i tamte jednostki były wyjątkowe, jedyne w swoim rodzaju. Teraz nie ma już takich. Was to nie dotyczy. Dlatego pamiętajcie, nie próbujcie ich naśladować! W waszym wypadku skończy się to tylko żałośnie!"

Choć znałem ten sposób myślenia i byłem z nim oswojony, w tym wypadku nie mogłem się jednak z nim pogodzić. Że świat był dawniej ciekawszy, gwałtowniejszy, bujniejszy – to nie ulegało dla mnie wątpliwości. Że więksi byli muzycy, czy w ogóle ludzie sztuki – w to również chętnie wierzyłem. Przystawałem i na to, choć już nie bez oporów, że chodzenie po górach było czymś szlachetniejszym i że królewska gra w szachy miała godniejszych mistrzów. Ale żeby szkoła? Żeby po prostu uczniowie byli w przeszłości lepsi – nie, z tym się pogodzić nie mogłem.

To niemożliwe, myślałem, by szarość i przeciętność, które mnie otaczają, były nieodwołalne – by w żaden sposób nie dało się tego odmienić. Ostatecznie, tym razem to i ode mnie zależy, co się tu będzie działo. Mam wpływ na rzeczywistość. Mogę ją przecież współtworzyć. A zatem – trzeba działać, należy coś przedsięwziąć. Niech znów się zacznie coś dziać, niech wrócą dawne czasy i sławni bohaterowie, wcieleni w nowe postaci!

## Modern Jazz Quartet

Jedną z legend, którymi wówczas żyłem, była legenda jazzu, zwłaszcza w polskim wydaniu. Bikiniarze stawiający heroicznie czoło stalinowskiej obyczajowości; Leopold Tyrmand, „renegat" i libertyn, fascynujący pisarz, nieugięty krzewiciel jazzu jako muzyki, w której spełnia się wolność i niezależność; i liczne barwne historie z życia pierwszych zespołów, a zwłaszcza ich liderów, którzy zrobili nierzadko błyskotliwe kariery, bywali na Zachodzie, a nawet się otarli o „mekkę": USA – oto świat tej legendy. W głowie roiło mi się od obrazów zadymionych studenckich klubów i piwnic, całonocnych, narkotycznych *jam sessions* i opustoszałych ulic wciąż jeszcze nie odbudowanej, zrujnowanej Warszawy, na które o wczesnym świcie wynurzali się z owych „podziemnych schronów" śmiertelnie znużeni i osobliwie smutni jazzmani. Cała ta fantasmagoria zniewalała jakimś trudnym do określenia czarem i wzbudzała pragnienie, by przeżyć coś podobnego.

Nie zastanawiając się długo, postanowiłem założyć zespół. Skrzyknąłem kolegów, którzy, podobnie jak ja, brali lekcje muzyki i umieli grać na jakimś instrumencie, i namówiłem ich, żeby wspólnie grać jazz. Sformowaliśmy kwartet: fortepian, trąbka, perkusja, kontrabas – i zaczęliśmy próby. Odbywały się one po lekcjach w opustoszałej sali gimnastycznej. Niestety, niewiele miały wspólnego z tym, co mi się marzyło. Zamiast odurzających kłębów tytoniowego dymu, oparów alkoholu i francuskich perfum unosił się mdlący zaduch młodzieńczego potu po ostatnim wuefie; zamiast klimatu piwnicy, gdzie się spotyka bohema, klimatu tworzonego przez półmrok, ciasnotę i dekadenckie sprzęty, panował nastrój obskurnej sali sportowej w jaskrawym świetle wczesnego popołudnia lub trupim – jarzeniówek, scenerii, której nadawały charakter rzędy drabinek na ścianach, okratowane okna, naga, bezkresna podłoga z chwiejącymi się tu i ówdzie klepkami i pasący się na niej samotnie skórzany koń do skoków lub ewolucji; i wreszcie samo granie, któreśmy uprawiali, daleko odbiegało od kunsztu słynnych zespołów: nie popadaliśmy w legendarne transy i dionizyjskie szały, nie improwizowaliśmy z boską biegłością i w ślepym uniesieniu; w najlepszym razie było to jako tako opanowane rzemiosło.

Starałem się tym nie przejmować. Pocieszałem się mówiąc sobie, że początki zawsze są takie, a nasza godzina na pewno jeszcze wybije. I – aby dodać sobie zapału – wyobrażałem sobie, jak to na koncercie, do którego w przyszłości dojdzie, albo na zabawie szkolnej, oszałamiamy słuchaczy, rzucamy ich na kolana, a zwłaszcza, jak po mojej brawurowej solówce wybucha burza oklasków z krzykami entuzjazmu, a ja, nie przerywając gry, odwracam się w stronę widowni, kiwam głową w uspokajającym geście podziękowania i widzę w tym ułamku sekundy, jak pochłaniają mnie wzrokiem pełnym uwielbienia pierwsze piękności szkoły.

Po kilku miesiącach ćwiczeń mieliśmy repertuar na ponad dwie godziny i uznaliśmy, że nie można już dłużej zwlekać z występem. Lecz tu wyrosła przed nami niespodziewana przeszkoda. O tym, by powstał w szkole uczniowski klub jazzowy, działający, powiedzmy, w soboty lub niedziele, nie chciano nawet słyszeć. W przekonaniu dyrekcji i rady pedagogicznej oznaczałoby to skandaliczną przemianę instytucji oświatowo-wychowawczej w lokal rozrywkowy, a dalej – niechybnie – w dom rozpusty. O tym zaś, by nasz „Modern Jazz Quartet", jakeśmy się nazwali, przygrywał na szkolnych zabawach tanecznych, urządzanych zresztą niezwykle rzadko, zaledwie trzy razy w roku (karnawał, studniówka i bal maturalny) – o tym z kolei nie chciała słyszeć młodzież. Były to bowiem już lata wschodzącej gwiazdy *big-beatu*, pierwszych tryumfów Beatlesów i im podobnych zespołów, i ludzie, którzy mieli po kilkanaście lat, słuchali głównie tego i tylko w rytm takiej muzyki pragnęli się bawić i tańczyć.

W tym stanie rzeczy, jedyną szansą występu, jaka została nam dana, i to też raczej z łaski, było produkowanie się podczas uroczystości szkolnych – sztywnych, bezdusznych, nudnych – pełnych grandilokwencji i dętej deklamacji. Przyjęcie tych warunków było kompromisem graniczącym ze zdradą ambicji i nadziei, które nam przyświecały, tym bardziej że zaznaczono jeszcze, iż jeśli zamierzamy skorzystać z oferty, to wolno nam grać tylko „spokojnie i kulturalnie", a nie „jakieś tam dzikie rytmy czy inną kocią muzykę". Zostaliśmy więc sprowadzeni do roli dostarczyciela „przerywników muzycznych" na szkolnych akademiach, cieszących się wśród uczniów – włącznie z nami, rzecz jasna – fatalną reputacją.

Nasz udział w tych imprezach okazał się ostatecznie raczej farsą, groteską niż haniebnym upadkiem. Graliśmy, cośmy chcieli – tyle że w absurdalnym kontekście. Na przykład, słynną *Georgię* po bombastycznej, zbiorowej recytacji *Lewą marsz* Majakowskiego, albo jakiegoś bluesa po wykrzyczanym histerycznie wierszu, roztaczającym straszliwą wizję życia robotników w Stanach Zjednoczonych, gdzie – jak głosiły słowa – „codziennie bezrobotni skaczą z mostu do rzeki Hudson głową w dół". Była to, krótko mówiąc, jakaś straszliwa bzdura, i odczuwali ją wszyscy – i widownia, i my. Czy w takiej sytuacji można było mieć choćby złudzenie, iż tworzy się Historię lub uczestniczy w czymś ważnym?

13

Owszem, raz się zdarzyło, że płomyk takiej wiary zamigotał przez chwilę, ale właśnie – przez chwilę, i wskutek szczególnych okoliczności.

Jedną z najnudniejszych imprez, jakimi raczono nas w owym czasie, był doroczny festiwal szkolnych chórów i zespołów wokalnych. Zgodnie z regulaminem, odbywał się on zawsze na terenie tej szkoły, której reprezentacja ostatnim razem zdobyła pierwszą nagrodę – sławetnego „Złotego Słowika". W ubiegłym roku to żałosne trofeum wywalczył zespół właśnie z naszej szkoły – głupkowaty „Tercet egzotyczny", specjalizujący się w kubańskim folklorze i cieszący się wśród nas jak najgorszą opinią. No i teraz, przez ten ich przeklęty sukces, zwalało się nam na głowę prawdziwe nieszczęście: organizacja festiwalu, „praca społeczna" po lekcjach, a wreszcie jądro koszmaru – trzydniowe przesłuchania, uwieńczone finałem i koncertem laureatów, na których obecność była absolutnie obowiązkowa – jako wyraz gościnności gospodarzy.

Rzeczywistość okazała się jeszcze czarniejsza niż przewidywania. Głównie przyczynił się do tego nauczyciel śpiewu, postrach szkoły, przezywany Eunuchem ze względu na cienki głos (tenor heroiczny, jak sam siebie klasyfikował) i starokawalerstwo – typowy nerwus i pasjonat, przekonany, że śpiew, śpiew klasyczny, rzecz jasna, jest najpiękniejszą rzeczą pod słońcem, i gotów o ten pogląd do upadłego się spierać. Był on przedmiotem niezliczonych żartów i kpin, zarazem jednak panicznie się go bano, ponieważ, rozjuszony do ostateczności, wpadał w straszliwe szały, posuwał się w nich do rękoczynów, a zwłaszcza – i to było najgorsze – raził makabrycznymi groźbami, których wprawdzie nigdy nie spełniał, lecz których już samo brzmienie mąciło człowiekowi zmysły. Najczęściej uciekał się do następującej: „do końca moich dni będę gnił w więzieniu, ale za chwilę, tym oto narzędziem" – wyjmował z kieszeni scyzoryk i obnażał ostrze – „tym oto tępym narzędziem oberżnę komuś uszy!"

Otóż ten to właśnie, delikatnie mówiąc, maniak i furiat wyznaczony został na komisarza odpowiedzialnego za organizację i przebieg festiwalu. Można sobie wyobrazić, co to oznaczało w praktyce. Na czas trwania imprezy stał się poniekąd najważniejszą osobą w szkole. Było to jego święto, dni jego tryumfu, a zarazem wielkiego stresu – jako odpowiedzialnego za całość. W stanie najwyższego podniecenia krążył po korytarzach, do wszystkiego się mieszał i kontrolował nieomal każdy ruch. A po lekcjach, godzinami, zamęczał próbami chór. Wszyscy mieli go serdecznie dosyć i z wytęsknieniem czekali, aż skończy się wreszcie to piekło. Ostatniego dnia festiwalu większość uczniów zdradzała oznaki głębokiej depresji i stanu otępienia.

Permanentne osaczenie przez oszalałego Eunucha, coraz to zmieniane decyzje i nowe polecenia, a wreszcie wielogodzinne wycie produkujących się chórów – wszystko to razem znacznie przekroczyło miarę naszej wytrzymałości. No ale wybiła wreszcie święta godzina końca: wybrzmiały ostatnie tony jakiejś podniosłej pieśni, wykonanej przez złotych laureatów tegorocznego „Słowika", szacowne jury majestatycznie opuściło salę i zostawiona nareszcie sama sobie młodzież, której pozostało już tylko powynosić krzesła i posprzątać estradę, wpadła po prostu w euforię.

W jakimś momencie, gdy miałem zamknąć wieko fortepianu, nie zrobiłem tego, lecz ni stąd, ni zowąd, zacząłem uderzać rytmicznie cztery dźwięki schodzące w dół w minorowym postępie, które w tym prostym uszeregowaniu stanowiły charakterystyczną introdukcję wielu jazzowych standardów, w tym słynnego szlagieru Raya Charlesa *Hit the Road Jack*. Ta moja przypadkowa, wykonana właściwie mimochodem czynność wywołała najzupełniej nieoczekiwane skutki. Tłum uczniów, zajętych porządkowaniem sali, podchwycił błyskawicznie wystukiwany przeze mnie rytm – zaczęto klaskać, tupać i giąć się w tanecznych wygibasach – a dalej wypadki potoczyły się już lawinowo. Moi partnerzy z „Modern Jazz Quartet" poczuli jakby zew krwi i rzucili się do instrumentów. Pierwszy dołączył do mnie kontrabasista, wyszarpując ze strun te same cztery tony w rytmie ósemkowym. Drugi zameldował się na estradzie perkusista: w mgnieniu oka ściągnął z zestawu pokrowce, zasiadł za bębnami, po czym wykonawszy efektowne *entrée* na werblu i talerzu, w skupieniu, jakby przyczajony i z głową lekko odchyloną w bok, zaczął podrzucać nam stosowny czwórkowy podkład. I wtedy – jeszcze ze schowka, gdzie przechowywane były instrumenty – odezwała się trąbka: najpierw powtórzyła z nami, kilkakrotnie, owe cztery elektryzujące dźwięki wstępu, po czym, gdy solista wkroczył wreszcie na estradę, witany ekstatycznymi wrzaskami i pohukiwaniami, rozległy się pierwsze takty tematu.

Zebranych ogarnął istny szał. Zaczęli tańczyć, podrygiwać, miotać się jak w konwulsjach. A na estradę wskoczył jeszcze jeden kolega, z obsługi technicznej, podstawił mi krzesło (dotąd grałem na stojąco), włożył mi na oczy czarne okulary – żeby mnie upodobnić do Raya Charlesa, i podsunąwszy pod same usta mikrofon, szepnął namiętnie:

– Daj *vocal*! Nie wstydź się!

Czy mogłem pozostać nieczuły na tak sformułowane wezwanie? Nie, ta prośba, nabrzmiała wolą rozognionego tłumu, była silniejsza niż powrósła wstydu, które dławiły mi gardło. Więc – zacisnąwszy powieki, dobyłem głosu i zachrypiałem w mikrofon:

> *Hit the road Jack*
> *and don't you come back no more...*[1]

A roztańczona sala, jak doskonale zgrana ze mną grupa wokalna, podjęła natychmiast te słowa, nasycając je własną, pełną determinacji treścią:

> *No more no more no more!*

Mało kto rozumiał, o czym mówi tekst tej pieśni – angielski nie stał w naszej szkole na wysokim poziomie – te dwa słówka jednakże, wspinające się rytmicznie po szczeblach molowego trójdźwięku w przewrocie kwart-sekstowym, ta pięknie brzmiąca dla polskiego ucha zbitka „*no more*" była zrozumiała dla wszystkich. I skandowano ją z pełną świadomością jej znaczenia. Już nie! Już dość! Już nigdy, nigdy więcej! Już nikt nie będzie wył, a my nie musimy już słuchać! Precz z festiwalem chórów i zespołów wokalnych! Niech sczeźnie „Złoty Słowik" i „Tercet egzotyczny"! Eunucha niech trafi szlag, *don't let him come back no more...*

> *No more no more no more!*

I gdy w narkotycznym zapamiętaniu, po raz nie wiem już który, wykrzykiwano z ulgą i nadzieją te słowa, do sali wpadł jak bomba nasz nauczyciel śpiewu i – czerwony na twarzy, jakby za chwilę miał dostać ataku apopleksji – wrzasnął swoim piskliwym głosem:

– Co tu się dzieje, do jasnej cholery!

I właśnie w tym momencie zdarzyło się coś, co zdarza się na ogół tylko w wyobraźni lub w dobrze wyreżyserowanych filmach – jeden z owych nielicznych cudów, jakie trafiają się człowiekowi w życiu.

Jak dobrze wiedzą ci, co mają w pamięci przebój Raya Charlesa, w ostatnim takcie podstawowej frazy (ściśle, w drugiej jego połowie), na trzech

---

[1] Zabieraj się, Jack
i nie wracaj już...

16

synkopowanych dźwiękach, niewidomy śpiewak murzyński łamiącym się kogucio głosem zadaje błazeńskie pytanie „What you say?" – dosłownie znaczące „Co mówisz?", a faktycznie: „Jak, przepraszam?" lub „Coś ty powiedziała?" (zwraca się z tym do wokalnej partnerki, która gra rolę kobiety wyrzucającej go z domu). Ta pytajna eksklamacja, zapewne dlatego, że kończy się dominantą, jest – w sensie muzycznym – rodzajem puenty, jednym z owych czarodziejskich momentów w muzyce, na który podświadomie się czeka i który, gdy przychodzi, wywołuje w nas osobliwie rozkoszny dreszcz.

Otóż tak się złożyło, że straszliwy krzyk Eunucha wypadł dokładnie na koniec  p r z e d o s t a t n i e g o  taktu frazy. Na podjęcie decyzji miałem nie więcej niż sekundę. Uderzyłem dwa pierwsze tony ostatniego taktu (będącego zarazem kolejnym nawrotem wiadomej introdukcji) i wykrzywiając twarz w kpiarskim grymasie kogoś, kto udaje, że czegoś nie dosłyszał, zapiałem w stronę Eunucha stojącego wśród oniemiałej naraz sali:

– What you say?!

Tak, to było to! Sala ryknęła śmiechem i wszystkich przeszył dreszcz oczyszczającej radości. Dla Eunucha jednak było tego za wiele. Jednym susem dopadł mnie przy fortepianie, zrzucił brutalnie z krzesła, zatrzasnął klapę fortepianu i wycharczał jedną ze swoich straszliwych pogróżek:

– Drogo cię będzie kosztował ten popis, smarkaczu! Będziesz się śmiał, ale baranim głosem! W każdym razie ze śpiewu  j u ż  masz niedostatecznie. I nie mam pojęcia, jak zdołasz poprawić ten stopień przed końcem roku.

Był to ostatni występ naszego „Modern Jazz Quartet". Następnego dnia został on dyscyplinarnie rozwiązany, mnie zaś, za moją, bądź co bądź, błyskotliwą solówkę, uhonorowano dodatkowo tróją ze sprawowania.


## Cały świat to scena

Krótka historia naszego zespołu wraz z zamykającym ją incydentem zdawała się potwierdzać ostrzeżenia nauczycieli przed próbami naśladowania dawnych roczników. Oto coś, co w sposób uderzający kojarzyło się z rozpamiętywanymi przez nich historiami z dawnych lat i co w ich opowieści z pewnością miałoby rumieńce i powab, w danej rzeczywistości okazało się naprzód nijakie, potem – głupawe, a wreszcie, gdy przez moment zamigotało pewnym blaskiem, natychmiast się skończyło, i to sromotnie.

Mimo to nie dałem jednak za wygraną i z nadejściem nowego roku podjąłem kolejną próbę stworzenia magicznej rzeczywistości. Był to czas mojej pierwszej fascynacji teatrem. Od kilku miesięcy nic innego mnie nie interesowało. Znałem cały repertuar w mieście; na niektóre spektakle chodziłem po kilka razy; niczym zawodowy recenzent nie opuszczałem żadnej premiery. Poza tym zaczytywałem się dramatami, pożerałem wszelkie dostępne czasopisma teatralne i studiowałem biografie słynnych aktorów i reżyserów.

Żyłem w stanie zauroczenia. Tragiczne i komiczne losy bohaterów scenicznych, uroda i talent wykonawców, ich brawurowe sceny lub monologi, ich olśniewające błazenady, gra świateł zmieniająca w mgnieniu oka rzeczywistość sceny, tajemniczy półmrok, oślepiający blask, zagadka kulis, w których znikają postaci, ciemność i nastrojowy gong przed rozpoczęciem aktu i wreszcie radosny finał: owacja widowni i ukłony artystów, w tym również i tych, którzy jako postaci zginęli właśnie przed chwilą – cały ten świat iluzji działał na mnie zniewalająco i mógłbym w owym czasie nie wychodzić z teatru.

Postanowiłem spróbować własnych sił. Jak to jest – być na scenie i czarować innych? Hipnotyzować ich wzrokiem, mimiką, głosem. I w ogóle – zrobić spektakl. – Niepomny niedawnych kłopotów, jakich przysporzył mi „Modern Jazz Quartet", założyłem szkolny zespół teatralny.

Droga, na którą wkroczyłem, nie była usłana różami. Przeciwnie, jeżyła się od trudności i zdradliwych wybojów w znacznie większym stopniu, niż gdy się grało jazz. Uprawianie muzyki, na jakimkolwiek poziomie, zakłada określone, wymierne umiejętności – już samo ich posiadanie stanowi rękojmię przynajmniej podstawowego efektu. Tymczasem sztuka teatru, z pozoru łatwiej dostępna, jeśli ma w końcu wydać czarodziejski owoc, a nie stać się podstępnie źródłem ośmieszenia, wymaga bardzo szczególnych zdolności i kolosalnej pracy. Z tych właśnie powodów musiałem mocno trzymać się na wodzy, by duch rozczarowania nie sparaliżował mych działań. Bo to, z czym miałem do czynienia, nie tylko daleko odbiegało od moich nadziei i marzeń, lecz wystawiało mój afekt do boskiej Melpomeny na najwyższą próbę.

18

Każdy, kto choćby raz brał udział w przedstawieniu, wie, czym są próby, zwłaszcza próby wstępne, i jak zniechęcająco działa wszelka połowiczność – brak dekoracji, kostiumów, świateł, rekwizytów, niedostateczna znajomość tekstu na pamięć, drętwa intonacja, niezdarne ruchy i gesty. By jednak wyrobić sobie pojęcie o rozmiarach mojej męki, należy wymienione powyżej elementy pomnożyć jeszcze przez współczynnik szkolnej amatorszczyzny i brak głębszej motywacji wśród uczestników przedsięwzięcia. Niby ufali mi i – łudzeni przeze mnie rozmaitymi mirażami – wierzyli, że w końcu do czegoś dojdziemy i że się to opłaci, z drugiej strony jednak, widząc to samo co ja, coraz to popadali w zwątpienie, a to pociągało za sobą dalszy spadek poziomu i chęć natychmiastowej rezygnacji.

– Marnujemy tylko czas – mawiano w takich momentach. – Nic z tego nie wyjdzie, tylko się ośmieszymy. A jeśli nawet wyjdzie, to ile razy możemy wystąpić? Raz? Dwa? Warto tyle zachodu dla jednego występu?

– Warto – odpowiadałem. – Jeżeli się uda, to nawet dla jednego momentu warto. Wiem coś na ten temat... – (Miałem, naturalnie, na myśli łabędzi śpiew „Quartetu".)

– E tam, takie gadanie... – machano na to ręką i rozchodzono się w milczeniu.

Wreszcie, po wielomiesięcznych przygotowaniach, dziesiątkach zmian obsadowych i koncepcyjnych, po niezliczonych załamaniach nerwowych i desperackich zrywach, gdzieś pod koniec kwietnia – spektakl przybrał ostateczną formę. Był to montaż wybranych scen i monologów z najsłynniejszych dramatów od Ajschylosa do Becketta. Zatytułowany *Cały świat to scena*, trwał niecałą godzinę i tchnął najczarniejszym pesymizmem. Zaczynało się to od monologu Prometeusza przykutego do skały; później szedł dialog pomiędzy Kreonem i Hajmonem z *Antygony*; dalej kilka gorzkich urywków z Szekspira, w tym monolog Jakuba z *Jak wam się podoba* o siedmiu okresach życia ludzkiego (zaczynający się od słów wziętych na tytuł całości); następnie finał *Mizantropa* Moliera, początkowy monolog Fausta i fragment jego dialogu z Mefistofelesem; a wreszcie, na zakończenie, kawałek monologu Hamma z *Końcówki*.

Scenariusz ten, przedłożony szkolnym władzom do wglądu, nie został zatwierdzony.

– Dlaczego to takie ponure? – wybrzydzał wicedyrektor, chudy, wysoki mężczyzna o ziemistej twarzy i wyglądzie gruźlika, przezywany Soliterem.

– Gdy czyta się to wszystko, to się żyć odechciewa. Nie możemy tolerować w szkole defetyzmu.

– To jest klasyka, panie dyrektorze – broniłem swojego dzieła. – Prawie wszystko lektury obowiązkowe. Ja nie układałem programu dla szkół.

– Nie zasłaniaj się programem – krzywił się wicedyrektor, przerzucając skrypt kartka po kartce. – Teksty dobrane są tendencyjnie. Tak żeby podać w wątpliwość wszelkie wartości i zniechęcić przez to do nauki i pracy. O, proszę – zatrzymał się na stronicy z monologiem Fausta i odczytał jego pierwsze linijki:

> Choć filozofię studiowałem,
> medyczny kunszt, arkana prawa
> i teologię też, z zapałem
> godnym, zaiste, lepszej sprawy,
> na nic się zdały moje trudy -
> jestem tak mądry jak i wprzódy!

– No? I co to znaczy? Że nie warto się uczyć, bo i tak się do niczego nie dojdzie, tak? I ty chcesz, żebyśmy temu przyklasnęli?!

– Braliśmy to na lekcjach polskiego! – odparowałem zniecierpliwionym tonem. – Więc jak to jest? Że gdy się czyta w domu albo na lekcji, to jest dobrze, a gdy się powie ze sceny, to źle?

– Na lekcji to co innego – odparł spokojnie Soliter. – Na lekcji jest nauczyciel, który tłumaczy wam, co autor miał na myśli.

– Więc o co, według pana, panie dyrektorze, chodziło tutaj Goethemu? – spytałem z ironią w głosie.

– Jak to o co? – prychnął wicedyrektor. – O pychę! O zadufanie. O zarozumiałość, właśnie taką jak twoja. Że gdy zaczyna się myśleć, że zjadło się wszystkie rozumy, to musi się to źle skończyć. Masz, tu jest to napisane – odczytał kolejne linijki:

> Ku magii przeto zwracam wzrok:
> czy za nieczystych duchów sprawą
> nie pryśnie tajemnicy mrok,
> nie stanie się przeczucie jawą?

– Proszę bardzo! Magia, nieczyste siły, konszachty z diabłem, oto czym kończy zawsze wszelki zarozumialec. Tylko że o tym twój scenariusz już nie mówi. A poza tym – zmienił nagle temat – dlaczego tu w ogóle nie ma literatury ojczystej? Ostatecznie, jest to szkoła polska.

20

– To jest wybór z największych arcydzieł w historii dramatu... – zacząłem z udręką w głosie, ale Soliter przerwał mi w pół słowa z przesadnie eksponowanym sarkazmem:

– A więc literatura ojczysta nie ma, według ciebie, dramatów godnych zainteresowania. Mickiewicz, Słowacki, Krasiński to są dla ciebie płotki, drugorzędne, trzeciorzędne nazwiska...

– Tego nie twierdzę – z łatwością odparowałem ten sztych. – Jakkolwiek, z drugiej strony, nie może pan dyrektor nie przyznać, iż Ajschylosa, Szekspira, Moliera i Goethego gra się na całym świecie, podczas gdy nasi wieszczowie święcą tryumfy raczej tylko u nas.

– Cudze chwalicie, swego nie znacie, jak powiada przysłowie... – zakpił wicedyrektor.

– Ściśle rzecz biorąc – pośpieszyłem ze sprostowaniem – nie jest to przysłowie, lecz wyimek z wiersza Stanisława Jachowicza, innego naszego wielkiego poety. Wie pan, panie dyrektorze, tego, co napisał „Pan kotek był chory i leżał w łóżeczku", na pewno pan czytał...

– No, no! – uciął ten popis erudycji Soliter. – Nie bądź-no taki mądry! Twoja postawa jest typową postawą kosmopolityczną. Wiesz, co to jest kosmopolityzm?

– Obywatelstwo świata – odpowiedziałem krótko.

– Nie – rzekł wicedyrektor. – Jest to bierny, a nawet pogardliwy stosunek do tradycji i kultury własnego narodu. Ty zapatrzony jesteś w Zachód, bałwochwalczo przed nim klęczysz.

– W Zachód? – udałem zdziwienie. – Grecja, o ile mi wiadomo, zwłaszcza przed naszą erą...

Soliter nie pozwolił mi jednak dokończyć.

– Jakoś dziwnym trafem nie ma w twoim scenariuszu Czechowa, Gogola, Tołstoja, a nie powiesz mi chyba, że dzieła tych mistrzów grane są tylko w Rosji... znaczy, w Związku Radzieckim, chciałem powiedzieć.

– Więc jak? – widziałem, że dalsza dyskusja do niczego nie prowadzi. – Nie możemy tego pokazać?

– W tej formie nie. Chyba że dokonasz zmian, które ci zasugerowałem.

– Muszę to przemyśleć – powiedziałem dyplomatycznie, a w duchu pokazałem mu straszliwego „wała".

Wypiąć się na Solitera, zwłaszcza w myśli, to nie była wielka sztuka. Sztuką było wybrnąć z powstałej sytuacji. Po tylu miesiącach prób, marzeń i nadziei, absolutnie nie czułem się na siłach, aby powiadomić zespół o negatywnej decyzji wicedyrektora. Z drugiej strony, nie mogłem tego zataić i – grając na czas – zwodzić uczestników obietnicami bez pokrycia. Nie mając nic do stracenia, jeszcze tego dnia udałem się do biura Warszawskiego Przeglądu Scen Amatorskich i Szkolnych, które mieściło się w jednym ze stołecznych teatrów, z myślą o zgłoszeniu naszego spektaklu do konkursu. Nie szedłem tam jednak beztrosko. Pomysł, aby wziąć udział w tego rodzaju imprezie (najpoważniejszej w danej kategorii), w dodatku na przekór Soliterowi, działał podniecająco, zarazem jednak wzbudzał paniczny strach przed blamażem. Nasze doświadczenie sceniczne było niezwykle ubogie. Nie zmierzywszy się jeszcze ani razu z widownią, nie znaliśmy własnych reakcji. Co zrobi z nami trema? Czy nie nawali pamięć? Jak damy sobie radę z nieprzewidzianą sytuacją? A poza tym, nie miałem zielonego pojęcia, jaka jest konkurencja. Może nasza składanka, niezależnie od tego, jak nam pójdzie występ, okaże się infantylna lub, co gorsza, nudna? Albo po prostu śmieszna w swym zadęciu na tragizm? Tego rodzaju porażka byłaby upokarzająca. Czułem, że podejmuję ogromne ryzyko.


W biurze organizacji Przeglądu panował senny spokój. Za stołem siedziała młoda sekretarka i malowała sobie paznokcie.

– Chciałbym zgłosić zespół do tegorocznego Przeglądu – powiedziałem nieśmiało.

– W czyim imieniu przychodzisz? – spytała sekretarka, nie przerywając czynności, którą była zajęta.

– Jak to w czyim? – zdziwiłem się. – We własnym. W imieniu zespołu, który reprezentuję.

Obrzuciła mnie wzrokiem.

– Nie wyglądasz mi na instruktora ani na nauczyciela – powiedziała, wracając do paznokci.

– Co więcej, nie jestem żadnym z nich – stwierdziłem z udanym smutkiem. – Czy znaczy to, że nie mam prawa do zgłoszenia zespołu?

– Termin zgłoszeń już minął – odrzekła wymijająco.

Poczułem przykry skurcz serca, a jednocześnie – ulgę. Cóż, nie udało się, lecz może to i dobrze. Przepada wprawdzie szansa na zwycięstwo i laur, lecz znika też zarazem widmo kompromitacji.

– Minął... – powtórzyłem jak echo. – A wolno wiedzieć, kiedy?
– Dziś o dwunastej w południe – wyjaśniła z obłudnym żalem.
Spojrzałem na zegarek. Było piętnaście po trzeciej.
– Do drugiej miałem lekcje – powiedziałem jakby do siebie.
– Trzeba było przyjść wczoraj – rozłożyła ręce w bezradnym geście, sprawdzając przy okazji efekt swoich zabiegów kosmetycznych.
– No tak... – bąknąłem z rezygnacją i zacząłem się zbierać do wyjścia, lecz w tym momencie wkroczył do pokoju ni mniej, ni więcej, tylko sam ES we własnej osobie, jeden z najpopularniejszych w owym czasie aktorów, i sekretarka zerwała się z miejsca z przymilnym uśmiechem.

ES znany był nie tylko jako wybitny artysta dramatyczny, lecz również jako fascynująca, kapryśna osobowość. Krążyły o nim legendy, jaki bywa trudny we współpracy, jakie płata figle partnerom na scenie i jaki zarazem potrafi być miły dla personelu pomocniczego, a zwłaszcza dla swoich wielbicieli. Słyszało się wiele o jego narcyzmie i megalomanii, i o tym, jak zabawnie ukrywa te słabości pod maską skromnego, nieśmiałego prostaczka. Łasy na poklask i wyrazy podziwu, chętnie zadawał się z młodzieżą, ucząc w szkole aktorskiej i patronując różnym imprezom teatralnym, takim właśnie jak Przegląd Scen Amatorskich. Ostatnio święcił tryumfy jako Prospero w Burzy Szekspira – spektaklu, na który bilety wykupione były na wiele tygodni naprzód, a który ja zdołałem obejrzeć już kilkakrotnie i poznać prawie na pamięć.

Teraz, gdy wszedł do gabinetu z figlarnym „Buon giorno, cara mia" rzuconym sekretarce, ujrzałem go z bliska po raz pierwszy w życiu i aż mnie zatkało z wrażenia. Po chwili jednak, gdy wspaniałomyślnie zafundował mi rękę i przedstawił się po kabotyńsku, odzyskałem przytomność umysłu i podjąłem grę, w której dostrzegłem dla siebie cień szansy. Zwróciłem się mianowicie do niego słowami Ariela:

> Witaj, wielki mistrzu!
> Witaj, czcigodny panie! Jestem gotów
> Do wszelkich usług: czy mi każesz fruwać,
> Pływać, nurkować w ogień czy ujeżdżać
> Stada kudłatych chmur – każde zadanie
> Wypełni Ariel z kohortą swych duchów.

Spojrzał na mnie bystro i z upodobaniem, po czym, przybrawszy w mgnieniu oka surową i wyniosłą minę swojego wspaniałego Prospera, podjął dialog z miejsca, do którego doszedłem:

23

Czy rozegrałeś burzę, jak kazałem?

– Tak, co do joty – rzekłem, jakbym grał z nim na scenie. I dalej, Szekspirowską frazą:

> Na królewski statek
> Spadłem i siałem płomienistą grozę...

Postąpił krok w moją stronę i objął mnie ramieniem:

> Brawo, mój duchu!
> Czy był ktoś mężny, kto w owym zamęcie
> Nie stracił głowy?

Odpowiedziałem z rozpędu kwestią z Szekspira:

> Nie było takiego...

lecz wypowiedziawszy te słowa, zrobiłem krótką pauzę, jakbym się zawahał, po czym, patrząc mojemu niezwykłemu partnerowi prosto w oczy, niespodziewanie dla samego siebie, pociągnąłem dalej w rytmie heroicznego jedenastozgłoskowca:

> Choć był właściwie... A był to, niestety,
> Ten, który oto tu stoi przed tobą.
> Wiedziony żądzą nieśmiertelnej sławy,
> Przyszedłem zgłosić swój udział w turnieju,
> W którym ty, mistrzu, masz być sędzią głównym;
> Lecz tu Sykoraks -

zrobiłem dyskretny gest w stronę sekretarki

> - ta wiedźma przebrzydła,
> Malując sobie pazury, powiada,
> Że termin zgłoszeń minął dziś w południe -

spojrzałem na zegarek:

> A więc zaledwie trzy godziny temu.
> Właśnie ta strzała zawistnego losu
> Sięgając celu sprawiła, żem stracił
> Głowę i nie wiem, co mam począć dalej.
> Teraz nadzieja tylko w tobie, panie!
> Podasz mi rękę – wstawiając się za mną?

ES patrzył na mnie z narastającym osłupieniem na twarzy, lecz gdy wybrzmiała ostatnia linijka mej zaimprowizowanej tyrady, odzyskał sparaliżowany na chwilę refleks i podjął rzucone mu wyzwanie:

24

Sykoraks, mówisz, nie chce cię dopuścić?
Dobrze, spróbuję użyć moich czarów,
By złamać opór tej złośliwej jędzy.

Przywdział na twarz błazeńsko srogą minę, postąpił krok w stronę sekretarki i wyciągnął ku niej ramiona w hipnotyzującym geście:

Masz mnie usłuchać, okrutna królowo!
Ten śmiały młodzian ma być dopuszczony!

Na te słowa sekretarka po prostu rozpłynęła się w przypochlebnym zachwycie i rzekła, wpadając mimowolnie w rytm szekspirowskiego wiersza:

Ma się rozumieć, panie profesorze!

Na to z kolei rozkrochmalił się ES. Rozłożył ręce w geście oczarowa-
nia i, rozanielony na twarzy, zakwilił jedną ze swoich słynnych intonacji
(karykaturalnie, groteskowo słodką):

– Jak ślicznie!... – Po czym przytulił sekretarkę po ojcowsku i zaczął ją
gładzić po głowie, a ona dostała wypieków na twarzy i szczerzyła zęby
w nerwowym, szerokim uśmiechu, pełnym słodyczy i zawstydzenia.


Do domu wracałem jak na skrzydłach. Bądź co bądź, w ciągu niespełna piętnastu minut spadła na mnie lawina przeżyć, z których każde można by trawić co najmniej parę dni. – Poznałem osobiście ES-a!... Bawiłem
się z nim, jakbym grał z nim na scenie!... Oczarowałem jak sztukmistrz!...
No, ale przede wszystkim zostaliśmy zakwalifikowani do konkursu, i to
w jak efektownym stylu! – Rozpierała mnie radość i mocne poczucie, że
oto moja godzina nareszcie wybiła. Po tak niezwykłym początku, po tak
radykalnym odwróceniu się losu nie mogło nastąpić nic innego jak tylko
dalszy wzlot.

Spotkałem się niezwłocznie z kolegami z zespołu i, nie szczędząc w słowach środków dopingujących, opowiedziałem im, co zaszło i co to dla nas
znaczy.

– Mam przeczucie, że wygramy ten konkurs – kończyłem namiętnie
swoją mowę zagrzewającą do walki. – Wyobraźcie sobie tylko minę Solitera, jak się o tym dowie. Będziecie chodzić w glorii!

Po raz pierwszy robili wrażenie naprawdę przekonanych. Nasz spektakl jako zgłoszony „w ostatniej chwili" wyznaczony został na koniec Prze-

glądu. Mieliśmy więc możność poznania całej konkurencji, nim przyszła kolej na nas. Uznałem to jednak za niepożądane. Jeśli występy innych okazałyby się dobre, a zwłaszcza bardzo dobre, mogłyby zasiać w nas zwątpienie we własne siły i podciąć nam skrzydła; jeśliby zaś okazały się słabe, a zwłaszcza beznadziejne, obniżyłyby wartość i smak zasłużonego zwycięstwa. Rozumowałem jak strateg kierujący rozstrzygającą bitwą.

Wreszcie nasza godzina wybiła.

W teatrze, w którym odbywał się Przegląd, zjawiliśmy się na krótko przed wejściem na scenę. Trwała akurat przerwa i na korytarzu od razu natknęliśmy się na ES-a otoczonego wianuszkiem wpatrzonych w niego nabożnie młodocianych wielbicieli – zapewne uczestników konkursu. ES jakby tylko czekał na nasze przybycie, a ściśle rzecz biorąc – na moje. Wzniósł ręce do góry w powitalnym geście i wypowiedział kwestię, którą najwyraźniej sobie przygotował:

> Jest i nasz Ariel! Jak się miewasz, duchu?
> Jaką dziś sztuczką pragniesz nas zadziwić?

Poczułem, że oblewa mnie fala gorąca, a serce zaczyna bić w przyspieszonym tempie. Było dla mnie jasne, że od tego, co – a raczej, jak – na to odpowiem, bardzo wiele zależy. Niebaczny więc na straszliwe niebezpieczeństwo wyłożenia się przed nieznanym mi audytorium, wypaliłem bez namysłu, dbając jedynie o zachowanie właściwego rytmu:

> Niech ci wystarczy, mistrzu, jeśli powiem,
> Że ujrzysz zaraz cały świat na scenie!

I żeby uniknąć dalszych komplikacji, pokazałem wymownie na zegarek i ruszyłem energicznie w stronę garderoby, pociągając za sobą rozradowanych i dumnych ze mnie partnerów z zespołu. W ostatniej chwili przed zamknięciem drzwi zdążyłem jeszcze usłyszeć rozanielony głos ES-a, dalej czarującego gromadkę słuchaczy:

– Ja zawsze z nim tak rozmawiam...


Występ, jak przeczuwałem, poszedł nam bardzo dobrze. O tym, by się ktoś potknął, czy choćby zająknął, nie było nawet mowy. Graliśmy jak w natchnieniu, bawiąc się kwestiami. Przed oczami widzów przetaczały się, jedna po drugiej, majestatyczne sceny z arcydzieł światowego dramatu, wieńczone za każdym razem jakimś monologiem, który miał pełnić rolę antycznego chóru. Lecz to, co decydowało o sile ich wyrazu, nie wynikało z techniki – z opanowania tekstów czy swobody bycia na scenie. Wynikało to głównie z tego, że nasycone było prawdą – prawdą naszych przeżyć i uczuć – że mówiąc te wszystkie teksty, mówiliśmy jakby o sobie. Tak jak tamten tłum uczniów po Festiwalu Chórów podchwycił owo „*no more*" i nadał mu własny sens, tak samo teraz my – posiłkując się słowami klasyków – śpiewaliśmy własną pieśń. Była to pieśń gniewu i buntu, goryczy i żalu. Nie taka powinna być młodość, nie taka szkoła i świat! Prometeusz przykuty do skały to był ubóstwiany przez nas młody nauczyciel, którego wyrzucono właśnie z pracy za zbyt tolerancyjne metody wychowawcze. Nieprzejednany, dogmatyczny Kreon uosabiał ograniczonego Solitera. Wszelkie głupkowate kreatury szekspirowskie wyobrażały Eunucha lub jemu podobne typy. Mizantropa zaś przeznaczyłem dla siebie: Alcestem byłem ja. Ze szczególnym upodobaniem celebrowałem jego końcowy monolog:

> Ja, z wszystkich stron zdradzony, zdeptany niegodnie,
> Uciekam z tej otchłani, gdzie panują zbrodnie;
> Będę szukał odległej na świecie ustroni,
> Gdzie uczciwym człowiekiem być nikt mi nie wzbroni.

Lecz jeszcze więcej serca wkładałem w monolog Hamma z *Końcówki*, być może dlatego, że zamykał on spektakl. Robiłem kilka kroków w kierunku proscenium i – przeszywając wzrokiem salę, a głównie siedzące przy długim stole jury z ES-em po środku jako przewodniczącym – zaczynałem ze stoickim spokojem:

> Ja teraz. Gram.
> Płacze się, płacze, z niczego, po to, żeby się nie śmiać,
> i z wolna popada się... w prawdziwy smutek.

Po tych słowach obrzucałem salę przeciągłym spojrzeniem i kontynuowałem:

> Wszyscy, którym mogłem kiedyś pomóc. Pomóc!
> Których mogłem ocalić. Ocalić!
> Przychodzili ze wszystkich kątów.

I nagle, piorunując zebranych wzrokiem, nacierałem na nich z furią:

> Ależ pomyślcie przez chwilę, ależ przez chwilę pomyślcie!
> Jesteście na Ziemi, na to rady nie ma!

27

> Zabierajcie się stąd i miłujcie wzajem!
> Niech jeden liże drugiego!
> Wynoście się, z powrotem do swoich orgii!

Wyrzuciwszy to z siebie, popadałem z kolei w rodzaj posępnej apatii i, ni to do siebie, ni to do słuchających, wypowiadałem cicho ostatnie dwa zdania:

> To wszystko, to wszystko.
> Koniec jest już w początku, a jednak brnie się dalej.

Opuszczałem powoli głowę i wtedy następował *blackout*, podczas którego pospiesznie schodziliśmy wszyscy ze sceny.

Burza oklasków, która zerwała się w tym momencie, nie pozostawiała wątpliwości, co do wyników konkursu. I, rzeczywiście, dobra nowina nie kazała na siebie długo czekać. O naszym zwycięstwie – co prawda jeszcze nieoficjalnie – dowiedzieliśmy się w jakąś godzinę później, gdy w hallu przy szatni natknęliśmy się na członków jury opuszczających obrady.

Wiadomość przekazał nam, oczywiście, ES – i w łatwy do przewidzenia sposób:

> Brawo, mój duchu! Spisałeś się świetnie.
> Pierwszą nagrodą jesteś wyróżniony.

– Nie wierzę – odparłem z fałszywą skromnością, przerywając wreszcie tę szekspirowską katarynkę. – Zbyt piękne, żeby było prawdziwe...

– Przekonasz się wkrótce – odrzekł, również przechodząc na prozę. – Prospero nie kłamie. Płata najwyżej figle – zmrużył po łobuzersku oko. I wszystkim z nas, po kolei, zafundował rękę, powtarzając przy każdym uścisku solenne „gratuluję".


Byłem szczęśliwy. Oto po raz pierwszy spełniało się coś, o czym tak wiele razy myślałem i marzyłem. Rzeczywistość, w której uczestniczyłem, ba! którą poniekąd tworzyłem, istotnie, była na miarę niektórych legend i mitów. Czułem się jak bohater, który przechodzi do historii. Niedługo jednak dane mi było cieszyć się tym uczuciem.

W kilka dni później, gdy wiadomość o naszym zwycięstwie oficjalnie dotarła do szkoły, na sobotnim apelu porannym, na którym podsumowywano miniony tydzień, na katedrę wkroczył naraz Soliter i palnął taką mniej więcej mówkę:

– Miło mi zakomunikować wam wszystkim i radzie pedagogicznej, że nasz zespół teatralny, który prowadzimy, zdobył pierwszą nagrodę na tegorocznym Przeglądzie Scen Amatorskich i Szkolnych, z czego jesteśmy bardzo radzi i gratulujemy zwycięstwa.

– No i widzi pan, panie dyrektorze – wyrwał się na całą salę nasz Hajmon – a nie chciał pan tego puścić!

– Mylisz się – odpowiedział mu spokojnie i z uśmiechem Soliter – nie chciałem puścić czegoś zupełnie innego, czegoś, za co na pewno nie dostalibyście żadnej nagrody. Na szczęście, wasz p r z e w o d n i c z ą c y – wyłowił mnie wzrokiem na sali i wskazał ręką – okazał się rozsądnym chłopcem, usłuchał mojej rady i zmienił, co trzeba.

– Nieprawda! – tego załgania ja z kolei nie wytrzymałem. – Zagraliśmy wszystko tak, jak było w scenariuszu.

– Po-pra-wio-nym! – pogroził mi filuternie palcem Soliter, neutralizując w ten sposób gorszącą bądź co bądź okoliczność, iż publicznie zarzuciłem mu kłamstwo. – No ale dość już tych swarów o głupstwa – zakończył wspaniałomyślnie.

Akcja Solitera odniosła skutek. Niby wierzono nam, a nie jemu, a jednak ziarno wątpliwości zostało posiane. Mimo wszystko, nie podejrzewano wicedyrektora o tak daleko posuniętą przewrotność. I coraz to – niby w żartobliwy sposób, dla mnie jednak wyjątkowo irytujący – dokuczano nam rozmaitymi zaczepkami lub pytaniami w rodzaju: „No więc jak, była cenzura czy nie?"

Psuło mi to krew, chodziłem coraz bardziej markotny i czekałem tylko na dzień uroczystego rozdania nagród. „Wiadomo", myślałem z goryczą, „na szkołę nie ma co liczyć. Już dawno trzeba było położyć na tym krzyżyk. Uznanie i właściwa ocena pisane mi są gdzie indziej!" – Na ile słuszne było to założenie, przekonać się miałem już za kilka dni.


Uroczystość wręczenia nagród, połączona z prezentacją krótkich fragmentów wyróżnionych spektakli, wyznaczona została na niedzielę o piątej po południu. Miejscem, w którym miała się odbyć, nie był już jednak teatr, gdzie rozgrywał się konkurs, lecz Miejski Dom Kultury, będący raczej placówką użyteczności publicznej niż świątynią sztuki. Mieściły się tam różne biura, pracownie techniczne, kawiarenka dość niskiej klasy i wielka sala konferencyjna, gdzie najczęściej odbywały się zebrania rozmaitych „aktywów", a w weekendy – bądź smętne wieczorki rozrywkowe dla mieszkających w pobliżu emerytów, bądź hałaśliwe potańcówki dla starszej młodzieży, z reguły kończące się pijatyką i awanturami. Nie było to więc specjalnie zachęcające miejsce, a jak na moje aspiracje i oczekiwania – po prostu haniebne, uwłaczające mej artystycznej duszy. No, ale widocznie nie było innej możliwości – próbowałem to sobie jakoś wytłumaczyć – teatry o tej porze, nawet jeśli jeszcze nie grają, to gotowią się już do wieczornych spektakli, nic więc dziwnego, że nie mogły użyczyć nam swej gościny. Owszem, szkoda, że tak miła dla mnie ceremonia nie odbędzie się w wielbionym przeze mnie przybytku, lecz ostatecznie – pocieszałem się – nie to jest najważniejsze, więc nie ma się czym przejmować.

Gdy jednak w wyznaczonym dniu zjawiliśmy się na miejscu, tłumiony dotychczas żal przerodził się w poważny niepokój. Albowiem rzeczywistość, w jakąśmy wkroczyli, była rzeczywistością jak z koszmarnego snu.

Osławiona sala konferencyjna przystrojona była jak na karnawałową zabawę. Na estradzie krzątali się gorączkowo członkowie wielbionego przez okoliczną młódź zespołu big-beatowego „Poganiacze kotów": w beatlesowskich sztybletach na wysokim obcasie, wąskich, obcisłych spodniach i krótkich marynarkach, z których wyłaziły pokraczne żaboty, podłączali kable elektrycznych gitar, stroili przerobione z radioaparatów wzmacniacze i próbowali co chwila mikrofonu chrypliwym odliczaniem „raz dwa trzy, raz dwa trzy", co wzbudzało czasami niesamowity wizg i wibrowanie szyb w oknach.

Na widowni zaś gromadziła się najdziwniejsza pod słońcem mieszanka publiczności. Pierwsze rzędy zajmowali emeryci z pobliskiego Domu Spokojnej Starości. W rzędach środkowych i na ławkach po bokach siadali uczestnicy konkursu oraz ich licznie reprezentowane rodziny, a także delegacje ze szkół, mające zapewne robić klakę swoim wyróżnionym kolegom. Wreszcie, z tyłu sali gromadziła się tak zwana „czerń", czyli przerośnięci uczniowie szkół zawodowych, żołnierze na przepustkach i wataby krewkich wyrostków, skorych do zaczepek i niewybrednych żartów.

Było oczywiste, co to wszystko znaczy. Nasza uroczystość została włoczona w istniejący harmonogram zajęć Domu Kultury. Zresztą, być może, spadała kierownictwu jak z nieba. Bo oto, z jednej strony, była wprost wymarzonym programem dla emerytów, a z drugiej, idealną formą kulturalnej pańszczyzny, jaką – zgodnie z zaleceniem ministerstwa oświaty – zawsze musiała odrobić „czerń" w zamian za huczną potańcówkę.

Rozglądałem się rozpaczliwie za ES-em i innymi członkami jury, w nadziei, że ich obecność, jeśli nawet nie podniesie znacznie rangi imprezy, to zapewni jej przynajmniej jaką taką powagę. Daremnie. Prospero zdjąwszy swój płaszcz, rozpłynął się jak kamfora.

Wkrótce spostrzegłem natomiast innego aktora, lalusiowatego gładysza, znanego zresztą głównie nie z teatru czy filmu, lecz z najpodlejszych programów rozrywkowych w rodzaju „Zgaduj Zgaduli" czy „Podwieczorku przy mikrofonie". Mężczyzna ten, ubrany w czarny garnitur, lakierki, białą non-ironową koszulę i pretensjonalną muszkę, kręcił się nerwowo przy estradzie, rozmawiał z organizatorami i zapisywał coś w notesie. Nie ulegało wątpliwości, że to on właśnie będzie prowadził całą imprezę.

No, i zaczęło się. Wypomadowany pajac wskoczył tanecznym krokiem na estradę, chwycił mikrofon i przystąpił do swej konferansjerskiej błazenady. Mizdrzył się, dowcipkował i pławił w duserach pod adresem widowni. Było to w najgorszym, tandetnym stylu, sala jednak cieszyła się i biła mu brawo.

Procedura wręczania nagród odbywała się według następującego schematu: konferansjer wywoływał zespół na estradę (zaczął od najniższej lokaty), dokonywał – z kartki – prezentacji poszczególnych osób biorących udział w spektaklu, po czym – modulując głos na podobieństwo amerykańskich showmanów – obwieszczał wynik, czyli za co lub którą nagrodą zespół został uhonorowany. W tym momencie perkusista „Poganiaczy kotów" wykonywał hałaśliwy tusz na werblu i talerzu, konferansjer wręczał komuś z zespołu dyplom i zaraz usuwał się na bok, zostawiając laureatów samych na scenie, po to, by zademonstrowali oni swój kunszt jakimś popisowym numerem. Wreszcie, gdy i ta część rytuału dobiegała końca, następował – jakże dobrze mi znany skądinąd – przerywnik muzyczny (witany owacyjnie głównie przez tylne rzędy widowni), czyli jakiś utwór big-beatowy w wykonaniu „Poganiaczy kotów".

Upiorne to było widowisko. Najgłupsze akademie szkolne i najczarniejsze momenty Festiwalu Chórów nie umywały się do tego, co rozgrywało się oto przed naszymi oczami. Groteska, parodia, absurd... – nie, żadne z tych słów nie oddaje w pełni idiotyzmu owej tragifarsy. Po plecach ściekał mi zimny pot zażenowania i wstydu.

„Gdzie ja jestem? Co ja tu robię? Po co mi było to wszystko?" – lamentowałem w duchu.

Tymczasem nieubłaganie zbliżała się nasza kolej. Nie wiedziałem, co czynić. Nie wyjść na estradę? Nie przyjąć nagrody? Odmówić wykonania fragmentu spektaklu? Na taką ostentację nie potrafiłem się zdobyć. – Ostatecznie o biegu wypadków zadecydował żywioł improwizacji.

Kiedy nadeszła w końcu najpotworniejsza chwila, gdy konferansjer, wspiąwszy się na najwyższy diapazon swoich możliwości głosowych, wywołał nas na estradę, jeden z moich partnerów (dokładnie: Prometeusz) szepnął do mnie, podnosząc się z miejsca:

– Rób, co chcesz, ale na nas nie licz. My tu nie wystąpimy.

– Biorę wszystko na siebie – wycedziłem przez zęby jak kapitan okrętu idącego na dno. – Po wręczeniu dyplomu możecie zejść ze sceny.

Staliśmy jak skazańcy w jaskrawym świetle reflektorów, konferansjer, zerkając do kartki, bredził coś o „wysokich walorach artystycznych" naszego spektaklu, a ja, patrząc w głąb widowni, tam gdzie tłoczyła się „czerń", myślałem z autoironią:

„Czekają z obłudną pokorą, aż skończy się ta bzdura, by móc się wreszcie zanurzyć w odmętach potańcówki. Tak samo jak myśmy czekali na finał konkursu chórów. Racja jest po i c h stronie. J a tu jestem zakałą i żałosnym frajerem. Gdy tylko zejdę ze sceny i publiczność opuści salę, usuną czym prędzej krzesła, żeby zrobić parkiet, i pod dyktando 'Poganiaczy kotów' rzucą się w wyuzdane, najwymyślniejsze tany. I będzie to i c h tryumf, to będzie ich *no more*…"

Myśli te działały na mnie przygnębiająco, zarazem jednak stały się niespodziewanym wyzwaniem.

Nie, nie dać im satysfakcji! Nie pozwolić, by bawili się moim kosztem, a w każdym razie sprawić, by m n i e wyłączyli z tego, co mają w pogardzie! Niech się bawią, jak chcą, niech drwią – i jak najsłuszniej – z Przeglądu Scen Amatorskich, ale ode mnie – wara.

Nagle zrozumiałem, że to oni właśnie są najwyższym arbitrem. Zadawać szyku przed takimi jak ja, podbić serca emerytów z pierwszych rzędów, ba! oczarować nawet samego ES-a – nie, to nie była wielka sztuka. Albowiem wszyscy oni, tak czy inaczej, grali w tę samą grę. Natomiast zawładnąć „czernią", wyłażącą w dodatku ze skóry, by oddać się za chwilę karczemnym bachanaliom – o tak, to była sztuka, i to nie byle jaka.

– A teraz przed państwem – wrzasnął konferansjer – laureaci pierwszej nagrody. Zdobywcy tegorocznej Złotej Maski! Brawo! – I wybiegł za kulisy.

– Brawo koniec! – odezwał się jak echo kpiarski ryk z tyłu sali.

Dyskretnym, lecz władczym ruchem głowy dałem znak zespołowi, żeby opuścił scenę. Następnie zrobiłem kilka kroków naprzód i przysłaniając oczy kabotyńskim gestem przed rażącym światłem reflektorów, z dozą zniecierpliwienia w głosie wydałem polecenie:

– Światło, proszę.

Stary elektryk, którego poznałem jeszcze w teatrze podczas eliminacji i który zawiadywał teraz oświetleniem, w mgnieniu oka zrozumiał, o co mi chodzi. Wygasił wolno wszystkie aparaty, zostawiając tylko jeden – punktówkę wycelowaną dokładnie w moją twarz i tułów.

I wtedy, najzwyklejszym tonem, jaki potrafiłem z siebie wydobyć, zupełnie tak, jakbym zaczął mówić coś od siebie, a nie monolog wierszem, rozpocząłem swój popisowy numer:

> Cały świat to scena,
> A ludzie na nim to tylko aktorzy.
> Każdy z nich wchodzi na scenę i znika,
> A kiedy na niej jest, gra różne role
> W siedmioaktowym dramacie żywota...

Mówiłem ten tekst zimnym, beznamiętnym tonem, stwarzającym wrażenie, że chyba od urodzenia pozbawiony jestem wszelkich złudzeń, co do natury tego świata i życia, i jedynym uczuciem, jakie mi towarzyszy, jest obrzydzenie i wzgarda. W tym sposobie mówienia była zarazem jakaś wyniosła arogancja. Można by pomyśleć, iż nie mówiłem wcale wiersza, lecz najbezczelniej szydziłem z siedzącej przede mną publiczności. Przy każdej kolejnej odsłonie ludzkiego żywota, wyławiałem wzrokiem na sali coraz to inną wiekiem grupę osób i do niej kierowałem sarkastyczny portrecik kreślony przez szekspirowskiego Jakuba. Lecz spoza tego wszystkiego przezierało coś jeszcze, komunikat takiej mniej więcej treści:

Oto więc jak wyglądacie. Każdy z was, bez wyjątku. Ze mną zaś jest inaczej: mnie to nie obejmuje. Bo choć mam ileś tam lat, choć też jestem w jakimś wieku, nie pełnię żadnej z ról, które tu przedstawiono. Czyż jestem niemowlęciem śliniącym się przy piersi? Zgoda, nikt z nas tu nie jest. Nie jestem jednak też uczniem, leniwie czy ślimaczo wlokącym się do szkoły. Najlepszym na to dowodem jest choćby to, że tu stoję i robię to, co robię. Nie jestem też jeszcze kochankiem, co bucha jak piec namiętnością, ani swarliwym wojakiem, skorym do zwady i przekleństw. Na pewno zaś już nie jestem spasionym, tłustym sędzią szukającym wygody, a już tym bardziej starcem czy zdziecinniałym dementem.

Kim w takim razie jestem? I czemu się nie mieszczę w ramach tego obrazu?

Otóż mnie tutaj nie ma, bo jestem samym zwierciadłem, w którym odbija się świat. Jestem czystą źrenicą, ironią, artyzmem, sztuką, a to jest – poza życiem.

Cisza, jaka panowała, gdy mówiłem ostatnie linijki, była prawie absolutna. Żadnych kaszlnięć, szmerów, nie mówiąc już o ostentacyjnych hałasach. „No, udało się" – odetchnąłem z ulgą. „Cokolwiek sobie myślą, siedzą cicho. Ujarzmiło ich słowo Szekspira. Wygrałem."

Oklaski, którymi nagrodzono mój występ, nie były może owacyjne (bądź co bądź, miał on w sobie coś obraźliwego), lecz szczere i pełne respektu. Ukłoniłem się uprzejmie i już miałem zamiar zejść z estrady, gdy wpadł na nią z powrotem konferansjer, chwycił mnie za przegub prawej ręki (tak jak czynią to sędziowie ringowi z zawodnikami tuż przed ogłoszeniem werdyktu), nie pozwalając w ten sposób mi odejść i krzyknął do podnoszącej się już z miejsc widowni:

– Chwileczkę, proszę państwa, chwileczkę! To jeszcze nie koniec! Jeszcze jedna, wspaniała niespodzianka!

„Co znowu wymyślił ten błazen?" pomyślałem ze zgrozą. „Czego on jeszcze ode mnie chce?"

– Otóż nasz wspaniały szekspirysta – kontynuował tymczasem pełną parą wodzirej – otrzymuje jeszcze specjalną nagrodę indywidualną. A ufundował ją, proszę państwa, nie kto inny jak sam przewodniczący jury, nasz kochany, niezrównany Prospero!

Serce zabiło mi nieco raźniej, a nawet uśmiechnąłem się w duchu do siebie. No no, indywidualna nagroda od ES-a, nawet w tak żałosnych okolicznościach, to jednak jest coś!

– Proszę państwa! – prowadzącemu nie zamykały się usta. – Takie rzeczy nie zdarzają się często! To jest fakt, który z pewnością przejdzie do historii teatru. Ufundowaną nagrodą zaś jest... – sięgnął do prawej kieszeni marynarki – jest, proszę państwa... – zawiesił dramatycznie głos, po czym, podnosząc jednocześnie obie ręce do góry, jedną wraz z moją, a drugą z wyciągniętym z kieszeni przedmiotem, zawył: – ZEGAREK NA RĘKĘ MARKI RUHLA!

Poczułem, że nogi odmawiają mi posłuszeństwa, konferansjer jednak mocno trzymał mnie za przegub wzniesionej wysoko prawej ręki i nie pozwolił osunąć się na ziemię.

– Brawo Ruhhhla! – odezwały się chrypliwe, rozbawione wrzaski z końca sali, w których z naciskiem, niepoprawnie, eksponowano „h", co miało dodawać pikanterii.

Żeby pojąć, dlaczego był to dla mnie tak straszliwy cios, trzeba wiedzieć coś niecoś na temat zegarków Ruhla.

Otóż zegarek Ruhla, produkowany w Niemczech Wschodnich, zwanych pogardliwie Enerdowem lub Enerdówkiem, był w owym czasie najtańszym – i to uderzająco – dostępnym zegarkiem w Polsce. Oczywiście, w tym fakcie nie było jeszcze nic złego. Niestety, w ślad za ową podejrzanie niską ceną szła niebywale niska jakość. Ruhle psuły się na ogół już po kilku tygodniach użytkowania, a co jeszcze zabawniejsze – nigdy nie chodziły punktualnie. Ich niefortunni posiadacze zawsze mieli je nastawione o ileś minut naprzód lub wstecz i w celu ustalenia aktualnej godziny dokonywali skomplikowanych przeliczeń. Lecz o złej sławie Ruhli nie decydowała sama fatalna jakość. Niewydarzonych produktów było w tym czasie wiele, a jednak nie o każdym krążyły dowcipy. Ruhla zawdzięczała swą wyjątkową pozycję rozlicznym – nachalnym i żałosnym – akcjom reklamowym. O Ruhli było głośno w radio i telewizji, w programach rozrywkowych i na zawodach sportowych. Ruhla była jedną z najczęściej wręczanych nagród lub upominków na rozmaitych quizach i turniejach dla plebsu. Ulicami miasta jeździł samochód z głośnikiem na dachu, z którego wrzaskliwy głos w następujący sposób zachęcał do wzięcia udziału w jednej z najpopularniejszych w owym czasie imprez masowych:

„Zgaduj-zgadula", „Zgaduj-zgadula"!
Zagraj i wygraj zegarek Ruhla!

Gmin reagował na to natrętne wciskanie mu kitu układaniem niezdarnych anegdot lub kpiarskich wierszowanych sentencji w rodzaju:

Za zegarek marki Ruhla jednej nocy nie przehulasz.

Do tego wszystkiego dochodziła jeszcze sprawa samej nazwy, a ściślej – jej pisowni. Odczytywana po polsku, bez uwzględnienia reguł niemieckiej wymowy, mieniła się pewną dwuznacznością, co stanowiło niewyczerpane źródło uciechy pospólstwa – i to dopełniało reszty.

Krótko mówiąc, publiczne obdarowanie mnie tym osławionym cudem techniki enerdowskiej (*nota bene*, nie znajdował się on nawet w pudełku, lecz w celofanowej torebce spiętej ordynarną miedzianą zszywką) upokarzało mnie w sposób nieznośny.

Zażenowany do granic wytrzymałości, schowawszy przeklęty zegarek czym prędzej do kieszeni, zszedłem ze sceny i rzuciłem się do wyjścia, chcąc jak najszybciej zniknąć z pola widzenia rozradowanej gawiedzi. W drzwiach jednak zatrzymał mnie jakiś osobnik o ospowatej twarzy, odciągnął na stronę i podsuwając jakiś papier, powiedział:

– Trzeba tu pokwitować odbiór.

A gdy, pośpiesznie złożywszy swój podpis, znów rzuciłem się do ucieczki, krzyknął za mną zniecierpliwionym głosem:

– Halo! Chwileczkę! Masz tu jeszcze gwarancję!

Wracałem do domu w stanie skrajnego upodlenia, w kółko przeżywając ostatnie chwile minionej właśnie imprezy.

Oto, gdy najgorsze było już właściwie za mną, gdy – jakimś niepojętym cudem – wyszedłem z opresji w miarę obronną ręką, padł cios, jak gdyby już po gwizdku, który powalał mnie na deski. Kojarzyło mi się to z dramatycznymi scenami z różnych filmów i sztuk, w których niezagrożony już, zdawałoby się, bohater ginie jednak w ostatnim momencie, rażony przypadkową lub zdradziecką kulą zza węgła.

Zastanawiałem się też nad intencjami ES-a. – O co mu chodziło? Czy, pozwoliwszy mi przez chwilę pobyć ze sobą na wyżynach, chciał strącić mnie przewrotnie w otchłań pospolitości, żeby nie przewróciło mi się w głowie? Czy był to odwet za moment przewagi, jaką nad nim zdobyłem, zaskakując go nagłą improwizacją? I czy owo zmrużone po łobuzersku oko, gdy widziałem go po raz ostatni w foyer teatru, stanowiło już zapowiedź tej zemsty? – Gubiłem się w domysłach.

W końcu jednak doszedłem do wniosku, że jego motywy były znacznie prostsze. ES chyba rzeczywiście mnie polubił i chciał mnie jakoś uhonorować, i wyobraził sobie, że upominek w postaci zegarka będzie przezabawną aluzją do mojego spóźnionego zgłoszenia, a zarazem upamiętnieniem tej okoliczności. Ponieważ zaś był patologicznym sknerą (o czym też krążyły legendy), wybrał najmniej bolesne dla siebie rozwiązanie – kupując najtańszą Ruhlę. Nie sądzę, by przyszło mu na myśl, jak straszliwe zniszczenie posieje to w mojej duszy.

W każdym razie ja, żeby się z tego wszystkiego jakoś otrząsnąć i oczyścić, musiałem coś z tym fantem zrobić. I było dla mnie jasne, że tym razem żaden kompromis absolutnie nie wchodzi w grę. Przekazanie komuś zegarka, oddanie go biednym, nawet pozostawienie na ulicy, żeby ktoś go znalazł – nie, żadne z tych rozwiązań nie dawało mi satysfakcji. – Zegarek trzeba było zniszczyć, zwrócić go niebytowi.

Starannie wybrałem miejsce egzekucji: środek placu Komuny Paryskiej (przed wojną Placu Wilsona), będącego zarazem skrzyżowaniem trzech ulic, które nosiły imiona trzech narodowych wieszczów: Mickiewicza, Słowackiego i Krasińskiego – tych właśnie, których tekstów zabrakło w moim scenariuszu, co niezawodnie wytknął mi wicedyrektor. To im składałem teraz w ofierze tę marną, zachodnią błyskotkę (przynajmniej w geograficznym sensie), której dorobiłem się na zdradzieckim kosmopolityzmie.

Wyjąłem zegarek z celofanowej torebki, rozciągnąłem w dwie strony jasnobrązowe paski i – cyferblatem do góry – ułożyłem go na tramwajowej szynie. Cykał głośno, wskazując punktualnie godzinę dziewiątą.

Cofnąłem się kilka kroków i usiadłem na pobliskiej ławce. Po paru minutach nadjechała piętnastka – zmierzająca w kierunku Śródmieścia. Rozległ się krótki trzask, powtórzony jak echo przez kolejne koła wagonów. Wstałem i na powrót podszedłem do miejsca kaźni. Na lśniącej szynie leżał sprasowany metalowy krążek inkrustowany jak mozaika drobinami szkła, ujęty z dwóch stron w stwardniałe zaskakująco rzemyki ze skaju. Podniosłem tę martwą, zmumifikowaną niejako formę i przyjrzałem się jej z ciekawością. Cały mechanizm stopiony był w jedną, zbitą masę. Śladu wskazówek, bocznego pokrętła ani jednej cyfry na tarczy. Jedynie gdzieś u góry, straszliwie zniekształcony, ledwo dający się rozpoznać, niemniej widoczny w mętnym świetle latarni, błyszczał srebrnymi literkami niepokonany napis „Ruhla".

Pokiwałem z politowaniem głową, po czym ruszyłem wolnym krokiem do rogu Mickiewicza i tam zwłoki zegarka, owinięte w całun gwarancji i włożone na powrót w celofanową trumnę, wrzuciłem do studzienki w rynsztoku.

# Chleb nasz powszedni

Bezwzględny, okrutny wręcz sposób, w jaki odciąłem się od niefortunnej przygody teatralnej, przyniósł mi pewną ulgę i spodziewaną *katharsis*, na dłuższą jednak metę nie zdołał mnie już uzdrowić. W duszy kilkunastoletniego chłopca, którym byłem, nieodwracalnie coś pękło i obumarło. Ostatecznie zwątpiłem, że może mi się przytrafić coś nadzwyczajnego, coś na miarę owych dawnych, niedoścignionych czasów i że będzie to równie piękne jak w opowieściach dorosłych.

Wraz ze zwątpieniem przyszła inercja i pustka. Nie żebym zaraz stracił wszelkie zainteresowania lub popadł w stan otępienia – dalej wielbiłem teatr, chodziłem na koncerty i pożerałem książki – w szkole jednak ze wszystkiego się wyłączyłem; robiłem tylko to, co do mnie należało i nic ponadto. Żadnych kółek zainteresowań, żadnej nie wymaganej aktywności, żadnego udziału w czymkolwiek nieobowiązkowym.

Lekcje. Powrót do domu. Samotność. Milczenie. Sen.

Postawa ta czy stan ducha, paradoksalnie, pozwoliły mi bliżej poznać otaczającą mnie rzeczywistość. Albowiem gdy działałem – czy to jako pianista w jazzowym kwartecie, czy jako reżyser i aktor w teatralnym zespole – nie zważałem zupełnie na to, co się wokół mnie dzieje. Byłem wtedy myślami bez przerwy gdzieś indziej. Na próbie, na koncercie, na scenie, w marzeniu. Odkąd zaś nie absorbowała mnie już tego rodzaju działalność, cała moja uwaga skupiła się na sprawach, którymi mały świat szkoły, czy raczej: dorastającej młodzieży, żył intensywnie na co dzień.

Cóż to były za sprawy? W większości należały one do sfery zakazanej. Palenie papierosów, picie alkoholu, chodzenie na wagary, podrabianie podpisów, metody podpowiadania lub robienia ściągawek. Do tego dochodziły jeszcze poważniejsze rzeczy: chodzenie do kina na filmy dla dorosłych, urządzanie i przebieg prywatek oraz przekazywanie sobie pokątnych wiadomości (nierzadko nieprawdziwych lub mocno zniekształconych) o życiu seksualnym i organach płciowych, czemu towarzyszyło z reguły opowiadanie sprośnych dowcipów.

Cały ten kompleks doświadczeń obrośnięty był niezwykle bogatym folklorem, na który składał się przede wszystkim język, pełen dziwacznych skrótów, przezwisk i zawołań, oraz dziesiątki anegdot o uczniach, nauczycielach i różnych incydentach, jakie się wydarzyły. Przepowiadano sobie to w kółko, bawiono się tym jak grą dla wtajemniczonych i zaśmiewano się do rozpuku.

Najczęściej bodaj powracano do historii o rozlanym ajerkoniaku. Była ona następująca:

Byś, klasowy osiłek i zawadiaka, przyniósł raz do szkoły aż dwie butelki tego słodkiego trunku, by wypić je po lekcjach w gronie swoich kamratów. Butelki miał schowane w teczce i zaraz po wejściu do klasy zamierzał ulokować je w swojej szafce zamykanej na kłódkę. Niestety, nim zdążył to zrobić, uderzył niefortunnie dnem teczki o ławkę i obie butelki się stłukły. Byś, zorientowawszy się, co się stało, w ostatniej chwili przed przyjściem nauczyciela do klasy czmychnął z teczką do kibla, a w ślad za nim rzuciło się dwóch najbliższych mu ludzi, którzy nie chcieli zostawić przyjaciela w potrzebie. Po otworzeniu teczki, zgromadzonej trójce ukazał się widok iście apokaliptyczny: mniej więcej do połowy była ona wypełniona gęstym, żółtym płynem, a zeszyty i książki, i reszta przyborów szkolnych tkwiła w tej topieli po pas, o ile nie po szyję. Zaczęła się dramatyczna akcja ratunkowa. Byś ostrożnie, dwoma palcami, wyciągał z żółtych odmętów kolejne ofiary powodzi, unosił je wysoko i ruchem głowy dawał znak towarzyszom, by nadstawiali gardła pod ściekającą strużkę jajecznego nektaru albo dorodne krople opadające miarowo. Wreszcie, gdy wszystko w ten sposób zostało wyłowione, a także wydobyto szkło stłuczonych butelek, rozpoczęła się straceńcza uczta. Teczka z resztą napoju (co najmniej trzy czwarte litra) – niczym przechodni puchar lub but kawaleryjski napełniony szampanem – zaczęła krążyć między biesiadnikami i krążyła między nimi tak długo, aż została do dna osuszona.

Skutki tej desperackiej akcji nie kazały na siebie długo czekać. Zważywszy na porę dnia (ósma-dziewiąta rano) i fakt, że ucztujący prawie nic jeszcze nie jedli, przyjęta przez nich dawka była po prostu zabójcza. Pierwszy padł ofiarą „popromiennej" choroby chudy jak patyk Kazio, najmniejszy z biesiadników. Torsje chwyciły go już na drugiej lekcji. Blady jak trup, z przerażonymi oczyma, wybiegł nagle z klasy trzymając się za usta i długo nie powracał. Zaniepokojony nauczyciel wysłał wreszcie kogoś na zwiady. Goniec wrócił po chwili, niosąc hiobową wieść, iż Kazio leży półprzytomny przy muszli klozetowej i wymiotuje... żółcią, więc ma zapewne atak wyrostka robaczkowego, a może nawet skręt kiszek. Posłano po lekarza, ale lekarza nie było jeszcze w szkole – i nieszczęsnego Kazia odprowadzono do domu. Tymczasem na czwartej lekcji porażenie dotknęło drugiego ze śmiałków, niesfornego Zenka, chłopaka krnąbrnego i bezczelnego, stawiającego się często nauczycielom. Tym razem jednak, jakby na przekór swoim obyczajom (zapewne wskutek słabości), zachował się nader kulturalnie. Podniósł rękę do góry, a gdy udzielono mu głosu, powiedział, że jest mu niedobrze i czy może w związku z tym wyjść do toalety. Nauczycielka biologii, kobieta surowa i cięta, przezywana Osą lub Żmiją, wiedząc już, naturalnie, o całej aferze z Kaziem, uznała, że Zenek robi sobie z niej kpiny, i nie wyraziła zgody. Co gorsza, jakby w odwecie za próbę nabrania jej, wyrwała go do odpowiedzi przed tablicę. Zenek przez jakiś czas walczył heroicznie z naturą, ta w końcu jednak go zmogła i tak jak stał, puścił nagle straszliwego pawia na podłogę, obryzgując granatowy sweterek nauczycielki. Klasa parsknęła śmiechem, Żmija jednak zachowała zimną krew, otarła ubranie chusteczką i z właściwym sobie podejściem naturalisty poddała ją próbie węchu.

– Ach, więc to ma być ta żółć, którą rzygał Fanfara! – Tak brzmiało nazwisko Kazia. – Teraz już wszystko jasne! W tej klasie od rana pije się alkohol! No no, nie ujdzie wam to płazem! A teraz: biegiem po szmatę i zmywać mi to wszystko!

Do końca dnia zwycięsko wytrzymał tylko Byś. Czy jednak, rzeczywiście, zwycięsko? Przez cały czas wyraźnie był lekko zamroczony, chodził jak błędny, a przede wszystkim, otrzymał aż pięć dwój, z wszystkich przedmiotów, które wypadały tego dnia – za sam brak zeszytów i książek, a ściślej za to, że nie umiał się z tego zupełnie wytłumaczyć.

Inna malownicza historia, ciesząca się wdzięczną pamięcią, opowiadała z kolei o tym, jak to Fąfel, dryblas z ostatniej ławki o śmiesznym, tubalnym głosie i wielkim przyrodzeniu (co stanowiło przedmiot nieustannych żartów i śmiałych spekulacji), wybawił raz palących w klozecie kolegów od nieuchronnej wpadki – mimo że sam nie palił.

Palenie papierosów przez uczniów było, rzecz jasna, tępione i z całą surowością karane. Palacze nie mieli lekkiego życia. Poddawani rewizjom kieszeni, upokarzającym badaniom oddechu, zapachu ubrania i nikotynowego nalotu na palcach, musieli stosować różne, skomplikowane zabiegi, aby ukryć swój nałóg. Żyli w wiecznym zalęknieniu, nie znając dnia ni godziny. Palili zasadniczo na każdej pauzie, lecz tylko na długiej – w miarę spokojnie i z jaką taką przyjemnością. Albowiem o tej porze nauczyciele spożywali na ogół drugie śniadanie i nie patrolowali klozetów. A jednak od czasu do czasu również na długiej pauzie zdarzały się kontrole. Czujność palaczy była wtedy uśpiona i łapano z reguły na gorącym uczynku. To zaś pociągało za sobą najgorsze konsekwencje: konfiskatę tytoniu i tróję ze sprawowania, która już tylko o krok dzieliła od wyrzucenia ze szkoły.

Nauczyciele tropili palaczy grupowo lub w pojedynkę. Bez porównania groźniejsi byli samotni myśliwi. Szedł taki korytarzem jak gdyby nigdy nic, zajęty z pozoru myślami albo przyjazną pogwarką z jakimś swym podopiecznym, aż tu nagle, koło klozetu, jak się nie rzuci do drzwi, jak nie wpadnie do środka i nie zacznie wyłapywać jednego po drugim. Nie było wtedy mowy o żadnym ratunku. Chyba że się ktoś zamknął w kabinie.

Otóż owego pamiętnego dnia palaczom groziła taka właśnie wpadka. Któż jednak był samotnym myśliwym, który się na nich zasadził? Kto wkroczył do klozetu jak legendarny Komandor? Najmniej spodziewana osoba. Drobniutka, niepozorna nauczycielka rysunku, płoniąca się ze wstydu przy byle jakiej okazji. Prawdopodobnie dokonywała tej inspekcji nie z własnej inicjatywy, lecz na czyjeś zlecenie.

W klozecie kłębiło się od dymu jak w kotłowni i trwała właśnie ożywiona dyskusja, czy lepiej jest zaciągać się przez nos, czy zwyczajnie – ustami. Wtem wrzasnął ktoś od drzwi: „Uwaga! Nalot! Idzie!" Palacze rzucili się do kabin, by topić niedopałki, lecz tak się akurat złożyło, że wszystkie były zajęte, i narzędzia przestępstwa pozostały im w rękach. Ktoś rozpaczliwie próbował otworzyć jeszcze okno, lecz było już za późno.

I wtedy właśnie Fąfel, sam przecież niepalący, pośpieszył im z brawurową, „wiedeńską" odsieczą. Zorientowawszy się, kto wchodzi, w mgnieniu oka wydobył swój monstrualny organ i pewnym krokiem doświadczonego ekshibicjonisty ruszył naprzeciw wrogiej sile, udając, że kieruje się w stronę pisuaru. Spoza kłębów dymu dał się słyszeć krótki stłumiony okrzyk przerażenia, a w ślad za nim donośny, głęboki bas Fąfla: „Och, najmocniej panią profesor przepraszam, ale tu męska ubikacja".

Rysowniczka umknęła jak niepyszna, a wszyscy odetchnęli z ulgą, po czym długo klepali Fąfla z uznaniem po plecach.

„Kropidłem ją przegonił!" – referowano rzecz w skrócie.

I jeszcze jedna historia, godna odnotowania. Niezapomniany początek wypracowania Rożka Goltza na temat doli pańszczyźnianego chłopa na podstawie noweli *Antek* Bolesława Prusa.

Rożek Goltz (formalnie na imię miał Roger) był nietypowym chłopcem. Skryty i nieprzystępny, chadzał własnymi drogami, z nikim się blisko nie trzymał i miał dziwny sposób mówienia. Przezywano go filozofem, ze względu na osobliwe, a wcale niegłupie pytania, które stawiał nauczycielom, zapędzając ich w kozi róg. Cechował go skrajny racjonalizm: wszystko kazał sobie tłumaczyć do pierwszej przyczyny i z wszystkiego wyciągał ostateczne konsekwencje, doprowadzając nierzadko całą rzecz do absurdu. Za to swoje mędrkowanie, zakrawające nieraz na kpinę, z pewnością już dawno oberwałby po uszach, gdyby nie jego zdolności w dziedzinie nauk ścisłych. Był bardzo mocny z fizyki i chemii, a matematykę znał już na poziomie uniwersyteckim. Ponadto znał się na wielu rzeczach nie objętych programem. Czytał dziesiątki popularnonaukowych książek z dziedziny przyrodoznawstwa, historii i medycyny.

Mimo tak giętkiego i chłonnego umysłu, miał jednak osobliwą piętę achillesową. Był wprost fatalny z polskiego. Nie szły mu całkiem do głowy zadawane lektury, nie umiał o tym mówić, pisanie zaś wypracowań stanowiło dlań mękę. Na ogół odpisywał je na przerwach od paru kolegów, którym rewanżował się później w zakresie matematyki. Gdy zaś pisał je sam, roiły się od językowych i stylistycznych dziwolągów, a przede wszystkim przezabawnie rozmijały się z zadanym tematem.

Nauczyciel polskiego, wiedząc że tak czy inaczej będzie go musiał puścić (z uwagi na ścisły umysł), kiwał tylko z politowaniem głową, mówił zafrasowany: „cóż, mowa ojczysta nie jest twą mocną stroną" i stawiał mu trzy z minusem.

Owego dnia, na który zadane było wypracowanie na temat doli chłopa, Rożek – pierwszy raz w życiu – sam zgłosił się do czytania.

Nauczyciel nie wierzył własnym oczom.

– Co? Rożek sam się zgłasza, by czytać wypracowanie? Ależ prosimy, prosimy! Jakże czemuś takiemu można by nie przyklasnąć!

I Rożek wstał i zaczął. A pierwsze zdanie brzmiało: „Antek po ciężkim dniu pracy wyglądał jak genitalia męskie po stosunku."

Chłopcy zarżeli gromko, dziewczęta zachichotały, po czym zapadła pełna napięcia cisza i oczy wszystkich zwróciły się w stronę nauczyciela.

Ten jednak siedział spokojnie, jak gdyby nigdy nic, gładząc swą małą, kozią bródkę.

– Czytaj dalej – powiedział rzeczowo.

Reszta wypracowania Rożka nie odznaczała się jednak już niczym szczególnym. Może więcej niż zwykle było w nim zadęcia na oryginalny styl.

– Dlaczego zgłosiłeś się do odpowiedzi? – zapytał nauczyciel, kiedy Rożek skończył.

– Bo chciałem dostać więcej niż dostatecznie z minusem – odparł bez wahania Rożek.

– Co ci kazało sądzić, że właśnie tyle dostaniesz?

– Żywy język, którym jest napisane, a którego brak ciągle mi pan zarzuca, a przede wszystkim to, że wziąłem pod uwagę, co tyle razy pan mówił: „słowa powinny się sobie dziwić, jeśli styl ma być oryginalny".

Na twarzy polonisty malowała się walka. Z jednej strony, wyraźnie, chciał machnąć na Rożka ręką, uznając go za przypadek po prostu beznadziejny, z drugiej, zdawał sobie sprawę, że lapsusu z pierwszego zdania nie może tak zostawić.

– Dobrze – powiedział wreszcie po chwili milczenia – postawię ci więcej niż trójkę, musisz jednak wyjaśnić, jak mianowicie wyglądał Antek po całym dniu pracy.

– Jak to jak? – zdziwił się Rożek. – Tak właśnie, jak napisałem.

– Proszę więc, opisz to. Antek wyglądał jak?...

– No... – Rożek zaczął się jąkać – jak genitalia... męskie...

– Ej, to chyba jeszcze nie wszystko – z przekąsem rzekł polonista.

– Jak genitalia męskie... po stosunku... – wymamrotał jeszcze słabiej Rożek.

– No właśnie! – polonista bezlitośnie przypierał Rożka do muru. – To znaczy, jak? Właśnie, jak? Proszę, opisz nam to.

Zapadło długie milczenie, a napięcie w klasie sięgnęło zenitu. Przy czym intrygowało zarówno to, czy Rożek odważy się brnąć dalej po tym grząskim gruncie, a zatem czy chcąc nie chcąc powie jakieś świństwo, jak i to – i chyba to przede wszystkim – czy nauczyciel w ferworze zaginania Rożka nie ujawni, choćby mimowolnie, swej wiedzy na temat desygnatu śmiałego porównania.

– Nie umiem – wybąkał w końcu Rożek.

– Ano właśnie! – tryumfował polonista. – Więc jak nie umiesz, to nie pisz. A dwói ci nie stawiam tylko dlatego, żeś sam się zgłosił do odpowiedzi. Wszyscy odetchnęli z ulgą, a zarazem doznali osobliwego zawodu. Nie dlatego, rzecz jasna, że Rożek nie dostał dwói, lecz że już się skończyła głośna debata na lekcji na tak frapujący temat.

Takie więc były to sprawy. Taki zapach i smak miał chleb powszedni szkoły.

## Madame la Directrice

W tym dosyć postnym *menu* poczesne miejsce zajmowała postać dyrektorki, a ściślej, rozbudowany świat przeżyć, domysłów i plotek, których była niewyczerpanym źródłem.

Dyrektorka nastała stosunkowo późno – gdy kończyliśmy klasę dziewiątą – i uczyła francuskiego. Była to trzydziestoparoletnia, nader przystojna niewiasta, która w zasadniczy sposób odbijała od reszty nauczycieli – szarych, zgorzkniałych, nudnych, w najlepszym razie nijakich. Chodziła elegancko ubrana, wyłącznie w garderobie produkcji zachodniej (to się widziało od razu), miała wypielęgnowane ręce, zdobione gustowną biżuterią, i bił od niej odurzający zapach dobrych, francuskich perfum. Jej twarz pokrywał zawsze starannie zrobiony makijaż, a głowę wieńczyły lśniące, kasztanowe włosy, przycięte krótko i zgrabnie ułożone ponad długą, wysmukłą szyją. Trzymała się prosto, miała nienaganne maniery, a przy tym ciągnął od niej jakiś mrożący chłód.

Piękna i zimna, wspaniała i nieprzystępna, dumna i bezlitosna – istna Królowa Śniegu.

Dyrektorka z miejsca wprowadziła do szkoły ferment, i to różnorakiej natury. Przede wszystkim, już samo jej obejście i wygląd robiły swoje. Starsi, zasiedziali od lat nauczyciele patrzyli na nią nieufnie i trochę się jej bali. Młodsi zwyczajnie jej zazdrościli – urody, strojów, stanowiska – albo umizgiwali się do niej. Poza tym, wraz z jej przybyciem rozeszła się szybko wieść, że dyrektorka zamierza, i to w niedalekiej przyszłości, radykalnie zreformować szkołę, czyniąc z niej jedną z powstających w owym czasie placówek eksperymentalnych z obcym językiem wykładowym – w danym wypadku, oczywiście, francuskim. Jej starania w tym kierunku były już, podobno, poważnie zaawansowane, tak że zmiana mogła nastąpić nawet i z początkiem nowego roku szkolnego. Perspektywa ta, obiektywnie rzecz biorąc jak najkorzystniejsza, siała dosłownie zgrozę. Dla większości nauczycieli oznaczała bowiem nieuchronne odejście ze szkoły, z którą byli związani czasem od wielu lat: w eksperymentalnej placówce z obcym językiem wykładowym wszystkie przedmioty oprócz polskiego i historii miały być prowadzone w obu językach naraz, a zatem prawie wszyscy nauczyciele musieli drugim językiem nie tylko biegle władać, lecz umieć też w nim nauczać. Dla młodzieży, z kolei, uczenie się wszystkiego naraz w dwóch językach jawiło się jako niewyobrażalna tortura; widziano w tym dopust boży i drżano na samą myśl.

Innym elementem fermentu wprowadzonego przez Madame la Directrice, jak ją szlachetnie ochrzczono, był złożony niepokój, jaki jej wdzięczna postać zasiała w sercach uczniów. W pierwszym odruchu, poniekąd na sam jej widok, obdarzono ją żywiołową sympatią, graniczącą wręcz z uwielbieniem. Traktowano ją jako postać niemal nie z tego świata – boginię, co jakimś cudem zstąpiła z Olimpu na ziemię. Wkrótce jednak zorientowano się, że jest wyniosła i nieprzystępna, a swoimi wielkopańskimi manierami potrafi boleśnie dotknąć, i wówczas fala entuzjazmu nieco opadła. Wszelako uczucie zawodu nie przerodziło się we wrogość i chęć odwetu, lecz w coś zupełnie innego – w klasyczny afekt sadomasochistyczny, żywiący się, z jednej strony, upokorzeniem i bólem, a z drugiej, plugastwem i gwałtem.

Inaczej mówiąc, pięknej pani dyrektor nie przestano wielbić, tyle że miłość do niej przybrała szczególną formę. Z jednej więc strony, po cichu, modlono się do niej żarliwie, darując jej okrucieństwo i puszczając w niepamięć wszelkie upokorzenia, z drugiej, tym razem na głos – na boku, po kątach, w klozecie – pastwiono się nad nią straszliwie, nurzając ją bezlitośnie w bagnie karczemnych plotek i niewybrednych fantazji. W tych aktach poniżania i bezczeszczenia świętości głuszono piekący ból nieodwzajemnionego uczucia, a jednocześnie jeszcze bardziej się poniżano, posuwając się w słowach do granic bezwstydu, co po powrocie do wewnętrznego sanktuarium i padnięciu na twarz przed ubóstwioną figurą okupywano kolejną porcją bólu i samoudręczenia.

Jednakże wszystkie te sprawy – te dzikie namiętności i duszna atmosfera – nie od razu stały się naszym udziałem. Na początku swojej kadencji

Madame la Directrice nie uczyła bowiem w naszej klasie i wszystko, o czym tu mowa, docierało do nas pośrednio – w postaci słuchów i legend o tym, co się działo gdzie indziej. Do mnie zresztą nawet i to ledwie trafiało – tak byłem wówczas zajęty sprawami teatralnymi. Temat stał mi się bliższy, dopiero gdy przestałem udzielać się społecznie.

O czym rozprawiano w tym czasie?

Głównym polem zainteresowania wszystkich było jej życie osobiste. Pod tym zaś względem Madame stanowiła wyjątkowo wdzięczny przedmiot dociekań i spekulacji, była bowiem kobietą niezamężną.

Jak, przez kogo i kiedy zostało to ustalone, nikt nie umiał powiedzieć, niemniej panowała co do tego absolutna pewność. Faktycznie, nie nosiła obrączki, nie widziano jej nigdy w towarzystwie mężczyzny, który mógł być jej mężem, i – jak głosiła wieść – jeszcze się nie zdarzyło, by choćby napomknęła o swojej rodzinie, co także o czymś świadczyło, bo każdy nauczyciel w taki czy inny sposób zawsze coś o tym wspomniał. Ponadto zaś, raz wygadał się Soliter. Wychwalając zalety swojej przełożonej, wynosząc pod niebiosa jej energię i zdolności organizacyjne, miał ponoć wtrącić zdanie: „nie jest też bez znaczenia, że nie ma obowiązków rodzinnych, które każdy z nas ma, co pozwala jej całkowicie poświęcić się pracy w szkole".

A zatem, w głównej mierze, rozstrząsano bez końca wszystko, co implikował stan wolny pani dyrektor.

Niezamężna... Ba, lecz panna czy rozwódka? (Wdowy w ogóle nie brano pod uwagę.) Jeżeli zaś rozwódka, to kto był jej mężem i czemu się rozeszli? I kto kogo zostawił? On ją czy ona jego? Jeśli zaś ona jego, co mogło być przyczyną? Niezgodność charakterów, różnica temperamentów? Czy mąż był zbyt natarczywy, czy raczej zbyt ślamazarny? A może się rozstali z powodu kogoś trzeciego? Znalazła sobie kogoś? W jakich okolicznościach? I tak dalej i dalej, wszelkie możliwe warianty.

Lecz była też druga opcja: nie rozwódka, lecz panna. I to było jeszcze bardziej ekscytujące!

Panna... Trzydziestoletnia! Ba, trzydziestoparo! Czyżby wciąż jeszcze dziewica? Jakoś nie chciało się wierzyć. Więc jak to się zaczęło? Kiedy, i z kim, i gdzie? Na studiach? Podczas wakacji? W domu akademickim? Na to nie wyglądało. Więc może raczej w luksusie – w hotelu, w apartamencie, w eleganckim mieszkaniu? I jak się rzecz ma teraz? Częstotliwość. Zasada. W związku „na kocią łapę", lecz przynajmniej z kimś jednym? Czy w trybie krótkich przygód z innymi wciąż partnerami? I czy się nie obawia, że w końcu zajdzie w ciążę, przed którą tak straszono? Czy zabezpiecza się jakoś? Jak? Miły Boże, jak?

Inną kwestią skupiającą uwagę i żywo dyskutowaną była jej domniemana przynależność partyjna. Co prawda, podobnie jak z wiedzą o jej stanie cywilnym, znów nikt nie miał dowodów, jednakże w tym wypadku wątpliwości wydawały się nikłe. Prawie się nie zdarzało, aby dyrektor szkoły nie należał do partii. Była to niemal reguła.

I tu znów powstawała piramida pytań. Czy wstąpiła do partii z przekonań, czy dla kariery? Jeżeli dla kariery, to o co naprawdę jej chodzi? O stanowisko? Pieniądze? Czy inne przywileje, głównie o możliwości wyjazdów za granicę, oczywiście na Zachód, do Francji, do Paryża, gdzie można się zaopatrzyć w eleganckie ubrania?

I inny blok tematów. Czy ma na swoim sumieniu jakąś podłość lub świństwo? (Panowała opinia, że przynależność do partii nie może się obejść bez tego.) Doniosła na kogoś? Zdradziła? Odwróciła się tyłem do „trefnego" kolegi?

No i jeszcze jedna, wcale nie bagatelna, choć na pozór niewinna kwestia: jak się zachowywała, a zwłaszcza jak mówiła na zebraniach partyjnych? I – to szczególnie ważne – jak w jej cudownych ustach brzmiało słowo „towarzysz"? „Słuchajcie, towarzysze", „towarzysz Soliter ma głos", „towarzyszu Eunuch, niech się towarzysz streszcza", „czy towarzyszka Żmija zabezpieczyła kawę?" – Nie, to było po prostu niewyobrażalne! A przecież takie zdania – takie lub im podobne – musiałyby padać naprawdę.

Lecz wszystkie te spekulacje, pytania, wyobrażenia wciąż jeszcze były w tym czasie zaledwie grą umysłu; miały, można powiedzieć, charakter teoretyczny. Rzecz odmieniła się, odkąd słynna Madame przyszła do naszej klasy i zaczęła nas uczyć.

Nastąpiło to – zresztą całkiem niespodziewanie – na początku ostatniej, maturalnej klasy. Poprzednia nauczycielka francuskiego, poczciwa starsza pani M., odeszła nagle na emeryturę i już drugiego września Madame la Directrice, przez nikogo nie zapowiedziana, wkroczyła do nas energicznym krokiem, pysznie stanęła za pulpitem i oznajmiła, że do matury ona poprowadzi u nas francuski.

Było to jak grom z jasnego nieba. Wszystkiegośmy się spodziewali, tylko nie tego. Gdy zmierzała korytarzem ku naszym drzwiom, gdy czujki wystawione jak zawsze za filarem, by śledzić ruchy wrażych sił i w porę anonsować o grożącym niebezpieczeństwie, doniosły tym razem radosną nowinę, iż zbliża się do nas ONA, mogliśmy co najwyżej przypuszczać, że idzie z krótką, rutynową wizytą, jakie składała czasem przy różnych okazjach. Że zaś będzie nas uczyć, że od tego momentu będzie nam dane obcować z nią na lekcjach – sycić oczy jej boskim widokiem, wdychać zapach jej perfum, mówić do niej, być przez nią maltretowanym – i to trzy razy w tygodniu, nie, tego w najśmielszych marzeniach nikt nie brał pod uwagę.

No, i zaczęło się, niemal od pierwszej lekcji.

Wszystko, o czym dotychczas zaledwieśmy słyszeli, stało się konkretne, wymierne. Problemat jej panieństwa i życia osobistego, mający dotąd charakter jakby akademicki, stał się palącą kwestią życiową. Podobnie sprawa przynależności do partii. – Jak ta wykwintna piękność, o takim głosie, manierach, o rękach jak z alabastru i nogach jak Wenus z Milo może należeć do partii... robotniczej? Do partii górników i chłopów, do partii proletariatu? Przecież wszyscy wiedzieli, jak oni wyglądają. Wiedzieli z socrealistycznych rzeźb wokół Pałacu Kultury i z arkad MDM-u, z małej galerii portretu, jaką były banknoty w tym czasie, ukazujące archetypowe oblicza głównych przedstawicieli narodu (górnik, robotnik, rybak i traktorzystka w chustce), wreszcie – z setek plakatów propagandowej treści. Monstrualni tytani o zaciętych, brutalnych twarzach, trzymający wielkimi łapami kilofy, młoty lub sierpy, o klocowatych nogach obutych w straszliwe kamasze.

I z nimi wszystkimi – ona? Drobna, krucha, pachnąca, w jedwabnej bluzce z Paryża? Aż strach człowieka zdejmował, co w takim towarzystwie może się jej przytrafić.

A wiedziało się także, kim ci herosi z marmuru są, czy raczej się stają, kiedy z oleodruków zstępują w rzeczywistość. Wiedziało się to z ulicy, z zatłoczonych tramwajów, z barów szybkiej obsługi i z terenów budowy. Wyglądali zupełnie inaczej i – niewątpliwie groźniej. Krępi albo otyli, o małych, świńskich oczkach, niedomyci, cuchnący, w niezgrabnych waciakach i czapkach. Wulgarni, agresywni, skorzy do awantur.

Jak się czuła wśród nich? Co ją skłoniło do tego, aby być jedną z nich, by być ich – „towarzyszką"? I czy się ich nie bała? Nie przyszło jej nigdy na myśl, że oni się mogą zbuntować i że w swoich roszczeniach zażądają... jej ciała? – Straszne to były myśli, spędzające sen z oczu.

Wreszcie, na własnej skórze zaczęliśmy poznawać jej legendarną dumę. W rzeczywistości okazała się ona jeszcze bardziej bolesna niż w przytaczanych historiach, mimo że słuchy o jej okrucieństwie, czy nawet pomiataniu ludźmi, najzupełniej się nie potwierdziły. Rzecz polegała na czymś innym. Na skrajnej obojętności, na tym że była jakby wyzuta z wszelkich ludzkich słabości i jakby impregnowana na wszelkie bodźce z zewnątrz. Nic jej nie poruszało – ani na dobre, ani na złe. Nie zdarzyło się, by na kogoś krzyknęła, by okazała emocję. Nie komentowała złych odpowiedzi, a tym bardziej ich nie wyśmiewała, poprawiała tylko rzeczowo, a dwóje stawiała w milczeniu. To samo z aprobatą. Nikt nie usłyszał od niej choćby słówka pochwały. Jeśli zadany tekst wykuł nawet na pamięć, jeśli potrafił go mówić jak z nut własnymi słowami, jeśli bez zająknienia, w błyskawicznym tempie umiał odmieniać najtrudniejsze nieregularne czasowniki we wszelkich możliwych czasach – jedyne, na co mógł liczyć, to było rzeczowe „bien", kwitujące odpowiedź i milczący wpis do dziennika pozytywnej oceny. Nic poza tym. Można by powiedzieć, że w swoim postępowaniu spełniała ideał sprawiedliwości. Była jednakowa dla wszystkich, dla zdolnych i niezdolnych, pilnych i leniwych, zdyscyplinowanych i krnąbrnych. I to właśnie było okropne.

Nie dawała się też w żaden sposób zagadać, choć lekcje francuskiego stwarzały po temu szanse. Pierwszy kwadrans zawsze poświęcony był na tak zwaną swobodną konwersację. Madame zaczynała o czymś mówić (po francusku, rzecz jasna), po czym rzucała kilka prostych pytań i miała się z tego wywiązać konwencjonalna rozmowa. To właśnie był moment na próbę podejścia jej słowem. Najczęściej stosowany chwyt polegał na rozpoczynaniu jakiejś – rzekomo – arcyciekawej historii, utykaniu z nią już na drugim zdaniu z powodu braku słów i nagłym, desperackim przejściu na polski. „Parle français!"[1], przecinała wtedy natychmiast Madame. „To zbyt skomplikowane, proszę mi pozwolić dokończyć po polsku", walczył jeszcze rozpaczliwie niepoprawny marzyciel, lecz było to daremne. „Mais non!", odrzucała stanowczo jego błagania Madame, „si tu veux nous raconter quelque chose d'intéressant, tu

---

[1] „Mów po francusku!"

*dois le faire en français*"[1]. I śmiałek, jak przekłuty balon, opadał z plaskiem na ławkę.

Lecz po francusku też to nie wychodziło. Raz pewien adorator przygotował sobie całą mowę, by w pewnym momencie omotać ją siecią pytań i wydobyć z niej w końcu coś osobistego. Na próżno. Naprzód, gdy zorientowała się, że jakoś zbyt płynnie mówi, zaczęła mu co chwilę przerywać, poprawiając niedociągnięcia gramatyczne; gdy zaś przebrnął przez to szczęśliwie i postawił nareszcie pierwsze z obmyślanych pytań – gdzie i jak spędziła wakacje – usłyszał w odpowiedzi, że bardzo jej przykro, *mais elle n'a pas eu de vacances cette année*[2], co zamknęło mu drogę do dalszych podchodów.

Tak więc Madame okazała się w sumie nie tyle wyniosłą monarchinią, okrutną i bezlitosną dla swoich poddanych, czerpiącą nikczemną rozkosz z ich upokarzania, co raczej nieczułym aniołem, tajemniczym sfinksem, tkwiącym w innym wymiarze, w innej czasoprzestrzeni. Jej hermetyczność, formalizm zachowania i lodowaty spokój były tak gruntowne, że nie zważała nawet na prymitywne akcje zdesperowanych admiratorów z pierwszych ławek, polegające na umyślnym upuszczaniu na ziemię ołówka lub książki, by podczas ich podnoszenia, poprzez „tunel" biurka, zajrzeć jej pod spódnicę. Nie mogła nie zdawać sobie sprawy, czemu służą te akcje, były nazbyt czytelne, a jednak nie reagowała na nie. Ściślej zaś, nie dopuszczała, by mogły być owocne. Siadała tak nienagannie, że gdyby nawet przez całą lekcję ktoś z lornetką przy oczach leżał pod samym biurkiem, i tak by nic nie zobaczył. Innym znów razem, gdy upuszczony ołówek niefortunnie potoczył się za daleko, podniosła go niezwłocznie, nie przerywając wykładu i, jakby nigdy nic, włożyła do szuflady. Na rozpaczliwe gesty poszkodowanego (że nie ma jakoby czym pisać, żeby mu oddać ołówek) nie zwracała najmniejszej uwagi, kontynuując lekcję.

Tak, nie musiała nic robić, by cierpiano z jej powodu. Czyniła to za nią przepaść, jaka dzieliła ją od nas. Pulchne, ledwo dojrzałe dziewczęta o niewykrystalizowanych rysach, bladej, nieładnej cerze i pocących się dłoniach czuły się przy niej małe i pokraczne, cuchnące i zacukane. Na-

---

[1] „Ależ nie!" (...) „jeśli chcesz nam opowiedzieć coś interesującego, musisz to zrobić po francusku".

[2] ale nie miała wakacji w tym roku

wet te najładniejsze nie miały przy niej szans. O chłopcach zaś nie ma co mówić. Pryszczaci, z meszkiem wczesnego zarostu na twarzach, o niewyrobionych głosach i nieopanowanych ruchach – byli w jej obecności skazani na mękę wstydu, mogli przeżywać jedynie piekło upokorzenia.

Była szlachetną różą w pełni swego rozkwitu; zwinnym, kolorowym motylem; my zaś – we własnym odczuciu – nawet nie zasklepionymi pąkami, które przynajmniej mają szanse dorównać już niedługo urodzie formy dojrzałej, lecz zielskiem podłego gatunku rosnącym dziko przy drodze lub, jeszcze precyzyjniej: brzydkimi poczwarkami, tkwiącymi w pokracznych pozach w kokonach niewinności.

Klasa żyła od francuskiego do francuskiego, jakby w stanie hipnozy. Chłopcy zmarkotnieli, chodzili osowiali, z niedobrymi wypiekami na twarzy lub mocno podkrążonymi oczami, co nie pozostawiało najmniejszych wątpliwości, czemu oddają się w każdej wolnej chwili. Dziewczyny snuły się jak zaczadzone, prowadziły dzienniczki, w których skrupulatnie odnotowywały, co Madame miała danego dnia na sobie, jaką spódnicę, garsonkę, apaszkę, czy była mocniej umalowana czy słabiej, i czy jej uczesanie świadczyło o niedawnej wizycie u fryzjera. Z zapisków tych powstawały następnie spisy i zestawienia: dziewczyny, niczym tajni agenci, a zarazem archiwiści Urzędu Bezpieczeństwa, miały nieomal pełny obraz stanu posiadania Madame w zakresie garderoby i kosmetyków do twarzy. Znały tak wyszukane detale, jak marka tuszu do rzęs i numer odcienia szminki; wiedziały, że nosi prawie nieosiągalne w tym czasie rajstopy, a nie podpinane pończochy, i że jeden z jej staników jest czarny (raz, gdy pisała na tablicy, dzięki uniesieniu ręki do góry mignęło przez ułamek sekundy czarne ramiączko).

To ogromne napięcie rozładowywano w gadaniu.

W nieustannych dyskusjach i analizach coraz to pojawiały się jakieś nowe idee i hipotezy. Zwłaszcza jedna z nich cieszyła się znacznym powodzeniem. Głosiła ona, iż Madame jest... frygidą. Co prawda – jak zwykle w takich wypadkach – nikt nie wiedział dokładnie, co znaczy to pojęcie, lecz to właśnie stanowiło o jego atrakcyjności.

Istniały trzy zasadnicze stanowiska w tej kwestii.

Pogląd pierwszy – można by go określić mianem skrajnego – sprowadzał się do twierdzenia, iż frygida to kobieta prawie całkowicie pozbawiona narządów rozrodczych; jej „układ moczowo-płciowy" miał się ograniczać zaledwie do cewki moczowej. Pogląd ten wyznawali najprymitywniejsi chłopcy w klasie, tak zwani „radykałowie".

Pogląd drugi, bez porównania bardziej umiarkowany, rzekłbym, humanistyczny, a zarazem torujący drogę nadziei i fantazji, głosił, iż frygida jest po prostu kobietą nierozbudzoną lub zahamowaną uczuciowo i seksualnie. Nie była to jednak, w tym ujęciu, przypadłość nieuleczalna; przeciwnie, dawała się z łatwością zażegnać. Najciekawszym jednak i poniekąd najważniejszym elementem tej teorii, a ściślej: elementem, który jej tylko towarzyszył, było niezachwiane przekonanie jej wyznawców (zwanych przez to również „romantykami"), iż w zakresie wiedzy na temat terapii rzeczonego niedorozwoju oni właśnie są najwybitniejszymi specjalistami. Ba, żeby tylko w zakresie wiedzy! Również w samej praktyce. Krótko mówiąc, gdyby Madame na nich się zdała w tej sprawie, raz dwa pozbyłaby się wszelkich problemów i odzyskałaby pełnię życia.

I wreszcie pogląd trzeci, chyba najosobliwszy, mający swe źródło i wzięcie właściwie tylko wśród dziewczyn. Otóż utrzymywały one, iż być frygidą to tyle, co kochać się w samej sobie. Według zwolenniczek tego przekonania, Madame była tak doskonała, że nie potrzebowała wchodzić w stosunki z mężczyznami. Nie dość na tym, stroniła od nich i brzydziła się nimi. Wielbiła natomiast samą siebie i, co za tym idzie, tylko z sobą fizycznie obcowała. Miało to głównie polegać na nieustannej pielęgnacji własnego ciała, graniczącej z pieszczotą, na wielogodzinnych kąpielach w pieniącej się wodzie, namaszczaniu skóry kremami i olejkami, masażach brzucha i piersi, nakładaniu maseczek na twarz, a wreszcie – chodzeniu nago po mieszkaniu i przeglądaniu się w lustrze. Słowem, miał to być rzadki przypadek kobiecego narcyzmu.

Do tego wszystkiego doszła jeszcze sprawa *Popiołów* Żeromskiego. Na ekrany kin wszedł właśnie dwuczęściowy film Andrzeja Wajdy według tej powieści należącej do kanonu lektur szkolnych i wywołało to zupełnie nieoczekiwane skutki.

W naszym programie mieliśmy tę pozycję już za sobą. Nie cieszyła się ona specjalnym zainteresowaniem, mało kto przeczytał tę opasłą, trzytomową książkę dokładnie, a Rożek Goltz nawet do niej nie zajrzał. Tak więc jej ekranizacja spotkała się raczej z obojętnością. Odwalenie nużącej, wielodniowej lektury kilkugodzinnym seansem było już niepotrzebne, a konfrontacja obrazu filmowego z literacką podstawą nikogo nie podniecała. Mało kogo obchodziła również gorąca dyskusja, jaka rozgorzała w prasie i telewizji wokół filmu Wajdy, któremu zarzucano, jak zawsze, szarganie narodowych świętości i tanie efekciarstwo. A jednak na *Popioły* chodzono, i to po wiele razy! Film jednał sobie młodego widza trzema krótkimi scenami. W pierwszej, młodziutka, urodziwa bohaterka, szykując się do snu w swym panieńskim pokoju we dworze, w niezwykle atrakcyjny dla obserwatora sposób ogrzewała sobie gołe nogi przy kominku, zadzierając wysoko nocną koszulę i wypinając się bezwstydnie w stronę ognia. W drugiej scenie, ta sama bohaterka, w ileś lat później, w malowniczym plenerze skalnych, tatrzańskich wierzchołków, była gwałcona przez góralskich zbójników, co stwarzało sposobność, by znowu ujrzeć jej nogi, obnażone i zgięte. Wreszcie, w trzeciej migawce, grupka zdziczałych polskich żołnierzy walczących u boku Napoleona w niechlubnej wyprawie hiszpańskiej, folgowała swym żądzom w zdobytej Saragossie, zabawiając się niecnie ze smagłymi mniszkami.

Wszystkie te scenki nie były specjalnie drastyczne, nie było w nich wiele golizny, a nawet okrucieństwa, a jednak, zwłaszcza jak na film polski, biły one wszelkie rekordy śmiałości. Rolę nie bez znaczenia odgrywał tu jeszcze fakt, iż gwałconą pięknością była Pola Raksa, młoda gwiazda tamtych lat, o przenikliwie jasnych oczach i podniecająco łamiącym się głosie, obiekt erotycznych westchnień tysięcy nastolatków. Znano ją z wielu filmów dla młodzieży, w których grała trzpiotowate, niewinne panienki, kuszące i zwodzące chłopaków i mężczyzn, nie pozwalające jednak nigdy nawet na pocałunek. Toteż zobaczyć teraz, jak gwałcą ją bezlitośnie tatrzańscy zbójnicy – niejako w odwecie za to bezecne iganie z płcią męską – było nie lada frajdą. Podobną, choć nieco inną przyjemność sprawiało utożsamianie się z polskimi żołnierzami, którzy na ziemi hiszpańskiej służyli niedobrej sprawie.

Byś opowiadał, że w jednym z kin, operator, za niewielką opłatą, urządza po ostatnim seansie specjalne pokazy dla chętnych, polegające na wielokrotnym puszczaniu tylko tych kilku scen i robieniu stop-klatek w wyznaczanych momentach – na przykład, gdy Pola Raksa stoi przed kominkiem z podniesioną wysoko nogą, obnażoną niemal do biodra.

(Nawiasem mówiąc, wywiązała się z tego zupełnie absurdalna dyskusja, czy zrobienie stop-klatki w projektorze kinowym w ogóle jest możliwe. Znający się na wszystkim Rożek Goltz upierał się bowiem, że taki zabieg spowodowałby tylko sfajczenie się kliszy, a nie zatrzymanie obrazu. O mało nie doszło na tym tle do bójki.)

Jakkolwiek rzecz się miała, ów szczególny rodzaj zainteresowania filmem pociągnął za sobą, przynajmniej na pozór, jak najzacniejsze następstwa: młodzież sama, z nieprzymuszonej woli, na powrót sięgnęła po dzieło klasyki narodowej, które poprzednio potraktowała z dozą lekceważenia. Cóż to jednak było za czytanie i jakim tęsknotom wychodziło naprzeciw?

Do książki zaglądano, by odnaleźć w niej głównie scenę gwałtu w górach – w nadziei, że może słowa powiedzą coś więcej niż krótka migawka filmowa. I tu zaczynała się najosobliwsza przygoda czytelnicza. Otóż okazywało się, że to, co na ekranie trwa niecałą minutę, w powieści ma olbrzymie epickie przygotowanie, ciągnące się przez trzy rozdziały, i stanowi jakby niezależną całość: historię krótkotrwałej namiętności dwojga bohaterów, zamkniętą tragicznym finałem.

Naprzód „miłośnicy", znużeni dotychczasowym życiem i światem, uciekali „krakowską bryką" w góry (rozdział pod tytułem „Tam..."). Następnie, mieszkając w samotnej chacie na skraju lasu i pozostając w stanie niemal permanentnej ekstazy, spędzali tam coś w rodzaju miodowego miesiąca (rozdział o wymownym tytule „Góry i doliny"). Wreszcie, gdy zanocowali raz lekkomyślnie w grocie skalnej na szczytach, zostali napadnięci nad ranem przez zbójców (rozdział „Okno skalne"). Tu właśnie następowała scena gwałtu, po którym zdesperowana bohaterka popełniała samobójstwo, skacząc w przepaść.

Epizod ten zrobił wśród uczniów nieopisaną wprost karierę. Zaczytywano się w nim, cytowano z pamięci całe partie tekstu, dyskutowano dziesiątki szczegółów. Żaden utwór, na żadnej lekcji polskiego, nie wzbudził tylu sporów, tylu namiętnych dociekań i analiz. Szczególną uwagę poświęcano, rzecz jasna, wszelkim detalom mającym przypuszczalnie związek z seksem. Przypuszczalnie – ponieważ poetycki język narracji, naszpikowany metaforami i dziwacznymi słowami, nigdy nie nazywał niczego po imieniu.

W nieskończoność roztrząsano, na przykład, takie zdanie: „Strudzenie wydzierało z ciał ludzką namiętność", dociekając, czy chodzi w nim o to, iż zmęczenie wspinaczką o s ł a b i a ł o pobudliwość płciową bohaterów, czy też wręcz przeciwnie, paradoksalnie ją w z m a g a ł o. Jedni, z Rożkiem Goltzem na czele, uważali, że zagadkowy czasownik nie może tu oznaczać niczego innego jak tylko „pozbawienie", czyli spadek wigoru, że inaczej byłby to czysty absurd. Inni, w tym głównie „romantycy", byli jednak odmiennego zdania; obstawali uparcie, że sporne słowo („wydzierało") znaczy tu „zaostrzało", czy jeszcze lepiej, „wyżymało" lub „wyciskało" (tak jak wyciska się z tubki resztki pasty do zębów) – w danym wypadku: potencję seksualną, nadmiernie, wręcz rabunkowo przez bohaterów eksploatowaną. I na poparcie swej tezy przytaczali z pamięci dwa kolejne zdania, które brzmiały w ten sposób:

> Wtargnąwszy na te wyżyny, odtrącali precz nie tylko suszę i wodę, strząsali ze stóp proch ziemski, ale również wychodzili duchem z kości swych, żył, ciała i krwi. Przystępowali wówczas do rozkoszy najwyższych, jakoby do początku szczęścia wiecznego, do granicy tamtego świata, do namiętności niebieskiej.

Wychodzili duchem z ciała... – podkreślali z naciskiem „romantycy" – a zatem nic innego, jak zostawali samym ciałem; nagim, zwierzęcym instynktem, wyzutym z wszelkich zahamowań i ograniczeń obyczajowych. Przecież to chyba oczywiste!

W kółko powracano też do sceny, gdy bohaterowie – upojeni nadmiarem szczęścia – chcą popełnić samobójstwo, skacząc w przepaść. Ustęp ten fascynował jednak czytelników nie ze względu na swą podniosłą czy dramatyczną treść, lecz ze względu na dwa, trzy zdania, które w nim padały, mające najzupełniej samodzielne i uniwersalne znaczenie (prawie każdy miał je w swoim egzemplarzu podkreślone). – Otóż bohater, namawiany przez ukochaną do desperackiego kroku, który miał ich zaprowadzić „w krainę szczęśliwości", nagle, ni stąd, ni zowąd, zwracał się do niej tonem nie znoszącym sprzeciwu z takim oto roszczeniem: „Więc zdejm ubranie!" – Po chwili okazywało się, że chodzi mu tylko o to, by przy pomocy jej sukni związać się razem przed skokiem i nie rozpaść się dzięki temu w różne strony przepaści, jednakże pierwsze wrażenie, jakie wzbudzały te słowa (natarczywy rozkaz, by kochanka niezwłocznie się obnażyła), było tak silne, że „wydzierało" je poniekąd z kontekstu i czyniło niezależnymi.

Następnie padało zdanie opisowe: „Ona powoli, jak przez sen, wstała i ze swym spokojnym uśmiechem poczęła rozrywać stanik." – Tu znów podkreślone były trzy ostatnie wyrazy, na ogół podwójną linią, a na marginesie widniał jeszcze wykrzyknik.

W ślad za tym szedł passus, w którym dramatyczne napięcie ulegało pozytywnemu rozładowaniu: „Ale gdy spomiędzy czarnego jedwabiu zajaśniało ramię bielsze od czystego obłoku, przywarł do niego ustami." – Z kolei w tym zdaniu kluczowe były, po pierwsze, słowa „spomiędzy czarnego jedwabiu", a po drugie, „przywarł do niego ustami".

No, i wreszcie tragiczna scena finałowa: napad, gwałt i skok w przepaść. To też wałkowano bez końca. Tym razem jednak, wbrew pozorom, nie koncentrowano się na opisie nikczemnych harców, jakim oddawali się zbójcy, odziani „w czarne, wysmarowane tłuszczem koszule i czerwone portki", lecz na tym, co poprzedziło owe najstraszliwsze wydarzenia, to znaczy, na samych okolicznościach napadu – na tym, kiedy i jak bohaterowie zostali zaatakowani.

Otóż z tekstu jednoznacznie wynikało, że napad nastąpił nad ranem, gdy para kochanków „przykryta płaszczem" spała. Bohater jednakże orientował się, co zaszło, dopiero gdy był już spętany – ba, i to jak! – w czterech miejscach! W łokciach, przegubach rąk, w kolanach i kostkach. Nie dość na tym. Cały przywiązany był jeszcze do świerkowego pnia, a w jaskini buchało ognisko rozpalone przez zbójników. Powstawało więc całkiem uzasadnione pytanie, dlaczego nie obudził się wcześniej. Jak to było w ogóle możliwe, że nie czuł ani wiązania, ani buchającego ogniska, ani hałasów czynionych przez napastników, lecz do stanu przytomności przywiodło go dopiero – jak powiadał tekst – „straszne uczucie"?

Rożek Goltz niemiłosiernie naigrawał się z tego fragmentu, dosłownie pastwił się nad nim.

– Co za bzdury! – wykrzykiwał. – Trzeba mieć źle w głowie, żeby coś takiego napisać. Mnie to budzi najcichsze skrzypnięcie drzwi, bzykanie muchy, najsłabszy promień światła, a jego nie zbudziło siedmiu bandytów, którzy go wiązali, rozbrajali, przywiązywali do pnia i skakali przez ognisko! To są kpiny! To urąga zdrowemu rozsądkowi!

– Może się znasz na fizyce – replikował któryś z „romantyków" – ale nie na pożyciu fizycznym. To były skutki wycieńczenia seksualnego. Jak on ją tam piłował dniem i nocą, bez przerwy, to potem był jak trup, jak twój Antek po ciężkim dniu pracy. Nie ma w tym nic dziwnego. Zresztą Żeromski to był erotoman i dobrze wiedział, co pisze.

To namiętne zainteresowanie górskim epizodem *Popiołów* nie wynikało jednak wcale, jak mogłoby się zdawać, z głodu wiedzy o mitycznej wciąż sferze seksu ani tym bardziej z pobudek estetycznych, lecz z czegoś zupełnie innego. Jego źródło biło... w beznadziejnej miłości do Madame la

Directrice. A wszystkie te analizy i dyskusje literackie to była tylko pokrywka, udawanie przed sobą, że chodzi o jakieś kwestie może i nawet ciekawe lub zabawne, lecz w najmniejszym stopniu nie dotykające osobiście. Tymczasem naprawdę, historyjka napisana przez „Serce Nienasycone", jak określano Żeromskiego w podręczniku szkolnym, stanowiła ucieleśnienie najskrytszych marzeń i tęsknot wiązanych z Madame. W wyobraźni odbiorców piękna Helena de With (tak nazywała się bohaterka grana przez Polę Raksę) nie była nikim innym jak właśnie szkolnym bóstwem, a sprawcą jej dzikich rozkoszy, jako też ich poborcą – zawsze ten, który czytał. Choć nikt nigdy nie wypowiedział tego na głos, widać to było gołym okiem.

Co do mnie, lekturę *Popiołów* miałem już dawno za sobą, książka – podobnie jak innych – mocno mnie znudziła, a epizodu górskiego, ze względu na jego nieznośny patos i wielosłowie, po prostu nie zmogłem. Po paru pierwszych stronach, gdy tylko zorientowałem się, o co chodzi, przerzuciłem kartki do przodu, szukając dalszego ciągu głównego nurtu akcji. Obecnie, widząc co się wokół mnie dzieje, przysłuchując się literackim dyskusjom i czując wzrastające napięcie wokół osoby Madame, zacząłem przeżywać denerwującą rozterkę. Z jednej strony, nękała mnie pokusa, by zajrzeć czym prędzej do książki i dowiedzieć się wreszcie – niejako z pierwszej ręki – co jest właściwie przedmiotem tak powszechnej fascynacji i na czym polega nie do końca mimo wszystko jasny związek tej literatury z otaczającym życiem, z drugiej, hamowała mnie duma, by nie poddać się owczemu pędowi i nie stoczyć się, choćby we własnych oczach, do poziomu dyszących chucią, a zarazem sentymentalnych kolegów – nie mówiąc już o lęku, że mogłoby to wyjść na jaw; w pojęciu ogółu, kto czytał wtedy *Popioły*, płonął potajemnie ku lodowatej Madame straszliwą namiętnością.

Dlatego odpychałem od siebie tę pokusę i konsekwentnie nie brałem książki do ręki. Raz jednak zrobiłem to i, choć znaczną rolę odegrał w tym przypadek, słono przyszło mi za to zapłacić.

Było to na lekcji biologii. Siedziałem sam w ostatniej ławce i strasznie się nudziłem. W pewnej chwili spostrzegłem w sąsiedniej kasetce pozostawioną przez kogoś książkę, starannie owiniętą w papier. Szukając ulgi w nudzie, sięgnąłem po nią zaraz (niczym latarnik z noweli Sienkiewicza) i uchyliłem okładkę. Karta tytułowa była najwyraźniej wydarta, a strony w większości nie poprzecinane. Rzuciłem okiem na tekst. Tak, to było to – *Popioły*, tom drugi, z epizodem „w górach". Nie musiałem go długo szukać: strony poprzecinane były tylko na tych rozdziałach, a dolne rogi w tym miejscu – aż lepkie od wielokrotnego kartkowania.

Ułożywszy sobie książkę pod ławką na udach, przybrawszy pozę głębokiego skupienia (czoło wsparte na prawej ręce; lewa służyła do przewracania kartek), rozpocząłem lekturę.

Tekst, który poddawałem badaniu, przeszedł moje najśmielsze wyobrażenia. Wiedziałem, że jest to kicz pełen „ochów" i „achów", i byłem przygotowany na charakterystyczne dla niego śmieszności. Czegoś takiego jednak się nie spodziewałem. To było po prostu niewiarygodne – i to z kilku powodów. Po pierwsze, że Żeromski w ogóle to napisał, że mógł coś takiego napisać! Po drugie, że skoro już napisał, to nie zawahał się opublikować (i że też nikt go nie powstrzymał). Po trzecie, że był to fragment książki należącej do kanonu lektur szkolnych. I wreszcie, że to się podobało, że zaczytywano się w tym! I to dlaczego, i po co! By według tego wzoru – w tym stylu czy konwencji – przeżywać w wyobraźni romans z panią dyrektor!

Choć, z drugiej strony, może i nie było w tym nic dziwnego. Albowiem proza ta, pod grubym płaszczem karykaturalnie egzaltowanego stylu i podniosłego idealizmu kryła w sobie coś, co świeżo dojrzała młodzież, rozdygotana i znerwicowana przez nadczynność hormonów, bezbłędnie wychwytywała. Tym czymś była perwersja i – fascynacja perwersją. Żeromski niewątpliwie dawał tu upust jakimś swoim natręctwom, jakimś głęboko ukrytym tęsknotom czy obsesjom, i najbardziej uwznioślająca narracja nie była w stanie tego zataić. Był to klasyczny „rys ekshibicjonistycznego ekscesu", jak to określił gdzieś pewien wybitny filozof.

Jednakże nade wszystko rzecz była przezabawna. Czytając te napuszone opisy „łąki-kochanki, mlekiem i miodem płynącej", nienaturalne dialogi rojące się od wykrzyknień w rodzaju „Jakżeś jest mężny, silny i straszny!" i liryczne inwokacje o „wieczności, która dawno przeminęła", z trudem powstrzymywałem się od śmiechu.

Aż nagle zaświtała mi pewna myśl. Ależ tak, zrobić kawał! Wybrać co komiczniejsze zdania i określenia, ułożyć z tego coś w rodzaju romantycznego poematu prozą i z kamienną twarzą przedstawić to na lekcji polskiego jako utwór odkrytego właśnie w jakichś niezwykłych okolicznościach poety – uznanego jednogłośnie przez filologów za geniusza dorównującego naszym narodowym wieszczom. Pomysł tak mi się spodobał, że bez reszty zawładnął mą wyobraźnią. Odtąd czytałem już tylko pod tym kątem: które wyrażenia, metafory i całe zdania wykorzystam w mojej mistyfikacji, jak będę je łączył, od czego zacznę i na czym zakończę.

Szał twórczy, który mnie ogarnął, do tego stopnia oderwał mnie od rzeczywistości, że nawet nie spostrzegłem, jak Żmija zaszła mnie od tyłu, stanęła nade mną i zaczęła patrzeć mi przez ramię. Podobnie jak bohater powieści, który obudził się z twardego snu, gdy był już związany, a zbójcy hulali w jaskini, z zagrożenia zdałem sobie sprawę dopiero w chwili, gdy jej koścista ręka, niczym zwinne odnóże gigantycznego raka, mignęła mi przed oczami i wydobyła książkę spod ławki.

– I cóż to tak czytamy na lekcji biologii? – zaczęła klasyczny w jej wydaniu seans wychowawczy. – Na pewno coś ciekawego, ale czy na temat? – Zerknęła na początek książki. – Strona tytułowa wydarta... kartki nieprzecinane... Tylko tutaj pośrodku... aż brudne od użycia. Zobaczmy, może też nas zainteresuje? – I przeczytała na głos:

> Tu na twoich piersiach był wilk, tu, gdzie tak bije serce! Aleś go zabił. O, panie mój! Straszna morda wilcza i białe kły były tu, obok gardła. Krzywe pazury wbijały się między żebra, a ślepia patrzyły w twe oczy. Jakżeś jest mężny, silny i straszny! Jakżeś niezwyciężony! Mocniejszy jesteś niż zima, niż lód, niż wicher! Mocniejszy jesteś niż wilk. Ty się nie boisz nikogo na ziemi. Ani ludzi, ani zwierząt! Jesteś straszny! Jesteś piękny! Drżę na samą myśl... Jestem twoją służebnicą... O, miły... Tam...

W klasie zapanowało rozprężenie. Było jasne, że w lekcji następuje dłuższa przerwa, urozmaicona w dodatku tak zwanymi „jajami" – w tym wypadku, spektaklem polegającym na chłostaniu ucznia szyderstwem i drwiną, co na ogół obfitowało w komiczne momenty.

– No, niezupełnie na temat – ciągnęła tymczasem Żmija. – Nie o wilku się dzisiaj uczymy.

Kątem oka spostrzegłem, jak kilka osób dyskretnie chowa do teczek swoje egzemplarze drugiego tomu *Popiołów*. A Żmija, zmieniwszy nieco ton, przystąpiła do zasadniczej pedagogicznej rozprawy:

– Więc oto co czyta na lekcji nasz dumny szekspirysta, chluba naszej szkoły, laureat zeszłorocznej „Złotej Maski"! Jakiś nędzny brukowiec, sentymentalne powieścidło dla pensjonarek, duby smalone dla ciemnoty.

Nie sposób było odmówić jej racji. W mojej sytuacji musiałem się jednak bronić.

– To są *Popioły* Żeromskiego – bąknąłem półgłosem, jakbym chciał ją ostrzec przed dalszą kompromitacją. – To jest w lekturze szkolnej.

Żmii zupełnie nie zbiło to z tropu:

– *Popioły* Żeromskiego! – powtórzyła z ironią. – *Popioły* Żeromskiego są w lekturze dla klasy dziesiątej, a nie jedenastej. Wyobraź sobie, że choć uczę przyrody, na tyle jednak znam program z polskiego. Trochę więc późno wziąłeś się do czytania. To raz. A dwa, że skoro już jesteś taki sumienny i pilny, że uzupełniasz zaległą lekturę w czasie przeznaczonym na naukę biologii, to może łaskawie nam wytłumaczysz, dlaczego kartki poprzecinane są tylko tutaj, pośrodku, a reszta jest nietknięta. O, proszę... – podniosła do góry książkę otwartą na wyszmalcowanych stronicach. – Tylko tutaj, na tych wzdychach i jękach...

Klasa buchnęła śmiechem, a mnie aż skręcało ze złości.

– To nie mój egzemplarz – palnąłem szukając ratunku, przez co jednak pogorszyłem tylko sytuację.

– Nie twój? – udała zdziwienie Żmija. – Czyj, powiedz, w takim razie.

– Nie wiem – burknąłem niegrzecznie. – Leżał.

– Leżał... – pokiwała głową z obłudnym zatroskaniem – więc wziąłeś i zacząłeś czytać ze środka...

– Tak mi się akurat otworzyło.

– Otworzyło ci się! – przyrodniczka nie ustępowała ani na krok. – Nie dość, że masz gust pensjonarki, to jeszcze jesteś załgany. Usiłujesz się wyprzeć swoich upodobań. Może mi jeszcze powiesz, że chciałeś tylko zobaczyć, co się podoba innym?...

Tak było! Dokładnie! Lecz jak miałem to udowodnić! Kto by mi uwierzył na słowo! Musiałem przyjąć inną linię obrony. Niby wyprowadzony z równowagi, warknąłem ostrzejszym tonem:

– To czego by właściwie pani profesor chciała? Żebym zaczął na lekcji przecinać kartki od początku? Po co te insynuacje!

Było to niezłe posunięcie. Ale właśnie dlatego jeszcze bardziej rozsierdziło Żmiję.

– Dobrze – powiedziała oschle. – Niech ci będzie. To powiedz nam w takim razie, co jest tematem dzisiejszej lekcji.

– Królik... Anatomia królika... – zacząłem dukać, spostrzegłszy na tablicy zawieszoną planszę z wizerunkiem tego ssaka z otwartą jamą brzuszną, w której kłębiły się kolorowe wnętrzności.

– Doskonale! Świetnie! – powiedziała z ironiczną zachętą w głosie. – Ale co konkretnie? Jakie narządy? Funkcje? Jaki układ wewnętrzny?

– Rozrodczy – usłyszałem szept podpowiedzi, ale uznałem to za dowcip mający na celu dalsze rozbawienie klasy moim kosztem.

– Nie wiem, nie uważałem – poddałem się z desperacją.

– No właśnie, tak myślałam – stwierdziła z udanym smutkiem Żmija.

– Nie będziesz więc miał mi za złe, że wstawię ci dzisiaj dwójkę – wpisała zamaszyście stopień do dziennika. – A teraz przyjmij łaskawie do wiadomości, że uczymy się dzisiaj o życiu płciowym królika. Temat w sam raz dla ciebie. Aż dziwne, że nie uważałeś. W każdym razie, na następną lekcję opanujesz dokładnie ten materiał i pięknie nam go tu wyłożysz, tak żeby nikt nie miał wątpliwości, że się znasz na rzeczy.

Bolesne to były słowa. I perspektywa okropna. Najgorsze jednak było co innego – coś, z czego Żmija nie zdawała sobie zresztą sprawy, gdy bezlitośnie ćwiczyła mnie przed klasą, a mianowicie stworzenie fałszywego wrażenia, że i ja czytam po kryjomu wiadomy epizod. A to posiadało tylko jedną wykładnię: Madame la Directrice i mnie złamała serce.

# ROZDZIAŁ DRUGI

## Na początku było Słowo

Na skutki fatalnej demaskacji nie musiałem długo czekać. Ledwo usiadłem wymiętoszony przez Żmiję, doszły mnie szepty połączone z ukradkowymi spojrzeniami w moją stronę. Nie miałem wątpliwości – obgadywano mnie, sycono się moim upadkiem, znajdywano małoduszne pocieszenie w tym, że i ja dzielę męczeński los adoratorów Damy z Lodu. Było to nie do wytrzymania.

Jak zwykle w trudnych momentach życiowych, udałem się po lekcjach do pobliskiego parku (jak na ironię: imienia Żeromskiego), żeby w spokoju rozważyć powstałą sytuację i znaleźć z niej jakieś wyjście. Usiadłem na ustronnej ławce i przystąpiłem do analizy myślowej.

Wskutek nieroztropności zostałem ośmieszony. Lecz jednocześnie zmuszony do przyznania się przed samym sobą, iż Madame la Directrice zawróciła mi w głowie, że bynajmniej nie jestem wolny od trującego afektu, jak to przez cały czas, kłamliwie, utrzymywałem przed sobą.

Akt samouświadomienia nie przyniósł jednak tym razem ozdrowieńczego skutku. Przeciwnie, rozjątrzał tylko ranę i strącał w piekielną otchłań. Nie dość, że miałem cierpieć typowe w tym stanie męki, to jeszcze żyć w poczuciu straszliwej degradacji, w uwłaczającym zrównaniu z innymi ofiarami choroby. Tu właśnie przebiegała granica mojej wytrzymałości. I to mobilizowało do znalezienia remedium.

„Nie, tak być nie może" – myślałem, patrząc na drzewa mieniące się kolorami w październikowym słońcu. „Trzeba natychmiast coś zrobić. Jeżeli nie podejmę jakichś zaradczych kroków, stoczę się wkrótce na dno. Stanę się jednym z tych żałosnych pajaców, gotowych za każdą cenę, najbezwstydniejszych poniżeń, zabiegać o cień uwagi."

Zdawałem sobie sprawę, że w mojej sytuacji – osiemnastoletniego młokosa, młodszego od niej o co najmniej dwanaście lat, a do tego jeszcze będącego jej poddanym, i to najniższego rzędu – liczyć na coś więcej niż ukojenie przez słowa było głupotą, wciągającą niechybnie w bagno kompromitacji i piekło upokorzenia. Nie chodziło mi jednak o „literaturę": o to, że – zgodnie z akcją trzeciej odsłony szekspirowskiego dramatu żywota – mógłbym o niej i dla niej składać smętne wierszydła albo, uchowaj Boże, smażyć miłosne listy. Zadośćuczynienie przez mowę, w której upatrywałem swą szansę, rozumiałem inaczej. Miało ono polegać na podjęciu pewnej gry, w której wypowiadane słowa i zdania mieniłyby się znaczeniami, a także zyskiwałyby na sile: stawałyby się czymś więcej niż tylko środkiem komunikacji, stawałyby się pewnego rodzaju faktami. Inaczej mówiąc, pewna cząstka rzeczywistości miała zostać w tej grze sprowadzona do języka. Ulotne dźwięki o umownym sensie miały być z krwi i kości.

Nieraz już w życiu przekonałem się, jak wiele mogą zdziałać słowa. Odkryłem ich czarodziejską moc. Potrafiły nie tylko zmieniać rzeczywistość, potrafiły ją tworzyć, a w szczególnych wypadkach – nawet ją zastąpić.

Czyż nie słowa odwróciły przesądzony, jak się zdawało, los w biurze organizacji Przeglądu Scen Amatorskich? I czyż nie one, później, zapanowały nad „czernią"?

Albo niezapomniana chwila po Festiwalu Chórów... Czyż, w gruncie rzeczy, nie słowa stanowiły jej źródło? Czyż do tego, by nastrój zwykłego rozprężenia przemienił się niespodzianie w radosny szał dionizyjski, nie potrzeba było dopiero magicznego „no more"? I krzyku „What you say?" – by nastąpiła *katharsis*?

I czyż, wreszcie, nie słowa wygrywały z faktami nawet w „podziemnym" życiu szkoły? Spośród dziesiątków zdarzeń, które zapisywały się złotymi zgłoskami w pamięci klasowej społeczności, najwyższą lokatę zajmowało bezapelacyjnie wiadome wypracowanie Rożka. Przebijało ono nawet tak zabawną i bezkompromisową w swym wyrazie „wiedeńską" odsiecz Fąfla, która z biegiem czasu okazała się bledsza i mniej ekscytująca.

O tak, nie darmo księga, która wysuwa twierdzenie, że na początku wszystkiego było i zawsze jest Słowo, uchodzi za księgę świętą! Obecnie z tej nauki postanowiłem zrobić użytek. Nie zdawać się na przypadek, w którym Słowo odegra swą czarodziejską rolę, lecz działać z rozmysłem w tym celu. Umyślnie torować Mu drogę, przygotowywać grunt. Oznaczało to pewną pracę – podobnie jak w wypadku marzeń o jazzowym zespole i występach scenicznych. Tym razem stwarzanie warunków przyszłym wniebowstąpieniom miało polegać głównie na zdobywaniu wiedzy, rzetelnej i drobiazgowej, na temat życia Madame. Do sprawy należało podejść poniekąd naukowo. Skończyć z brednią fantazji, domysłów i hipotez, zacząć prowadzić badania, gromadzić informacje. I to informacje istotne, a nie jakieś tam głupstwa jak numer szminki do ust. Tylko z takimi kartami w ręku można było przystąpić do założonej przeze mnie gry. Krótko mówiąc, należało wszcząć dochodzenie.

Aby ten śmiały plan nie wydał mi się nazajutrz fanaberią umysłu zrodzoną w momencie depresji, postanowiłem czym prędzej zakotwiczyć go w rzeczywistości, czyli niezwłocznie przystąpić do działania. – Cóż mogłem zrobić od razu? – Ależ to oczywiste! Spróbować ustalić adres przez książkę telefoniczną.

Wstałem i raźnym krokiem ruszyłem w kierunku poczty.

Było mało prawdopodobne, aby dyrektor szkoły nie miał w mieszkaniu telefonu. Nie oznaczało to jednak, że numer i nazwisko będą figurowały w spisie. Telefon mógł być zastrzeżony; zarejestrowany na kogoś innego; a jeśli założono go niedawno, mógł jeszcze nie występować w ostatnim wydaniu książki telefonicznej, którą drukowano co dwa albo trzy lata.

Wszystkie te obawy okazały się płonne. Abonentów noszących takie samo nazwisko, jakie nosiła Madame, było zaledwie trzech, każdy miał inne imię, tylko jedno z nich było imieniem żeńskim – i to było właśnie jej imię. Ponadto, po przecinku, widniał jeszcze skrót tytułu naukowego – „mgr", który zdawał się ostatecznie przesądzać sprawę. Nie było wątpliwości, to mogła być tylko ona.

Łatwy i szybki sukces, jakim zakończyła się moja pierwsza operacja detektywistyczna, podziałał na mnie dwojako. Z jednej strony, przyniósł dreszcz podniecenia i umocnienie w wierze, że plan, który powziąłem, nie jest fantasmagorią. Z drugiej, sprawiał mi zawód: skreślał zadanie, które dopiero co sobie wyznaczyłem, i stawiał mnie na nowo w martwym punkcie wyjścia. To zaś z kolei na nowo rodziło wątpliwości.

Poddawszy te uczucia bezwzględnej analizie, stwierdziłem, że są przejawem podświadomego lęku. Zamiast bez ceregieli posuwać się do przodu, szukałem retardacji. Marząc o sytuacji, w której będę mógł wreszcie, wyposażony w odpowiednią wiedzę, rozpocząć swą Wielką Grę, bałem się jej zarazem – skory do odwleczenia, a nawet do walkovera.

„Trzeba to w sobie przełamać", upomniałem się w duchu, „trzeba grać ofensywnie". I nie zastanawiając się długo, pojechałem pod znaleziony adres.

Ulica, a ściślej, niewielkie osiedle, na które prowadził, znajdowało się mniej więcej w połowie drogi między moim domem a szkołą. Wysiadłszy z autobusu, a zwłaszcza zagłębiwszy się w labirynt alejek oplatających domy, poczułem przyspieszone bicie serca. Cóż, w każdej chwili mogłem ją przecież spotkać! Czy nie wydałoby się to jej podejrzane? Oczywiście, mogłem mieć sto powodów, aby tamtędy iść, a jednak mimo wszystko... Jak się wtedy zachować? Ukłonić się i przejść dalej jak gdyby nigdy nic? Czy jednak nie pozostawić zdarzenia bez komentarza? Odegrać zaskoczenie i rozwinąć to jakoś?

Nie, żadne z tych rozwiązań nie byłoby dobre. Uzmysłowiłem sobie, że takie przypadkowe spotkanie psułoby mi szyki. Należało go zdecydowanie uniknąć. Zacząłem się mieć na baczności. – Jeśli ją tylko spostrzegę, zmieniam dyskretnie kierunek albo odwracam się. W najgorszym razie, udaję zamyślonego i nie zauważam mijając. – Dopóki szedłem wśród domów, nie przedstawiało to problemu. – Co jednak zrobię, jeżeli się zderzę z nią w drzwiach albo tym bardziej na schodach? Wtedy muszę już coś powiedzieć...

Na szczęście, spis lokatorów znajdował się zewnątrz budynku.

Znalazłszy jej nazwisko, zwróciłem natychmiast uwagę na nazwiska sąsiadów i, na wszelki wypadek, kilka z nich nakazałem sobie zapamiętać. Uzbrojony w tę wiedzę – i odprężony nareszcie – ruszyłem wolnym krokiem w kierunku właściwej sieni. Teraz mogłem ją spotkać nawet przy samych drzwiach. Na jej najbardziej zdumione czy podejrzliwe pytanie miałem gotową odpowiedź: „Idę do państwa..." – tu wymieniłbym nazwisko kogoś kto mieszkał wyżej – „cóż w tym nadzwyczajnego?"

Budynek miał cztery piętra, a ona mieszkała na drugim. Gdy znalazłem się pod jej drzwiami, znów ogarnęły mnie emocje. A więc to tutaj! Ten próg! Ta klamka! Ta framuga! – Upewniwszy się, że w przeciwległych drzwiach nie ma judasza, przez który mógłby mnie ktoś śledzić, przyłożyłem ucho do chłodnej powierzchni drzwi. Cisza. Raczej nikogo nie było. Następnie, na wszelki wypadek, poszedłem jeszcze na górę, by sprawdzić nazwiska na drzwiach.

Zbiegłem na dół i znalazłszy się znów na dziedzińcu, przystąpiłem do identyfikacji okien. Rzecz nie nastręczała trudności. Wszystkie niewątpliwie wychodziły na jedną stronę, właśnie na podwórko, i w sumie było ich trzy. Pierwsze od klatki schodowej dawało wgląd do kuchni (wskazywało na to widoczne wnętrze na parterze w tym pionie), a dwa pozostałe – jedno większe (poczwórne), drugie mniejsze (podwójne) – do pokoju albo do dwóch pokoi. To pozostawało niejasne. Penetracja parteru w tym pionie nie przyniosła, niestety, żadnego rozstrzygnięcia – z powodu zaciągniętych firanek.

Spojrzałem na identyczny budynek, który stał równolegle, i ruszyłem ku drzwiom położonym dokładnie naprzeciw jej sieni. Najpierw z okna drugiego, a potem trzeciego półpiętra rozpocząłem obserwację.

Mimo stosunkowo niewielkiej odległości, trudno było stwierdzić, czy wewnątrz, między oknami, biegnie ściana, czy nie. Wydawało się, że nie, ale pewności nie miałem. Ten błahy z pozoru problem nie dawał mi spokoju. Bo jeśli to mieszkanie było dwupokojowe, to miałoby to znaczenie, i to nawet nie jedno.

W tamtych czasach, z powodu braku mieszkań, ludziom przysługiwały ustalone odgórnie metraże; jeśli się nie miało specjalnych uprawnień, było się skazanym na los pszczoły w ulu. Gdy wskutek zmian życiowych robiło się w domu luźniej (na przykład, gdy ktoś umarł), pozostali na miejscu członkowie rodziny zaczynali drżeć ze strachu, czy któregoś pięknego ranka nie znajdą w skrzynce na listy nakazu eksmisji do mniejszego lokalu, ponieważ w danych warunkach przekraczali przysługującą im normę. Innym środkiem nacisku na biednych lokatorów były niezwykle wysokie opłaty za nadmetraż, czyli za powierzchnię mieszkalną przekraczającą normę. Mało kto mógł sobie pozwolić na płacenie takiego czynszu. Toteż prawie się nie zdarzało, by ktoś samotnie zajmował więcej niż tak zwane M-1 lub najwyżej M-2 (kawalerka albo pokój z kuchnią).

Jeżeli zatem mieszkanie, do którego usiłowałem przeniknąć wzrokiem (i duchem), stojąc na trzecim półpiętrze sąsiedniego budynku, składało się z dwóch pokoi, świadczyło to niezawodnie, że jego lokatorka albo dzieli je z kimś, albo ma przywileje, albo płaci bajońskie sumy za straszliwy nadmetraż. Najbardziej by mi odpowiadało wytłumaczenie drugie. Wydawało się zresztą najbardziej prawdopodobne. Bez oporów przystałbym również na trzecie. Najgorzej było z pierwszym – w końcu także możliwym. Choć właściwie – dlaczego? Przecież gdyby mieszkała z kimś i doszedłbym, prędzej czy później, kim jest owa osoba (członek rodziny? przyjaciel?), miałbym dobry materiał do mego „oblężenia".

Wszystkie te spekulacje w jednej chwili rozwiał zapadający zmierzch, dość wczesny już o tej porze. W mieszkaniu piętro wyżej zapaliło się światło, które wypełniło przestrzeń n a r a z za dwoma oknami, co dowodziło niezbicie, iż nie dzieli ich ściana. Potwierdziła to ostatecznie postać rosłego mężczyzny, który zasuwając zasłony, ukazał się w drugim oknie dosłownie w sekundę po tym, kiedy zniknął był w pierwszym.

Odetchnąłem z ulgą. Więc jednak jeden pokój! Duży bo duży – lecz jeden. Ten niepozorny detal czynił tyle dobrego! Poprawiał jej reputację (jeśli nawet korzystała z przywilejów, to w skromniejszym wymiarze); skreślał na dobrą sprawę możliwość współlokatora; wreszcie, obniżał radykalnie haracz za nadmetraż, a może i zwalniał z niego.

W doskonałym nastroju, zapomniawszy bez reszty o wpadce u Żmii i czekającym mnie wkrótce pełnym wilczych dołów przepytywaniu z królika, szedłem ciemnymi ulicami i podsumowywałem swą akcję.

Choć zdobyta przeze mnie wiedza nie zawierała właściwie niczego nadzwyczajnego, zmieniała jednak ostrość mego widzenia. W ciągu niespełna dwóch godzin przybliżyłem się do niej niemal o lata świetlne. Z maleńkiego punktu migającego gdzieś w otchłani kosmosu tajemniczym, bladoniebieskim blaskiem stała się tarczą słoneczną widzianą z perspektywy pobliskiej planety. Obecnie byłem już nie tylko jednym z dziesiątków jej uczniów, trzymanych na dystans w relacji służbowej, lecz również – osobliwym znajomym. Wiedziałem, gdzie i w jakich warunkach mieszka, mogłem do niej zadzwonić, nadać list, opatrując jej nazwisko na kopercie tytułem naukowym odkrytym w książce telefonicznej.

Nagle dotarł do mnie podstawowy sens tego tytułu, a raczej okoliczności, że był podany w spisie. Oczywiście, znajdował się tam wyłącznie jako dodatkowy wyróżnik – na wypadek, gdyby ktoś o tym samym nazwisku miał również to samo imię. Lecz żeby jego posiadacz w ogóle mógł go podać, musiał okazać dokument, przyznający mu prawo do jego używania – w danym wypadku świadectwo ukończenia wyższej uczelni. A zatem jest po studiach! Po uniwersytecie, po pracy dyplomowej! – Wydawałoby się takie proste, a przyszło mi do głowy z takim opóźnieniem.

## Dziś temat: Święto Zmarłych

Tematem konwersacji, od której Madame zawsze zaczynała swe lekcje, była na ogół jakaś bieżąca sprawa – wydarzenie z pierwszych stron gazet, aktualność szkolna, zbliżające się ferie lub święta i tym podobne okoliczności. Tym razem, to znaczy, na najbliższych zajęciach, takim pretekstem czy hasłem wywoławczym okazał się Dzień Zmarłych, który właśnie nadchodził. Rozmowę zdominowały rzeczy i sprawy cmentarne – nagrobki, trumny, wieńce, znicze, klepsydry, grabarze. Chodziło, jak zawsze, o to, by poznać te pojęcia i włączyć je na trwałe do zasobu słownictwa.

Było mi to wyjątkowo nie na rękę. Niemniej, gdy przyszła na mnie kolej, podjąłem zaplanowaną próbę, zaczynając mniej więcej w ten sposób:

– *Quant à moi, je n'ai pas encore de morts dans ma famille*[1], niemniej wybieram się na cmentarz, aby z grupą studentów porządkować zaniedbane groby profesorów uniwersytetu.

– *C'est bien louable...*[2] – stwierdziła. Lecz zamiast jakoś nawiązać do tej inicjatywy lub choćby o coś zapytać, na co liczyłem i z czego zamierzałem uczynić kolejny stopień w mojej karkołomnej wspinaczce, powiedziała: – Groby porasta mech, a krzyże oplata bluszcz.

Nie sposób było nie zgodzić się z tym spostrzeżeniem. Chodziło jednak o to, by posunąć się choćby o krok dalej. Zrobiłem to tak:

– *Oui, en effet*[3] – stwierdziłem z nutą smutku w głosie. – Niestety, zasłaniają one również napisy na płytach. Będziemy je właśnie odsłaniać.

Nic jej to nie obeszło:

---

[1] Co do mnie, nie mam jeszcze żadnych zmarłych w rodzinie
[2] To bardzo chwalebne...
[3] W samej rzeczy

– *Les tombeaux où rampent les lierres sont souvent beaux.*[1] Trzeba uważać, żeby czegoś nie zepsuć.

Cóż za nieludzki gust! Dwuznaczna uroda grobu była dla niej ważniejsza niż pamięć o człowieku.

– To chyba oczywiste! – powiedziałem z zapałem i aby czym prędzej wydostać się z tej mielizny, ruszyłem śmiało do przodu: – *À propos* naszej akcji, może wie pani o jakimś zaniedbanym grobie? Mógłbym pogadać z moimi kolegami i chętnie się tym zajmiemy.

Zamyśliła się na moment.

– *Rien ne me vient à l'esprit.*[2]

– *Tous vos professeurs sont toujours en vie?!*[3] – nie zdołałem stłumić rozczarowania w głosie.

– *À vrai dire, je n'en sais rien*[4] – odpowiedziała chłodno, nieprzenikniona jak bazaltowa płyta.

Szukałem rozpaczliwie jakiegoś występu na tej gładkiej powierzchni, o który można byłoby się zahaczyć, lub choćby drobnej rysy, w którą dałoby się wbić klin. Czułem, że jeszcze chwila i odpadnę od ściany.

– Może pamięta pani przynajmniej jakieś nazwiska – palnąłem z desperacją – zwłaszcza tych najstarszych? Można by sprawdzić i w razie czego odszukać.

Tak, nie było to najszczęśliwsze i nie zdziwiłem się, gdy odrzekła:

– *Tout cet intérêt porté aux morts me paraît quelque peu exagéré...*[5]

– *Mais pas du tout!*[6] – udałem święte oburzenie i czując, że jest to ostatni moment forsowania tego podejścia, przypuściłem frontalny atak: – Spełniam tylko życzenie moich kolegów-studentów. Prosili, bym zbierał informacje. Więc przyszło mi do głowy, że pani może coś wiedzieć.

– Ja? Niby dlaczego? – uniosła ramiona w geście odpychającego zdziwienia.

Była już jednak na straconej pozycji:

– Nie kończyła pani studiów na Uniwersytecie Warszawskim?

---

[1] Groby porośnięte bluszczem bywają malownicze.
[2] Nie, nic nie przychodzi mi do głowy.
[3] Wszyscy pani profesorowie jeszcze żyją?!
[4] Prawdę mówiąc, nie wiem.
[5] Czy ty aby nie przesadzasz z tą swoją troską o zmarłych...
[6] Ależ nic podobnego!

– *Si, bien sûr!*[1] Gdzieżby indziej? – w jej głosie dalej wibrowało pańskie rozkapryszenie, a przecież właśnie w tej chwili „oddawała figurę": rzekła, co chciałem usłyszeć.

– No właśnie! – tryumfowałem w duchu i rozzuchwalony sukcesem posunąłem się dalej: – *C'était quand, si je peux me permettre?*[2] To, naturalnie, już nie przeszło:

– *Je crois que tu veux en savoir un peu trop*[3] – zasłoniła się z gracją. – Zresztą, cóż za różnica?

– Ach, żadna! – odszedłem natychmiast nierozważnym skoczkiem, tracąc przez to dobrą strategicznie pozycję, a na dobitek popełniając jeszcze głupi błąd: – *C'était seulement une question d'entretenir la... dialogue.*[4]

Nie mogła tego nie wykorzystać:

– *Pas „la" dialogue* – rozpoczęła błyskawicznie kontratak – *mais „le" dialogue; „dialogue" est masculin.*[5] W danym wypadku jednak powinieneś użyć słowa „rozmowa", a nie „dialog". To raz. A dwa: to nie rozmawiamy dziś o studiach, zwłaszcza o moich, tylko o cmentarzach i grobach.

Było to jej klasyczne zagranie. Gdy ktoś się za bardzo rozpędzał, a zwłaszcza zaczynał zadawać jej pytania, naprzód dostawał po łapach za gramatyczne potknięcia, po czym odprawiała go z kwitkiem.

Tym razem jednak jej sztych specjalnie mnie nie dotknął. Wyciągnąłem już od niej to, co chciałem wyciągnąć, więc fiasko ostatniej szarży, zuchwałej czy wręcz bezczelnej – przecież pytanie o rok ukończenia studiów nie było niczym innym, jak próbą ustalenia jej wieku – przełknąłem właściwie bez bólu. Jeżeli coś mnie gryzło, to tylko własna fuszerka. I właśnie to denerwujące uczucie postanowiłem w ostatniej chwili zatrzeć, sprowadzając całą rzecz do absurdu:

– Użyłem słowa „dialog", a nie „rozmowa" tylko dlatego, żeby uniknąć rymu.

– *Comment?*[6] – skrzywiła się w grymasie wyniosłej konsternacji.

---

[1] No oczywiście!
[2] A kiedy, jeśli wolno?
[3] Mam wrażenie, że za dużo chcesz wiedzieć
[4] To tylko takie pytanie dla podtrzymania dialogu.
[5] Nie *„la" dialogue* (...) tylko *„le" dialogue*, „dialog" jest rodzaju męskiego.
[6] Że co?

A ja ze spokojem dalej ciągnąłem tę bzdurę:

– *Si j'avais dit „c'était seulement une q u e s t i o n pour entretenir la c o n v e r s a t i o n", ça ferait des vers.*[1] Nie słyszy pani tego? – *Qu'est-ce que c'est que ces bêtises!*[2] – machnęła ręką i kazała mi usiąść.

## Materiał do raportu

Na wydział romanistyki Uniwersytetu Warszawskiego pojechałem jeszcze tego samego dnia – prosto ze szkoły.

W dziekanacie przedstawiłem się jako uczeń kończący liceum, które w myśl śmiałych planów Ministerstwa Oświaty ma się niebawem przekształcić w nowoczesną placówkę eksperymentalną z wykładowym językiem francuskim, i przedłożyłem sprawę, z jaką rzekomo zostałem wydelegowany.

Według mojego oświadczenia, zlecono mi opracowanie raportu na temat studiów romanistycznych na warszawskiej uczelni. Raport ten ma objąć głównie informacje dotyczące egzaminów wstępnych oraz przebiegu nauki na kolejnych latach, ponadto zaś – i na to położono szczególny nacisk – winien znaleźć się w nim tak zwany „rys historyczny", czyli przedstawienie dziejów wydziału inkrustowane portretami co znamienitszych osobistości naukowych, a także wybijających się studentów, którzy tak czy inaczej zabłysnęli i zrobili z czasem interesujące kariery zawodowe.

Otóż o ile zdołałem już zebrać, i to nawet w nadmiarze, dane do głównej części raportu (egzaminy wstępne oraz przebieg studiów), a także do części historycznej (dzieje warszawskiej romanistyki i jej sławni profesorowie), o tyle nic, ale to absolutnie nic nie mam na temat ciekawych lub wybitnych absolwentów wydziału, a Bóg mi świadkiem, iż wiele już uczyniłem, aby cokolwiek zdobyć – chodziłem, rozpytywałem, szukałem stosownych kontaktów – niestety, zawsze kończyło się to tym samym: odsyłaniem mnie wprost na wydział, tu właśnie, do kancelarii, gdzie znajduje się pełna dokumentacja. Byłbym przeto niezmiernie zobowiązany, jakoż

---

[1] Gdybym powiedział „to tylko takie p y t a n i e dla podtrzymania r o z m o w y", to powstawałby rym.

[2] Co za bzdury!

i wdzięczny w imieniu moich przełożonych, gdyby stosowne materiały zostały mi łaskawie udostępnione.

Siedzące w dziekanacie sekretarki patrzyły na mnie z grymasem wytężonej uwagi, jakbym przemawiał do nich nie po polsku (czy nawet po francusku), lecz w jakimś egzotycznym języku. Moje *exposé* brzmiało jednak tak szlachetnie i przekonująco, że nie zdobyły się na odprawienie mnie z kwitkiem, lecz ograniczyły się do stwierdzenia, iż nie są pewne, czy dobrze mnie rozumieją, i spytały, czym właściwie mogłyby mi pomóc.

– Nie chciałbym robić paniom kłopotu – powiedziałem z ujmującą grzecznością – może przejrzałbym po prostu listy absolwentów. Z tym nie powinno być chyba problemu?

Spojrzały po sobie z nieopisanym zdziwieniem.

– Chodzi o podstawowe dane – dodałem pojednawczo. – Rok ukończenia studiów, tytuły prac magisterskich i tym podobne drobiazgi.

– Z jakich lat? – odezwała się wreszcie jedna z nich, zapewne najważniejsza.

– Powiedzmy, od połowy lat pięćdziesiątych – powiedziałem, wyliczywszy z grubsza, że Madame nie mogła ukończyć studiów przed pięćdziesiątym piątym.

– Od połowy lat pięćdziesiątych? – zdumiała się Najważniejsza. – Wiesz, ile tego jest?

– Trudno – rozłożyłem ręce w geście wyrażającym poczucie obowiązku – takie mam zadanie.

Wstała, podeszła do ogromnej szafy, rozstawiła przy niej drabinkę i wspięła się na nią. Następnie, z górnej półki, zawalonej stertami pękatych teczek i skoroszytów, wydobyła jakiś niepokaźny skrypt, otrząsnęła go z kurzu i zeszła na dół.

– Roczniki 55-60 – powiedziała wręczając mi go.

Z trudem panując nad podnieceniem, walcząc z niecierpliwością i porywczymi ruchami, usiadłem przy jednym z biurek i przystąpiłem do studiowania powierzonej mi dokumentacji.

Stronice podzielone były na pięć rubryk, opatrzonych u góry następującymi nagłówkami: „Nazwisko i imię", „Data urodzenia", „Tytuł pracy dyplomowej", „Promotor", „Ocena końcowa".

Wyjąłem z teczki zeszyt do notatek, po czym wolno, kartka po kartce, zacząłem przeczesywać wzrokiem listy absolwentów. Od czasu do czasu, gdy wyczuwałem na sobie spojrzenie którejś z sekretarek, pochylałem się nad zeszytem i przepisywałem doń jakieś nazwiska i tytuły prac, które miałem akurat przed oczami.

Na listach z lat 1955, '56 i '57 nie było nazwiska Madame. Chociaż pragnąłem, rzecz jasna, jak najrychlej zaspokoić ciekawość, a przynajmniej przekonać się, czy moje poszukiwania w ogóle mają sens, owa trzyletnia zwłoka nie wzbudzała jednak we mnie poważniejszego niepokoju, a nawet przynosiła pewną ulgę. Teoretycznie bowiem, przesuwała również do przodu rok urodzenia bóstwa, a więc czyniła je młodszym. To zaś mogło mi tylko sprzyjać. W danej sytuacji każdy rok zmniejszający różnicę wieku był na wagę złota.

Pewne napięcie zaczęło we mnie narastać, dopiero gdy sunąc wzrokiem po liście z roku pięćdziesiątego ósmego, w dalszym ciągu nie natrafiałem na poszukiwane nazwisko. Szanse wyraźnie topniały. Pozostały już tylko dwa lata. Jeśli i tam jej nie będzie, trzeba będzie poprosić o dalsze roczniki. Czy nie wyda się to podejrzane? A zwłaszcza, czy nie nadużyje cierpliwości sekretarek, i tak wystawionej już na nie lada próbę?

Rzeczywistość jednak była po mojej stronie. Oto ledwo odwróciłem kartkę z wykaligrafowaną fantazyjnie liczbą 1959, moje oczy napotkały nareszcie to, czego wyglądały. Przeszył mnie dreszcz ulgi i podniecenia zarazem. Informacje zawarte w pięciu rubrykach wchłonąłem jednym spojrzeniem, wchodząc w tej krótkiej chwili w posiadanie następującej wiedzy:

– poza imieniem, z którego była znana, szlachetnym, lecz popularnym, nosiła jeszcze drugie, znacznie rzadsze: Wiktoria;

– urodziła się dnia 27. stycznia 1935 roku;

– tytuł jej pracy dyplomowej brzmiał: *„La femme émancipée dans l'oeuvre de Simone de Beauvoir"*[1];

– promotorem była pani docent Magdalena Surowa-Léger;

– ocena końcowa zaś – najwyższa i spotykana najrzadziej, to znaczy: „bardzo dobra".

Wpatrywałem się w to wszystko trochę oszołomiony, trochę otępiały, nie wiedząc, co czynić dalej. Z jednej strony, głód wiedzy został zaspokojony, z drugiej – rozjątrzony jedynie. Oto niby posunąłem się naprzód,

---

[1] „Kobieta wyzwolona w twórczości Simone de Beauvoir".

a jednak wciąż byłem w lesie. Zdobyte informacje poszerzały krąg pytań; uświadamiały mi, jak wielu rzeczy wciąż nie wiem. Właściwie tylko jedno było czymś ostatecznym – dokładna data urodzenia. Oto wiedziałem nareszcie, że ma w danej chwili trzydzieści jeden lat (a więc mniej niż sądziłem!) i że za trzy miesiące skończy trzydzieści dwa. Natomiast wszystko inne domagało się dalszych dociekań, ustaleń i wyjaśnień. Skąd ta „Wiktoria", na przykład? I co napisała w pracy? A zwłaszcza, skąd w ogóle ten temat? Czy sama go wybrała, czy został jej zadany? Słyszałem, że temat pracy wybiera na ogół sam student. Jeśli istotnie tak było, co kryło się za tym wyborem? Gust literacki? Poglądy? Przeżycia osobiste?

Książki de Beauvoir były tłumaczone na polski i znałem kilka z nich – dwa pierwsze tomy autobiograficznego cyklu: *Pamiętnik statecznej panienki* oraz *La force de l'âge*[1]. Nie przepadałem za nimi, wydawały mi się przegadane, w groteskowy sposób racjonalistyczne, a jednocześnie, tu i ówdzie, nie wolne od egzaltacji. Niemniej, nie mógłbym zaprzeczyć, iż dostarczyły mi pewnej wiedzy o psychologii kobiety, a zwłaszcza o życiu umysłowym i obyczajowości paryskiej „egzystencjalistycznej" bohemy.

W sumie to, co wyniosłem z lektury, sprowadzało się do obrazu gadatliwej sawantki, która odrzuciła rozmaite wartości „kultury mieszczańskiej" i starała się odtąd żyć intensywnie i bezkompromisowo – słowem, „autentycznie", jak ujmowali to egzystencjaliści. Nie polegało to jednak, jak można byłoby sądzić, na takim czy innym rozpasaniu lub choćby ekstrawagancji, lecz na zupełnie czymś innym. Z jednej strony, na nieumiarkowanym rozpolitykowaniu, na nieustannym byciu w opozycji do czegoś, na buncie i proteście, na ogół jednak nie zanadto kosztownym, przeciwnie, raczej przynoszącym profity i – strasznie hałaśliwym. Z drugiej zaś strony, na nieustannej, nie cofającej się przed niczym autoanalizie, na poddawaniu wszelkich przeżyć, pragnień i reakcji intelektualnej krytyce, a następnie na ich psychologicznej i filozoficznej interpretacji. Tak przynajmniej to wyglądało. Czytając te opasłe, wielosłowne tomiszcza, można było przypuszczać, iż Simone de Beauvoir od najwcześniejszego dzieciństwa żyła w stanie permanentnej autowiwisekcji, że traktując samą siebie jak badany obiekt, nie odrywała od siebie wewnętrznego oka i co spostrzegła, to zaraz notowała.

---

[1] *W sile wieku*

Co frapowało w tym wszystkim Madame? Czy literatura ta pociągała ją, czy odpychała? Czy osobowość, poglądy oraz sposób myślenia i pisania autorki *Cudzej krwi* były jej bliskie, czy obce? Czy wybór tematu pracy wynikał z aprobaty, podziwu, „powinowactwa duszy", czy może wręcz przeciwnie, z zasadniczej niezgody, z repulsji, z irytacji? Bądź co bądź, Madame była dyrektorem socjalistycznej szkoły, mało więc prawdopodobne, by twórczość połowicy – nieformalnej wprawdzie – autora *L'être et le néant*[1] mogła budzić jej sympatię, a co dopiero – aprobatę. Albowiem ta oświecona Egeria intelektualnego i artystycznego Paryża lat czterdziestych i pięćdziesiątych, jakkolwiek mocno stała na lewicy, jakkolwiek piła z ust francuskim komunistom i marzyła o rewolucji światowej oraz popierała, gdzie tylko się dało, ruchy narodowo-wyzwoleńcze, była jednak związana z egzystencjalizmem. Tymczasem egzystencjalizm, z punktu widzenia marksizmu, był doktryną „nihilistyczną", „z gruntu burżuazyjną", a nawet... „faszyzującą" (jako że jego współtwórcą był Martin Heidegger! – „prawa ręka Hitlera w nazistowskim szkolnictwie wyższym"). I marksizm, „jedyny system prawdziwie naukowy", dawno już i z dziecinną łatwością rozprawił się z tą „pseudofilozofią", obnażając jej intelektualną nędzę i moralną zgniliznę. Niemniej, jak to z chwastami bywa, pleniła się ona dalej i truła ludzkie umysły. Toteż w dalszym ciągu należało dawać jej odpór.

Po pięćdziesiątym szóstym zwalczanie egzystencjalizmu przybrało nową formę. O ile w okresie zimnej wojny był on po prostu tabu, o tyle wraz z „odwilżą" pozwolono mu się pokazać i przemówić własnym głosem, głównie jednak w tym celu, aby go kąsać i chłostać, piętnować i ośmieszać. Wymagał tego przynajmniej oficjalny rytuał i tak się właśnie działo w rozlicznych publikacjach, na sesjach naukowych i na łamach czasopism. Cóż więc dopiero mówić o pracy magisterskiej, pisanej w dodatku pod kierunkiem docenta o tak złowieszczym, a zarazem... wieloznacznym nazwisku!

Surowa-Léger! Kobieta skoligacona z burżuazyjną Francją! Najpewniej przez mężczyznę, którego poślubiła... A więc na pewno zainteresowana wyjazdami na Zachód. A zatem ideowo – nieposzlakowana, a w każdym razie – ostrożna. Już ona dopilnowała, by „wyzwolona kobieta" legendarnej Simony okazała się „błędnie" albo, w najlepszym razie, „pozornie" wyzwolona!

---

[1] *Bytu i nicości*

75

– Czy mógłbym skontaktować się jakoś z panią docent Surową-Léger?
– spytałem, unosząc głowę znad skryptu.

– Pani docent Léger – Najważniejsza w sposób niezwykle naturalny pominęła pierwszy człon nazwiska promotorki Madame, co wydało mi się znaczące – dawno już nie pracuje na uniwersytecie.

– Przeszła do Akademii? – nadałem swemu pytaniu ton najgłębszej powagi.

– W ogóle nie ma jej w kraju – wyjaśniła druga sekretarka. – Pięć lat temu wyjechała do Francji. Na stałe.

– Ach tak... – westchnąłem, a w głowie aż zawrzało mi od dalszych spekulacji.

Wyjechała! Na stałe! Została na Zachodzie! To brzmiało jak złowieszcze zaklęcie. Ktoś, kto wyjeżdżał na Zachód i nie powracał stamtąd, był „zdrajcą" lub „renegatem" albo, w najlepszym razie, „człowiekiem bez charakteru", który połaszczył się na błyskotki – na ciuchy i kosmetyki, na auta i nocne lokale – słowem, którego uwiódł haniebny konsumpcjonizm. Oczywiście, docent Léger wyjechała najpewniej w ślad za mężem-Francuzem, czy jednak nie było to przez nią cynicznie zaplanowane? Czy Magdalena Surowa, wychodząc za pana Léger, robiła to z miłości lub przynajmniej z powodu wspólnych zainteresowań zawodowych, czy też wyłącznie po to, aby prędzej czy później znaleźć się na Zachodzie? A zresztą, wszystko jedno! Najważniejsze, kim była, nim wyfrunęła z Polski. Ideową marksistką, krytycznie nastawioną do egzystencjalizmu i innych nowinek z Zachodu? A może całkiem przeciwnie? Może to właśnie marksizm mierził panią Léger, egzystencjalizm zaś i inne formy „dekadencji" Zachodu budziły jej uznanie, a nawet nabożny zachwyt?

Od tego, jak rzecz się miała, zależało znaczenie końcowej oceny Madame. Co kryło się za tą piątką? Druzgocąca krytyka autorki *Drugiej płci*, czy wzorowe ujęcie jej poglądów i myśli? A może sztuka mimikry: pławienie się z lubością w zakazanych ideach pod maską krytyki pozornej, robionej wyłącznie na pokaz?

Ba, lecz jak tu dojść do tego!

– W jaki sposób mógłbym dowiedzieć się czegoś więcej o tych ludziach? – wskazałem ruchem głowy na otwartą stronicę.

– To znaczy o kim, konkretnie? – w tonie Najważniejszej pojawił się wyraźnie cień zniecierpliwienia.

Już chciałem powiedzieć „No, na przykład, o pani..." i tu wymienić nazwisko Madame, ale ugryzłem się w język i postąpiłem inaczej. Niedbałym ruchem przerzuciłem kartki skoroszytu, chcąc stworzyć wrażenie, że jest mi obojętne, na kogo padnie wybór, w istocie zaś celując z powrotem na rocznik „59", i znów zatrzymawszy się na nim, bąknąłem obojętnie:

– No, powiedzmy, o tych... Rocznik „59".

– Pięćdziesiąt dziewięć, powiadasz – druga sekreterka powtórzyła za mną jak echo, po czym podniosła się z miejsca, podeszła do mnie i spojrzała na listę nazwisk. – Kogo my tutaj mamy?

Znów byłem o krok od tego, aby podsunąć jej przykład, lecz znowu się powstrzymałem. Tymczasem druga sekretarka sunęła wskazującym palcem po kolumnie nazwisk.

– Proszę bardzo! – powiedziała nagle radosnym głosem, zatrzymując się przy kimś, gdzieś w połowie listy. – Pan doktor Monteń. Jest teraz u nas wykładowcą w katedrze literatury XVII wieku. Wprost idealna osoba na wszystkie twoje problemy.

Pan doktor Monteń... Monteń!... Ależ tak się nazywał mój górski *cicerone*, z którym chodziłem w Tatry – ów alpinista starej daty, przedwojenny przyjaciel rodziców.

Czyżby ten, na którym spoczywał teraz wskazujący palec drugiej sekretarki, absolwent romanistyki Uniwersytetu Warszawskiego z 1959 roku o rzadkim zestawie imion Jerzy Bonawentura, miał z tamtym coś wspólnego? Był jakimś jego krewnym, a może nawet – synem?

Że Alpinista miał syna, tego byłem świadomy, lecz jak ów syn miał na imię, ile lat sobie liczył i czym się w życiu zajmował, nie miałem bladego pojęcia. Jakoś nie było nigdy o tym mowy i nigdy go nie spotkałem. Obecnie, podniecony perspektywą niezwykłego zbiegu okoliczności, który w mojej sytuacji mógłby się okazać nieoceniony, zacząłem na gwałt obliczać, czy w ogóle jest to możliwe.

Było, i to jak najbardziej! Mój dostojny opiekun, gdy zabierał mnie w Tatry, dobiegał sześćdziesiątki, z powodzeniem więc mógł mieć syna w wieku trzydziestu dwóch lat. Nie pozostawało mi nic innego, jak tylko zyskać potwierdzenie.

– Syn pana profesora Konstantego Montenia? – poszedłem na pełną blagę (mój tatrzański przewodnik nie miał tego tytułu).

– Profesora Montenia?! – zdziwiła się Najważniejsza. – Nic o tym nie słyszałam.

– No, jak to? – brnąłem odważnie, wiedząc do czego zmierzam. – Tego znanego geologa, a przy tym słynnego alpinisty.

– Nic mi o tym nie jest wiadomo – wzruszyła ramionami i spojrzała pytająco na drugą sekretarkę, która z kolei wybałuszyła oczy i wykrzywiła twarz w grymasie oznaczającym, że również nic nie słyszała.

– No, mniejsza z tym – zagrałem z pokerową twarzą. – Choć właściwie można to łatwo sprawdzić.

– Można po prostu zapytać – powiedziała druga sekretarka, dając mi intonacją do zrozumienia, że skoro z jakichś powodów jest to dla mnie ważne, winienem się zwrócić z tą kwestią bezpośrednio do pana doktora.

– Po co od razu pytać... – uśmiechnąłem się skromnie. – To byłoby natręctwo. Wystarczy sprawdzić imię.

– Jakie imię?! – Najważniejsza z coraz większym trudem panowała nad zniecierpliwieniem.

– Ojca doktora Montenia – wyjaśniłem łagodnie. – Jeśli nazywa się Konstanty, to na pewno to ten. To nie tak częste imię.

– No, ale gdzie niby miałybyśmy to sprawdzić? – druga sekretarka również nie ukrywała zniecierpliwienia.

– Czyżby nie było tu żadnej dokumentacji? – wyraziłem zdziwienie. – Przecież imię ojca trzeba u nas podawać w najgłupszym kwestionariuszu.

– Trzeba by zadzwonić do kadr... – powiedziała druga sekretarka ni to do siebie, ni to do swojej przełożonej.

– O, właśnie! – podchwyciłem, uwydatniając głosem łatwość tego zadania.

– No dobrze, ale co to ma do rzeczy? – zirytowała się wreszcie Najważniejsza. – O co w tym wszystkim chodzi? Jakie to ma znaczenie, czy doktor Monteń jest, czy nie jest synem jakiegoś profesora?

– O, ma! I to kolosalne! – westchnąłem zagadkowo. – Nawet nie zdaje pani sobie sprawy, jak wiele od tego zależy!

Najważniejsza potrząsnęła nerwowo głową na znak, że trzeba być chyba aniołem, żeby ze mną wytrzymać, po czym sięgnęła energicznie po słuchawkę telefonu i wykręciła kilka cyfr.

– To znowu ja, z dziekanatu – przedstawiła się, gdy ktoś z drugiej strony odebrał. – Moglibyście mi sprawdzić imię doktora Montenia...

– O j c a doktora Montenia! – syknąłem zdesperowany.

– To znaczy, chciałam powiedzieć: o j c a  doktora Montenia – zabębniła ze złością palcami w blat biurka, po czym zaległa cisza, a ja przymknąłem powieki i zacisnąłem kciuki. – Dziękuję, dziękuję bardzo – znów usłyszałem jej głos i trzask odkładanej słuchawki. – Tak, ma na imię Konstanty. I to jest ostatnia rzecz, którą dla ciebie dziś robię. My tutaj p r a - c u j e m y.

– Doprawdy, nie wiem, jak pani dziękować! – zerwałem się z miejsca i pocałowałem ją w rękę. – I pani również – poskoczyłem ku drugiej sekretarce. – A teraz już nie przeszkadzam, już mnie nie ma, już nie ma! – dopadłem drzwi jednym susem. – *Au revoir, mesdames!*

Kiedy puszczałem klamkę, stojąc na korytarzu, mych uszu doszedł jeszcze stłumiony głos Najważniejszej:

– Boże, co za dziwadło! Jaki czort go tu nasłał!

## Dzwonię dzisiaj do pana w nietypowej sprawie

Zająwszy mój ulubiony kącik przy tylnych drzwiach autobusu, stanąwszy tam, jak zwykle, plecami w kierunku jazdy (by nie mieć przed oczami tłoczących się pasażerów, lecz – poprzez tylną szybę – perspektywę ulicy), zacząłem porządkować w głowie wyniesione łupy.

Rzecz, która wyszła na końcu wizyty w dziekanacie – że ktoś z roku Madame, ktoś kto z nią razem studiował, jest prawie na pewno synem mojego Alpinisty – przyćmiła w znacznym stopniu pozostałe trofea, jak data urodzenia czy tytuł dysertacji. Czymże bowiem były owe suche, urzędowe dane wobec soczystej wiedzy czerpanej prosto z życia, jaką z pewnością posiadał pan Jerzy Bonawentura, do którego wspaniałomyślny los otwierał mi oto drogę? W najlepszym razie – namiastką.

Tak, ale otwarta droga do bogatego źródła – to tylko dana mi szansa. Trudno przecież założyć, że syn pana Konstantego na samo moje nazwisko albo na sam mój widok zacznie jak nakręcony mówić, co wie o Madame. To trzeba dopiero wywołać. No właśnie, ale jak? Przecież nie zapytaniem wprost! – Że znów będę musiał coś grać, to było dla mnie jasne. Na razie jednak nie świtało mi nawet, jaka to będzie komedia. Jedyne, co wiedziałem, to że początek akcji wiedzie przez Alpinistę.

Wieczorem, po kolacji, gdy rodzice w stołowym słuchali „Wolnej Europy", wyniosłem stamtąd telefon (że niby nie chcę przeszkadzać), podłączyłem go w swoim pokoju i zamknąwszy za sobą wszelkie możliwe drzwi, wykręciłem znajomy numer do pana Konstantego.

– Dzwonię dzisiaj do pana w nietypowej sprawie – przystąpiłem do rzeczy po wymianie wstępnych grzeczności.

– Słucham, w czym mogę ci pomóc?

Nawet jeszcze w tej chwili nie miałem jasności, jakie wybrać „otwarcie". Rozsądek nakazywał, aby mimo wszystko upewnić się na początku, czy drogocenny doktor z wydziału romanistyki rzeczywiście jest synem mojego rozmówcy. Poszedłem jednak na wariant nieco śmielszy.

– Pan Jerzy dalej pracuje na uniwersytecie... – spytałem w oznajmującym trybie, jakbym nawiązywał do czegoś, co było mi wiadome.

– Pan Jerzy? – powtórzył zdziwiony.

Struchlałem. Więc jednak nie! Cóż za fatalny traf!

– No, pana syn – wybąkałem, z trudem panując nad głosem.

– Ach, chodzi ci o Jerzyka! – Odetchnąłem z ulgą, a on kontynuował: – Nazwałeś go tak poważnie, że aż nie zrozumiałem, o kogo może ci chodzić. Oczywiście, uczy dalej w tej szkółce.

– W szkółce? – znowu poczułem niepokój.

– No a czymże jest dzisiaj ten cały uniwersytet, jak nie najzwyklejszą freblówką! To nawet nie gimnazjum! U n i w e r s y t e t to był przed wojną. A teraz... ech, szkoda gadać!

– Poważnie, tak niski jest poziom? – uderzyłem w ton troski.

– Mówię ci, szkoda słów.

– Dobrze, że pan mi to mówi, bo dzwonię poniekąd w tej sprawie. Jak pan, być może, pamięta, kończę w tym roku szkołę i oto nadszedł czas wyboru kierunku studiów. Otóż myślę ostatnio o filologii romańskiej. Ale mam wątpliwości. Waham się, krótko mówiąc. Przyszło mi więc do głowy, że pan Jerzyk – wprowadziłem skwapliwie poznane przed chwilą zdrobnienie – jako wykładowca, a zwłaszcza jako absolwent tego słynnego wydziału, mógłby mi służyć radą. Sądzi pan, że jest to możliwe?

– Rzekłbym, że nawet wskazane – powiedział sardonicznie.

– To świetnie. Z góry dziękuję. Tylko jeszcze jedno... – zawiesiłem głos.

– Tak?

– Prosiłbym o dyskrecję. Zwłaszcza wobec rodziców. Moje humanistyczne mrzonki szalenie ich denerwują. Chcieliby, żebym zdawał na jakiś wydział „ścisły".

– Po prawdzie, mają rację.

– Wiem, że pan z nimi trzyma, niemniej bardzo bym prosił...

– Zgoda, nie powiem im. Uprzedzam cię jednak lojalnie, że zrobię, co w mojej mocy, aby cię Jerzyk zniechęcił. Zresztą, nie będę musiał specjalnie się wysilać. I tak to zrobi, beze mnie. Ma jak najgorszą opinię o całym tym interesie.

– Wysłucham jego zdania z największą uwagą. I wezmę to sobie do serca. Sądzę, że ważną rolę w podjęciu przeze mnie decyzji mogą odegrać wspomnienia z okresu jego studiów. To dla mnie jest bardzo ważne, poniekąd decydujące. A zatem, kiedy i gdzie?

– Jerzyk w następną niedzielę przychodzi do mnie na obiad. Przyjdź, powiedzmy, o piątej. Będzie do twej dyspozycji.

– Dziękuję. Do zobaczenia – odłożyłem słuchawkę i wyczerpany opadłem na łóżko.


Przez kolejne dni, niczym szachista przygotowujący się do arcyważnego pojedynku, ćwiczyłem w wyobraźni czekającą mnie wkrótce rozmowę, wynajdując rozmaite posunięcia i całe kombinacje, by w każdej sytuacji mieć jakiś punkt odbicia. Że interesujący mnie temat prędzej czy później wypłynie, to było oczywiste. Nie mogło nie paść pytanie, kto uczy mnie francuskiego. Więcej, aż narzucała się myśl, że padnie ono od razu, na samym początku spotkania. A nawet gdyby nie padło, to jeszcze żadne nieszczęście, bo przecież bardzo łatwo można je sprowokować.

No dobrze, ale co dalej? Co zrobić, jeśli pan Jerzyk, z jakiegokolwiek powodu, w ogóle nie zareaguje na nazwisko Madame? Gdy przejdzie nad nim do porządku dziennego – jakby nigdy o nim nie słyszał? Oczywiście, zawsze można podjąć działanie zaczepne, rzucając niby od niechcenia, powiedzmy, takie pytanie: „Nie zna jej pan przypadkiem?" Lecz to – to już ostateczność. Przede wszystkim należało uważać, aby się nie odsłonić; by nie padł cień podejrzenia, że węszę za czymś innym. Myśl, że ktoś mógłby odkryć moje prawdziwe intencje i powziąć przypuszczenie, że jestem w niewoli Madame, wprawiała mnie w istny popłoch i przenikała strachem, który mnie obezwładniał.

Wstyd – oto tyran mej duszy, nieprzyjaciel poznania, wymuszający na mnie działanie pod pseudonimem, w konspiracyjnym przebraniu. Ach, żeby tak pan Jerzyk, na samo hasło nazwiska, bez żadnej zachęty z mej strony, dał się ponieść wspomnieniom i popadł w trans narracyjny, snując przed mymi uszami jedną historię za drugą z życia młodej Madame – byłoby to cudowne! Słuchałbym tego wszystkiego z udaną obojętnością, rzucając tylko czasami podtrzymujące „no, no..." a nawet nieco śmielsze „naprawdę? coś podobnego!" – Niestety, liczyć na to – znaczyło oddawać się mrzonkom.

## Pieśń Wodnika i Panny

Czas dzielący mnie od wizyty u pana Konstantego i spotkania z Jerzykiem upłynął mi również pod znakiem pokusy (a także walki z nią), by zrobić jakiś użytek z tego, co już wiedziałem.

Na kolejnej lekcji francuskiego miejsce rutynowej konwersacji zajęła głośna lektura popularno-naukowego artykułu w jakimś bajecznie kolorowym periodyku, na temat budowy kosmosu. Madame wypisywała na tablicy kluczowe pojęcia, takie jak „Układ Słoneczny", „Wielki Wóz", „Droga Mleczna", które należało notować w zeszycie. W sumie uzbierało się w ten sposób dobrych kilkanaście nowych wyrazów. Na koniec zadała wypracowanie do domu. Trzeba było napisać coś na dowolny temat związany z kosmosem lub kopułą niebieską, tak aby jeszcze poszerzyć zasób słów z tej dziedziny.

Tym razem zadanie sprzyjało moim celom. Pomysł przyszedł mi już na lekcji, tak że w domu pozostało mi tylko rzecz opracować pod względem językowym. Oto co napisałem (dla ułatwienia lektury przytaczam tekst w tłumaczeniu):

„Gdy mówimy o niebie, o planetach i gwiazdach, przywodzi to również na myśl domenę astrologii – przyrodniej czy starszej siostry wiedzy o kosmosie – zwanej Królową Nauk przez dobrych wiele stuleci. Astrologia zakłada, że ciała niebieskie, układy gwiazd i planet, wpływają na glob ziemski, zwłaszcza zaś na człowieka, na jego los i charakter.

Zasadnicze pojęcia właściwe astrologii to zodiak i horoskop. Zodiak to gwiezdna obręcz na niebieskiej sferze, dwanaście konstelacji, wzdłuż których nasze Słońce wędruje w ciągu roku. Konstelacje te mają swoje nazwy i znaki. Ich geneza i sens toną w mrokach przeszłości, w mitach i dziwnych legendach starożytnego świata.

W świetle dzisiejszej nauki ta rozległa domena jest raczej poezją niż wiedzą, dziecinnym fantazjowaniem. A jednak są jeszcze ludzie, którzy jej nadal ufają. I nie są to bynajmniej tylko nieoświeceni. Astrologia bowiem to rodzaj wyzwania dla nowoczesnej nauki – synonim tajemnicy, innej drogi poznania.

Ów problem wątpienia w Naukę i fascynacji Magią w niedościgniony sposób wyraził J. W. Goethe w swym arcydziele *Faust*. Oto co zaraz na wstępie mówi jego bohater, który zgłębiwszy arkana nieomal wszelkiej wiedzy, uznał, że stoi w miejscu:

> Ku magii przeto zwracam wzrok:
> czy za nieczystych duchów sprawą
> nie pryśnie tajemnicy mrok,
> nie stanie się przeczucie jawą?

a zwłaszcza w chwilę później, gdy bierze do ręki tom przepowiedni Michela de Nostre-Dame, szesnastowiecznego lekarza, uchodzącego za największego astrologa ery nowożytnej (nawiasem mówiąc, Francuza):

> Może ta tajemnicza księga
> pisana Nostradama ręką
> wskaże mi wreszcie jakiś ślad?
> Może wyczytam z niej gwiazd ruchy
> i staną mi się oczywiste
> natury tajnie i zamysły,
> bym pojął, o czym mówią duchy?

Co do mnie, przez długi czas odnosiłem się do astrologii i horoskopu z ogromnym sceptycyzmem. Aż wreszcie – niczym Faust – sięgnąłem po 'tajemniczą księgę Nostradama', czyli po jego *Centuries astrologiques* z 1555 roku. Zacząłem czytać, studiować, a zwłaszcza badać i sprawdzać, na ile mój horoskop znajduje potwierdzenie. Byłem zdumiony wynikiem. Wszystko mi się zgadzało.

Urodzony we wrześniu, dokładnie: dziesiątego, jestem spod znaku Panny. Panna to żywioł Ziemi, a Ziemia to stałość i pewność. Ludzie tego żywiołu mają jasny cel w życiu i pewnie ku niemu zmierzają. Cechuje ich logika i racjonalne myślenie. Są precyzyjni i pilni. Nie ustąpią, dopóki nie rozwiążą problemu, jaki sobie postawią. Do wszystkiego podchodzą z namysłem i metodycznie. Ta skłonność do porządku bywa czasem przesadna, a nawet chorobliwa. Panna staje się wtedy niewolnicą swych zasad. Ludzie spod znaku Panny odznaczają się wreszcie doskonałą pamięcią, znają się na muzyce i dobrze grają w szachy.

Czyż charakterystyka ta nie jest obrazem mojej osoby? Niechaj poświadczą to ci, co znają mnie nie od dzisiaj.

Wiem, wiem... Znam zastrzeżenia! Że tego rodzaju portrety można dowolnie cieniować. – Dobrze, lecz cóż powiedzieć, gdy zgadza się coś więcej niż tylko mglisty portret? Gdy natrafiamy na ślady daleko głębszych powiązań?

Pragnę przedstawić sprawę, która, gdy ją odkryłem, po prostu mną wstrząsnęła."

(O ile do tego miejsca rzecz, przynajmniej w zarysie, miała ręce i nogi, o tyle od tych słów zaczynała się blaga.)

„Zacząć trzeba od mitu o Wodniku i Pannie.

Z pewnością każdy z nas zadawał sobie pytania, dlaczego znaki zodiaku to w większości zwierzęta; i czemu akurat takie; i czemu wśród nich jest Waga, a zwłaszcza dwoje ludzi; a wreszcie, dlaczego tych dwoje to właśnie Wodnik i Panna, a nie po prostu mężczyzna i nie po prostu kobieta.

Otóż pradawne podania, które stanowią źródło tej misternej konstrukcji, opowiadają historię Kosmicznego Podziału.

Na początku był Monos, homogeniczny byt, zamknięty i nieskończony niczym powierzchnia kuli. Ta zasada istnienia była jednak wadliwa: Monos w swej monomanii zapadał się w głąb siebie i szukał samozagłady. Wreszcie, po osiągnięciu krytycznego momentu – jakby w ostatnim odruchu ginącej woli istnienia – wydobył z siebie głos. Powiedział 'ja': 'ja jestem', a przez to się usłyszał, a skoro się usłyszał, przestał być monolitem: stał się Głosem i Słuchem. Podzielił się, rozdwoił. Słowem, poprzez akt mowy przemienił się w Heterosa.

Ta nowa zasada istnienia do dzisiejszego dnia stanowi fundament świata.

Zodiak w przemyślny sposób wyraża ów dualizm. Wszystko co jest, jest podwójne, ma 'tezę' i 'antytezę', które jak w wiecznym konflikcie wprawiają świat w wahanie. Cecha ta jest właściwa wszelkim formom istnienia. Stąd właśnie naprzód d w i e Ryby, a dalej – bliźniacza p a r a. Rys dwoistości widzimy niemal u wszystkich zwierząt: Baran, Byk, Koziorożec mają podwójne rogi; Skorpion zaś oraz Rak – podwójne przednie szczypce.

Najdoskonalszą formą, jaką dwoisty byt zdołał przybrać w naturze, jest para dwojga ludzi: właśnie Panna i Wodnik. Każde z nich, w oderwaniu, jest istotą niepełną, dopiero razem, w złączeniu, tworzą całość i jedność. O ile para Lew-Strzelec jest parą nieprzyjaźni, parą konfliktu i walki (człowiek zmaga się z bestią, jaka w nim ciągle tkwi, i pragnie ją w sobie zabić), o tyle Panna i Wodnik stanowią parę miłości: to 'plus' i 'minus' kosmosu, to jego dwa bieguny przyciągające się wzajem, tworzące między sobą magnetyczne napięcie.

Echo tej pięknej idei pobrzmiewa w poemacie boskiego Florentczyka – jeszcze w XIV wieku! Przypomnijmy w tym miejscu ostatni wiersz tego dzieła. Oto jak Dante kończy swoją *Boską Komedię*:

> M i ł o ś ć, która porusza Słońce i inne gwiazdy.

Ale to jeszcze nie wszystko, co mówią prastare mity o Wodniku i Pannie. Okazuje się oto, że owa królewska para, która ciążąc ku sobie porusza cały świat, mieni się znaczeniami. Z jednej strony, z wyglądu, jest to młoda dziewczyna i dojrzały mężczyzna. Z drugiej, ze względu na to, co postaci te robią, każda z nich wyobraża przeciwne sobie żywioły.

Wodnik tkwi na pustkowiu i poi spragnione ryby. Uważnie przelewa wodę z wiecznie pełnego dzbana. Panna zaś siedzi lub klęczy i z gęsim piórem w ręce patrzy w zadumie w dal.

Co znaczą te czynności, te przedmioty, te pozy?

Naprzód zwróćmy uwagę na podstawową różnicę: otóż o ile Wodnik wyraźnie jest czymś zajęty (wylewa z naczynia wodę), o tyle Panna – praktycznie – raczej nie robi nic. Marzy... patrzy.... chce pisać? – nie jest to jednak praca.

Następnie przypomnijmy, czego symbolem jest woda. Woda w różnych kulturach jest nieodmiennie symbolem źródła lub prapoczątku. Jest to *materia prima*. Na przykład, w tradycji indyjskiej, w wodzie tkwi Jajo Kosmiczne, a w hebrajskim *Genezis*, u zarania wszystkiego, właśnie ponad w o d a m i unosi się Boży Duch. Dlatego też woda jest zawsze łączona z pierwiastkiem żeńskim, z płodnością, z ciemną głębią, z życiodajną potęgą.

I rzeczywiście, czyż życie nie zalęgło się w wodzie? Czyż nie wypełzło na ląd z ciemnego łona mórz?

A zatem gwiezdny Wodnik, choć ma postać mężczyzny, reprezentuje w istocie to, co w naturze kobiece. Poi, aby ożywić. Czuwa nad dziełem życia. A przy tym – pluskiem wody – przyzywa, wabi i kusi.

Teraz kolej na Pannę. Jak już zwróciłem uwagę, nie robi ona nic – tyle że trzyma w ręce pokaźne gęsie pióro i patrzy w zadumie w dal.

Gęsie pióro to symbol sztuki pięknego pisania. Ta dziedzina z kolei to rzecz pierwotnie męska. 'Poezja', wyraz 'poezja' pochodzi z greckiego *poiein*, co znaczy 'tworzyć, działać'. Tworzenie – zwłaszcza z niczego! – jest atrybutem boskim, a bóg jako siła sprawcza ma zawsze charakter męski. (Kobieta nie tworzy z niczego, kobieta przetwarza, co jest.) Poeta jest więc z natury mężczyzną, duchem męskim, nawet jeśli fizycznie należy do płci pięknej. Weźmy choćby Safonę. Wiadomo, jak to z nią było.

A zatem gwiezdna Panna, choć ma postać niewieścią, reprezentuje w istocie to, co w naturze męskie.

Przemawia za tym również jej stan wyrażony w nazwie. Dziewictwo, czystość, niewinność... Cechy te tylko z pozoru są właściwe kobiecie. W sferze idei dziewictwo jest atrybutem męskości. Kobiecość z istoty rzeczy n i g d y nie jest dziewicza – jest zawsze wtajemniczona. Inicjacja to akt, który ma zawsze z a sobą. Natomiast pierwiastek męski, wydziedziczony z krwi – periodu, defloracji, wydawania na świat – nie tylko że j e s t dziewiczy, po prostu n i e  m o ż e  n i e  b y ć. Męskość z natury rzeczy jest wiecznie niedoświadczona i zawsze p r z e d inicjacją.

Że dziewiczość się wiąże nierozerwalnie z męskością – to widać gołym okiem. Znajduje to swój wyraz nawet w niektórych językach wyrastających z łaciny, a zwłaszcza we francuskim: *virginité, virginal*[1] pochodzi od słowa *vir*, co znaczy 'mąż', 'mężczyzna'. Czy trzeba więcej dowodów?

A zatem Panna i Wodnik – królewska para miłości – to tylko z pozoru dziewczyna i starszy od niej mężczyzna. W istocie jest to m ł o d z i e n i e c i  d o j r z a ł a  k o b i e t a. On, zapatrzony w dal, niedoświadczony, niewinny, marzy, układa wiersze. Ona natomiast, wiedząca, świadoma tego co ważne, przyzywa go pluskiem wody. 'Chodź, tu jest źródło', powiada nie wymawiając słów, 'przyjdź do mnie, to cię napoję, ugaszę twoje pragnienie'.

---

[1] dziewictwo, dziewiczy

Zejdźmy teraz z tych wyżyn – z firmamentu na ziemię. Odkąd poznałem ten mit i głębokie znaczenia kryjące się w znakach zodiaku, zacząłem badać i sprawdzać, czy to się potwierdza w życiu, czy ludzi spod znaku Panny rzeczywiście coś łączy z ludźmi spod znaku Wodnika. Zacząłem, rzecz jasna, od siebie. Czy istnieje ktoś taki, o kim mógłbym powiedzieć, iż w czarodziejski sposób wabi mnie, oszałamia, uwodzi jak Król Elfów? Owszem, jest taki człowiek: największy geniusz wszechczasów, cudowne dziecko – Mozart. Jego muzyka wprawia mnie w stan niebiańskiego zachwytu. Mogę jej słuchać bez końca, chłonąć do zatracenia. To miłość mojego życia.

A spod jakiego znaku jest ów arcy-czarodziej? Którego dnia i miesiąca zjawił się on na świecie?

Datę jego narodzin mam wyrytą w pamięci niczym święte litery. Wbiła mi ją do głowy nauczycielka muzyki bodaj na pierwszej lekcji:

dwudziesty siódmy stycznia.

Oto mój ołtarz i kult, talizman i przeznaczenie. Słońce jest tego dnia w pierwszej dekadzie Wodnika.

Ba, żeby mój przypadek był wyjątkowy, jedyny... Rzecz w tym, że jest typowy, powiedziałbym – wręcz klasyczny.

Weźmy przykład wzorcowy – Goethego – największą z Panien (przypomnę: dzień urodzenia – dwudziesty ósmy sierpnia).

Jak wszyscy dobrze wiemy, Goethe miał życie bogate. Znał setki, tysiące ludzi, spośród których z wieloma łączyły go związki szczególne. Otóż na czele tej listy plasują się trzy nazwiska: Mozarta, Mendelssohna i Franciszka Schuberta.

Goethe spotkał Mozarta zaledwie jeden raz w życiu. Miał wtedy czternaście lat, Mozart zaś liczył siedem. Było to na występie we Frankfurcie nad Menem. Genialny siedmiolatek grał najtrudniejsze utwory na fortepianie i skrzypcach, po czym, nie patrząc, określał dźwięki zegarów i dzwonów. Na Goethem postać Mozarta zrobiła tak wielkie wrażenie, że nie mógł o nim zapomnieć do końca swoich dni. Nawet na łożu śmierci podobno mówił coś o nim. 'Widzę go, widzę wyraźnie...' – miał szeptać zwiędłymi wargami. 'Mały mężczyzno ze szpadą... nie odchodź!... Więcej światła!' Wcześniej zaś, w sile wieku, stale i z uwielbieniem słuchał jego muzyki. Gdy został dyrektorem słynnego teatru w Weimarze, zaczęto tam wystawiać głównie opery Mozarta. Uwiedziony urodą *Czarodziejskiego fletu*, pracował przez wiele lat nad jego drugą częścią. Nie mógł też odżałować, że Mozart nie skomponował muzyki do jego *Fausta*. 'Tylko on mógł to zrobić' – miał powiedzieć na starość. 'Mógł i powinien był! Muzyka do tego dzieła winna być w charakterze jego *Don Giovanniego*'.

Przejdźmy do drugiej historii: Goethe i Mendelssohn.

Mendelssohn w życiu Goethego zjawił się dosyć późno, gdy boski Olimpijczyk miał siedemdziesiąt dwa lata. Muzyk zaś – jedenaście, niewiele więcej niż Mozart. I oto co się dzieje. Mały, zuchwały kobold dosłownie w ciągu godziny podbija serce Jowisza. Goethe po prostu szaleje, chłonie go wzrokiem i słuchem, rozpływa się w zachwycie.

Lecz na czym właściwie polega rola młodego Felixa? Cóż on w istocie robi, występując przed Mistrzem? Ależ tak! On go u c z y! Otwiera mu oczy i uszy: gra Beethovena i Bacha, których ten nigdy nie słyszał. Wprowadza go w różne techniki, wtajemnicza w harmonię. Słowem, udziela lekcji, uświadamia, oświeca.

Dziecko naucza Starca! Zdumiewające! Niezwykłe!

Niezwykłe? Tylko w przypadku, gdyby nie było Wodnikiem. Tymczasem cudowny Felix – tak samo jak boski Mozart – to Wodnik (trzeci lutego), a więc pierwiastek żeński – starszy z natury rzeczy.

I wreszcie ostatni związek: Goethe – Franciszek Schubert. Relacja nieco inna, niemniej równie znacząca.

Tym razem inicjatywa należy do poety, tym razem druga strona ulega fascynacji. Spiżowe strofy Goethego olśniewają muzyka. Czyta je, recytuje, nie może wyjść z podziwu. Jeden zaś fragment z *Fausta* tak go chwyta za serce, że łzy mu płyną z oczu... Ależ tak, oczywiście, monolog Małgorzaty – w jej izdebce, przy krosnach. Pamiętne początkowe cztery krótkie linijki pulsują mu w głowie, łomoczą, nie pozwalają zasnąć:

> Co dzieje się ze mną?
> Tak serce mi wali!
> Ni chwili spokoju
> nie mogę już znaleźć!

I Schubert pojmuje w końcu, że nie uwolni się od nich, że nie zazna spokoju, dopóki nie skomponuje do tych słów muzyki.

W ten właśnie sposób powstaje jedna z najsłynniejszych jego pieśni – *Dziewczyna przy kołowrotku* – a zarazem otwarty zostaje nowy rozdział...

co tam, rozdział! – cała nowa epoka w historii artystycznej pieśni. Olśniewająca *Gretchen* pociąga za sobą wprost lawinę arcydzieł – łącznie bodaj sześćdziesiąt utworów stworzonych do słów Goethego.

Czy trzeba mi jeszcze dodawać, kiedy się Schubert urodził? Mógłżeby ten miłośnik natchnionej poezji Panny nie być spod znaku Wodnika? Retoryczne pytanie. Dzień jego przyjścia na świat: trzydziesty pierwszy stycznia. Ostatni z podanych przykładów jest bodaj najwymowniejszy. To rodzaj archetypu.

Goethe, największa z Panien, pisze niezwykły tekst: pieśń zakochanej dziewicy. W tej pieśni oddaje głos swojej najgłębszej istocie: temu, kim jest z mocy gwiazd. 'Małgorzata to ja' – mógłby spokojnie powiedzieć (ubiegając Flauberta, który w wiele lat później wyraził się w ten sposób o swojej Madame Bovary).

No, bo i w samej rzeczy! Kto przeżywa tak miłość? Kto odchodzi od zmysłów, szaleje, chciałby umrzeć, gdy pała afektem ku komuś? Dziewczyna? Wolne żarty! Dziewczyna jest w miłości spokojna, opanowana. Bo miłość to jej królestwo i naturalny stan. Kobieta, kiedy kocha, wie dobrze, czego chce i śmiało ku temu zmierza. Chce począć i urodzić. Chce życia, a nie śmierci.

Natomiast żywioł męski, zraniony strzałą Amora, tak właśnie reaguje jak Małgorzata Goethego. Posłuchajmy tej skargi:

> I gubię się ciągle
> w tysiącach domysłów -
> Ach, rozum już tracę!
> Odchodzę od zmysłów!

> Wciąż w oknie wystaję,
> by patrzyć w dal za nim,
> i z domu wybiegam
> na jego spotkanie...

> Ach, rzucić się wreszcie
> w ramiona miłego,
> pochwycić go w uścisk
> i przywrzeć do niego!

> I tak go całować,
> aż tchu już nie stanie,
> aż śmiercią zakończy
> się to całowanie.

I cóż na ten krzyk zranionej, zdesperowanej Panny robi wzruszony Wodnik? Co czyni dojrzała kobieta (w osobie Franciszka Schuberta), gdy słyszy lament młodzieńca (wiecznie młodego Goethego)? Otóż idzie ku niemu, wyciąga ku niemu rękę. Połyka ambicję i dumę, nie lęka się upokorzeń i przemawia do niego. Udziela mu swego głosu: komponuje muzykę. Przemienia słowo w śpiew. Sprawia, że dziki krzyk staje się słodką pieśnią.

Pieśń – oto pojednanie, pogodzenie sprzeczności, ostateczna synteza, harmonia ciała i ducha. W pieśni Wodnika i Panny spełnia się Gwiezdna Wiktoria.

Marzę o tej wiktorii, która mnie czeka z Wodnikiem!"

Było już dobrze po północy, gdy odłożyłem pióro. Wypracowanie zajmowało blisko dwadzieścia stron. Zamknąłem zeszyt i, dziwnie odurzony, położyłem się spać.

Następnego dnia znowu pojechałem na Uniwersytet, tym razem do wydziałowej czytelni na romanistyce, żeby wynaleźć przytoczone w wypracowaniu wyimki z *Fausta* po francusku i posprawdzać w Laroussie, Robercie i innych *dictionnaires* słowa i wyrażenia, których nie byłem pewien. Uporawszy się z tym, a także wprowadziwszy tu i ówdzie poprawki, wróciłem do początku i raz jeszcze przejrzałem całość, tym razem zaznaczając ołówkiem wszelkie *liaisons* oraz te wyrazy, które w głośnej lekturze należało intonacyjnie podkreślać.

Po powrocie do domu, korzystając z nieobecności rodziców, przeprowadziłem coś w rodzaju generalnej próby: cały tekst odczytałem sobie na głos. O ile do tej pory byłem z siebie raczej zadowolony, o tyle głośna lektura tekstu poważnie nadwątliła moje dobre samopoczucie. Nie żebym czytał źle. Nawet jeśli gdzieniegdzie zdarzały mi się potknięcia, nie było tego zbyt wiele, a poza tym mankamenty te można było łatwo usunąć: wystarczyło wyćwiczyć newralgiczne miejsca. Chodziło jednak o coś innego. Głównie o czas czytania. Okazało się bowiem, że nawet zupełnie płynna lektura mojej zmyślnej rozprawki zajmuje trzydzieści pięć minut, czyli prawie całą godzinę lekcyjną. Nie pozostawiało to większych nadziei na zaprezentowanie tekstu w całości. Znając zwyczaje Madame, można było być pewnym, iż przerwie mi po paru minutach, i to bez względu na to, czy popełniłem jakieś błędy, czy nie. Jeśli nic nie wzbudzałoby jej zastrzeżeń, ucięłaby moją *lecture* swoim bezdusznym „*bien*", powiedzmy, po szóstym akapicie, honorując tę pozytywną ocenę nawet wpisem do dziennika; jeśli zaś okazałoby się, iż moja *art d'écrire* kuleje jednak gdzieniegdzie, zaczęłaby mnie co chwila poprawiać, odwracając w ten sposób uwagę od treści, a wreszcie, po kolejnej korekcie, podziękowałaby za ciąg dalszy. W rachubach tych należało również uwzględnić nieufność, jaką wzbudzało w Madame zgłaszanie się na ochotnika.

Ale nawet gdyby to wszystko pominąć i przyjąć założenie, że Madame pozwala mi jakimś cudem na odczytanie całości, a przy tym się nie wtrąca z żadnymi poprawkami – i tak rzecz budziła daleko posunięte wątpliwości. Przecież tego rodzaju spektakl nie mógłby pozostać nie zauważony przez klasę. Ponad pół godziny czytania! Dwadzieścia stron zamiast kilku! I to jakiego tekstu! Pełnego wymyślnych historii – luźno związanych z tematem. A przy tym brzemiennego w motywy i odniesienia, jeśli nawet nie w pełni przejrzyste dla postronnych, to na pewno czytelne w samym swym charaktrze. „Młodzieniec", „dojrzała kobieta", „dziewictwo", „inicjacja" – któż by się nie domyślił, o co w tym wszystkim chodzi, do czego autor zmierza i co nim powoduje! Nawet najsłabsi z francuskiego, a także ci, co z reguły nie uważali na lekcji, z pewnością obudziliby się z letargu, zaintrygowani ciągnącym się ponad miarę seansem czytania pracy, i nastawiliby uszu. I pewnie by się ocknęli akurat w drugiej połowie, gdzie jest najwięcej podtekstów.

Jak odebrano by ów lingwistyczny popis, pełen podejrzanej erudycji i jednoznacznych odniesień? Nie można było mieć złudzeń: nikt nie wziąłby tego za akcję służącą podwyższeniu lub choćby umocnieniu oceny z francuskiego. Nie traktowano by też tego jako dziwacznej, pracochłonnej fanaberii – mającej na celu olśnienie nauczyciela, a jednocześnie przypodobanie się klasie, zyskanie jej wdzięczności za „zamrożenie" lekcji na ponad pół godziny. Moje kunsztowne oratorium zostałoby uznane tylko i wyłącznie jako dowód, iż wbrew ostentacyjnej obojętności, z jaką się odnosiłem do osoby Madame, jestem jej niewolnikiem, że – jak dziesiątki innych – straciłem dla niej głowę.

„Już nie tylko czyta pod ławką *Popioły*" – oto jak bez wątpienia skomentowano by mój występ – „już zgłasza się na ochotnika! Już płaszczy się przed nią i zabiega bezwstydnie o uwagę i względy!"

Gdy dotarło do mnie to wszystko, gdy wyobraziłem sobie wszelkie szyderstwa i kpiny, na jakie bym się naraził czytając swój elaborat, nie dość że porzuciłem myśl, aby się z nim wyrywać, to wręcz powziąłem decyzję, że nie odczytam go, nawet gdybym został wezwany; odmówię, tłumacząc się zagadkowo, że zbytnio się rozpisałem i nie chciałbym swoimi wypocinami zajmować cennego czasu; tekst, oczywiście, w każdej chwili mogę przedłożyć do wglądu, oto on, *voilà, regardez mon cahier, j'ai écrit presque vingt pages*[1]; jeśli zaś zdawanie zeszytu nie jest rzeczą wskazaną, jeżeli jest za ciężki, to... – tu przyszedł mi do głowy zupełnie nowy pomysł – to służę jeszcze kopią, rzec można: czystopisem, zaledwie kilka kartek papieru podaniowego.

Tak, to było całkiem zmyślne. Przepisać wypracowanie na kartkach formatu A-4, po to, by w razie potrzeby móc je wręczyć Madame. Nagle to rozwiązanie wydało mi się najlepsze. Wszystkie inne miały wyraźne minusy. Toteż zamiast szlifować płynne czytanie na głos, znów chwyciłem za pióro i przepisałem całość (dbając o kaligrafię) na kratkowanych arkuszach z bloku listowego.

Gdy jednak nadszedł dzień, w którym miała się odbyć kolejna lekcja z Madame i prezentacja prac, opadły mnie wątpliwości.

„Nawet jeżeli wszystko pójdzie po mojej myśli", raz jeszcze roztrząsałem całą rzecz wczesnym rankiem, wychodząc z domu do szkoły, „jeżeli, rzeczywiście, tekst trafi do jej rąk, i to niby przypadkiem, jak gdyby nigdy nic – czy to właściwie dobrze? Co dzięki temu osiągnę? Odsłonię się, i tyle. Ujawnię swoją pozycję. I po co mi to teraz? Na to jest jeszcze za wcześnie. Tego rodzaju gambit może mnie wiele kosztować."

Gdy przekraczałem próg szkoły, byłem już jak najdalszy od kombinacji z kopią, a gdy zaczęła się lekcja, wręcz zaklinałem los, by nie zostać wyrwanym.

## Per aspera ad astra

Madame była tego dnia w nadzwyczaj dobrym nastroju. Pogodna i rozluźniona, mówiła więcej niż zwykle i jakby nieco swobodniej, w sposób mniej oficjalny. Prowadząc konwersację, chodziła między ławkami, co rzad-

---

[1] proszę, niech pani spojrzy do mojego zeszytu, napisałem prawie dwadzieścia stron

ko się jej zdarzało, i z bliska zagadywała wybierane osoby. Raz pozwoliła sobie nawet na żartobliwy ton. Kiedy ktoś opowiedział, jak latem, w straszne upały, kąpał się w wiejskiej gliniance, rzekła z uśmiechem na ustach:

– *On peut dire que tu a joui de la vie comme un loup dans un puits.*[1] Rozmówca chyba nie w pełni zrozumiał tę uwagę. Wydawał się zachwycony. Kiwał radośnie głową i potakiwał z zapałem.

– A jak tam nasze wypracowanie o niebie i gwiazdach? – przeszła wreszcie do następnej fazy lekcji. – Napisane? Jest ktoś, kto chciałby je przeczytać? Niesłychane! Czegoś takiego jeszcze nie było! Żeby sama proponowała zgłaszanie się do odpowiedzi! Klasę aż zamurowało, a Madame kontynuowała z figlarną ironią:

– *Quoi donc? Il n'y a personne?*[2] Nikt nie chce dobrego stopnia? Co się z wami dzieje?!

Poczułem, że serce zaczyna mi bić w przyspieszonym tempie. Może się jednak zgłosić? W takich okolicznościach! Skoro sama zachęca, a przy tym nikt się nie kwapi... Nie! Po stokroć nie! Wybić to sobie z głowy!

– *Bon*, skoro nie ma chętnych, muszę kogoś wyznaczyć. Powiedzmy, *mademoiselle* Kloc.

Podobna do tapira, pulchna Adrianna Kloc wstała i, czerwona jak burak, zaczęła czytać swą pracę. Nie była zbyt zajmująca, i to oględnie mówiąc. Nie spełniała nawet kryteriów formy *composition*. Był to raczej zbiór zdań, prawie nie powiązanych ze sobą, przypominających definicje albo proste stwierdzenia jak z czytanek dla dzieci:

„*Quand il n'y a pas de nuages, nous voyons le ciel, le soleil et la lune... Le ciel est bleu ou bleu pâle... Les étoiles sont loin... des millions de kilomètres d'ici.*"[3] I tak dalej w tym stylu. Na szczęście, nie trwało to długo.

Madame, choć ani razu nie przerwała czytania, nie była zbudowana i dała temu wyraz:

– *Je ne peux pas dire*[4], żebym była olśniona twoją pomysłowością. Szczerze mówiąc, spodziewałam się więcej po tobie. Niestety! Nie zadowala mnie to. Trudno. W najlepszym wypadku: trójka. – Wpisała skrupulatnie

---

[1] Można powiedzieć, że użyłeś życia jak wilk w studni.
[2] Cóż to? Nie ma nikogo?
[3] „Kiedy nie ma chmur, widzimy niebo, słońce i księżyc... Niebo jest niebieskie albo bladoniebieskie... Gwiazdy są daleko... miliony kilometrów od nas."
[4] Nie mogę powiedzieć

stopień do dziennika. – W porządku. Kto następny? – sunęła wzdłuż listy nazwisk wymodelowanym paznokciem wskazującego palca prawej ręki, pokrytym starannie lakierem koloru jasnej perły. – *Qui va me stimuler...* *qui va m'exciter?*[1] Też chciałabym mieć coś z tego... jakąś przyjemność... *plaisir...* że w końcu nauczyłam was czegoś.

Nie wiem, jak na innych, ale na mnie słowa te działały wprost piorunująco. To właśnie było to, o co mi chodziło, gdy obmyślałem swój plan, siedząc w parku na ławce w popołudniowym słońcu. Zdania czy wypowiedzi mieniące się znaczeniami. Dla niej – najniewinniejsze, mówione w dobrej wierze, dla mnie – brzmiące inaczej, jakby w innym rejestrze. Brakowało tu tylko jednego: inicjatywy z mej strony. To, co padło z jej ust, nie było przeze mnie wywołane świadomie. Wywołała to sytuacja – przy moim biernym udziale. Toteż i wartość kwestii nie była najwyższej próby: odnosiła się do mnie jedynie w pewnym stopniu. Czy można było coś zrobić, aby uzyskać więcej?

– *Bon, alors* – wypielęgnowany paznokieć zatrzymał się tymczasem gdzieś u dołu listy. – Co nam zaproponuje *mademoiselle* Wąsik?

Agnieszka Wąsik, córka podpułkownika wojsk lotnictwa, który z okazji rozmaitych rocznic i świąt państwowych przychodził do szkoły z pogadankami o obronności kraju lub wspominkami z okresu drugiej wojny światowej, była klasowym prymusem, z wszystkimi typowymi dla tego gatunku cechami. Układna, przypochlebna, z wiecznie wzniesioną ręką (dwa grzecznie złożone palce plus lekko zadarta głowa), a przy tym niezbyt uczynna i nie grzesząca urodą. Siedziała w pierwszej ławce i stroniła od wszystkich, a raczej od wszystkiego, co mogłoby ujść za zdrożne. W klasie zjawiała się jako jedna z pierwszych, pauzy spędzała wzorowo, spacerując po korytarzu, drugie śniadanie zawsze jadła w stołówce, a nie jak większość uczniów gdzie bądź (nawet w klozecie), po lekcjach zaś zaraz wracała do domu. Żadnego wałęsania się, żadnej niesubordynacji, nie mówiąc o wagarach. Była pod każdym względem do znudzenia poprawna; robiła czasem wrażenie nakręconego robota. Stroje, rozrywki, flirty – była kompletnie wyzuta z potrzeb tego rodzaju. Poza dobrymi stopniami nic jej nie obchodziło i nie wzbudzało emocji – w tym również osoba Madame. Owszem, robiła wszystko, by mieć najlepszą oce-

---

[1] Kto mnie pobudzi... podnieci?

nę, jednakże zabiegi te nie miały nic z zalotów czy bałwochwalczych hołdów.

Teraz, kiedy Madame wyrwała ją do czytania – w obliczu zachowania nietypowego dla niej (nie uniosła dwóch palców nawet po słowach zachęty) – odebrałem to jako przestrogę rozsierdzonej bogini, której ktoś karygodnie zaniedbał złożyć ofiarę.

„Widzę, że mnie nie wielbisz, i nie jest mi to miłe", zdawało mi się, że słyszę jej nieme upomnienie. „Lecz nie myśl, że ci wolno nie okazywać mi czci! Że na ogół nie zważam na twoją rękę w górze, nie znaczy to, że możesz nie podnosić jej więcej. To jest twój obowiązek, skoro odmawiasz miłości".

Wezwana do odpowiedzi pilna Agnieszka Wąsik wstała, podniosła zeszyt i z przesadną dbałością o akcent odczytała tytuł:

– „De Copernic à Gagarin"[1].

Z tylnych ławek doszedł pomruk szyderstwa i drwiny. Madame posłała w te zapadłe rejony klasy piorunujące spojrzenie, po czym rzekła uprzejmie:

– Bon, alors. On t'écoute.[2]

Wypracowanie Agnieszki Wąsik opatrzone było łacińskim mottem „Per aspera ad astra" i stanowiło wybór przykładów rozmaitych dokonań w zakresie odrywania się człowieka od Ziemi i wznoszenia coraz wyżej w przestworza. Zaczynało się od prezentacji osoby i odkrycia Kopernika, następnie opowiadało o braciach Montgolfier i ich lotach balonem; trzecia część poświęcona była Łomonosowowi i jego rozlicznym wynalazkom (głównie legendarnemu śmigłowcowi, którym miał on latać w górach Kaukazu wraz z pewnym Gruzinem, żyjącym jeszcze później sto lat i dającym świadectwo prawdzie); wreszcie część czwarta, ostatnia i najdłuższa, dotyczyła niezliczonych osiągnięć współczesnej awiacji sowieckiej, uwieńczonych tryumfalnym lotem w przestrzeń kosmiczną Jurija Gagarina.

Gdy słuchało się tego wszystkiego, nie miało się wątpliwości, kto zaprojektował tę pracę i dostarczył do niej materiału. Gawędy podpułkownika Wąsika pozostawiały w pamięci niezatarty ślad. Odczytywany tekst odznaczał się tym samym stylem myślenia, porządkiem i rozkładem ak-

---

[1] „Od Kopernika do Gagarina".
[2] Proszę bardzo. Słuchamy.

centów. Naprzód rytualny pokłon wobec nauki polskiej (akcent patriotyczny); następnie kurtuazyjny gest wobec nauki francuskiej – z uwagi na język, w którym praca była pisana (akcent internacjonalistyczny); dalej, niezwłoczne zrównoważenie owej daniny potężnym przykładem z niewyczerpanego skarbca wielkiej nauki rosyjskiej (akcent polityczny); wreszcie, pean na cześć nauki i techniki bratniego Kraju Rad, ojczyzny proletariatu i przodującego ustroju (akcent hołdowniczy). Dobór materiału, wywód i kompozycja były absolutnie wzorowe.

Zanim jednak Agnieszka Wąsik dobrnęła z wypracowaniem do końca, miał miejsce pewien incydent, który zakłócił jej pełną powagi i namaszczenia lekturę. Jego sprawcą i głównym aktorem był – któż by inny! – piekielny Rożek Goltz, nasz *enfant terrible*, nie liczący się z nikim i z niczym. Otóż zaraz na wstępie, gdy czytająca pracę, w części o Koperniku, przytoczyła popularny polski dystych, definiujący istotę naszego największego uczonego:

> Wstrzymał Słońce, ruszył Ziemię.
> Polskie wydało go plemię.

(w jej przekładzie, pozbawionym co prawda rymu i rytmu, przybrało to formę jeszcze bardziej podniosłą:

> *Il a arrêté le Soleil, il a remué la Terre.*
> *Il tirait son origine de la nation polonaise.*)

Rożek Goltz wpadł jej brutalnie w słowo, wykrzykując po polsku:

– Jakie *polonaise*, jakie *polonaise*! To był Niemiec, a nie Polak! A traktat napisał po łacinie.

– *Calme-toi!*[1] – skarciła Rożka Madame, lecz ten nic sobie z tego nie robił.

– Matka była z domu Watzenrode, to nie jest polskie nazwisko, a studia odbył we Włoszech: w Bolonii, Ferrarze i Padwie.

– No i co z tego? – obruszył się jeden z „romantyków", tradycyjnych adwersarzy bezlitośnie rzeczowego Rożka. – Urodził się w Toruniu, pracował i zmarł we Fromborku...

– To były miasta krzyżackie – uciął natychmiast Rożek. – Wybudowane przez Niemców. Jeszcze dzisiaj to widać.

– Nie znasz historii Polski! – wrzasnęli „romantycy".

---

[1] Uspokój się!

– *Silence, et tout de suite!*[1] – wkroczyła między zwaśnione strony z całym impetem Madame. – Co się z wami dzieje! Dyskutować będziecie później, po odczytaniu pracy. I po francusku, nie po polsku!

– *Je préfère en polonais!*[2] – Rożek, wciągnięty w utarczkę, nie dawał się łatwo poskromić, stawał się zapalczywy i tracił panowanie. – „Polskie wydało go plemię!" – przedrzeźnił podniosły ton nielubianej prymuski. – Co to właściwie znaczy? Że gdyby nie był Polakiem, to nie byłby tym, kim był? Czy że jego teoria jest powodem do chwały dla całego narodu? Jakkolwiek to rozumieć, jest to bezdennie głupie. Twierdzić, że przynależność do danego narodu jest przyczyną odkrycia w dziedzinie astronomii, to dawać świadectwo temu, że ma się niedobrze w głowie. A znowu wbijać się w dumę, dlatego że jakiś rodak zrobił coś ciekawego i stał się przez to sławny, to przyznać się, że samemu jest się zerem, tumanem, w dodatku z kompleksem niższości. Jedno warte drugiego. Gdyby z Polski pochodził nie jeden biedny Kopernik, lecz tysiąc takich uczonych, podczas gdy z innych krajów po jednym lub jeszcze mniej, wtedy to co innego. Chociaż nawet i wtedy nie stwierdziłbym nic ponad to, iż w Polsce, s t a t y s t y c z n i e, rodzi się więcej odkrywców.

„Romantycy" parsknęli śmiechem, Agnieszka Wąsik stała nieporuszona, a Madame, bodaj pierwszy raz, robiła wrażenie bezradnej.

– Nie ma się z czego śmiać! – znów zaperzył się Rożek. – A skoro tak wam wesoło, to powiem wam jeszcze więcej. Polacy są tak drażliwi na punkcie swojej wartości, bo czują się niepewni. Gdyby byli tak dobrzy, za jakich pragną uchodzić, po pierwsze, ich historia byłaby całkiem inna, a po drugie, nie podkreślaliby w kółko swoich osiągnięć i zasług. Czy Włosi podkreślają, że Leonardo był Włochem? Albo Anglicy, że Newton to z krwi i kości Anglik? A u nas? Na każdym kroku! Bo sprawa pochodzenia najwybitniejszych jednostek jest na ogół niejasna. Chopin: wiadomo, pół-Francuz. Tak samo Gall Anonim, pierwszy polski historyk. Nawet autor pierwszego słownika języka polskiego, Samuel Linde: Niemiec. Natomiast jedyny pisarz polskiego pochodzenia, który się wybił w świecie i wszędzie jest czytany, niestety, nie pisał po polsku. Chodzi mi o Conrada. I Bogu niech będą dzięki! Bo gdyby pisał polsku, to pewnie by tak pisał jak· ten wasz cud, Żeromski. No i co, nie mam racji?

---

[1] Cisza, i to w tej chwili!
[2] Wolę po polsku!

– Mówisz, jakbyś sam nie był Polakiem – rzekł któryś z „romantyków".

– Bo nie jest – burknął inny. – „Goltz" to nie polskie nazwis...

– Dość! – krzyknęła Madame. – Nie życzę sobie dłużej tego słuchać! Macie w tej chwili przestać!

Rożek nie mógł jednak zostawić komuś ostatniego słowa.

– To, czy jestem Polakiem, to się dopiero okaże. Jeśli dokonam czegoś, a zwłaszcza zdobędę rozgłos, to będę arcy-Polakiem. Będą mnie nosić na rękach! A wy się będziecie chwalić, że byłem z wami w klasie. Niestety, tak to jest. I zawsze tak tu będzie. Najlepsi albo są obcy, albo zwiewają stąd.

Po tych słowach stało się coś niezwykłego. Madame energicznym krokiem zbliżyła się do Rożka i powiedziała po polsku:

– Jeszcze słowo i usunę cię z klasy! – Zaległa grobowa cisza. – Wstań, jak do ciebie mówię! – huknęła jeszcze głośniej.

Rożek podniósł się w ławce. Był wyraźnie stropiony.

– Po lekcjach, o czternastej, stawisz się w gabinecie. A teraz ostrzegam cię: jeżeli od tej chwili odezwiesz się nie pytany lub przeszkodzisz mi w lekcji, napytasz sobie biedy i będziesz gorzko żałował. Ze mną nikt jeszcze nie wygrał, zapamiętaj to sobie.

Wróciła przed tablicę. Rożek przysiadł potulnie.

– *Continue, s'il te plaît*[1] – zwróciła się spokojnie, jak gdyby nigdy nic, do czekającej cierpliwie, z otwartym zeszytem w ręku i pochyloną głową, bezkrwistej Agnieszki Wąsik, a ta, jak ponownie włączony aparat, zaczęła czytać dalej.

W klasie panowała niesamowita cisza, w której głos uczennicy z pierwszej ławki rozchodził się niczym regularne kręgi na tafli stojącej wody. – Oto ktoś po raz pierwszy zachwiał niezłomną Madame. Przynajmniej na krótką chwilę wytrącił ją z równowagi, zepchnął do defensywy, sprawił, że wbrew swojej woli przemówiła po polsku! I jeszcze jak na tym skorzystał! Wezwany do gabinetu! Po lekcjach, na „sam na sam"! Iluż o tym marzyło! Do czegóż się posuwano w nadziei na cień takiej kary!

Spoglądano na Rożka z zazdrością zmieszaną z podziwem. Szczęśliwiec! Szczwany lis! Ma jednak łeb ten cudak! Wzywając go „na dywan", uznała w nim... partnera.

---

[1] Czytaj dalej, proszę.

Ale incydent z Rożkiem miał jeszcze inny aspekt – chyba nawet ważniejszy. Kontrofensywa Madame. Zdławienie przez nią buntu. Spektakularny finał. To właśnie ta krótka scenka zaparła klasie dech. Oto gdy już się zdawało, że wzniecona anarchia nie da się opanować, że rozpętany żywioł wymknął się spod kontroli i obróci się zaraz przeciw osłabłej Madame, ta – niczym pogromczyni dzikich, drapieżnych zwierząt – jednym gestem i słowem (jakby chlaśnięciem bicza) przywróciła porządek. W tym ułamku sekundy była jak pyszna lwica, która pacnięciem łapy powala krnąbrnego zuchwalca, co się ośmielił sprzeciwić albo choćby zanadto zwrócił na siebie uwagę. Zalśniła. Z jej ciemnych oczu posypały się skry. Jej drobna, szczupła sylwetka otoczyła się blaskiem. To było piękne i straszne. Chciało się zginąć od tego. I jeszcze to ostrzeżenie: „ze mną nikt jeszcze nie wygrał", brzmiące jakby wyzwanie, prowokujące do walki!

Izyda. Artemida. Amazonka. Brunhilda.

Nie taję, że i na mnie zrobiła wrażenie ta scena. A nawet wzbudziła pokusę, by podnieść rękawicę. Znów więc zacząłem myśleć, co byłbym mógł uczynić, by zwrócić na siebie uwagę i zyskać respekt Madame, choćby zrodzony z gniewu. Pomysł, by czytać pracę, dawno już porzuciłem, w danej zaś sytuacji, po incydencie z Rożkiem, uznałem go wręcz za szaleńczy. Niezależnie od tego, że cel, jaki mi przyświecał podczas pisania tekstu, już od dłuższego czasu wydawał mi się wątpliwy, to teraz dostrzegałem jeszcze inne niebezpieczeństwo, bez porównania groźniejsze niż „podniesienie przyłbicy". Rożek! Potworny Rożek! Nawet jeśli Madame byłaby mi przychylna i pozwoliła czytać, nawet jeżeli klasa – znudzona lub uśpiona dłużyzną wypracowania – nie chwyciłaby sensu mojej „miłosnej pieśni", zawsze trzeźwy i czujny, wszystkowiedzący Rożek nie puściłby mi płazem moich szalbierczych wywodów. Niewrażliwy na żarty, nieczuły na błazenadę, stojący na straży rozsądku i naukowej prawdy, z pewnością podniósłby raban i skoczyłby mi do gardła – za mit o Wodniku i Pannie, za zmyślonego Monosa i inne bujdy z chrzanem. Gdy tylko by posłyszał pierwsze z bezwstydnych łgarstw, przerwałby mi w pół słowa (tak jak Agnieszce Wąsik) i wyśmiał je bezlitośnie. „O czym bredzi ten tuman!" wyobraziłem sobie jego szyderczy głos i przeszedł mnie dreszcz przerażenia. „To jakieś wierutne bzdury! Albo ma mętlik w głowie, albo struga wariata!"

Uzmysłowiłem sobie, że tak jak na Przeglądzie Scen Amatorskich i Szkolnych ostateczną instancją nie był ES ani inni uczestnicy imprezy, lecz „czerń" na tyłach sali podczas rozdania nagród, tak tu, na tej lekcji z Madame, takim krzywym zwierciadłem jest właśnie Rożek Goltz. Jeśli tu chciało się wygrać, jeśli chciało się podbić serce Żelaznej Damy, należało w strategii uwzględnić jego obecność. Był on jak smok strzegący przejścia do zamku na szczycie, jak Cerber o trzech głowach i strasznym, spiżowym głosie.

Czyżby Madame nie widziała, że ma w nim sprzymierzeńca? A może właśnie widziała? I może tylko dlatego nie ukarała go srożej. Przecież za coś takiego, czego się był dopuścił, u innych nauczycieli (z Soliterem na czele) zapłaciłby znacznie drożej. Z miejsca wyleciałby za drzwi, i to z podwójną dwóją (z przedmiotu i z zachowania), a następnego dnia musiałby przyjść do szkoły co najmniej z jednym z rodziców. Na okres ze sprawowania wylądowałby z tróją, a na sobotnim apelu otrzymałby jeszcze naganę. Jego przestępstwo bowiem było szczególnej natury. To że zakłócił tok lekcji, było niewinną igraszką. Zbrodnia tkwiła nie w czynach, lecz w słowach – w wypowiedzi. Nie w tym, że w ogóle mącił, ale j a k mącił i po co. Gdyby natrząsał się tylko z samej Agnieszki Wąsik, gdyby swoimi kpinami obnażał jej niesamodzielność, podejrzewając jej ojca o współautorstwo pracy, to wszystko byłoby jeszcze w granicach tolerancji. Ale on najbezczelniej dźgał narodową dumę. Uwłaczał historii Polski! Degradował, poniżał! Odbierał największą jej chlubę. – Kopernik to nie Polak! Boże, co za horrendum! Chopin po ojcu Francuz! I jeszcze to zdanie ostatnie, że najlepsi to obcy albo ci, co uciekli!

A jednak pani dyrektor nie ukarała Rożka stosownie do jego winy. Osadziła go tylko i poleciła mu przyjść po lekcjach do gabinetu. Po co? By co mu powiedzieć? By w jaki sposób go chłostać? A może wcale nie chłostać? Może tylko pouczyć, jak ma pełnić swą służbę? By nie wyrywał się głupio, gdy wcale tego nie trzeba. Czyż nie tak się traktuje najbardziej oddanych podwładnych? Publicznie beszta się ich, a nawet miesza z błotem, na stronie zaś, w cztery oczy, klepie się po ramieniu, upominając najwyżej, by z czymś tam nie szarżować.

Jakkolwiek rzecz się miała, ten barwny i dziwny incydent podsunął mi pomysł zagrania, którego do tej pory nie brałem był pod uwagę: poprzeć dyskretnie Rożka przeciw Agnieszce Wąsik. W ten sposób, z jednej strony, zyskać jego przychylność (co może się przydać w przyszłości), a z drugiej, pokazać Madame, że się nie boję jej gniewu (zasłużyć na jej szacunek).

Zmusiłem się do uwagi i tak też wysłuchałem reszty wypracowania. Kiedy Agnieszka Wąsik dojechała do końca, Madame, jakby trzymając jej stronę, zwróciła się do klasy z ironicznym wyzwaniem, że skoro tak gorąco reagowano na tekst, „łamiąc wszelkie zasady przyzwoitej dyskusji", to na pewno i teraz wielu chce zabrać głos. Otóż jest bardzo ciekawa, czy w tej klasie ktoś umie powiedzieć coś do rzeczy, czy tylko siać anarchię, gardłować albo kpić; a zwłaszcza, czy ktokolwiek zdoła swoje mądrości wydukać w obcym języku, i to nie po murzyńsku, lecz choćby na poziomie najbardziej elementarnym. *Voilà!* Słucha. Czeka. Niech się wreszcie przekona.

Ta gorzka, szydercza tyrada, zakładająca, rzecz jasna, że nikt się nie odezwie, dawała mi dobre odbicie. Gdy więc tylko wybrzmiało ostatnie słowo Madame i nastąpiła wymowna, przewidywana cisza, podniosłem do góry rękę i oświadczyłem, że owszem, mam coś do powiedzenia i umiem to przekazać w nauczanym języku.

– *Ah, notre poète!*[1] – stwierdziła z drwiącym uśmiechem Madame. – Brawo! Słuchamy, słuchamy – udzieliła mi głosu. – No więc cóż tam takiego masz nam do powiedzenia?

– Dlaczego niby poeta? – zapytałem oziębie, niby lekko dotknięty.

– *Et qui divagait récemment*[2] na temat rymowania? – odparła błyskawicznie. – I jeszcze mi zwrócił uwagę, że czegoś jakoby nie słyszę? „*Question*", „*conversation*", „nie słyszy pani tego?" – przedrzeźniła mój głos. – Może nie było tak?

A więc odczuła to! I teraz wypomina! Doskonale! Trafione! Oby tylko tak dalej!

– *Ah bon, c'est ça...* – westchnąłem, jakbym z największym trudem przypomniał sobie te słowa, a jednocześnie się dziwił, że tak je odczytała („Ach, o to pani chodzi! Doprawdy, jest o czym mówić!").

– *Ce ne sont pas des traits*[3] poetyckiego ducha? – nie przestawała drwić.

– Być może – odpowiedziałem. – Choć nie wydaje mi się, by były wystarczające. W każdym razie – przyszło mi do głowy dobre sformułowanie – *si je vous ai blessée, pardonnez-le-moi, c'était sans intention*[4].

---

[1] O, nasz poeta!
[2] A kto się ostatnio wymądrzał
[3] Czyż nie są to znamiona
[4] jeśli panią zraniłem, proszę mi wybaczyć, doprawdy, nie chciałem tego

– *Blessée?!* – podchwyciła bezbłędnie. – *Tu voulais dire „offensée"*...[1]
– *Est ce qu'une offense n'est pas une blessure?*[2]
– *Mais finis-en avec ces subtilités*[3] – rzekła zniecierpliwona – i mów, co tam chcesz powiedzieć.

– Chcę zadać jedno pytanie autorce wypracowania.

– To zadaj, *s'il te plaît*, byleby tylko do rzeczy – nie dawała chwili wytchnienia.

– *Je ferai de mon mieux*[4] – odrzekłem z zimną uprzejmością, po czym zwróciłem się do Agnieszki Wąsik: – Jak rozumiesz łacińską sentencję, której użyłaś jako motto w swoim wypracowaniu?

– *D'accord, ça peut aller*[5] – uznała moje pytanie Madame i rzekła do Agnieszki: – Proszę, wyjaśnij mu to.

– *Par les aspirations... par les espérances aux étoiles*[6] – wyrecytowała bez zająknienia Agnieszka, podnosząc się z miejsca.

– *Bon* – skwitowała, jak zwykle, jej odpowiedź Madame i znów zwróciła się do mnie: – No, zadowolony?

– *Oui, ça confirme bien*[7] – stwierdziłem ironicznie – słuszność moich przypuszczeń – i zabrałem się do siadania.

– *Attends!*[8] – wstrzymała mój ruch. – Co chcesz przez to powiedzieć? Coś takiego przypuszczał?

– Że ona po prostu nie wie, co znaczy ta sentencja. „*Aspera*" po łacinie nie znaczy „aspiracje" *et encore moins „espérances", mais...*[9] – utknąłem niespodziewanie, nie mogąc sobie przypomnieć, jak jest „cierń" po francusku.

– *Mais quoi?*[10] – zapytała z upozowaną grzecznością, zza której przebijało wyraźne rozbawienie, że w kluczowym momencie zabrakło mi wyrazu. Przy tym zabrzmiało to tak, że przestałem mieć jasność, czy istotnie udaje, że nie wie, co to znaczy, czy może naprawdę nie wie.

---

[1] Chciałeś powiedzieć „obraziłeś"...
[2] Czyż obraza nie jest zadaniem rany?
[3] Och, przestań się wreszcie wymądrzać
[4] Postaram się
[5] No, można wytrzymać
[6] Przez aspiracje... przez nadzieje do gwiazd.
[7] Tak, to tylko potwierdza
[8] Chwileczkę!
[9] ani tym bardziej „nadzieje", tylko...
[10] Tylko co?

– Eee... – nie mogłem się wydostać z czarnej dziury pamięci – *alors...
ce qui nous blesse parfois*[1].

– *Tu veux dire „offense"?...*[2] – udawała, że usiłuje mi pomóc.

– I po co to szyderstwo? – odparowałem ten sztych. – *Les roses en
ont... les roses... quand elles sont mûres et belles...*[3]

– *Ah, tu veux dire „épines"*[4] – na jej mówiących ustach błąkał się drwiący
uśmieszek.

– O właśnie! Otóż to! – rzuciłem pojednawczo. – Chciałem powiedzieć „żądła", lecz czułem, że to nie to.

– Jak na to odpowiesz, Agnieszko? – Madame znów się zwróciła do
bladej Wąsikówny.

– *Oh, je ne sais pas encore*[5] – odpowiedziała chłodno, nie zwracając na
mnie najmniejszej uwagi – naprzód muszę to sprawdzić w słowniku.

– *Ce n'est pas nécessaire*[6] – przypomniałem jej, że istnieję – każde dziecko to wie. A zresztą – nie opuszczała mnie wena – niech pani profesor ci
powie. Komu jak komu, lecz pani chyba ufasz...

„No, i co na to powiesz?", zatarłem w myślach ręce, spoglądając Madame prosto w jej ciemne oczy. „Już teraz się pani nie wymknie".

A jednak zrobiła to – chociaż nie najfortunniej.

– *D'accord* – powiedziała do mnie, nadając tonowi odcień trybu wa-
runkowego – powiedzmy, że masz rację. „*Aspera*" znaczy „ciernie", a nie
„aspiracje". Jakie to ma znaczenie dla tego wypracowania?

Co tu wiele mówić, wystawiała się tym na bicie. Ruszyłem do ataku.

– *Oh, tout à fait essentielle!*[7] – żachnąłem się wzburzony. – Jeśli „*aspera*" znaczy „ciernie", to znaczy, że chodzi o trudy, o przeszkody, porażki.
A jest coś o tym w tej pracy? – spytałem dramatycznie, starając się nie
użyć imienia szpetnej prymuski. – Nic! Ani słowa! Przeciwnie! Wymienione przykłady to jedno pasmo sukcesów.

Spostrzegłem kątem oka, że Rożek Goltz, pod ławką, bezgłośnie bije
mi brawo. Nie patrząc w jego stronę, skinąłem dyskretnie głową, dając

---

[1] no, to... co właśnie czasem nas rani
[2] Masz na myśli „obrazę"?
[3] Róże to mają... róże... zwłaszcza dojrzałe i piękne...
[4] Ach, chodzi ci o ciernie!
[5] Och, jeszcze nie wiem
[6] Nie ma takiej potrzeby
[7] Och, całkiem zasadnicze!

mu znak w ten sposób, że widzę to i doceniam, i – pobudzony dopingiem – tak jeszcze pociągnąłem:

– *Quand j'ai entendu cette phrase dans le titre*[1], spodziewałem się przynajmniej jakiejś wzmianki o sprawie Kopernika, gdy zwalczany był jego system; spodziewałem się usłyszeć o jakiejś katastrofie lotniczej lub choćby o Ikarze, tym symbolu niebezpieczeństwa, które czyha na człowieka podbijającego niebo. Ale o czym ja mówię! Jeśli ona nie wie, co znaczy „*aspera*", to co ona może wiedzieć o Ikarze!

Tak, to było za ostre. Zanadto mnie poniosło w retorycznym ferworze. Ale skutek był niezły. Wściekła Agnieszka Wąsik, niemal sina ze złości, wrzasnęła piskliwym głosem:

– Wyobraź sobie, że wiem, kto to był Ikar! I to lepiej od ciebie! W konkursie z mitologii dostałam pierwszą nagrodę.

Zrobiłem zgorszoną minę i z błazeńską emfazą zwróciłem się do Madame:

– *Mais elle parle polonais! C'est inadmissible!*[2]

Tego było za wiele. Agnieszka buchnęła płaczem, a Madame rzekła ostro:

– *C'est moi qui décide de ce qui est admissible ou non!*[3] Więc nie pouczaj mnie, proszę.

– Nie miałem takiego zamiaru – zacząłem się wycofywać, widząc że przeholowałem. Było już jednak za późno.

– *Assez!* – przerwała mi. – Mam powyżej uszu tego mądrzenia się! I bardzo jestem ciekawa, co sam napisałeś, skoroś taki mądry. Przekonajmy się wreszcie, co kryje się za tą twoją elokwencją. Czy aby nie wielkie nic?

„*Merde!*", zakląłem w myśli z rozpędu po francusku. „No, i się doigrałem. Jak teraz z tego wybrnąć?"

Zerknąłem na zegar ścienny. Do dzwonka zostało nie więcej niż dziesięć minut. W porządku, dobra nasza! W tym czasie, wolno czytając, zdążę dojechać najwyżej do czwartej, piątej strony, czyli akurat dotąd, dokąd nic jeszcze nie ma.

– Jak pani sobie życzy – powiedziałem uprzejmie i rozpocząłem lekturę.

---

[1] Gdy usłyszałem to motto w kontekście tytułu
[2] Ależ ona mówi po polsku! To jest niedopuszczalne!
[3] To ja tu decyduję, co jest niedopuszczalne, a co nie.

– *Le titre!* – przerwała od razu. – Jaki jest tytuł „dzieła"? Jak każde dziecko wie – podjęła z ironią me słowa – zaczyna się od tytułu. Zgłupiałem. Nie miałem tytułu. Nie pomyślałem o tym. Teraz lepiej było się z tym nie ujawnić. Sytuacja nie dawała mi wiele czasu do namysłu. Wróciwszy wzrokiem do tekstu, rzekłem niby czytając:

– „*L'astrologie: magie ou science?*"[1] – I tu mnie coś podkusiło. Pewny, że nie doczytam wypracowania do końca, ba! nawet do połowy albo i jeszcze mniej, dodałem po krótkiej pauzie niby intrygujący podtytuł: – „*Le mystère du 27 janvier*"[2].

Podniosłem wzrok na Madame. Jej twarz była nieprzenikniona.

– *Lis, vas-y, on t'écoute*[3] – usiadła bokiem przy biurku i wsparła głowę na ręce.

Zacząłem jeszcze raz.

Czytałem wyraźnie i głośno, dbając o dobry akcent i neutralny ton chłodnego referenta. Nie podnosiłem oczu znad tekstu, by przelotnym spojrzeniem ogarniać audytorium i sprawdzać reakcję słuchaczy. Byłem rzeczowy i skromny; skupiony; oddany lekturze. Jedyne, co nie służyło tworzeniu tej kreacji, to było ukradkowe zerkanie na zegarek, który w ostatniej chwili przed rozpoczęciem czytania przesunąłem dyskretnie na spodnią część przegubu. Lecz to sprawdzanie czasu nie mogło być widziane. Trzymając zeszyt w rękach, miałem tarczę zegarka nieomal przed oczami.

Gdy dojechałem z lekturą do pierwszych cytatów z *Fausta*, do końca lekcji wciąż jeszcze było ponad pięć minut. Niedobrze. Wciąż za dużo. Zrobiłem krótką pauzę, po czym, począwszy od słów „Co do mnie, przez długi czas...", zwolniłem tempo czytania.

Po zdaniu „Urodzony we wrześniu, dokładnie: dziesiątego, jestem spod znaku Panny" Madame nie wytrzymała i zwróciła się do mnie zniecierpliwionym tonem:

– *Ne pourrais-tu pas faire un peu plus vite?!*[4]

No no, tak smacznych kąsków nie brałem był pod uwagę nawet w najśmielszych marzeniach, gdy się zastanawiałem, jakby tu z niej wydobyć

---

[1] „Astrologia: magia czy nauka?"
[2] „Tajemnica 27. stycznia"
[3] Czytaj, proszę, słuchamy
[4] Nie mógłbyś trochę szybciej?

coś brzmiącego dwuznacznie. Teraz, na dźwięk tych słów, aż mnie zamurowało.

– *Plus vite?* – spytałem cicho, jak gdyby w roztargnieniu, by jeszcze raz to usłyszeć.

– *Oui, plus vite, bien plus vite!* – powtórzyła z naciskiem – jeżeli nie chcesz, żebym zasnęła za chwilę.

„A gdybym powiedział, że chcę?", przemknęła mi przez głowę prowokacyjna odpowiedź. Odrzuciłem ją jednak i zagrałem rozważniej:

– *Bon, j'essaierai*[1] – powiedziałem uprzejmie i dorzuciłem dla hecy: – chociaż to ryzykowne...

– Och, przestań się wreszcie zgrywać i czytaj dalej, proszę – zabębniła palcami w blat biurka i podniosła się z miejsca.

Do końca lekcji zostało dwie, może trzy minuty. Zgodnie z życzeniem Madame, zacząłem czytać szybciej. W ten sposób przejechałem kolejnych sześć akapitów. Dzwonek zabrzmiał na zdaniu: „Zacząć trzeba od mitu o Wodniku i Pannie".

Uniosłem wzrok znad zeszytu i opuściłem ręce, po czym miną i gestem wyraziłem bezradność: „Cóż zrobić! Siła wyższa! Ja chciałem jak najlepiej!"

– *Combien il y en a encore?*[2] – zapytała Madame, jakby chciała oznajmić, że dzwonek jej nie obchodzi i że jeżeli zechce, to zajmie i całą pauzę.

Odegrałem pobieżne liczenie reszty stron.

– O, niemało, niemało... – stwierdziłem niby z troską. – Nawet całej pauzy nie starczyłoby, żebym skończył.

I wtedy znów się stało coś zaskakującego. Madame podeszła do mnie, obróciła na ławce mój zeszyt w swoją stronę i zaczęła w milczeniu przekładać kartkę po kartce do końca wypracowania. Na ostatniej stronicy, na której widniały strofy z monologu Małgorzaty oraz finalne zdanie („Marzę o tej wiktorii, która mnie czeka z Wodnikiem"), zatrzymała się dłużej.

– *Bon* – odezwała się wreszcie – *on verra ce que tu as écrit*[3] – i zabierając zeszyt, opuściła klasę.

---

[1] Dobrze, postaram się
[2] Ile tam tego jeszcze masz?
[3] zobaczymy, coś tam ponawypisywał

# Co wtedy... co wtedy, mój chłopcze?

Byłem wycieńczony. Oszołomiony i roztrzęsiony wewnętrznie. Jak po jakimś ważnym, trudnym i wyczerpującym egzaminie. Tyle rzeczy się wydarzyło! Niezwykły incydent z Rożkiem. Potyczka z Agnieszką Wąsik. No, ale przede wszystkim pojedynek z Madame i puenta tego wszystkiego: wyrwanie do odpowiedzi, a na dobitek jeszcze – rekwizycja zeszytu! Wypadek bez precedensu. Nie brała nigdy zeszytów nawet do rutynowych przeglądów, a co dopiero mówić o inspekcji specjalnej, w dodatku tak selektywnej. Na pewno coś ją tknęło i obudziło jej czujność, choć nie umiałbym wskazać, kiedy to nastąpiło. Na zagadkowy podtytuł z datą jej urodzenia nie drgnęła jej nawet powieka. Potem była znudzona, przynajmniej taką grała. A gdy stała już przy mnie i kartkowała zeszyt, jej twarz nie wyrażała nic poza kpiącym zdziwieniem, że napisałem aż tyle. Może jedynie ten moment, gdy zatrzymała wzrok na ostatniej stronicy – tam gdzie znajdował się klucz: jej imię jako słowo wplecione w końcowe zdania – ale nawet i wtedy było to tylko spojrzenie, a nie wyraźna reakcja.

Kiedy wróciłem do domu, zamknąłem się w pokoju i położyłem na łóżku, licząc, że może zasnę. Nie udało mi się to jednak. W głowie wciąż miałem zamęt. Nie mogłem przestać myśleć o niedawnych zdarzeniach i w kółko rozpamiętywałem niektóre szczegóły.

Na przykład, kiedy Madame rzuciła się do Rożka po jego gorzkiej uwadze, że w Polsce najlepsi to „obcy" albo ci, co „zwiewają". Im dłużej lustrowałem ten epizod w pamięci (jakbym tam i z powrotem przesuwał, klatka po klatce, wycinek taśmy filmowej), nabierałem wrażenia, że gdy padły te słowa, gniewne oblicze Madame ściął na ułamek sekundy jakiś grymas czy skurcz. Coś za nią pociągnęło stery nerwów i mięśni. Dziwne. Niezrozumiałe. Co ją w tym tak zakłuło? Dlaczego akurat to? Dlaczego znacznie wcześniej nie osadziła Rożka?

Albo gdy zażądała, ażebym czytał szybciej... Nie, nie chodziło mi już o smak owej dwuznaczności, jaką mieniła się prośba *„ne pourrais-tu pas faire plus vite?"* i dalsza wymiana zdań – myślałem o czymś innym. Czy ponagliła mnie wtedy rzeczywiście dlatego, że to rozwlekłe czytanie nużyło ją lub drażniło, czy może jednak dlatego, że była ciekawa, co dalej, to znaczy, głównie tego, co zapowiedział podtytuł dodany przeze mnie naprędce. Na datę własnych urodzin każdy by zwrócił uwagę. A jeszcze w takim kontekście! „Tajemnica", „zagadka", „rzecz dziwna, niewyjaśniona". Trudno byłoby przyjąć, że nic jej to nie obeszło. A że się z tym nie zdradziła? Że miała kamienną twarz? Cóż, w jej przypadku było to naturalne. Tak, ponaglała mnie, a potem zabrała zeszyt, ponieważ coś wyczuła i chciała po prostu wiedzieć, co kryje się za tym wszystkim.

Naraz przyszło mi na myśl, że pewnie już przeczytała lub właśnie w tej chwili czyta. Zerwałem się na nogi, dopadłem szkolnej teczki, którą po wejściu do domu rzuciłem gdzieś w korytarzu, i wydobyłem z niej kopię mego wypracowania – ów czystopis na kartkach z bloku formatu A-4. Wróciłem do pokoju i znów opadłem na łóżko, tym razem jednak przyjmując pozycję półsiedzącą i znowu, wolno, uważnie, zacząłem czytać tekst – niby oczami Madame.

W którym momencie odkryła moją subtelną grę? Gdzie się zorientowała, do czego zmierzam i po co? I cóż mogła o tym myśleć? Wierzyła w te banialuki? Przynajmniej w to, że istnieją takie legendy i mity, i takie interpretacje? Czy było dla niej jasne, że zmyślam na potęgę? Ale jeśli widziała, że się bawię fantazją, i od razu przejrzała moje intencje i plan, to jakie właściwie uczucia mogło to w niej obudzić? Złość? Rozbawienie? Kpinę? A może jednak – uznanie? A nawet rodzaj wzruszenia? Przecież chodziło tylko o ćwiczenie pisania, a tu – taka historia!

„Że mu się chciało tak trudzić! Boże, co za romantyk! Przecież nie robił tego ani dla dobrej oceny, ani by zadać szyku: nie zgłaszał się, nie wyrywał; wyrwany został przypadkiem. No cóż, widać mnie wielbi..."

Lecz mogła też myśleć inaczej.

„Ale pokrętny typ! Pokrętny i podejrzany! Mądrzy się, peroruje, na wszystko ma odpowiedź i jeszcze sobie pozwala na dwuznaczne zaloty! Lecz przede wszystkim, skąd wie?! Skąd wygrzebał te dane? Węszył za nimi, wyśledził? Wyciągnął od kogoś, wykradł? Jak śmiał coś takiego robić! I jeszcze się tym chwalić! Bezczelny! Bezczelny smarkacz!"

Miałem, niestety, wrażenie, że ta druga reakcja jest bardziej prawdopodobna.

Dobrze, lecz tak czy owak, to musi się jakoś skończyć... – odłożyłem czystopis i znowu przymknąłem oczy. – No właśnie, ale jak? Odda mi zeszyt bez słowa i bez żadnych poprawek, udając że nie czytała albo, jeżeli nawet, to mało ją to obeszło? – Owszem, wzięła mi zeszyt, bo ją sprowokowałem, i w ogóle była wzburzona, lecz potem jej minęło i zapomniała o tym, tyle ma spraw na głowie! Proszę, teraz oddaje, i nie ma o czym mówić, uznaje rzecz za niebyłą.

Lecz jawił mi się również scenariusz dużo gorszy.

Wchodzi do klasy na lekcję. Mój zeszyt – ostentacyjnie – kładzie na brzegu biurka, zapowiadając w ten sposób, że w stosownym momencie stanie się on przedmiotem widowiskowej rozprawy, po czym zaczyna lekcję. Konwersacja. Ćwiczenia. Mnie jakby nie zauważa. Wreszcie, na kwadrans przed dzwonkiem, przystępuje do akcji. Sięga po *corpus delicti*: otwiera zeszyt i – czyta. Na głos, wyrwane z kontekstu, co bardziej ucieszne kawałki. I szydzi, i wyśmiewa, i pastwi się nad tekstem. By mi się raz na zawsze odechciało zalotów.

„Oto prawdziwe oblicze naszego myśliciela!" grzmi po francusku zza biurka. „Filozofa! Poety! I Bóg wie jeszcze kogo! – Zabobon i ciemnota. Oto co mu jest bliskie i czemu hołduje w głębi. I cóż że umie gadać, że gada jak nakręcony, gdy plecie takie androny? – Dawno się nie spotkałam z podobnymi bzdurami. Kobiecość – wtajemniczona! Męskość – wiecznie dziewicza! Dziewica to młodzieniec! Mężczyzna to kobieta! – I co nam jeszcze mądrego powie czcigodny guru? Jakie prawdy objawi, jakie odkryje głębie? Pewnie że sam nie jest chłopcem, tylko płochą dziewicą..."

No, może tak daleko by się nie posunęła, lecz nawet łagodniejszy wariant takiej repliki napawał mnie przerażeniem i ścinał w żyłach krew. By się uwolnić czym prędzej od tej koszmarnej wizji, oddałem się marzeniom.

Dlaczego właściwie tak źle miałoby się to skończyć, dlaczego tak okrutnie miałaby ze mną postąpić? Ostatecznie w czym rzecz? Że sobie zażartowałem? – Ale jak pomysłowo! A przy tym z taktem i wdziękiem. – Nie ma najmniejszych powodów, by czuła się urażona lub wystrychnięta na dudka. Przeciwnie, to winno jej schlebiać, i jako pedagogowi, i jako osobowości. – Tak starać się dla niej! Tak pisać! – Czemuż by więc nie miała zachować się całkiem inaczej? Na przykład, w taki sposób:

Przychodzi, zaczyna lekcję, nie oddaje zeszytu, w ogóle nie powraca do sprawy wypracowania, dopiero pod koniec zajęć, powiedzmy: wychodząc już z klasy, przystaje na moment przy mnie (niby przypomniawszy coś sobie) i mówi: „*Ah oui, ton cahier! Viens le chercher dans mon bureau. Après les cours, à deux heures.*"[1]

---

[1] „Ach, rzeczywiście, twój zeszyt! Przyjdź do mnie, do gabinetu, ażeby go odebrać. Po lekcjach, o czternastej."

A kiedy się tam stawiam, sięga po zeszyt do biurka, lecz zamiast mi go podać z rzeczowym „*voilà*" i zamknąć na tym sprawę, jeszcze raz go otwiera i przerzucając kartki zwraca się do mnie w te słowa:

„A więc powiadasz, że w gwiazdach... pisany Ci jest Wodnik" – na jej ustach i w oczach igra figlarny uśmiech – „że marzysz o wiktorii, która cię czeka z Wodnikiem... Czy spotkałeś już kogoś spod tego pięknego znaku? Poza Mozartem, rzecz jasna, Schubertem i Mendelssohnem."

Jak na takie pytanie należałoby odrzec?

„Dlaczego nie odpowiadasz? Dlaczego nic nie mówisz? Rozpalasz naprzód ciekawość, a potem milczysz jak sfinks. No więc? Czy znasz kogoś takiego?"

„O ile się nie mylę, Rożek Goltz jest Wodnikiem."

Niezłe. Cóż by to dało? – Mogłaby tak to podjąć:

„No i co? Rzeczywiście jest tym, za kim tęskni twa dusza? Znajdujesz w nim swój ideał, swoją drugą połowę?" – jej głos rezonowałby udanym zainteresowaniem. „Że chcesz mu się przypodobać, to widzę, aż nadto dobrze. Ale czy o n to widzi, czy o n nie jest na to głuchy?"

Na to można by tak:

„Nie sądzę. Sam widziałem, jak bił mi brawo pod ławką, kiedy krytykowałem ostatnio wypracowanie Agnieszki..."

Wtedy powinna by przerwać:

„Nie, nie rozumiesz mnie, mnie chodzi o coś innego. Czy aby jesteś pewien, że ten, za kim tęskni twa dusza, wyjdzie ci na spotkanie? Że odwzajemni uczucie? Że choćby na nie odpowie? A co, jeśli będzie inaczej? Jeżeli się okaże, że nie jest on jednak Schubertem, który napisze muzykę do twojej pieśni dziewicy? Co wtedy... co wtedy, mój chłopcze?"

Na ostatnim pytaniu powinna by spojrzeć mi w oczy. – Na to zaś taka odpowiedź zostałaby udzielona:

„Byłoby to, rzecz jasna, bolesne i dosyć smutne. Wszelako, z drugiej strony – byłoby dobrodziejstwem. Bo szczęście nie polega na tym, że jest się kochanym" – tu można by zręcznie wpleść cytat z noweli Manna – „jest to zmieszane ze wstrętem zadowolenie próżności. Szczęściem jest kochać i chwytać drobne, zwodnicze zbliżenia do tego, co się miłuje..."

No tak... Taka wymiana zdań w zaciszu gabinetu byłaby rzeczą piękną. Byłby to rodzaj spełnienia – przynajmniej w wąskim zakresie nadziei i oczekiwań wiązanych z wypracowaniem.

Nie muszę chyba dodawać, że nawet blady cień podobnej sytuacji nie powstał wewnątrz jaskini szkolnej rzeczywistości. Ale i inne prognozy rozpatrywane przeze mnie nie potwierdziły się. Rzecz zakończyła się szaro, nijako, nieciekawie, zarazem jednak w sposób zupełnie niespodziewany. Można by też powiedzieć, że w ogóle się nie skończyła albo że się skończyła przez brak dalszego ciągu – jak zarzucona partia.

Madame, mianowicie, nie tylko nie powróciła do sprawy (nie oceniła pracy, nie poświęciła jej słowa), lecz – najzwyczajniej w świecie – nie oddała zeszytu. Otóż to, n i e  o d d a ł a! I to bez dania racji. Jak gdyby nigdy nic, jakby nic się nie stało.

Dlaczego na to przystałem? Dlaczego nic nie zrobiłem, aby uzyskać przynajmniej jakieś wytłumaczenie? Dlaczego się nie upomniałem o zwrot zajętej własności?

Gdy nie oddała zeszytu z początkiem następnej lekcji, uznałem to za dziwne, lecz, prawdę powiedziawszy, wolałem nie wywoływać na razie wilka z lasu. Potem przyjąłem taktykę prowokacyjnej bierności: kiedy coś dyktowała lub kazała notować, siedziałem nieporuszony, wpatrując się w nią natrętnie, z przygotowaną do strzału wyzywającą repliką „*mais je n'ai pas de cahier, vous ne me l'avez pas rendu*"[1]. W końcu odniosłem wrażenie, że omija mój wzrok, że stara się nie widzieć tej niemej demonstracji. Nic w każdym razie nie rzekła. Nie zareagowała. Potem zaś, na kolejnych lekcjach... – Ale nie wybiegajmy naprzód! Bo zanim przyszedł ich czas, odbyło się moje spotkanie z panem Jerzykiem Monteniem w mieszkaniu jego ojca, a to w zasadniczy sposób zmieniło moją optykę.

---

[1] „ale ja nie mam zeszytu, nie oddała mi go pani"

# ROZDZIAŁ TRZECI

## Co to jest filologia?

Biały, porcelanowy przycisk przedwojennego dzwonka, tkwiący w ozdobnym wgłębieniu w prawej framudze drzwi, przycisnąłem dokładnie o piątej zero zero. Otworzył mi pan Konstanty. Miał na sobie, jak zwykle, tweedową marynarkę z zamszowymi łatami na łokciach; bladoniebieską koszulę zwieńczoną pod kołnierzykiem małą, wykwintną muszką w rubinowe kropeczki; ciemnozielone spodnie z dobrego, grubego sztruksu, przepasane skórzanym paskiem o chromowanej sprzączce; na stopach zaś – wypucowane do glancu i ciasno zasznurowane brązowe półbuty „golfy". W lewej klapie tweedowej marynarki tkwił purpurowy pączek atłasowej różyczki Legii Honorowej.

– Szwajcarska punktualność – stwierdził w otwartych drzwiach, spojrzawszy na zegarek. (Miał złotego Longinesa.)

– Podobno przesada w tym względzie nie jest w najlepszym guście – odrzekłem samokrytycznie i z melancholią wspomniałem niesławnej pamięci Ruhlę. – Słyszałem, że w dobrym tonie jest spóźnić się kilka minut.

– To zależy od tego, do kogo się idzie i po co – wyjaśnił pan Konstanty.

– Jeśli na pospolite, towarzyskie przyjęcie, to, rzeczywiście, można przyjść z małym opóźnieniem. Ale jeśli do kogoś, u kogo się już bywało, i z wizytą roboczą, to takiej punktualności wcale nie trzeba się wstydzić, przeciwnie, jest ona świadectwem jak najlepszych zwyczajów.

Z prawej strony, z salonu, wynurzył się powoli szczupły mężczyzna o gładkiej, chmurnej twarzy. Miał płasko zaczesane włosy z widocznym przedziałkiem, a wokół szyi, pod kołnierzykiem koszuli, starannie zaplecony jedwabny, bordowy fular.

– A oto i rzeczoznawca – zareagował na jego wejście pół-żartem pan Konstanty. – Pan doktor. Czyli Jerzyk. Poznajcie się, panowie.

Jerzyk zbliżył się do mnie i, przenikając wzrokiem, mocno uścisnął mi rękę.

– Serrwus – powiedział dźwięcznie. Wyraźnie grasejował.

– Miło mi. Dobry wieczór – odwzajemniłem uścisk. Miał delikatną rękę o długich, chwytnych palcach.

„A więc tak to wygląda", szukałem podobieństwa do pana Konstantego, lecz nie mogłem go znaleźć. Przerasowiony panicz? Rozkapryszony dandys? Zblazowany histeryk? Jaki był dziesięć lat temu, gdy studiował z Madame?

– Może tutaj – zaordynował pan Konstanty, zwracając się na prawo, skąd właśnie wyszedł był Jerzyk.

Wysokie okna (wychodzące w tym pokoju na podwórko) były już zasłonięte. We wnętrzu panował półmrok, rozjaśniony jedynie żółtawym, słabiutkim światłem dwóch kinkietów-świeczników, przytwierdzonych do ściany nad dwoma fotelami, pomiędzy którymi stał stolik na niskich, wygiętych nóżkach.

– Siadaj – pan Konstanty nieznacznym ruchem głowy wskazał mi prawy fotel, po czym sam rozlokował się w lewym. Jerzyk tymczasem bez słowa skierował się do kuchni. – Jak rodzice? W porządku? – zarzucił nogę na nogę, odsłaniając skarpetki barwy ciemnego marengo, ściśle opięte na łydkach.

– Dziękuję, wszystko dobrze – skinąłem grzecznie głową i uśmiechnąłem się lekko, co miało również oznaczać, iż w jego kurtuazyjnym pytaniu dostrzegam znak lojalności wobec mojej prośby o zachowanie dyskrecji.

– Jerzyk o wszystkim już wie – powiedział pan Konstanty – lecz nie obawiaj się, nie dawałem mu żadnych instrukcji. Byłem pośrednikiem bezstronnym i całkowicie lojalnym. Powiedziałem po prostu, że kończysz właśnie szkołę, myślisz, między innymi, o studiach romanistycznych, i chciałbyś się poradzić.

– Doceniam to i dziękuję – znowu skinąłem głową. – A wspomniał pan może przypadkiem, że chętnie bym też posłuchał jakichś historii z przeszłości, z okresu j e g o studiów?

– Nie, o tym nie mówiłem.

„Niedobrze", przygryzłem zęby i rzekłem z lekkim żalem:

– Hm... szkoda. To dla mnie ważne. – I licząc, że zanim Jerzyk powróci z odległej kuchni, zdołam jeszcze coś zdziałać, zacząłem rozwijać temat w taki mniej więcej sposób: – Zna mnie pan nie od dzisiaj i wie pan, jakie znaczenie ma dla mnie sprawa tradycji; świadomość tego, co było, jako punkt odniesienia. Zresztą, poniekąd to pan jest za to odpowiedzialny... – zrobiłem przekorną minę. – Któż bowiem jak nie pan obudził we mnie tę skłonność... równania do przeszłości?

– Równania do przeszłości?

– Jakby to nazwać inaczej?... – spojrzałem w wysoki sufit szukając tam natchnienia. – Chodzi mi o to, by zawsze, gdy się zaczyna coś robić, wiedzieć, jak było dawniej. Po to, by zdać sobie sprawę, kim się jest na tym tle. Gdzie, w jakim miejscu i czasie wstępuje się na scenę. Czy ma się przed sobą wzlot, czy, przeciwnie, upadek; „złoty wiek" czy „zmierzch bogów"; „odrodzenie" czy „schyłek". Proszę sobie przypomnieć nasze wycieczki górskie, gdy opowiadał mi pan, jak się d a w n i e j chodziło, i czym w porównaniu z tamtą jest turystyka dzisiejsza. To była ważna lekcja. Dzięki niej zrozumiałem, że żyję w czasie marnym, w świecie zdegradowanym, i to oszczędziło mi złudzeń, a przez to rozczarowań. Są jednak różne skale. W zestawieniu z czasami sprzed kataklizmu wojny, epoka powojenna, szczególnie w naszym kraju, jest okresem upadku, regresu, zwyrodnienia. Wszelako nawet i dno nie jest płaskie i równe, ale pofałdowane. Ma wzniesienia i doły, koralowe iglice i ciemne „rowy mariańskie". Czyż nie ma żadnej różnicy między obecnym dniem a nocą stalinizmu? Tą „małą stabilizacją" a „wielką czystką" i zbrodnią? Otóż żywię nadzieję, że może pierwszy raz stoję w obliczu szansy przewyższenia przeszłości. Pan Jerzyk, o ile wiem, zaczął studiować w piekle: rok pięćdziesiąty trzeci. Schyłek „kultu jednostki". Terror, drakońskie prawo, donosy, inwigilacja. I, rzecz niebagatelna, szantaż obyczajowy! Słyszałem dziesiątki historii, jak wykańczano ludzi, grzebiąc w ich prywatności. Dziś jednak tego nie ma. Stąd właśnie chciałbym usłyszeć trochę wspomnień, anegdot... im bardziej ponurych, straszniejszych, tym bardziej dla mnie cennych. Bo takie, paradoksalnie, podniosłyby mnie na duchu: pozwoliłyby wierzyć, że oto dane mi jest startować z lepszej pozycji, że oto, nareszcie, „dziś" bierze górę nad „wczoraj". Tego rodzaju poczucie byłoby dla mnie bezcenne!

– Zabawne jest to, co mówisz... – powiedział pan Konstanty po krótkiej chwili milczenia. – Wciąż jednak nie bardzo rozumiem, co niby chciałbyś usłyszeć. O jakie historie ci chodzi, o jakie anegdoty? „Boże, co za katorga!", westchnąłem w duchu z udręką. „Czy mówię nie dość jasno?"

– No, wie pan... – powiedziałem. – Takie, różne, ze studiów... o koleżankach, kolegach, o jakichś wspólnych sprawach, o życiu towarzyskim...

– Ach, to! – zaśmiał się krótko, rzucając głową w tył. – Oczywiście, zagadnij go, na pewno ci coś opowie. Choć wątpię, czy to spełni twoje oczekiwania. Albowiem tamten czas, o ile mi wiadomo, wspomina on całkiem dobrze. Mimo niełatwych warunków, szczęściło mu się wtedy. Szybował. Miał sukcesy, i to na różnych polach. Kłopoty, niepowodzenia przyszły dopiero później. To teraz jest zawiedziony i narzeka bez przerwy. Ale wtedy?... nie, nie. Lecz jeśli jesteś ciekawy, pytaj, nie widzę przeszkód.

Już miałem na języku: „A nie mógłby pan za mnie?", kiedy w drzwiach zjawił się Jerzyk, trzymając tacę w rękach – z porcelanowym imbrykiem, dwiema filiżankami i srebrną cukiernicą zamykaną na kluczyk – i to spowodowało, że straciłem kontenans.

– A pan nie mógłby jakoś?... – wymamrotałem pod nosem, lecz zgasłem w połowie zdania, ponieważ pan Konstanty zdawał się już nie słuchać: poderwał się sprężyście, uprzątnął blat stolika i wydobywszy z szuflady białą, lnianą serwetkę, przykrył nią taflę mahoniu lśniącego politurą.

– Voilà! – strzepnął jeszcze jakiś pyłek z serwetki i postąpił krok w tył, robiąc miejsce synowi, który oparłszy tacę na krawędzi stolika, zestawił z niej przedmioty na biało zasłaną powierzchnię. Okazało się, że poza filiżankami, imbrykiem i cukiernicą, przyniósł jeszcze dwie kształtne, meissenowskie miseczki – w jednej były orzeszki, a w drugiej francuskie biskwity – oraz mały dzbanuszek (tej samej marki) z mlekiem. Pan Konstanty uwolnił Jerzyka od opróżnionej tacy i włożył ją sobie pod pachę. – No, to zostawiam was samych – powiedział, ruszając ku drzwiom. – Życzę owocnych obrad – wykonał gest cezara żegnającego zebranych.

Jerzyk nalał w milczeniu herbatę do filiżanek i podsunął mi cukier.

– Dziękuję, nie słodzę – szepnąłem.

– Lubisz gorycz, jak widzę – odwrócił w swoją stronę grawerowaną szkatułkę i sięgnął po łyżeczkę tkwiącą w sypkiej topieli. – Kiedyś ja też lubiłem – wsypał do swej filiżanki podwójną miarkę cukru i zaczął mieszać herbatę, wpatrując się posępnie w jej bursztynową toń. Siedziałem nieporuszony, nie spuszczając zeń wzroku. Oryginał. Dziwny człowiek. Zupełnie nie mogłem go wyczuć. Grał coś przede mną, udawał? Czy taki po prostu był? Mroczny, cofnięty w siebie, z nieobecnym spojrzeniem. Nie wiedziałem, co robić. Iść do przodu? Przebojem? Ofiarować coś w zamian za przyspieszenie akcji i korzystniejszą pozycję? Czy czekać z inicjatywą? Oddać mu naprzód pole? Wypuścić go, niech mówi, niech się bardziej odsłoni?

Wybrałem defensywę.

– Więc powiadasz, że chciałbyś – pociągnął łyk herbaty – studiować rromanistykę. – Skierował wzrok w moją stronę. – Na naszym prześwietnym wydziale – te słowa aż ociekały jadowitą ironią, a jego twarz przybrała błazeński wyraz wstrętu.

– Rozważam tę możliwość – odpowiedziałem ostrożnie.

– A wolno wiedzieć, po co? – zapytał z tą samą miną.

Trudno o prostsze pytanie. A jednak nie umiałem dać szybkiej odpowiedzi.

– No... jakby to powiedzieć? – zbierałem pośpiesznie myśli.

– Najlepiej prrosto i krrótko.

– Lubię język francuski – wzruszyłem ramionami. – Władam nim jako tako. Może to pana zdziwi, lecz akurat u mnie w szkole jest bardzo wysoki poziom...

– Nie rrozumiemy się – przerwał mi ze znużeniem. – Nie chodzi mi o to, d l a c z e g o chcesz zdawać na ten wydział, lecz p o   c o, w j a k i m c e l u.

– Co znaczy: „w jakim celu"?

– No, co chcesz w życiu rrobić? Jakie masz plany życiowe?

Znowu mnie przyparł do muru. („Alechin już w czwartym ruchu zaskoczył Capablancę", przypomniał mi się komentarz do jakieś partii z meczu, w którym genialny José stracił mistrzostwo świata.) „Człowieku!" jęknąłem w duchu, „miejże litość nade mną! Nie przyszedłem do ciebie, abyś mnie przesłuchiwał, lecz żebyś mi coś powiedział na temat tej kobiety!"

– Nie umiem odpowiedzieć na tak sformułowane pytanie – odrzekłem po krótkiej pauzie. – Mogę najwyżej powiedzieć, co mnie interesuje i co chciałbym głębiej poznać.

– No? – zgodził się na kompromis, chociaż zbolałym tonem.

– Najogólniej rzecz biorąc, współczesna kultura francuska. Literatura, teatr, a także filozofia. Zwłaszcza ów prąd umysłowy, któremu dał początek egzystencjalizm Sartre'a. Wie pan, «Les temps modernes», kawiarnia Aux Deux Magots przy Saint-Germain-des-Prés – rzucałem, jak popadło, żurnalistyczne hasła, tytuły i nazwiska – *L'imaginaire, Le mur, Les chemins de la liberté*[1]; Camus: *Le mythe de Sisyphe, L'homme révolté, La chute*[2], teatr absurdu, Genet, a w filmie: *la nouvelle vague*[3]. Słowem, cały ów świat idei i artystycznych dokonań, owiany już dziś legendą, a opisany dokładnie przez panią de Beauvoir w jej cyklu autobiograficznym. A skoro już wymieniłem nazwisko tej pisarki... Mógłbym się zająć, na przykład, jej pracą *Le deuxième sexe*[4], nie przełożoną dotąd z jakichś powodów na polski, i napisać rozprawę o owym manifeście wyzwolonej kobiety. O ile mi wiadomo, nikt jeszcze u nas poważnie nie podjął tego tematu. No, chyba że na uczelni, w trybie seminaryjnym... w referacie, w przyczynku... lub w pracy magisterskiej!

„No, teraz twoja kolej!", sięgnąłem po filiżankę i upiłem z niej łyczek gorącego naparu. „Jeżeli wiesz coś, to mów! Zbij to! Przyjmij ofiarę! I odsłoń wreszcie królową!"

Niestety, nie zrobił tego. Natomiast, cmoknąwszy trzykrotnie z dozą dezaprobaty, powiedział kręcąc głową:

– Niedobrze. Barrdzo niedobrze.

– Niedobrze? – spód filiżanki potrącił brzeg stolika, zanim osiadł na spodku. – Co pan w ten sposób ocenia?

– Wszystko, mój przyjacielu, wszystko od a do z.

– Poddaję się w takim razie i zamieniam się w słuch – skubnąłem kilka orzeszków z meissenowskiej miseczki. – Proszę mi wytłumaczyć, na czym polega mój błąd.

– Błędów jest kilka, nie jeden. Zacznijmy od najprrostszego – złożył dłonie jak śpiewak przed rozpoczęciem arii i uniósł się w fotelu. Wyraźnie się ożywił. – Dlaczego, gdy masz do wyborru rzeczy w najlepszym gatunku, szlachetne, drrogocenne, z najprzedniejszego krruszcu, wybierrasz tan-

---

[1] *Wyobrażenie, Mur, Drogi wolności*
[2] *Mit Syzyfa, Człowiek zbuntowany, Upadek*
[3] Nowa Fala
[4] *Druga płeć*

117

detę i blichtrr? Dlaczego mogąc wybrrać prrawdziwe brrylanty i perrły, łakomisz się na paciorrki, na czeską biżuterrię? Nie wyglądasz mi przecie na papuasa z buszu! Skarrbnica kulturry frrancuskiej jest przebogata, ogrromna, pełna wspaniałych dokonań, arrcydzieł najwyższej prróby. A ty się łaszczysz na kicz, na owoce upadku! Si-mone-de-Beau-voir! – podniósł ręce do góry w geście zgorszenia i grozy. – Gorzej już być nie może! To jest po prrostu dno! Czy ty tego nie czujesz? Czy ty tego nie widzisz? Czy możesz mi odpowiedzieć, co ci się w niej podoba? Jak w ogóle możesz to czytać?

Wpadłem we własne sidła! Czułem, że czerwienieję. Zacząłem gorączkowo szukać wyjścia z potrzasku.

– Nie zrozumiał mnie pan – uniosłem rękę w geście łagodnego protestu. – Zresztą, to moja wina – machnąłem kiścią palców, po czym na krótką chwilę objąłem nimi czoło. – Nie wyraziłem się jasno, nie powiedziałem wszystkiego. Z tego, że byłbym gotów zająć się *Drugą płcią* pani de Beauvoir, nie wynika bynajmniej, iż cenię tę autorkę. Jest dokładnie odwrotnie. Niebywale mnie drażni, nudzi, a nawet śmieszy. Jest to szczyt minoderii, gadulstwa i mentorstwa. – Jerzyk przy każdym z tych słów potakiwał mi głową, jakby mówił „no, właśnie!". – Natomiast co mnie frapuje i naprawdę ciekawi, to jest kwestia sukcesu tej niebywałej szmiry. I to nie tylko u nas, lecz przede wszystkim we Francji. Że u nas się to podoba, to w końcu nic dziwnego. Wiadomo, nowinki z Zachodu! Ale tam, w wolnym świecie? Otóż jeżeli rzekłem, iż mógłbym w przyszłości napisać rozprawę na ten temat, to miałem na myśli k r y t y k ę, i to fundamentalną, a także analizę socjologicznych przyczyn tej godnej pożałowania euforycznej recepcji.

Niestety, ta zręczna wolta nie starła z twarzy Jerzyka wyrazu dezaprobaty, a nawet surowej nagany.

– Nie tak, znowu nie tak – kręcił przecząco głową. – Rzec można: z deszczu pod rrynnę. Wiesz, gdzie byś wylądował, gdybyś podjął tę walkę? W jakie byś wpadł towarzystwo? Znalazłbyś się wśrród ciemnych, odrrażających krreatur, prześladowców kulturry lub sprzedawczyków bez czci, którzy za cenę dostępu do „zgniłego Zachodu", za możność obcowania z rróżnymi jego dobrrami, będą go mieszać z błotem, opluskwiać i zohydzać, napiszą ci każde kłamstwo, jakie się u nich zamówi. Chciałbyś się znaleźć w tym gronie? Chciałbyś być tak widziany? W jednym szerregu z cenzorrem, politrrukiem i świnią?

– No, ale moja krytyka – dalej brnąłem w ten absurd, nie mając właściwie wyboru, a pocieszając się tym, że może jednak w końcu do czegoś to doprowadzi – nie miałaby nic wspólnego z bezmyślną, ślepą walką z „kulturą burżuazyjną", nie byłaby „pryncypialną krytyką marksistowską", a już na pewno nie aktem moralnej prostytucji: cynicznie składaną daniną za ten czy inny przywilej...

– To nie ma żadnego znaczenia – przerwał mi szorstko Jerzyk. – Obiektywnie byś służył interresom rreżymu. Dostarrczałbyś arrgumentów, że Zachód nie ma rracji, że jego kulturra jest marrna, pogrrążona w upadku.

– A zatem nie ma wyjścia... – rzekłem jakby do siebie.

– Dlaczego? Jest, i to prroste! – wyłowił z miseczki biskwita i schrupał go ze smakiem.

– Mianowicie? – spytałem.

– Nie zajmować się tym. Zajmować się czymś innym.

Ba, łatwo powiedzieć! A gdy akurat w tym gustowała Madame?

– Zna pan jakiś przypadck takiego błędnego wyboru? – nie wypuszczałem z rąk wymykającej się nitki. – Nie musi być aktualny – zrobiłem zastrzeżenie, że niby nie chcę wnikać w bieżące sprawy wydziału – może być z dawnych lat, najlepiej z tego okresu, kiedy p a n kończył studia.

– Czy znam jakiś przypadek niewłaściwego wyborru! – zaśmiał się sardonicznie. – Spytaj mnie, czy znam inne!

– Jak to? Chce pan powiedzieć, że wszyscy źle wybrali...

– Posłuchaj – nie dał mi skończyć. – Czy zwrróciłeś uwagę, że kiedyś mnie zapytał, na czym polega twój błąd w wyborze przedmiotu studiów, powiedziałem ci zaraz, iż błędów jest kilka, nie jeden? Wyjaśnię, co miałem na myśli. Pomysł, by się zajmować Simone de Beauvoir, jest absurrdem *per se*, niezależnie od tego, na jakim wyrrasta grruncie i do czego prrowadzi, a zatem jako taki godzien jest potępienia. Powiedzmy jednak, że żywisz inne zainterresowania, że pociągają cię sprrawy z prrawdziwego zdarzenia, ja wiem?... na przykład, Pascal, Racine, de La Rochefoucauld... nie myśl, bym zarraz przyklasnął twoim zamiarrom zdawania na wydział rromanistyki. Rrównież bym cię odwodził, i to rrównie usilnie.

– Czyżby tak niski był poziom? – skorzystałem z pytania, które już raz zadałem w rozmowie z panem Konstantym toczonej przez telefon.

– Tu nie chodzi o poziom – odpowiedział natychmiast zniecierpliwonym tonem. – Choć i to pozostawia niemało do życzenia.

– Więc o co? – po raz pierwszy byłem naprawdę ciekawy.

– O to, że są to studia, a w konsekwencji zawód, które tutaj, w tym krraju, nie ma-ją rra-cji by-tu, a w każdym rrazie prrowadzą do cho-rro-by nerr-wo-wej.

Jerzyk wyrzekł te słowa z taką determinacją, że aż przeszedł mnie dreszcz, a przy tym jeszcze bardziej rozpalił moją ciekawość. O co w tym wszystkim chodzi? Dlaczego studiowanie, a później uprawianie filologii romańskiej miało niby przywodzić do szału czy obłędu? Dlaczego było niezdrowe, niewskazane, zdradzieckie?

Znów łyknąłem herbaty i zagryzłem biskwitem.

– Intryguje mnie pan – powiedziałem po chwili. – Mógłby pan to rozwinąć? Wyznam, że jestem zdumiony i nieco zakłopotany.

Zapadła długa cisza.

– Co to jest filologia i... n-e-o-filologia? – zapytał w końcu Jerzyk spokojnym, rzeczowym głosem, jak gdyby rozpoczynał sokratejskie misterium dochodzenia do prawdy metodą majeutyczną. – Co znaczą te pojęcia?

– Pyta pan retorycznie, czy chce pan, bym odpowiedział? – Mimo wszystko nie miałem dostatecznej jasności, do czego właściwie zmierza.

– Tak, prroszę, odpowiedz mi.

– Filologia – zacząłem, jakbym zdawał egzamin – to nauka, co bada język i piśmiennictwo poszczególnych narodów. A neofilologia...

– Co znaczy po grrecku „filo"? – wtrącił nowe pytanie.

– „Lubiący", „miłujący" – recytowałem jak z nut – „skłonny do czegoś", „przyjaciel".

– Dobrze – pochwalił Jerzyk. – A „neo", a „neofilo-"?

Tym razem ja mu przerwałem:

– „Neo" to „nowy", „niedawny", a neofilologia to gałąź filologii, której przedmiotem badań jest język i piśmiennictwo narodów nowożytnych.

– Zgadza się. Barrdzo dobrze – skinął z uznaniem głową. – To terraz powiedz mi jeszcze, jak się pojmuje terrmin „narrody nowożytne". O jakie narody chodzi?

Było to oczywiste, a jednak z definicją miałem niejakie trudności.

– No, o te – zacząłem w końcu po krótkiej chwili wahania – które istnieją do dziś... w tej samej mniej więcej postaci od końca średniowiecza... od czasów wielkich odkryć... od piętnastego wieku.

– Współczesnych Hindusów, Chińczyków też byś do nich zaliczył? – zapytał podchwytliwie.

– Nie, ich bym nie zaliczył... – wzruszyłem ramionami.

– A zatem? – spojrzał na mnie, wybałuszając oczy.

– Tu chodzi o narody naszego kontynentu... o narody Europy – zdobyłem się nareszcie na pewny, stanowczy ton, pobrzmiewający nawet nutą zniecierpliwienia.

– Ahaaa! – udał zdziwienie. – A więc taaak to wygląda! A zatem wchodzą w grrę...

– Anglicy, Francuzi, Niemcy – podjąłem błyskawicznie – Hiszpanie, Włosi...

– Rrosjanie – dorzucił z błazeńską miną, wlepiając we mnie wzrok.

– Rosjanie? – powtórzyłem, wyczuwając w tym podstęp.

– Cóż to, Rrosjanie nie? – wystawiał mnie na próbę.

– Rosjanie to naród słowiański.

– To znaczy, nie nowożytny?

– Owszem, lecz mam wrażenie, że n-e-o-filologia obejmuje języki i piśmiennictwo z a c h o d n i e. Rusycystyka należy do filologii słowiańskich.

– Aa, wiiidzisz! Więc taaak to jest! – przeciągał samogłoski w tryumfalnej konkluzji. – No, to mamy już jasność.

– Przepraszam, lecz nie rozumiem, do czego właściwie pan zmierza – postanowiłem przyspieszyć ten wolny, kleszczowy poród. – Czemu służy to żmudne precyzowanie terminów?

– Cierrpliwości, młodzieńcze! Za chwilę się okaże – wyraźnie bawił się rolą starożytnego mentora. – Oto doszliśmy wspólnie, że n-e-o-filologia, w rrozumieniu potocznym, jest działem filologii, w którego zakrres wchodzą języki i piśmiennictwo współczesnych narrodów zachodnich. W rrozumieniu zaś głębszym, sięgającym do źrródeł, uwzględniającym pierrwotne znaczenia wyrrazów, jest to u-mi-ło-waaa-nie owych zachodnich języków i całej kulturry słowa, którra się z nich wywodzi. Otóż powstaje pytanie, czy można mi-łooo-wać coś w państwie, którre jest temu wrrogie; którre z rracji ustrroju, przyjętej ideologii i doktrryny obrronnej jest niechętne wszystkiemu, co pochodzi z Zachodu; i skrrajnie podejrzliwe wobec obywateli mających z nim coś wspólnego. No, więc jak myślisz, można? Jak sobie to wyobrrażasz?

– Myślę, że pan przesadza – uśmiechnąłem się lekko. – Naświetlając tak sprawę, sprowadza pan rzecz do absurdu. Gdyby, istotnie, tak było, to na naszych uczelniach nie byłoby tych kierunków. Tymczasem jednak są, a języków zachodnich uczy się nawet w szkole, i to coraz solidniej. U nas, na przykład, francuski...

Znów mi się nie udało, a byłem już tak blisko! Jerzyk nie dał mi skończyć, przerywając w pół słowa:

– Chyba nie dość uważnie słuchałeś tego, co mówię. Czy ja utrzymywałem, że państwo nie pozwala uczyć się obcych języków, że tępi frrancuski, angielski, że prześladuje niemiecki? No, chyba jednak nie!... Zapytałem cię tylko, jak sobie wyobrrażasz uprawianie zawodu, którego przedmiotem jest coś, co rrdzennie należy do świata, trraktowanego przez parrtię, jaka nam miłościwie panuje, przez naszą Polskę Ludową, podejrzliwie, niechętnie, jako imperrium zła... jako wrraża potęga, łaknąca naszej zguby i czekająca tylko, aby nam skoczyć do garrdła.

– Ależ proszę mi wierzyć, ja pana zrozumiałem! Wydało mi się tylko, że obraz sytuacji, jaki pan zarysował, jest nieco przesadzony albo... anachroniczny. Owszem, z całą pewnością, tak b y ł o, w stalinizmie, w okresie p a n a studiów, ale w dzisiejszych czasach? Nie ma już zimnej wojny. Zwalczanie imperializmu to raczej pewien rytuał niż rzeczywista akcja. Przynajmniej w dziedzinie kultury. Tłumaczy się książki zachodnie, sprowadza zachodnie filmy. Polscy muzycy jazzowi jeżdżą po całym świecie. Nie wyobrażam sobie, aby czyniono trudności... komuś, kto się zajmuje Racinem czy Pascalem, czy de La Rochefoucauld, i tego rodzaju klasyką. Zresztą, jak? W jaki sposób? A przede wszystkim, po co?

– Po co i w jaki sposób! – wykrzyknął ze śmiechem Jerzyk. – Nie, to rrozbrrajające! – rozłożył szeroko ręce wznosząc oczy do góry. – Otóż wyobrraź sobie – nagle stężała mu twarz: górna warga jak w skurczu zwęziła się i cofnęła, kąciki ust opadły, a dolna się wychyliła w straszliwym grymasie lżenia – otóż wyobrraź sobie, że j a się zajmuję Racinem, j a się zajmuję Pascalem i de La Rochefoucauld, i mam b e z p r z e r r w y trrudności, po prrostu na każdym krrroku!

– Dlaczego? Jakiej natury? – naprawdę się zdziwiłem.

– Ech, widzę, że z tobą trzeba zacząć od abecadła – westchnął z politowaniem. – Trzeba otworzyć ci oczy na sprrawy elementarrne, słowem,

122

sprrowadzić na ziemię. Bo... wybacz, lecz rrobisz wrrażenie, jakbyś żył na księżycu, a nie w rzeczywistości „przodującego ustrroju".

Wstał energicznie z fotela, założył ręce do tyłu (dokładnie: chwycił się prawą za zgięcie w łokciu lewej) i tak dziwacznie wygięty, z głową to pochyloną, to znów zadartą do góry, zaczął chodzić powoli po przekątnej pokoju. Kroków nie było słychać; tłumił je gruby dywan o regularnym wzorze z przewagą ciemnego bordo.

W ten sposób przemierzył w milczeniu dwie długości z kawałkiem.

## Wer den Dichter will verstehen, muss in Dichters Lande gehen
### (Opowiadanie Jerzyka)

– Kulturra danego narrodu... – odezwał się nareszcie. – Język, literraturra, mentalność, obyczaje... jak myślisz, co jest niezbędne, aby się tym zajmować, aby się na tym znać? To jasne – ciągnął dalej, wyraźnie nie czekając na odpowiedź z mej strony – bezpośrrednie kontakty z owym wybrranym krrajem, z jego przyrrodą, klimatem, zabytkami i ludźmi. *Wer den Dichter will verstehen* – zaintonował śpiewnie – *muss in Dichters Lande gehen...*[1] Wiesz, co to znaczy i kto to powiedział...

– Naturalnie, to Goethe.

– Zgaaadza się – uznał moją odpowiedź tonem starego belfra. – Co prrawda przy okazji studiowania Orrientu – dorzucił zastrzeżenie – ale to akurrat nie ma specjalnego znaczenia. Znaczenie ma słówko „*muss*". Kto chce zrrozumieć, ten m u s i! – wykrzyknął jakby łkając – m u s i jeździć do krraju, skąd pochodzą poeci, którrymi się zajmuje. Inaczej, to nie ma sensu! Inaczej, wie o nich tyle, co ślepy o kolorrach. Inaczcj, jest nieszczęsnym amatorrem z prrowincji, o papierrowej wiedzy i szkolnych wyobrrażeniach. W przypadku rromanisty jest to jeżdżenie do Frrancji. A gdzie się Frrancja znajduje, może łaskawie mi powiesz? Otóż to, na Za-chodzie! Za żelazną kurrtyną! – przystanął tuż przede mną, pochylając się nieco. – Rrozumiesz, co to znaczy? – przewiercił mnie spojrzeniem. – „Polscy muzycy jazzowi jeżdżą po całym świecie"!... Jak to wygląda

---

[1] Kto poetę chcc zrozumieć, musi pójść w kraj poety

123

w prraktyce! Co takie wyjazdy poprzedza i jak się je załatwia! A poza tym, jazzmani to jednak nie to samo, co znawcy obcej kulturry, a zwłaszcza obcych języków, działający na niwie nauk humanistycznych. Niestety, państwo ludowe nie darzy ich sympatią. Patrzy im stale na rręce, trzyma pod kurratelą. Jak sobie wyobrrażasz w takich warrunkach prracę? Swobodny rrozwój myśli? Nie mówiąc już o dostępie do zagrranicznych źrródeł? Chcesz, bym ci opowiedział, jak to u nas wygląda? Jakie sam miałem przejścia, gdy wyjeżdżałem na Zachód? – I nim zdążyłem wyrazić jakiekolwiek życzenie, powiedział wspaniałomyślnie: – Dobrze, opowiem ci – i wznowił przerwany ruch po przekątnej dywanu.

Monolog, który rozpoczął, trwał dobre pół godziny, a może nawet i dłużej, i był namiętną tyradą, charakterystyczną dla ludzi z manią na jakimś punkcie. W przypadku mego mentora było to pobudzenie na tle wszelkiej zwierzchności, z jaką miał do czynienia. Jerzyk trwał w ostrym konflikcie nieomal z wszystkimi dokoła – z dziekanem, z personalnym, a zwłaszcza z kierownikiem uczelnianego biura współpracy z zagranicą, którego nazywał „ubuniem".

Na wydziale („a tak jest wszędzie!") panują okropne stosunki. Promuje się mierności, lekceważy się lepszych, o wszystkim decydują intrygi i „układy". Wiedza, inteligencja, kultura osobista nie mają żadnego znaczenia. Liczy się tupet i służba; wysługiwanie się władzy, przynależność do partii, stosunki w ministerstwie. Bez tego nie ma się szans, bez tego jest się zepchniętym do roli belfra w szkółce lub muła od czarnej roboty! Nie trzeba wcale się stawiać lub okazywać wzgardy, żeby być wykluczonym z rozdziału łask i dóbr. Wystarczy być niezależnym, chadzać własnymi drogami, a przy tym mieć dobre wyniki. Już samo to wystarczy, by znaleźć się w izolacji. Przykłady? Jest ich bez liku. *Voilà*, choćby taki:

Jakieś trzy lata temu napisał po francusku esej o *Fedrze* Racine'a i wysłał go do Strasburga, do profesora Billot, jednego z największych znawców twórczości tego klasyka. W odpowiedzi otrzymał niezwykle przychylny list i propozycję druku tego *discours excitant* w prestiżowym roczniku «Le Classicisme Français». Przyjął ją, naturalnie, rozprawka się ukazała, a w parę miesięcy później nadeszło zaproszenie na konferencję w Tours. Tekst, ogłoszony w roczniku, spotkał się z dużym uznaniem specjalistów francuskich i wzbudził zainteresowanie nieznanym autorem z Polski. Chcą go poznać, zobaczyć, wymienić poglądy i myśli, a nawet nawiązać współpracę. Planowany *colloque* w pięknym pałacu w Tours jest świetną po temu okazją. Stąd też gorąca prośba, by przyjął zaproszenie i jak najrychlej podał temat swojego odczytu. Rzecz jasna, wszelkie koszty związane z pobytem w Tours: hotel, komunikacja i całe wyżywienie, a także koszty podróży (sleepingiem, pierwszą klasą), pokrywa strona francuska. Oczekiwany gość nie musi się o nic troszczyć.

Nie musi się o nic troszczyć! Gdyby się nie wiedziało, że naprawdę tak myślą, można byłoby sądzić, że to okrutna drwina. Bo cóż oznacza w praktyce taki szczęśliwy los? Na jakie skazuje przejścia?

Jerzyk, nie wyjeżdżawszy dotychczas za granicę, nie obeznany przeto z zakresem i procedurą rozlicznych formalności, jakich trzeba dopełnić przy tego rodzaju okazjach, udał się po poradę do profesora M., starego humanisty przedwojennego chowu, człowieka niezależnego, patrzącego z dystansem i ze stoickim spokojem na piętrowe absurdy socjalistycznej władzy, a przy tym – zaradnego, nie dającego się zepchnąć na beznadziejny margines, łączącego ironię z odrobiną cynizmu. Profesor przeczytał list zapraszający do Tours, pokiwał smutno głową i wyjaśnił pokrótce, co Jerzyk może z nim zrobić.

Otóż najlepiej będzie, jeśli go sobie oprawi i powiesi na ścianie, bo pod względem formalnym nie ma on większej wartości. Żaden urząd, żadne biuro paszportów nawet do niego nie zajrzy – jest przecież po francusku: to dyskwalifikuje. Jeżeli zaproszenie wystawione jest w obcym języku, musi być przede wszystkim przełożone na polski, i to nie przez każdego, lecz tylko i wyłącznie przez p r z y s i ę g ł e g o tłumacza. No, ale w danym wypadku zamawianie przekładu byłoby stratą czasu i wyrzuceniem pieniędzy; albowiem w przysłanym piśmie brakuje dosłownie wszystkiego: pieczęci, potwierdzeń, poświadczeń – prefektury francuskiej, polskiego konsulatu i innych ważnych organów. Tego rodzaju liścik jest nic nie wartym świstkiem, godnym kosza na śmieci. – Że jest na firmowym papierze uniwersytetu w Tours? A jakie to ma znaczenie! Firmowy papier uczelni jest ogólnie dostępny, nie jest to przecież druk ścisłego zarachowania. – Że pismo podpisali Przewodniczący Sympozjum i sam profesor Billot? A kto to są, ci ludzie?! I w ogóle, czy istnieją? A może to wszystko blaga, stworzona na zamówienie? Skąd Urząd ma to wiedzieć? Dla niego wiarygodne jest tylko to, co stwierdzone przez stosowne organa administracji państwowej: a zatem, z jednej strony, policję danego kraju, a z drugiej, przez konsulat Rzeczypospolitej Ludowej. Jeśli więc to urocze, niefrasobliwe pisemko miałoby na coś się przydać, musiałoby czym prędzej powrócić do nadawcy i nabrać stosownej mocy w postaci dwóch poświadczeń: prefektury francuskiej i konsulatu polskiego. To wszystko, rzecz jasna, kosztuje, i pieniądze, i czas. Lecz skoro zapraszającym tak bardzo na nas zależy, to niech płacą, niech płacą, bo tylko tak się wyraża szczere zainteresowanie.

Profesor M. jednakże odradza taki ruch, przynajmniej w tym wypadku. Jeśliby Jerzyk wyjaśnił profesorowi Billot, jakie są wymagania polskich władz paszportowych, i gdyby ten załatwił konieczne poświadczenia, to w dalszym ciągu wyjazd byłby mocno wątpliwy: zapewne nie doszłoby nawet do złożenia podania. Dlaczego? Z tej prostej przyczyny, iż wniosek paszportowy musi być poświadczony z kolei w miejscu pracy, a to oznacza w praktyce, że Jerzyk musiałby dostać zwolnienie lub urlop bezpłatny na okres konferencji. A kto mu da to zwolnienie, kto mu udzieli urlopu?! Dziekan, z którym drze koty? Zawistny kierownik katedry XVII wieku, przełożony Jerzyka? Marzenia ściętej głowy! – Co? Że tylko na tydzień, a właściwie pięć dni? – Niestety, właśnie w tym czasie będzie bardzo potrzebny, po prostu niezastąpiony.

Czyżby nie było więc wyjścia? Doprawdy, nie można nic zrobić?

O, nie, aż tak źle nie jest! Istnieje pewien sposób załatwienia tej sprawy. Umożliwia go Biuro Współpracy z Zagranicą, uczelniana komórka specjalnie do tego stworzona. Zanim się jednak chwyci ową pomocną dłoń, trzeba znać pewne zasady „wymiany z zagranicą".

Otóż winno się wiedzieć, iż Zachód nie jest od tego, aby wskazywać nam, kto ma reprezentować naszą Ludową Ojczyznę. To przykra ingerencja w nasze wewnętrzne sprawy. Zachód, gdy mu zależy na naszej obecności, ma przysyłać oferty: stypendiów, wykładów, udziałów w sympozjach i konferencjach – i prosić o specjalistów. Natomiast sprawa selekcji winna należeć do nas. Któż bowiem wie od nas lepiej, kto się do czego nadaje i czy nie zrobi nam wstydu? Zachód? Jakim sposobem?! Oczywiście, istnieją tak zwane „szczególne przypadki": ludzie pewni, sprawdzeni, dojrzali politycznie. Ci – tak, to co innego. Ci mogą otrzymywać zaproszenia imienne. Lecz to już inna historia... Niemniej, w tym prostym systemie istnieje pewna luka, pewna wąziutka szczelina, w którą można się wcisnąć i żłobiąc w niej dalej tunel, przebić na drugą stronę.

Rzecz zasadza się na tym, iż nieużyty Zachód jest małodusznie oszczędny w proponowaniu współpracy i karygodnie rzadko zaprasza nas do siebie. Toteż każda oferta – najmarniejszego stypendium, parodniowej wizyty – jest wręcz na wagę złota: ponieważ ludzie pewni, dojrzali politycznie, o niczym innym nie marzą jak o wyjeździe na Zachód i są niepocieszeni, jeśli nie wyjeżdżają. Taka już ich natura! Dlatego też w trosce o nich roztropna władza ludowa idzie na mądry kompromis: godzi się mianowicie na wypuszczenie osoby, na której z jakichś względów (na ogół podejrzanych, a w każdym razie niejasnych) Zachodowi zależy, w zamian za zaproszenie drugiego przedstawiciela naszej czcigodnej nauki, którego wybór jednakże ma należeć już do nas. Jest to z wielu powodów jak najsłuszniejsze ustępstwo. I wilk (znaczy, Zachód) jest syty: dostaje więcej, niż chciał; i owca (my) – ocalona: po pierwsze, jedzie ktoś, kto na to zasługuje i potrzebuje tego (jednostka zaufana, dojrzała politycznie), po drugie zaś, pupil Zachodu (jednostka podejrzana i ze wszech miar niepewna) dostaje cenne wsparcie w postaci Anioła Stróża.

A zatem: jeśli Jerzyk chce pojechać do Tours, musi szybko napisać do profesora Billot i w odpowiedni sposób wyjaśnić mu sytuację. Otóż to, w o d p o w i e d n i! To znaczy, przede wszystkim wyłożyć elementarz: Polska to kraj zniewolony, to państwo policyjne, w delegację służbową za żelazną kurtynę można wyjechać tylko w asyście „opiekuna"; następnie zaś trzeba podać instrukcje czysto techniczne: jak zaproszenie na sesję ma być sformułowane, jakiego typu dane powinny się w nim znaleźć (wszystko jest opłacone; wysokość kieszonkowego), i gdzie, na jaki adres, należy pismo wysłać (Uniwersytet Warszawski, Filologia Romańska).

Taki list-pouczenie do strony zapraszającej nic może być, rzecz jasna, wysłany zwykłą pocztą. Przecież korespondencja, szczególnie z zagranicą, podlega u nas kontroli. Ładnie by Jerzyk wyglądał, gdyby taki instruktaż dostał się w ręce UB! Mógłby się raz na zawsze pożegnać z wyjazdami, a może nawet i z pracą. Takie poufne pismo trzeba „pchnąć przez kuriera", przez „zaufany kanał", najlepiej – w miarę możności – pocztą dyplomatyczną.

Jeśli Jerzyk by chciał skorzystać z takiej pomocy, profesor M. mu służy, bo ma stosowne kontakty. Może mu zresztą pomóc nie tylko w zakresie przerzutu, lecz również w kluczowej sprawie formuły zaproszenia, udostępniając wzór, który jest już sprawdzony: spełnia on wszelkie wymogi, a zarazem wyklucza groźbę manipulacji. Bo Jerzyk musi wiedzieć, że ta transakcja wiązana to delikatna rzecz. W przysyłanej ofercie nie może być nic z szantażu (to nie miałoby szans ze względów pryncypialnych), zarazem jednak z tekstu musi wyraźnie wynikać, że jest zaproszony imiennie – to warunek niezbędny; inaczej mówiąc, że „drugi" nie może przyjechać sam albo, co gorsza, z kimś trzecim.

To wszystko jest bardzo cienkie. Zachodnie pięknoduchy nie mają o tym pojęcia! I w swojej naiwności mogą nawarzyć piwa. Alboż się nie zdarzyło, że wskutek braku precyzji w określeniu warunków, wskutek niewprowadzenia nieodzownych zastrzeżeń pojechał zupełnie ktoś inny niż zaproszony z nazwiska? Dlatego też trzeba uważać. A najlepszą metodą instruowania nadawcy jest po prostu... dyktando: podanie słowo w słowo formuły zaproszenia.

Oto jak rzecz wygląda, a teraz niech Jerzyk wybiera.

Myślał przez całą noc. Co robić? Pisać? Nie pisać? Przecież cała ta akcja to koszmar i obrzydliwość. Poniżające, szczurze. No tak, ale z drugiej strony, jeżeli nic nie zrobi, to nie pojedzie do Tours. Czy nie jest to, mimo wszystko, nazbyt wysoka cena? Co zyska, jeśli się podda? Komfort poczucia dumy, że o nic nikogo nie prosi, że nie zależy mu? Niejednoznaczne dobro. W dodatku podszyte fałszem. Bo przecież mu zależy. A co straci w ten sposób? Bezcenne doświadczenie i możliwości rozwoju: inspirujące kontakty, dostęp do książek i źródeł, szanse szybszej kariery. Niemało. Czy nie szkoda? W końcu, nie przesadzajmy, rzecz, którą ma wykonać – wyjaśnić „odpowiednio" zapraszającym Francuzom, co i jak mają zrobić, by zgodnie z ich życzeniem mógł przyjechać z odczytem – nie jest czymś horrendalnym, czymś niegodziwym, nikczemnym. Nie denuncjuje nikogo, nie zaprzedaje się. Po prostu – informuje i udziela wskazówek. Cóż, takie są warunki. Nie on je tutaj stworzył. A kiedy powstawały, Zachód nawet nie mrugnął, nawet nie kiwnął palcem, aby temu zapobiec. Kto sprzedał Polskę w Jałcie? Kto umył ręce jak Piłat? No, to niech teraz wiedzą, na jaki los nas skazali!

Napisał.

Profesor M. rzetelnie wywiązał się z pomocy, jaką był oferował: list pomknął zaraz do Francji w dyplomatycznej teczce i trafił do rąk adresata. Odpowiedź nadeszła szybko i była pozytywna. Tak, rozumieją wszystko i dostosują się. Spełnią wszelkie warunki, jakie są wymagane. Jest tylko jeden szkopuł: ograniczony budżet. Dlatego też bardzo proszą, aby ich Jerzyk zrozumiał, że – skoro zamiast jednej przyjadą dwie osoby – nie mogą dotrzymać warunków proponowanych poprzednio. A zatem podróż, niestety, nie będzie pierwszą klasą, a nawet nie kuszetką; w hotelu – pokój podwójny, a diety – do podziału.

No tak, nie było to miłe. Lecz w końcu cóż to znaczy – wobec tego, że wyjazd jest w ogóle realny! Niewiele, prawie nic. Jeśli już ma coś znaczenie w powstałej sytuacji, to raczej, kto z wydziału pojedzie jako drugi. Na pewno ktoś partyjny, to nie ulega kwestii. Ale konkretnie, kto? Kierownik katedry? Dziekan? Profesor Levittoux, stary, chytry wyjadacz? Ten byłby nawet niezły. Ma przedwojenne maniery i całkiem bystry umysł, a jego bycie w partii to czysty oportunizm. Ale to raczej wątpliwe.

Wkrótce kierownik Biura Współpracy z Zagranicą, magister Gabriel Gromek, wezwał Jerzyka do siebie na tak zwaną „rozmowę". Naprzód pytał go długo, skąd zna p a n a  Billot i jak nawiązał kontakty z uniwersytetem w Tours; następnie upomniał go ostro, że z nikim nie uzgodnił, a nawet nie konsultował publikacji swej pracy w zachodnim periodyku („co jest niedopuszczalne!"); w końcu zaś, oświadczając, iż jest to czysta formalność, poprosił, by Jerzyk napisał krótkie zobowiązanie, że będzie za granicą lojalny wobec władz polskich. Była to znana pułapka. W ten sposób wciągano do współpracy z UB. Jerzyka aż zatkało. Lecz nie dał po sobie nic poznać i z pokerową twarzą (świadomy że bez niego nikt inny nie pojedzie) rzekł, że bardzo dziękuje, lecz rezygnuje z wyjazdu, skoro tak to wygląda i takie są wymagania. Trudno, obejdzie się. Aż tak mu nie zależy. I podniósł się, aby wyjść.

„Ależ panie doktorze, niech się pan nie obraża!", kierownik Biura Współpracy spuścił od razu z tonu. „Po co zaraz te dąsy? Kto żąda czegoś od pana? Nie chce pan podpisywać, dobrze, wierzymy na słowo. Przecież ta cała ostrożność to tylko dla pana dobra. Nie jeździł pan jeszcze na Zachód, to nie wie pan, jak tam jest. Konferencje, sympozja to tylko wabik, przynęta. W istocie chodzi o to, aby werbować agentów. Zaproszą pana na kawę, na obiad do restauracji, i ani się pan obejrzy, jak pan zdradzi ojczyznę. Już oni mają sposoby! Będą panu schlebiali, tańczyli wokół pana, proponowali pieniądze, żeby pana rozmiękczyć – żeby pan puścił farbę... Literatura, klasycyzm, Rasę! – ta-ri-ra-ri-ra! A w przerwach, w kuluarach – wyciągać informacje, a przede wszystkim zachęcać do szkalowania ustroju demokracji ludowej. Znamy się na tych numerach! Dlatego ostrzegam pana: niech się pan ma na baczności!"

Jerzyk słuchał tych bredni z wyrazem apatii na twarzy, jakby nie w pełni rozumiał, o co właściwie tu chodzi, po czym, dalej udając młodego uczonego, który poza książkami nie widzi bożego świata, spytał niby od rzeczy, czy na tę „delegację" wyjeżdża sam, czy z kimś.

„Wraz z panem, panie doktorze, jedzie docent Dołowy", usłyszał w odpowiedzi.

Dołowy! Niewiarygodne! Każdego by się spodziewał, tylko nie tego jednego. Choć, z drugiej strony, właściwie nie powinien się dziwić: sekretarz POP, prawa ręka dziekana. Są jednak pewne granice. Przecież to istne zero! Nawet język zna słabo. Oczywiście, wiadomo, jedzie, aby pilnować, lecz, mimo wszystko, poza tym, trzeba jeszcze kimś być... znać się na czymś... coś wiedzieć. A on co? Prawie nic. Tylko ten Aragon i Kraj Rad w jego życiu. Kto go wysunął i poparł? Kto zatwierdził ten wybór? Nie zdają sobie sprawy, że to kompromitacja? A może gwiżdżą na to... I tak, prędzej czy później, zostanie ktoś zaproszony i znowu jakiś Dołowy przejedzie się na doczepkę.

Wszystkie te lęki jednakże okazały się płonne, a przynajmniej nadmierne. Nie żeby nagle pokazał nieznane dotąd oblicze, niemniej jego obecność na konferencji w Tours nie była dla Jerzyka specjalnie uciążliwa. Docent, na dobrą sprawę, prawie w niej nie brał udziału. W miejscu obrad, w pałacu, zjawił się tylko trzy razy. Na samym początku sesji – głównie po to, by w biurze pobrać diety i karnet na posiłki w stołówce; następnie, w trzecim dniu – na wystąpieniu Jerzyka; i wreszcie, na zamknięciu, na pożegnalnym obiedzie, wydanym przez gospodarzy w wytwornej restauracji. Gdyby jeszcze w hotelu mniej palił i nie chrapał, i nie jadł na gazecie szprotek w oleju z konserwy, której pokaźny zapas zabrał ze sobą z kraju, byłby wręcz nieszkodliwy.

Co robił całymi dniami? Zwiedzał zabytki, muzea? Mało prawdopodobne. Chodził po sklepach, kawiarniach? To prędzej, lecz też wątpliwe: liczył się z każdym groszem. Może więc wykonywał jakieś tajne zadanie, powierzone mu w kraju przez polskie służby specjalne?

Którejś nocy Jerzyka zbudziły z pierwszego snu jakieś dziwne odgłosy – stłumiony brzęk? stukanie? Uchylił lekko powiekę: w numerze paliło się światło – nocna lampka przy łóżku docenta Dołowego; ten zaś w pokracznej pozie grzebał ostrożnie w swej torbie. Jerzyk nie zdradził się z tym, że został wyrwany ze snu, i przez zmrużone oczy obserwował kolegę. Nie zdołał jednak ustalić, co tamten właściwie robi, a zwłaszcza, co było źródłem enigmatycznych dźwięków dochodzących z dna torby.

Następnego dnia rano, kiedy docent brał prysznic, Jerzyk – z bijącym sercem – zajrzał do jego bagażu. Pod stertą brudnej bielizny – skarpetek, chustek i majtek – leżały w rzędach słoiczki z astrachańskim kawiorem. Było ich kilkadziesiąt. Z niebieskimi wieczkami, na których widniał obrazek przedstawiający jesiotra na tle kuleczek ikry.

A zatem wszystko jasne! Operacja handlowa. Czarny kawior sowiecki kosztuje u nas grosze w porównaniu z cenami, jakie ma na Zachodzie. Różnica jest zawrotna. Zysk na jednym słoiku – kilkanaście dolarów, nawet gdy się sprzedaje za pół zachodniej ceny. Po prostu złoty interes. I prawie bez ryzyka. Wywóz kawioru z kraju nie budzi większych zastrzeżeń. Jako produkt niepolski, nie jest objęty cłem, przynajmniej w takich ilościach. A wwóz na Zachód... ejże, kto tutaj kogo sprawdza! Ceniony wysoko specjał skupują – z podziękowaniem – eleganckie lokale.

Jerzyk obliczył później, że łączna wartość kawioru tkwiącego w czeluściach torby wynosiła co najmniej trzysta pięćdziesiąt dolarów. W kraju, mniej więcej tyle kosztuje najtańszy samochód: używana Syrena albo takiż Fiat 600.

Docent Dołowy jednakże miał wyższe aspiracje. Przemawiał za tym przynajmniej trud, jakiego nie szczędził, by uzyskany kapitał cudownie dalej pomnażać. Sekretarz POP nie spoczął bowiem na laurach po błyskotliwej akcji upłynnienia kawioru. Za część zdobytych funduszy nabył parę tysięcy końcówek do długopisów – owych niewielkich sztyftów z osadzoną w nich kulką. We Francji, królestwie BIC-a, to detal znikomej wartości, w Polsce zaś, kraju budów i gigantycznych przedsięwzięć, gdzie nie ma po prostu miejsca na produkcję drobiazgów, jest on na wagę złota. I ci, co się zajmują wyrobem długopisów – prywatni przedsiębiorcy, mający za zadanie wypełniać różne luki w polskim przemyśle lekkim – płacą za ów surowiec niemal każde pieniądze. A zatem znowu zysk. Kolejna multyplikacja. Może już rząd wielkości używanego Wartburga?

Na pożegnalnym bankiecie Jerzyk robił, co mógł, by trzymać się jak najdalej od swego towarzysza, a zwłaszcza by nie siedzieć obok niego przy stole. Niestety, nadaremnie. Docent tak manewrował, by zawsze być gdzieś w pobliżu, a gdy siadano do stołu, uplasował się chytrze naprzeciwko Jerzyka, którego profesor Billot usadził po swej prawicy. Jerzyk zacisnął zęby i przymknął na chwilę oczy. Cała przyjemność zepsuta. Żegnaj, swobodo i swado! *Adieu, délicieuse ambiance!* Skrępowanie, napięcie – oto jakie doznania będą jego udziałem. A może być jeszcze gorzej. Niech tylko ten knur zacznie gadać – mądrzyć się, dowcipkować. A niech do tego jeszcze wypije ponad miarę! Na samą myśl o czymś takim robi się słabo ze wstydu i zimny pot, strugami, spływa po karku i plecach.

Obawy Jerzyka, niestety, sprawdziły się tym razem. Chociaż popis docenta okazał się całkiem inny niż spodziewane koszmary. Zaczął on, mianowicie, niczym dobry protektor, oddany impresario... wychwalać natrętnie Jerzyka przed profesorem Billot.

„To nasz najlepszy pracownik!" perorował z zapałem, jakby Jerzyk był rzeczą lub zawodnikiem na sprzedaż. „Nasza chluba i duma. Ceniony przez specjalistów, wielbiony przez studentów. Dzięki niemu nasz wydział stał się w ostatnim czasie głośny i popularny. Młodzież różnych dyscyplin ściąga do nas masowo. I tak kultura francuska, a zwłaszcza literatura XVII wieku, tak bliska nam tu wszystkim, zyskuje w naszym kraju tysiące wielbicieli. Rola mego kolegi w tym dziele upowszechnienia jest wprost nieoceniona. Ja, który się zajmuję Louisem Aragonem, nie mogę się z nim równać. Nikt u nas dla dobra Francji nie zrobił tyle co on. To nie tylko jej rzecznik, to istny ambasador. Dlatego też, zgodnie z tą funkcją, winien on pozostawać w nieustannym kontakcie ze swoją duchową ojczyzną. Jego wizyty we Francji to bezcenny kapitał nie tylko dla niego samego, lecz i dla wielu innych, którzy czerpią garściami – i dalej pragną czerpać – z tej nieprzebranej skarbnicy..."

„Błagam, niech pan przestanie", jęknął po polsku Jerzyk.

„*Quoi? Qu'est-ce qu'il a dit?*[1]", zapytał profesor Billot.

„*Il est très très modeste*", wyjaśnił docent Dołowy z protekcjonalnym uśmiechem. „Prosi, by go nie chwalić... Niech pan jednak m n i e słucha, *monsieur le professeur*: jego wizyty we Francji to korzyść dla nas wszystkich. Kładę to panu na sercu..."

Od dalszej tortury słuchania tej bezwstydnej reklamy wybawił Jerzyka kelner, przynosząc pierwszą przystawkę – bliny z czarnym kawiorem. Docent urwał w pół słowa.

---

[1] Co? Co on powiedział?

„*O là là! Quelles délices!*", wykrzyknął rozpromieniony. „*C'est un festin royal!*[1]" I zapytał kelnera o gatunek kawioru.

„Najlepszy. Astrachański", wyjaśnił kelner z dumą. „Świeżutki. Prosto z Rosji. Mamy własną dostawę".

Na grubych wargach docenta, chłonącego z zapałem kopiaste porcje kawioru, igrał figlarny uśmieszek.

Jerzyk wracał do kraju rozstrojony nerwowo. Choć wszystko się niby udało, i to lepiej niż myślał, nie odczuwał radości, przeciwnie, czuł się podle. Stłamszony. Poniżony. Najwyższe wzloty ducha, najczystszy kryształ poezji ubóstwianego Racine'a – ów świat subtelnych idei i doskonałych form został swoiście zbrukany. Tu – piękno i harmonia antycznych archetypów, i francuska *clarté* w najwykwintniejszym stylu, a tu – kawior sowiecki pod brudnymi majtkami, sprzedawany pokątnie w podejrzanych lokalach, i jeszcze jakaś drobnica – „końcówki" do długopisów! – na nielegalny handel z „prywatną inicjatywą".

Ale to jeszcze nic! Wyjeżdżał z dumnym poczuciem arystokraty ducha, którego jakiś nędznik ma śledzić i pilnować, a po powrocie do kraju złożyć na niego raport. A tymczasem kto komu zaglądał do bagażu? I kto na kogo ma teraz obciążający materiał? A zatem – choć niechcący – sam wraca jako szpicel i potencjalny kapuś! Wiedząc to wszystko, co wie, mógłby wykończyć docenta lub choćby zaszantażować. „No, jak tam, panie kolego, poszło tym razem z kawiorem? Gładko? Ile dawali? Przyzwoite przebicie? A z tymi końcówkami to, rzeczywiście, interes?" I dalej go tak nękać, aby mu uzmysłowić, że musi się liczyć z odwetem, jeśli przypuści atak. Obrzydliwe, nieprawdaż? Zwłaszcza, że docent wyraźnie nie żywił złych zamiarów. Raczej gotów był sprzyjać (choć dla własnej korzyści). Jerzyk, rzecz oczywista, nie zrobiłby nic takiego. Nawet we własnej obronie nie doniósłby na docenta, a co dopiero mówić o prewencyjnym szantażu. Jednakże już samo to, że podobne pomysły zalęgły mu się w głowie, wywoływało w nim złość i obrzydzenie do siebie.

Ale najgorsze z wszystkiego było upokorzenie. Dojmująca świadomość, że oto nim kupczono. Nim, jego osobą, talentem... rozumieniem Racine'a! „Wymiana naukowa"! To handel żywym towarem! Był przedmiotem transakcji. Wy-naj-mo-wa-no go! Jak rzecz. Jak niewolnika. By do-

---

[1] Ho ho! Co za frykasy! Toż to uczta królewska!

cent mógł „dorobić" półlegalnym sposobem parę setek dolarów – na „wózek" lub „większą chatę". Tak, to było nieznośne! Dlatego też po powrocie Jerzyk podjął decyzję, że więcej nie wyjedzie na podobnych warunkach. Odrzuca to wilcze prawo. Znajdzie inną metodę wydostawania się z kraju. Jeszcze im zagra na nosie. Niestety, nie było to łatwe. Profesor M. miał rację, że w żelaznej kurtynie, dzielącej nas od Zachodu, niewiele istnieje szpar, przez które można się przemknąć. I Jerzyk, w żmudnym trudzie forsowania tych przejść, uwikłał się fatalnie w chroniczne zabieganie o jakieś zgody, podpisy, poparcia, przyrzeczenia, bez których nie było mowy o dostaniu paszportu. Machina, z którą się zmagał, była, doprawdy, piekielna. Przypominała tor przeszkód lub wielkie pole minowe. Śmiałek idący na bój liczył się z losem Syzyfa.

Zmagania Jerzyka jednak nie były całkiem daremne. Mniej więcej raz na rok wieńczyło je powodzenie. Dostawał paszport – „prywatny" (nie mylić z „popieranym", a zwłaszcza ze „służbowym"; był jeszcze „konsularny" oraz „dyplomatyczny"). I wyjeżdżał do Francji. Na ogół było to latem, w okresie urlopowym, gdy życie akademickie tam i tu zamierało. Pod względem zawodowym nie miał więc z owych wizyt specjalnego pożytku, tyle że mógł posiedzieć w archiwach i bibliotekach. Pod względem zaś krajoznawczym, a zwłaszcza smakowania takich czy innych dóbr kultury materialnej – o tym lepiej nie mówić. Klepał straszliwą biedę. Z kraju mógł wywieźć legalnie nie więcej niż pięć dolarów. Pozostałe fundusze (honorarium za esej, jednorazowe zasiłki od jakichś instytucji, na które mieli wpływ życzliwi mu Francuzi) z największym trudem starczały na koszty utrzymania. Jeśli więc chciał wykorzystać w pełni dany mu czas, musiał sobie odmawiać w gruncie rzeczy wszystkiego. Restauracje, kawiarnie, najskromniejsze zakupy – to nie wchodziło w grę. Muzea odwiedzał w dni, kiedy wstęp był bezpłatny, a do teatru i kina chodził jedynie wówczas, kiedy ktoś go zaprosił.

A jednak, mimo tej biedy, czuł się innym człowiekiem. Wolnym, nie osaczonym. Wyzwolonym z napięcia, podminowania, lęku, że wszelki kontakt ze światem grozi konfliktem i walką; że wyjdzie z nich przegrany, upokorzony, opluty. Tam nie odczuwał tego. Tam, mimo że był nikim – cudzoziemcem, ze Wschodu, niemal bez grosza przy duszy – nie bał się. Był spokojny. Był sobą. Był normalny.

Ta pogoda wewnętrzna zaczynała się psuć, gdy zbliżał się czas powrotu.

– To jest jak nawrrót chorroby! – grzmiał Jerzyk zbolałym głosem. – Z dnia na dzień czujesz się gorzej, opadasz z sił, trracisz humorr. Ogarrnia cię beznadzieja, pogrrążasz się w apatii... Poczekaj, przeczytam ci coś – podszedł nagle do półki i wyjął z rzędu książek jakiś francuski tom. – Posłuchaj – i zaczął czytać (podaję w tłumaczeniu):

> Kiedy udają się do Europy, są weseli, swobodni, zadowoleni, niczym rozbiegane konie albo ptaki wypuszczone z klatki; mężczyźni i kobiety, młodzi i starzy, wszyscy są szczęśliwi jak uczniacy na wakacjach; ci sami ludzie, wracając, mają miny kwaśne, są ponurzy i niespokojni, mówią mało, urywanymi zdaniami, a na ich czołach widać strapienie. Z różnicy tej wnoszę, że kraj, skąd wyjeżdża się z taką radością, a wraca z takim żalem, musi być okropny.

Zrrozumiałeś, czy przetłumaczyć?

– Zrozumiałem, to proste – odrzekłem cichym głosem, oszołomiony tym wszystkim, czegom był właśnie wysłuchał.

– Jak myślisz, o kogo tu chodzi? – nastawał tymczasem Jerzyk. – Kogo dotyczą te słowa?

Wzruszyłem ramionami.

– Nie wiem... nie mam pojęcia.

– Rrosjan! – wykrzyknął Jerzyk. – Z XIX wieku! Z okrresu panowania Mikołaja Pierrwszego. Rrozumiesz, co to znaczy?... Jesteśmy już jak oni! Już nas w nich prze-rro-bio-no! To, co się nie udało białemu carratowi, udało się czerrwonemu!

– Kto napisał te słowa?

– Pan marrkiz de Custine. Arrystokrrata frrancuski. W trzydziestym dziewiątym rroku XIX wieku. Dokładnie zaś rzecz biorrąc: jest to spisana przez niego uwaga karrczmarza z Lubeki, którry oglądał w kółko podrróżujących Rrosjan i takie miał spostrzeżenia...


## La Belle Victoire

Czułem, że nie ma sensu rozmawiać dalej z Jerzykiem – podchodzić go, osaczać – żeby wycisnąć coś z niego. Zresztą, straciłem wenę i ochotę do gry. Wszystko, co usłyszałem w ciągu ostatniej godziny, bardzo mnie oddaliło od osoby Madame. Marzyłem, by stamtąd wyjść, znaleźć się na ulicy i w spokoju przetrawić ogrom myśli i spraw, jakimi niespodziewanie zostałem naszpikowany. Dlatego też, gdy Jerzyk przerwał wreszcie na chwilę swój impulsywny monolog, wykorzystałem to zaraz i odezwałem się:

– Dziękuję, że tyle czasu zechciał mi pan poświęcić. Przekonał mnie pan. Całkowicie. Nie idę na te studia. Teraz już wszystko rozumiem – i podniosłem się z miejsca.

– Drrobiazg – rzekł krótko Jerzyk. – Miło mi, że się na coś przydałem.

Gdy wyszliśmy na korytarz i Jerzyk zapalił tam światło, ze swego gabinetu wychynął pan Konstanty i zaraz do nas dołączył.

– No i? – spytał podchodząc.

– Stało się, jak pan chciał – rozłożyłem ramiona w geście przyznania racji. – Pan Jerzyk mnie przekonał.

– To dobrze. Bardzo dobrze – powiedział pan Konstanty.

– Po co mu dom warriatów! – odezwał się znów Jerzyk, jakby podsumowywał swą misję. – Ten obłęd z wyjazdami! Ta psychoza ucieczek!...
I tak ci oszczędziłem – znowu zwrócił się do mnie – najprzykrzejszych historrii: jak w tym całym bagienku ludzie odchodzą od zmysłów i zaczynają wiać. I co z tego wynika; zarrówno dla nich, jak dla tych, którzy tu pozostają. Ta atmosferra podejrzeń: kto coś knuje po cichu, kto sobie szykuje grrunt. „Pojechał!... Wrróci? Nie wrróci?... Nie wrrócił!... Kto następny?... Poprrosił o azyl! Został!... Wyszła fikcyjnie za mąż..."

– Ma pan na myśli przypadek docent Surowej-Léger? – wpadłem mu naraz w słowo, zaskakując sam siebie.

Jerzyk zamilkł na chwilę i spojrzał na mnie uważnie.

– Skąd wiesz? – zapytał wreszcie.

I wtedy, już w pełni świadomy, na jakie idę ryzyko, wykonałem ów ruch odsłaniający królową.

– Od mojej romanistki – odpowiedziałem spokojnie. – Pisała u niej pracę. I raz, wspominając o tym...

– U Surrowej-Léger? – Jerzyk nie dał mi skończyć.

– Takie padło nazwisko. Chyba nie przekręciłem...

– A kto to jest, ta dama, co uczy cię frrancuskiego? Jak się ona nazywa?

Z trudem panując nad głosem, wydałem biedną Madame.

– Co?! – krzyknął zdumiony Jerzyk i zaśmiał się nerwowo. – La Belle Victoire[1]... uczy w szkole?!

Miano, którego użył, owo „La Belle Victoire", niemal zaparło mi dech. Więc tak ją nazywano! A zatem ta „Wiktoria" to wcale nie jakiś rys urzędowo-rodzinny, lecz równoprawne imię, używane potocznie?

– Nie jest zwykłą lektorką – wyjaśniłem uprzejmie. – Jest dyrektorem szkoły. I to też nietypowym. Ma przeprowadzić reformę; przekształcić to liceum w nowoczesną placówkę z wykładowym francuskim... A co w tym takiego dziwnego?

Jerzyk i pan Konstanty spojrzeli po sobie znacząco i pokiwali głowami.

– A więc zrrobiła to... – powiedział Jerzyk posępnie, półgłosem, jakby do siebie.

– Przepraszam, co takiego? – nie wytrzymałem napięcia.

– Nie, nic, nic... – machnął ręką. – Ce n'est pas important[2]. – I najwyraźniej chcąc uciąć dalszą rozmowę o tym, rzekł raźnym głosem do ojca:
– No, to ja też już pójdę. – I sięgnął po swój płaszcz.

Uczyniłem to samo. Kiedy jednak spostrzegłem, że moje rękawiczki tkwią za prętem wieszaka, a nie w kieszeniach kurtki, nie wyciągnąłem ich stamtąd, lecz – działając jak w transie – zakryłem je dyskretnie wiszącym tuż nad nimi beretem gospodarza.

Schodziłem po schodach z Jerzykiem, napięty, czy lada chwila nie rozlegnie się za mną trzask otwieranych drzwi i głos pana Konstantego wzywający mnie do zabrania zapomnianego okrycia. Nic jednak takiego nie zaszło.

Wyszliśmy na ulicę. Ciemno, wilgotno, mgła. Listopadowa pora. Jerzyk cały czas milczał, zajęty swoimi myślami. Zupełnie nie mogłem się zdobyć na wyrzeczenie choć słowa.

Przy najbliższej przecznicy zwolniłem i przystanąłem:

– Ja w tę stronę, a pan?

– Ja prrosto, dalej prrosto – powiedział apatycznie, jakby wyrwany ze snu.

– A zatem, do widzenia. Dziękuję, jeszcze raz.

---

[1] Piękna Wiktoria
[2] To nic ważnego

– Serrwus! – uścisnął mi rękę. – Wszystkiego najlepszego.

Poszedłem w głąb przecznicy jakieś pięćdziesiąt metrów, po czym wróciłem do rogu i stwierdziwszy, że Jerzyk zniknął już w mroku i mgle, puściłem się pędem z powrotem.

Biały, porcelanowy przycisk przedwojennego dzwonka, tkwiący w ozdobnym wgłębieniu w prawej framudze drzwi, przycisnąłem ponownie o dziewiętnastej dziesięć.

## Maksymilian i Claire

– Tak? – dobiegł mnie zza drzwi głos pana Konstantego.

– Przepraszam, to jeszcze raz ja, nie wziąłem rękawiczek.

W odpowiedzi usłyszałem krótkie, rzeczowe „a!", po czym szczęknęła zasuwa.

– Widzi pan, roztargnienie – zacząłem, przechodząc przez próg. – Pan Jerzyk tak mnie poruszył swoimi opowieściami, że całkiem straciłem głowę.

– Mówiłem ci. Uprzedzałem – powiedział pan Konstanty rozkładając ramiona i zwrócił się w stronę wieszaka, by szukać rękawiczek.

– Wie pan, co mnie w tym wszystkim najbardziej zadziwiło? – rzuciłem pytanie-lasso, ażeby go powstrzymać.

– No-no?

Udało mi się.

– Ta atmosfera podejrzeń i psychoza ucieczek. Naprawdę, nie przypuszczałem, że to aż tak wygląda.

– Niestety – rzekł markotnie i podszedł do wieszaka.

Uznałem, że nie ma co zwlekać.

– A swoją drogą... – westchnąłem – jaki mały jest świat! Wspominam, przypadkowo, o mojej romanistce, a tu się okazuje, że pan Jerzyk ją zna... A chyba również i pan... Takie odniosłem wrażenie.

– Czy ja ją znam! – pan Konstanty zaśmiał się pobłażliwie i znowu przerwał akcję szukania rękawiczek. – Znam ją od urodzenia.

Zamarłem. Jakbym pod własnym domem odkrył kopalnię złota. Swoje zdumienie jednak ukryłem pod maską konwencji:

– Poważnie? – zapiałem cienko, jakbym w angielskim salonie prowadził konwersację. – A to dopiero historia!... A jakimże to sposobem?

– Znałem dobrze jej ojca – wyjaśnił pan Konstanty. – Wspinaliśmy się razem. W trzydziestym czwartym roku byliśmy na Mont Blanc...
– W trzydziestym czwartym? – przerwałem.
– Dokładnie, a bo co?
– Nie, nic... – machnąłem ręką, szukając gorączkowo jakiegoś powodu pytania. – W lecie, ma się rozumieć... – dodałem tonem znawcy.
– Oczywiście, że w lecie – potwierdził bez namysłu. – Lecz co to ma do rzeczy?
– Chciałem się tylko upewnić, o której wyprawie pan mówi – znalazłem w końcu odpowiedź (średnią, oględnie mówiąc). „Jeśli nie jest wcześniakiem, to była już poczęta", przeliczyłem tymczasem.
– W trzydziestym czwartym roku tylko raz byłem w Alpach – wyjaśnił dla porządku.
– No i co?... Proszę mówić. To niezwykle ciekawe – wróciłem do konwencji salonowej rozmowy (jakby mi raczej chodziło o alpejskie przygody, niż o ojca Madame).
– To był przedziwny człowiek. Dwa charaktery w jednym. Skrupulant i fantasta. Racjonalista-romantyk. Z jednej strony, solidny... coś więcej: niezawodny! Mogłeś na nim polegać jak na zegarku szwajcarskim. Jeśli się z kimś umówił, zawsze dotrzymał słowa, choćby walił się świat. Z drugiej, idealista, o najdziwniejszych pomysłach, zaskakujący człowieka wręcz szalonymi planami. Te dwa temperamenty splatały się niekiedy. Nie znając dokładnie przyszłości, przeciwnie, wiedząc o niej, jak bardzo może być zmienna, umawiał się precyzyjnie na bardzo odległe terminy, czasem w nieznanych mu miejscach, i, niczym Fileas Fogg, bez żadnych potwierdzeń, uściśleń, stawiał się tam dokładnie o określonej porze.
Raz było tak, na przykład:
Spotkaliśmy się przypadkiem, tu, na ulicy w Warszawie, pod koniec listopada, i zaczęliśmy gadać. Powiedział, że właśnie wyjeżdża, naprzód w góry Schwarzwaldu, a potem do Chamonix, robić tam jakieś wejścia w długim sezonie zimowym. Odpowiedziałem w rewanżu, że również wybieram się w Alpy, tyle że do Szwajcarii, no i dopiero w lecie. Zaczął mnie wypytywać o szczegóły wyprawy: nie był dotychczas w tym kraju i bardzo chciał tam pojechać. Powiedziałem mu wszystko, co w tamtej chwili wiedziałem. Plan był w miarę konkretny, lecz bez detali, rzecz jasna.

„To kiedy i w jakim miejscu możemy się tam spotkać?", zapytał ni stąd, ni zowąd.

Zdębiałem. W tamtej chwili nie miałem jeszcze pojęcia ani gdzie będę mieszkał, ani kiedy tam dotrę. Jedyne, co wiedziałem, to nazwa miejscowości, w której mam się zatrzymać, i że muszę tam przybyć najpóźniej piątego sierpnia.

„A zatem szóstego, w południe, przed dworcem kolejowym. Odpowiada ci to?", zapytał zerknąwszy w kalendarz.

Myślałem, że żartuje. Ale on mówił poważnie. Nie muszę chyba dodawać, że był tam co do minuty.

– Fascynujące, istotnie! – kiwałem z uznaniem głową. – Lecz, proszę, niech pan coś powie o tym wspólnym Mont Blanc.

– No właśnie – pan Konstanty całkiem już zrezygnował z szukania rękawiczek. – To jest z kolei historia, dobrze obrazująca jego drugą naturę. Zacząć trzeba od tego, o czym marzył i śnił pewien fanatyk gór, jego starszy przyjaciel, i co próbował spełnić zimą w dwudziestym szóstym. Otóż ów słynny taternik pragnął, by jego dziecko, które się miało narodzić, przyszło na świat... na Mont Blanc. No, nie na samym szczycie, to byłaby już przesada, lecz gdzieś możliwie najbliżej, w słynnym schronisku Vallota, tuż pod samym wierzchołkiem. I zawlókł tam swoją żonę w siódmym miesiącu ciąży. Nic jednak z tego nie wyszło. Po tygodniowej wichurze, która o mało nie zmiotła schroniska z powierzchni ziemi, postanowili zejść i rodzić w normalnych warunkach. W drodze powrotnej, w zadymce, zarwał się śnieżny most. To cud, że uszli z życiem, i że nie poroniła.

Otóż mój dziwny kolega, mimo owego fiaska, a może właśnie przez nie, przejął po swym przyjacielu to osobliwe marzenie o narodzinach potomka w pobliżu szczytu Mont Blanc. I gdy się okazało, że sam ma zostać ojcem, pojechał zaraz w Alpy, by w ślad za swym poprzednikiem sprawdzić różne warunki i przygotować grunt. To właśnie wtedy razem poszliśmy na Mont Blanc.

– W trzydziestym czwartym – wtrąciłem, by jeszcze raz się upewnić.

– Tak-tak, w trzydziestym czwartym... Kiedyśmy wyruszali, nie wspomniał ani słowem, jaki przyświeca mu cel. Dopiero gdzieś u szczytu wyjawił mi swoje plany. Uznałem to za szaleństwo, zwłaszcza że jego żona, w odróżnieniu od tamtej (która była przynajmniej wytrawną taterniczką), nie miała kwalifikacji do tego rodzaju przygody, nawet nie będąc w ciąży...

– A kim była... ta żona? – spytałem konwencjonalnie, niby na marginesie.

– O, bardzo ciekawą osobą – ożywił się pan Konstanty. – Nieprzeciętną. I silną. Tyle że nie fizycznie. Fizycznie była krucha. Silny miała charakter.

– Nie-nie, ale co robiła? – udałem, że jej portret niewiele mnie obchodzi (licząc że prędzej czy później i tak się do tego wróci).

– Pracowała dla Centre de Civilisation Française. Wiesz, co to było?... I jest – zaśmiał się ironicznie i dorzucił z przekąsem: – no, j e s t tylko w pewnym sensie.

– Owszem, słyszałem o tym, ale dokładnie nie wiem.

– To taki instytut francuski propagujący na świecie romańską kulturę i sztukę. Przed wojną miał uprawnienia placówki akademickiej; można w nim było zrobić dyplom uczelni francuskiej. Elitarny ośrodek o wysokim prestiżu. W Polsce zaczął działalność bodaj w dwudziestym czwartym... Mieli wtedy siedzibę, pamiętam, w Pałacu Staszica, wiesz, tam, za Kopernikiem...

– Koniec Nowego Światu, początek Krakowskiego...

– Dokładnie! W Złotej Sali, na pierwszym piętrze, z prawej... – uśmiechnął się nostalgicznie i pogrążył w zadumie.

Odczekałem uprzejmie, aż się nasyci wspomnieniem, po czym znów, delikatnie, musnąłem go pytaniem:

– No i co? Pojechali?

– Pojechali?... – powtórzył, wyrwany z zamyślenia. – Ach, mój romantyk z Claire!

– Z Claire? – podchwyciłem natychmiast.

– W ten sposób ją nazywał. Miała na imię Klara.

– Była Francuzką, nie Polką? – cały czas udawałem, że pytam od niechcenia.

– Jaka Francuzka by poszła na tego rodzaju przygodę!

– A zatem pojechali, o ile dobrze rozumiem.

– A jakże. Już we wrześniu. Dla aklimatyzacji.

– No, i udało się? – spytałem z kpiącym uśmiechem.

– Może nie w pełni, jak chciał... niemniej pani, co dzisiaj uczy cię francuskiego, urodziła się w Alpach.

– Tak na świeżym powietrzu, w drugiej połowie stycznia? – zdradziłem się niechcący, ale nie spostrzegł tego, przynajmniej nie dał nic poznać.

– No właśnie, pora roku nie była zbyt sprzyjająca. Szczerze mówiąc, na szczęście. Wolę raczej nie myśleć, jak by się to skończyło, gdyby to było w lecie. A tak rzecz się odbyła w granicach zdrowego rozsądku.

– To znaczy?

– No, nie na szczycie, w chmurach, przy minus dwudziestu stopniach, lecz w jakiejś wiosce w dolinie, w normalnym domu, z lekarzem.

„Szkoda", przemknęła mi myśl, „to świetnie by pasowało do chłodu, jaki z niej bije; do piękna Królowej Śniegu".

– Pana dziwny przyjaciel był pewnie niepocieszony... – zastawiłem tymczasem wnyki na imię ojca – à propos, jak się nazywał?

– Maks. Maksymilian – powiedział. – Jak brat Franciszka Józefa... no i jak Robespierre. To imię idealnie do niego pasowało.

– Że niby taki radykalny, czy nawet fanatyczny?

– Niezupełnie – zaprzeczył. – To był ma-ksy-ma-lista. Pod różnymi względami. Pragnął ostateczności. To mogło fascynować. Pewnie właśnie dlatego tak była w niego wpatrzona.

– Ma pan na myśli żonę...

– Mhm – posmutniał dziwnie. – Chodź, pokażę ci coś – odwrócił się i ruszył w kierunku gabinetu.

Podążyłem w ślad za nim, dyskretnie rozpinając suwak jesiennej kurtki, którą miałem na sobie.

Gabinet, ciasna klitka (na oko: trzy metry na cztery), wypchany był po brzegi książkami i papierami, wśród których tu i ówdzie wyrastały znienacka przedmioty z innego świata: srebrzysty czekan, haki, niby górnicza latarnia, liny w niebieskie cętki i zielonkawy hełm. Pod oknem, na podłodze, stało ogromne radio z „magicznym" okiem po środku, jakby szczerząc w uśmiechu białe klawisze-zęby; na półkach zaś, przed grzbietami piętrzących się tam książek, leżały dziesiątki kamieni albo odłamków skalnych. Jedynym meblem z prawdziwego zdarzenia była tu sekretera z opuszczanym blatem, ozdobną galeryjką (na której stał telefon) i rzędami szufladek, małych wnęk i przegródek. Blat od wewnętrznej strony wyłożony był skórą, a w prawym górnym rogu, tuż obok listwy z zawiasem, miał okrągłe wgłębienie, zapewne na kałamarz.

Na blacie, wspartym od spodu na dwóch wysuwanych żerdziach, akurat stała otwarta maszyna do pisania z wkręconym przekładańcem papieru, przebitki i kalki. W złotawym świetle lampy stojącej na galeryjce błyszczał na czarnym lakierze ozdobny napis „Erika".

Gospodarz odsunął maszynę i ze środkowej szafki zamykanej na kluczyk, owego tabernakulum w ołtarzu sekretery, wydobył stary albumik w ciemnej płóciennej oprawie o postrzępionych brzegach, ściśnięty w połowie gumką kilkakrotnym oplotem. Uwolnił okładki z uścisku, przerzucił kilka kartek i otwartą książeczkę uniósł w kierunku światła.

– Patrz – kiwnął na mnie głową – to właśnie oni, tam, wtedy. – Zbliżyłem się i spojrzałem. – Piątego listopada, jak wynika z podpisu. Trzydzieści dwa lata temu – dodał cicho i zamilkł.

Na starej, niewielkiej fotce z wąziutkim marginesem, na tle ośnieżonych gór, widniał szczupły mężczyzna i ciemnowłosa kobieta. On miał na sobie skafander i fantazyjny beret, ona zaś gruby sweter i ciemne okulary uniesione nad czoło. Mężczyzna patrzył gdzieś w górę, mrużąc nieznacznie oczy, a ona patrzyła na niego i uśmiechała się lekko. Gdyby mi ktoś pokazał to zdjęcie bez uprzedzenia, odbite na nowszym papierze i bez dopisanej daty, prawdopodobnie bym uznał, że przedstawia Madame. Te same bystre oczy, rysunek ust, linia nosa. Różniły się tylko jednym: o ile twarz Madame była surowa, ostra (miała w sobie coś z ptaka), o tyle rysy jej matki były łagodne, miękkie, a spojrzenie – wręcz czułe. Być może sprawiał to fakt, że spodziewała się dziecka; choć nie musiało tak być. Może surowość i chłód wzięła Madame po ojcu?

– A więc powiada pan – odezwałem się w końcu, sięgając po linę wątku zostawioną przezornie na poprzednim trawersie – że miała silny charakter...

– O, tak – pokiwał głową. – Mimo kruchej konstrukcji, była odważna i twarda. Znosiła przeciwności spokojnie i z pogodą, a nawet, rzekłbym, z humorem. Potrafiła żartować, gdy wcale nie było do śmiechu. Wiesz chyba, jak kobiety boją się rozwiązania... jakie bywają nerwowe, gdy oczekują dziecka...

– Owszem, słyszałem coś o tym – bąknąłem niepewnym głosem.

– To teraz wyobraź sobie, jak może na nie działać zupełna zmiana warunków, klimatycznych, życiowych, oddalenie od domu, niepewność w obcym świecie.

– No, wyobrażam sobie – powiedziałem z przejęciem, błądząc wzrokiem po półkach.

– A ona się nic nie zmieniła. Była taka jak zawsze: opanowana, pogodna; podchodziła do siebie i całej tej sytuacji z humorem i autoironią. Wiem o tym nie tylko od niego – wskazał głową na zdjęcie, po czym odłożył albumik i z małej półki nad lampą wyjął zniszczoną książkę obłożoną papierem. – To również o niej coś mówi – otworzył wolumin ostrożnie na karcie tytułowej, na której widniały słowa wydrukowane gotykiem i blada dedykacja napisana ołówkiem, a obok, na frontyspisie, wyraźna fotografia fasady kamienicy z prowadzącymi do niej niewysokimi schodkami. – *Jugendleben und Wanderbilder*[1] – odczytał z dobrym akcentem wyrazy tytułowe, a potem, wskazując palcem, metrykę u dołu stronicy: – *Danziger Verlagsgesellschaft*, Danzig 1922. Gdańskie wydanie wspomnień Joanny Schopenhauer – wyjaśnił i spojrzał na mnie. – Wiesz coś o tej autorce?

– Tyle że była matką słynnego filozofa... – odpowiedziałem speszony.

– Dobre i to. A jak myślisz, dlaczego jej wspomnienia wydano akurat w Gdańsku?

Wzruszyłem ramionami.

– Nie wiem... Nie mam pojęcia.

– B o t a m s i ę u r o d z i ł a – wyakcentował odpowiedź, jakby niewiedza w tym względzie była czymś horrendalnym. – O tutaj, właśnie w tym domu – spojrzał na frontyspis – po „południowej" stronie ulicy Świętego Ducha. Jej sławny syn, filozof, też się tam zresztą urodził. Nie mówiono ci o tym na lekcjach filozofii, czy jak to tam teraz się zwie?

– Propedeutyka... – zacząłem, lecz nie dał mi dokończyć.

– No, właśnie! Propedeutyka! – przedrzeźnił długi wyraz. – Propedeutyka marksizmu!

Już chciałem to skorygować (nazwa przedmiotu brzmiała „propedeutyka filozofii"), zrezygnowałem jednak. W gruncie rzeczy miał rację. A on tymczasem ciągnął, z szyderczą pobłażliwością:

– Fakt, trudno oczekiwać, aby we wprowadzeniu do... leninizmu, marksizmu uczono życiorysu Artura Schopenhauera, a zwłaszcza, gdzie się urodził i gdzie też przyszła na świat jego sławna *maman*: że stało się to,

---

[1] *Lata młodości i opisy podróży*

jak na złość, w piastowskim mieście Gdańsku! O ileż istotniejsze i chwalebniejsze zarazem jest choćby to, na przykład, że w takim Poroninie przebywał Wódz Rewolucji! No, ale mniejsza z tym! Odbiegam od tematu...

Otóż to rzadkie wydanie, które tu oto widzisz, jakimś przedziwnym trafem zawędrowało do Francji. I oni – znów ruchem głowy wskazał na stary albumik, odłożony przed chwilą na płytę sekretery – znaleźli je tam wtedy: u bukinisty, w Paryżu, gdy byli tam przejazdem. A potem, już z głębi Alp, przysłali mi w prezencie, to znaczy, o n a  wysłała, z tą dedykacją, przeczytaj... – wyciągnął ku mnie książkę.

Przejąłem ją od niego i wbiłem chciwie wzrok w blady zapisek ołówkiem. Równe rządki wyrazów o drobnych, kształtnych literach składały się na przesłanie następującej treści:

Patrz rozdział trzydziesty dziewiąty.
Moje peregrynacje w porównaniu z tamtymi są dziecinną igraszką.
Nie ma powodu do obaw: filozof nie będzie ponury;
osoba, kimkolwiek będzie, nie będzie mizantropem.

*Denn*
*Wie du anfingst, wirst du bleiben,*
*So viel auch wirket die Not*
*Und die Zucht, das meiste nämlich*
*Vermag die Geburt,*
*Und der Lichtstrahl, der*
*Dem Neugebornen begegnet.*

Dla Konstantego od K.

1 stycznia 35 roku.

Podniosłem wzrok znad książki.

– Pewnie nie wszystko rozumiesz... – uśmiechnął się zagadkowo.

– Fakt, nie znam niemieckiego – odrzekłem wymijająco.

– Ach, ten kawałek wiersza nie jest tu najważniejszy! – postąpił krok w moją stronę i pokazując palcem, linijka po linijce przełożył tekst na polski:

Albowiem jakim się rodzisz,
takim już pozostajesz;
więcej od przeciwności
oraz od wychowania
znaczy chwila narodzin,
promień światła,
który narodzonego wita.

To z *Renu* Hölderlina, jednego z najbardziej znanych hymnów tego poety. Wiesz, gdzie są źrodła Renu... – zapytał w formie stwierdzenia. W najwymyślniejszych wariantach przebiegu tej wizyty nie brałem był pod uwagę sprawdzianu z geografii.

– No, gdzieś w Alpach – odparłem. – Gdzieś... na Alpach w Splügen – przyszedł mi w sukurs Mickiewicz swoim słynnym tytułem.

– Blisko, lecz niezupełnie – ocenił surowo odpowiedź i podał ścisłe dane: – W masywie Świętego Gotharda i w masywie Adula – po czym, uniósłszy głowę i lekko zmrużywszy oczy, zaczął mówić z pamięci płynną, piękną niemczyzną, akcentując rytm wiersza (podaję w tłumaczeniu):

> Teraz jednak z gór wnętrza,
> z głębiny ukrytej
> pod srebrnymi szczytami i radosną zielenią
> gdzie lasy przerażone,
> a sponad nich skały,
> wznosząc głowy, dzień za dniem, spoglądają w dół,
> stamtąd właśnie,
> z otchłani lodowatej dobiegł
> mnie głos młodzieńca, co o litość błagał...
>
> Był to głos najszlachetniejszej z rzek,
> Renu – urodzonego wolnym...

W tamtych latach był to mój ulubiony wiersz – wyjaśnił i ciągnął dalej: – Znałem go w całości na pamięć. I ona go znała ode mnie. Stąd właśnie to przytoczenie. Że niby wzięła sobie do serca zawarte w nim mądrości i oto je przywołuje w stosownych okolicznościach. Ale powiadam: nie to jest tutaj najważniejsze. Istotny jest żart w tym zdaniu – postukał palcem w miejsce, gdzie widniały wyrazy „Nie ma powodu do obaw". – Lecz żeby go uchwycić, trzeba wiedzieć co jest... w rozdziale trzydziestym dziewiątym.

*Neununddreißigster Kapitel* zaczynał się na stronie dwieście trzydziestej czwartej i był jednym z ostatnich.

Odnalazłszy to miejsce, zacząłem stamtąd powoli przekładać kartkę po kartce. Tekst poznaczony był licznymi podkreśleniami, a marginesy – upstrzone iksami lub kreskami, tworzącymi niekiedy, dzięki dodanej kropce, nieregularny wykrzyknik.

– Czytała swobodnie gotyk – stwierdziłem z uznaniem w głosie, chcąc jednocześnie przypomnieć, że sam nic nie rozumiem.

146

– Nie jest to wielka sztuka – odrzekł lekceważąco. – A jeśli o nią chodzi – znów wskazał na albumik – znała kilka języków. Mówiła też biegle po włosku i nieźle po angielsku.

– No, tak... – bąknąłem markotnie i pokiwałem głową, dając do zrozumienia, że czekam na dalszy komentarz.

Przystąpił do niego w końcu.

– Joanna Schopenhauer opisuje tu podróż, jaką w odmiennym stanie (właśnie z synem Arturem, późniejszym filozofem) odbyła z Londynu do Gdańska w grudniu Roku Pańskiego 1787.

Jej mąż chciał początkowo, aby rodziła w Anglii, bo to dawało dziecku obywatelstwo brytyjskie (nieocenione zwłaszcza w karierze wielkokupieckiej, jakiej pragnął dla syna), z czasem jednak się zląkł i postanowił z nią wracać do rodzinnego miasta.

Jechali przez Dover, Calais i Lille do Akwizgranu, a potem przez Westfalię do Berlina i dalej. Dzisiaj tę trasę się robi w półtorej doby, nie więcej (nie mówiąc o samolocie), wtedy to zabierało ponad cztery tygodnie, a warunki podróży nie szczędziły trudności i osobliwych przygód.

W Dover, na pokład statku wezwano ich w środku nocy, chyba o trzeciej nad ranem, bo zerwał się akurat wiatr wiejący w dobrą stronę. Przybyli do portu zaspani i mąż Joanny nie chciał, aby wchodziła na pokład w sposób wówczas zwyczajny, to znaczy, po chwiejnej drabince, bez żadnej asekuracji. Zażądał, by ją wciągnięto siedzącą na fotelu, jak ładunek specjalny, a wcześniej, dla sprawdzenia wytrzymałości powrozów, by ową operację wypróbowano na nim. Sowita gratyfikacja zjednała marynarzy i brzemienna kobieta, w ślad za troskliwym mężem, w lodowatych podmuchach porywistego wiatru poszybowała w ciemnościach na wysokość trzech pięter.

Ledwo odbili od brzegu, zerwała się straszna burza, i okręt, walcząc z falami, bujał na wszystkie strony. Dobili do Calais po czterech godzinach żeglugi, poważnie wyczerpani morską chorobą i chłodem.

Innej natury przygoda zdarzyła się w Akwizgranie, słynnym, między innymi, z gorących, siarczanych źródeł. Joanna, dziecinnie ciekawa tego cudu natury, nabrawszy wody szklanką wprost z buzującej kipieli, sparzyła sobie rękę i wskutek tego wypadku straciła cenny pierścionek.

Najcięższą jednak próbą był przejazd przez Westfalię. Wyboiste gościńce wołały o pomstę do nieba: powozem trzęsło, rzucało, a koła grzęzły w błocie. W kwaterach noclegowych szalały szczury i myszy, a w kuchni, jedynym miejscu, gdzie można się było ogrzać, było gęsto od dymu z powodu braku komina. Człowiek dusił się tam po kilkunastu minutach. Nie przeszkadzało to tylko miejscowym ponurym wieśniakom, którzy do tego wszystkiego kurzyli jeszcze fajki.

Wreszcie, za Osnabrück, pod wieczór, w strugach deszczu, złamała się oś powozu i w szczerym polu utknęli. Sprowadzono posiłki: pół tuzina parobków z pobliskiego majątku, do holowania pojazdu, i wiejskiego olbrzyma znanego z niezwykłej siły, aby zmęczoną Joannę zaniósł do domu na rękach. Olbrzym, istotnie, był silny: uniósł ciężarną jak piórko, miał jednak, niestety, astmę i musiał co chwila przystawać dla złapania oddechu, a wtedy też, naturalnie, stawiał nieszczęsną na ziemi, nie troszcząc się o miejsce (zresztą i tak było ciemno).

Jakby tego wszystkiego wciąż jeszcze było mało, Bóg akurat w tym dniu powołał przed swoje oblicze jedynego kowala, który mieszkał w pobliżu, i do naprawy wozu trzeba było posyłać po innego, daleko. Przybył dopiero nazajutrz, spoił złamaną oś i zażądał zapłaty nieprzyzwoicie wysokiej. Mąż Joanny stanowczo odrzucił jego roszczenie, ten jednak nie ustępował i doszło do ostrej kłótni. W końcu postanowiono oddać sprawę do sądu, który się właśnie zbierał w jednej z pobliskich wsi.

Sędzia nie wydał jednak jednoznacznego wyroku, który by zadowolił przynajmniej jedną ze stron. Oświadczył mianowicie, że zespojenie osi jest pracą... artystyczną, a tej nie można ocenić bez zasięgnięcia opinii przynajmniej trzech innych kowali. A zatem, albo strony decydują się czekać na ową fachową wycenę (co potrwa kilka dni), albo żądana należność zostanie złożona w sądzie, którą ten po wycenie stosownie rozdysponuje.

Zrezygnowany dłużnik wybrał, rzecz jasna, to drugie (żegnając się w duchu z całością deponowanej kwoty); tymczasem hardy kowal był dalej niepocieszony: albo nie ufał sądowi, że kiedykolwiek mu wyda choć część powierzonej sumy, albo złościło go, że musi po prostu czekać na pobranie pieniędzy, które mu się należą za wykonaną pracę. Dlatego też postanowił sam dojść sprawiedliwości, to znaczy, zniszczyć to, co właśnie był zreperował. Z największym trudem zdołano go powstrzymać, kiedy straszliwie złorzecząc, podszedł do wozu z siekierą. Jak miało się wkrótce okazać, pożytek był z tego niewielki: po paru godzinach jazdy spojenie samo puściło, skazując nieszczęsnych podróżnych na kolejne udręki, kłopoty i wydatki.

– Teraz już wszystko jasne? – zakończył pan Konstanty, unosząc wysoko brwi.

– Że niby w wyniku tych przejść... urodził się... filozof?

– Raczej j a k i filozof. I w ogóle, jaki człowiek. Nie wiesz nic na ten temat?

– Jego pogląd na świat był skrajnie pesymistyczny – wypaliłem formułką godną Agnieszki Wąsik.

– Otóż to! A do tego, był jeszcze bardzo niemiłym typem. Drażliwy odludek i dziwak, nienawistnik i tchórz.

– Ale jak pięknie pisał! – powiedziałem przekornie, dając do zrozumienia, że chwyciłem już żart i podejmuję zabawę. – I jak był uzdolniony! Dlaczego nie właśnie w tym dopatrzeć się skutku udręk, zaznanych w życiu płodowym? Ja na miejscu tej pani – znów otworzyłem książkę na stronie tytułowej i położyłem dłoń pod bladą dedykacją – żartowałbym inaczej. Po zdaniu „Moje peregrynacje w porównaniu z tamtymi są dziecinną igraszką" napisałbym ze smutkiem: „Niestety, nie będzie geniusza".

– Nie jesteś zadowolony ze swojej pani profesor? – uśmiechnął się zagadkowo. – Jest bardzo inteligentna.

„Uwaga, niebezpiecznie!", zaświeciła mi w głowie czerwona lampka alarmu. „Cofnąć się, i to zaraz!"

– Owszem – przyznałem rzeczowo, jakbym oceniał ucznia. – Geniuszem jednak nie jest. – I zmieniłem kierunek: – A skoro już o niej mowa: pan Jerzyk nazwał ją, o ile dobrze słyszałem, „La Belle... Victoire", czy tak?

– Nie przesłyszałeś się – odparł, uśmiechając się dalej.

– No właśnie, skąd to miano?

– Nie wiesz, co znaczy „belle"? – zapytał ironicznie. – Nie bardzo chce mi się wierzyć, byś nie znał tego słowa, zwłaszcza jako jej uczeń.

– Dobrze pan wie, o co pytam – również się uśmiechnąłem. – Mnie chodzi o samo imię, a nie o p i ę k n y przydomek.

– No cóż, imię jak imię, co w nim widzisz dziwnego? – wyraźnie bawił się ze mną, trzymając coś w zanadrzu.

– Nie, nic – zamknąłem *Wspomnienia* Joanny Schopenhauer i położyłem je na blacie sekretery, tuż obok albumiku. – Poza tym, że pierwsze słyszę – wolałem w tym momencie nie patrzeć rozmówcy w oczy – by tak się nazywała.

– Fakt, jest to jej drugie imię. Czy znaczy to jednak, że gorsze? Gdybyś wiedział, dlaczego zostało jej nadane, uznałbyś je zapewne za daleko ważniejsze – podniósł gdańską książeczkę i wstawił ją na półkę.

– „Dlaczego" zostało nadane, czy „po kim", „na czyją cześć"?

– „Dlaczego", „z jakiej okazji".

– No, no? – spytałem błazeńsko. – Ciekawość mnie bierze, doprawdy. W trzydziestym piątym roku?

– Kto ci powiedział, że wtedy?

– W tym roku się urodziła.

– Co wcale jeszcze nie znaczy, że została ochrzczona.

– A kiedy to się stało?

– Dopiero w dwa lata później, jesienią w trzydziestym siódmym.

– Dlaczego dopiero wtedy?

– Ha! To jest właśnie pytanie – znów się uśmiechnął figlarnie.

– Trzyma mnie pan w napięciu.

– Chcieli ochrzcić ją w Polsce. Dlatego z tym zwlekali, aż powrócą do kraju. A później, prawdę mówiąc, nie wiem już, na co czekali.

– Więc co się takiego stało jesienią w trzydziestym siódmym, że uczynili to wreszcie?

– Co się stało!... – posmutniał i zamilkł na dłuższą chwilę. – Powziął pewną decyzję – zaczął w końcu półgłosem – która kazała się liczyć z wielkim niebezpieczeństwem. I chciał uregulować wszelkie sprawy rodzinne.

– Znów jakaś wyprawa w góry?... Hindukusz? Himalaje?

– Nie, nie – zaprzeczył gorzko. – Gorzej, o wiele gorzej.

– Gorzej? – nie wytrzymałem. – No, niechże pan powie w końcu!

– Właśnie się zastanawiam, czy powinienem to mówić – błądził wzrokiem w przestrzeni. – Zanadto się rozgadałem – kręcił przecząco głową. – To nie są sprawy dla ciebie.

Zamarłem. I zgłupiałem. Po tylu opowieściach, po takiej swobodzie mówienia, nagle, ni stąd, ni zowąd, tak osobliwa zmiana! Myślałem gorączkowo, jak przełamać ten opór. Zdawałem sobie sprawę, że jeśli tego nie zrobię, to stracę, być może na zawsze, szansę poznania prawdy. Nie wydrzeć teraz z niego, co miał już na języku, znaczyło zaprzepaścić dotychczasowy trud.

Przymknąłem na chwilę oczy i zagrałem *va banque*:
– To nie *fair* – powiedziałem. – Sam pan naprzód zaczyna, a potem ucina w pół słowa?... Czym sobie zasłużyłem, by mnie traktować jak dziecko?
– Masz rację. – (Odetchnąłem.) – Istotnie, tak się nie robi. – Palcami prawej ręki objął czoło i skronie i, krzywiąc się w grymasie bolesnego przełomu, przeciągnął nimi w dół po wygolonych policzkach. – Więc zgoda, powiem ci. Tylko musisz mi przyrzec, że z nikim, ale to z nikim!, nie będziesz o tym gadał. Przyrzekasz?
– Oczywiście.
– No, trzymam cię za słowo – podniósł rękę do góry, z wyprostowanym palcem. – Otóż tamtej jesieni, niespodzianie dla wszystkich, powziął naraz decyzję wyjazdu do Hiszpanii, gdzie od półtora roku szalała wojna domowa. To stąd to drugie imię.
Po zagadkowym prologu, jakim poprzedził odpowiedź, niby się spodziewałem czegoś nadzwyczajnego, to jednak, co usłyszałem, zupełnie zbiło mnie z tropu.
– O ile dobrze rozumiem, nie w celach turystycznych...
– Dobrze rozumiesz – przytaknął z odrobiną ironii.
– Był komunistą? – spytałem.
– Słyszałeś o komunistach, którzy by chrzcili dzieci?
– No właśnie...
– Właśnie, właśnie! – przedrzeźnił mnie pobłażliwie. – Czułem, że zaczniesz pytać, i dlatego urwałem. Bo to jest cała historia, w którą wolałem nie wchodzić. No, ale słowo się rzekło. – (Znów odetchnąłem z ulgą.) – Trudno, kobyłka u płotu – zapatrzył się przed siebie, jak gdyby zbierał myśli.
– Przepraszam, zanim pan zacznie... – na zdobytym przyczółku chciałem się, mimo wszystko, solidniej zabezpieczyć – czy mógłbym tu z siebie zdjąć? – ująłem klapy kurtki i rozchyliłem je nieco.
– Czy mógłbyś zdjąć? – powtórzył, z wyraźnym roztargnieniem.
– Zrobiło mi się g o r ą c o.
On jednak nie reagował, wyraźnie coś go trapiło. Na linii jego wzroku znajdował się telefon stojący na galeryjce na filcowej podkładce.
– Wiesz co? – ocknął się wreszcie.
– Taak? – odrzekłem półgłosem, podwyższając o stopień stan gotowości bojowej.

– A co byś powiedział na to, abyśmy poszli na spacer? Nie wychodziłem dziś z domu. Przewietrzyłbym się chętnie.

„Co on knuje, u licha?!", ogarnął mnie niepokój. „Trzeba bardzo uważać, żeby mi się nie wymknął!"

– Jest chłodno i nieprzyjemnie – podjąłem próbę blokady. – Typowy listopad. Ohyda!

– No, ale tak czy inaczej, musisz wrócić do domu. Nie lepiej w towarzystwie?

– Na pewno – przyznałem ochoczo. – Zastanawiam się tylko, czy ta paskudna aura będzie sprzyjać rozmowie. Obawiam się, że nie.

– Przynajmniej nie zaszkodzi. A ściany... chyba wiesz...

– Co ściany? Nie rozumiem.

– A ściany mają uszy! – przesadnie zaakcentował, dając do zrozumienia, że mówi oczywistość, i ruszył do przedpokoju.

Coraz bardziej napięty, podążyłem w ślad za nim.

– Zgaś tam u mnie w pokoju – polecił wkładając płaszcz.

Cofnąłem się posłusznie i przycisnąłem guzik w drewnianej podstawie lampy. W oczach pozostał mi obraz pierwszej kartki papieru wkręconej w wałek maszyny. U góry, w lewym rogu, widniało imię, nazwisko i adres gospodarza, nieco niżej, po prawej: „Minister Spraw Wewnętrznych", a jeszcze niżej, po środku, sześć dużych liter: „SKARGA".

– Są twoje rękawiczki! – doszedł mnie głos z korytarza.

– Gdzie były? – odkrzyknąłem, opuszczając gabinet.

– Na wieszaku, za prętem. Schowały się pod beretem – podał mi je, ubrany.

– To co, idziemy?

– Chodźmy.

Szczęknęła zasuwa zamka.


## No *pasaran!*


Chociaż nie miałem powodu, aby się niepokoić, że otwarty już sezam zamknie się niespodzianie (złożone mi przyrzeczenie i podjęta w ślad za tym zagadkowa ostrożność były wystarczającą rękojmią), duch przezorności jednak nie dawał mi spocząć na laurach, zmuszając, bym w dalszym ciągu zachował gotowość do zmagań – mobilizował wiedzę, która, w razie potrzeby, mogłaby mi posłużyć jako pomocna podpora lub czarodziejskie zaklęcie.

Wojna domowa w Hiszpanii... Co o niej słyszałem? Wiedziałem? Jaki obraz wydarzeń tworzyła propaganda?

W szkole koncentrowano się głównie na historii ojczystej, z rzadka czyniąc wypady ku dziejom innych narodów. Zdarzało się to zazwyczaj, gdy jakieś epizody wiązały się z losem Polski. Wyprawy Napoleońskie, monarchia Austro-Węgier, upadek caratu w Rosji – to były największe tematy z zakresu historii powszechnej. No, może jeszcze przebieg Rewolucji Francuskiej i Komuna Paryska.

Co do czasów współczesnych, obraz całego świata zdominowały bez reszty: rewolucja rosyjska i hitlerowski faszyzm. To one, niczym dwa centra o monstrualnej sile, nadawały sens temu, co działo się z ludzkością.

Rewolucja rosyjska była „przełomem w dziejach". Uzdrawiając cudownie wielki naród rosyjski, przeobrażając go rychło z najbardziej zacofanego w najbardziej postępowy, niosła jutrzenkę swobody innym narodom świata. To właśnie dzięki niej uciemiężone ludy jęły podnosić głowę i walczyć o swoje prawa, a Polska odzyskała państwowość i niepodległość, którą, poniekąd słusznie, straciła była na skutek „sobiepaństwa wielmożów" i „rozwydrzenia szlachty", czyli przez złe z istoty „klasy posiadające".

No, ale jak to jest na tym najlepszym ze światów, przeciw wszelkiemu dobru powstaje zaraz zło. I prometejski ogień, wzniecony z takim trudem przez „wielki naród rosyjski", stał się natychmiast celem zaciekłego ataku wrogich ludzkości sił. Niestety, i nasze państwo znalazło się wśród nich, odegrawszy w dramacie iście haniebną rolę. „Polscy jaśniepanowie, pod wodzą J. Piłsudskiego, burżuja, nacjonalisty i kontrrewolucjonisty", zamiast okazać wdzięczność Republice Radzieckiej za obalenie caratu, podjęli przeciw niej wojnę, którą psim swędem wygrali (szkodząc w ten sposób wszystkim – własnemu narodowi i innym narodom świata).

Jednak największe zło zalęgło się na Zachodzie, a w szczególności w Niemczech. Nikczemny imperializm przybrał tam formę faszyzmu, który miał cofnąć świat do stadium niewolnictwa („zawrócić koło historii"). Wolność, dobrobyt i szczęście w Ojczyźnie Proletariatu były do tego stopnia solą w oku Reakcji, że rozpętała wojnę. „Wielki Kraj Rad" jednakże poradził sobie ze złem. Naprzód zajął pół Polski, ratując przynajmniej tę

153

część od barbarzyńskiej napaści, a później, gdy napastnik poważył się iść dalej, zmusił go do odwrotu i zagnawszy do domu, powalił i uśmiercił.

Od tego czasu świat dzielił się na dwie części: wyzwoloną przez ustrój demokracji ludowej, gdzie miłowano pokój, wolność i sprawiedliwość; i zniewoloną przez system oparty na wyzysku, gdzie panowała nędza i podżegano do wojny. My mieliśmy to szczęście znajdować się w pierwszej zonie.

Hiszpańska wojna domowa jawiła się na tym tle jako jeden z przejawów owej zaciekłej walki między siłami postępu a złowrogim wstecznictwem. Najnowszą historię Hiszpanii przedstawiano nam tak:

W wyniku rewolucji proletariackiej w Rosji zmurszały porządek społeczny zacofanej Hiszpanii zaczął się chwiać w posadach. Monarcha, Alfons XIII (jak najsłuszniej noszący to zniesławione imię), w obliczu zwycięstwa lewicy „uciekł z kraju jak szczur" i w roku trzydziestym pierwszym powstała Republika. Niestety, zamiast od razu, jak zalecał był Lenin, przejść do najwyższej formy ustroju społecznego, czyli do komunizmu, zastosowano półśrodki, co rychło się zemściło. „Hydra krwiożerczej reakcji podniosła plugawy łeb" i w roku trzydziestym trzecim zdobycze rewolucyjne zostały anulowane. Robotnicy i chłopi zjednoczyli się wtedy we wspólnym froncie ludowym i w roku trzydziestym szóstym obalili prawicę. Lecz zamiast dobić natychmiast „nikczemnego krwiopijcę", zlitowali się nad nim, co znowu było fatalne. Puszczony wolno „gad" podniósł zaraz rebelię i „rzucił się wściekle do gardła młodziutkiej Republice". Najgorsi drapieżcy świata – faszyści Niemiec i Włoch – tylko na to czekali. „Węsząc za mordem i zyskiem", pośpieszyli z pomocą straszliwemu *Caudillo* i po trzech latach walk zagryźli demokrację. Odtąd Hiszpania „konała w okowach reżimu Franco".

Obraz ten wzbogacano tak zwaną „polską kartą":

W połowie lat trzydziestych naszym krajem rządziła faszyzująca Sanacja, która niemal otwarcie sprzyjała rebeliantom, przez co ściągała na nas wieczystą hańbę i wstyd. Na szczęście, pod tą skorupą, twardą i plugawą, płonął ogień wewnętrzny, wcielony w owym czasie w radykalną lewicę, to znaczy, w KPP. To właśnie ta formacja, prekursor i zalążek socjalistycznej Polski, uratowała nasz honor, opowiedziawszy się zaraz po stronie sił postępu, a zwłaszcza organizując wydatną pomoc zbrojną. Na pola bitewne Hiszpanii pośpieszyli ochoczo „najlepsi synowie tej ziemi", tworząc pod sztandarami „Za Waszą wolność i naszą" prężne oddziały wojskowe imienia Dąbrowskiego. Przyszło im za to zapłacić niezwykle gorzką cenę. Sanacja, miast z nich być dumna, naprzód ich szkalowała, a wreszcie pozbawiła obywatelstwa polskiego. „Polska karta" jednakże nie była obowiązkowa. Był to materiał „dowolny". Co do mnie, chociaż ta sprawa niezbyt mnie zajmowała, miałem o niej pojęcie nieco szersze niż ogół. Sprawił to pewien przypadek.

Rzecz miała miejsce niedawno, jakieś pół roku wstecz, wkrótce po zakończeniu Przeglądu Scen Amatorskich, kiedy to, zniechęcony, usunąłem się w cień, rzucając wszelkie formy działalności społecznej.

Któregoś dnia, podczas pauzy, gdy stałem sam przy oknie na górnym korytarzu, wpatrując się bezmyślnie w szarą płytę boiska, podszedł do mnie Karakan, szef ZMS-u szkolnego – przezywany w ten sposób, z powodu niskiego wzrostu i pokracznego wyglądu, Jakub Bolesław Kugler. Był z równoległej klasy, dziesiątej D (z niemieckim), wiekiem mnie jednak przewyższał, i to o dobre dwa lata: naukę zaczął później, a potem, wskutek zbyt częstych nieobecności w szkole, powtarzał jedną klasę.

Chociaż z dziesiątą D nie miałem bliższych kontaktów, a z ZMS-em – żadnych, Kuglera jednak znałem, i to nawet dość dobrze – a to z turniejów szachowych, w których również brał udział. Nie przepadałem za nim. Był arogancki, złośliwy, traktował wszystkich z góry. Do tego jeszcze ten wygląd! Pokurcz o wielkiej głowie i oczach bazyliszka; na jego wąziutkich ustach błąkał się niemal bez przerwy pogardliwy uśmieszek. Odznaczał się jednak przy tym dużą bystrością umysłu i bardzo dobrze grał w szachy. To właśnie powodowało, że go tolerowałem, a nawet miałem do niego coś w rodzaju słabości. Swoiście mnie intrygował, stanowił rodzaj wyzwania. Nie mogłem go pokonać. Ale i on mnie nie mógł. Toczyliśmy ze sobą długie, zacięte boje, lecz ostateczny wynik ciągle był remisowy. Jeden nasz pojedynek był wielce malowniczy i dobrze obrazuje istotę naszej relacji:

Graliśmy w klubie turniej tak zwanej „gry błyskawicznej". Polega ona na graniu w niezwykle szybkim tempie; na całą partię ma się, powiedzmy, dziesięć minut (po pięć dla każdego gracza), przy czym wygrywa ten, kto albo w tym czasie zwycięży, albo nie przegra do chwili, w której przeciwnikowi minie dany mu czas. Ponadto w grze błyskawicznej nie mówi się "szach królowi" i bije się go, gdy partner, nie spostrzegłszy ataku, nie obronił się przed nim.

Po długich eliminacjach, wyczerpujących nerwowo, do finału turnieju doszliśmy on i ja. Zasiedliśmy do stolika i, otoczeni gromadą pozostałych szachistów, wśród których stał nasz instruktor, w ciszy jak makiem zasiał, rozpoczęliśmy grę. Mimo że grał czarnymi, zyskał szybko przewagę i opanował centrum. Zrobiłem szkolny błąd i straciłem figurę. Karakan, pewny zwycięstwa, przyspieszył tempo gry, idąc na szybką wymianę. Wkrótce na szachownicy zostały już tylko króle i cztery czarne piony. Nie miałem żadnych szans. Dojście pionem do linii wymiany na hetmana zajmowało mniej więcej dziesięć-piętnaście sekund, a danie potem mata – kolejne pół minuty. Miał na to wszystko czas. Miotałem się w bezsilności. Aż nagle zaświtał mi pomysł jak z tragedii Szekspira. Zamiast uciekać królem na środek szachownicy (skąd akcja dawania mata zabiera najwięcej czasu), rzuciłem się nim wprost na wrogiego monarchę i kiedy mój przeciwnik doszedł ze swoim pionem do przedostatniej linii, ja stanąłem swym królem tuż obok jego króla – niejako twarzą w twarz. Karakan, skupiony bez reszty na dochodzącym pionie, nie zwrócił na to uwagi i poszedł o pole dalej, zdobywając hetmana. Wtedy, z kamienną twarzą, k r ó l e m zbiłem mu króla.

– To nielegalny ruch! – zaprotestował Kugler.

– Trzeba to było powiedzieć, gdy wykonałem poprzedni – odrzekłem z obłudną grzecznością. – Albo zareagować po prostu zbiciem mojego króla. Kiedy go tam stawiałem, liczyłem się z takim ryzykiem.

– A co pan sędzia na to?

Instruktor milczał przez chwilę z zakłopotaną miną, po czym rzekł uroczyście:

– Luka w regulaminie. Nie wiem. Ogłaszam remis.

Kugler wstał od stolika wzruszając ramionami, dając do zrozumienia, że lekceważy ten werdykt. Jego mina jednakże mówiła co innego.

Podobnie było ze mną, tyle że maskowałem całkiem inne emocje. Na pokaz również strugałem gracza pewnego siebie; w głębi czułem się jednak jak wyjątkowy szczęściarz i drżałem przed Karakanem jak przed księciem Draculą.

Ten układ sił i uczuć na arenie szachowej określał nasze stosunki natury koleżeńskiej. Czuliśmy niechęć do siebie, trzymaliśmy się na dystans, lecz każdy miał respekt przed drugim. Nasze rzadkie kontakty iskrzyły od ironii i uszczypliwych uwag, była to jednak gra, a nie prawdziwa wojna. On prowokował mnie, przerysowując umyślnie (do form karykaturalnych) pewne cechy mówienia i sposób argumentacji właściwe działaczom partyjnym stalinowskiego chowu; ja odpowiadałem mu na to ironiczną pokorą i obłudą świętoszka. Nikt z nas nie mówił poważnie i żaden nie wierzył drugiemu.

Taki też miał charakter nasz dialog na korytarzu, przy oknie, na drugim piętrze.

– I o czym to tak duma nasz pięknoduch samotnie? – oparł się ręką o ścianę. – Jakieś nowe *theatrum*, ani chybi, obmyśla... – uśmiechnął się błazeńsko.

– Mylicie się, towarzyszu – przybrałem znużony ton. – Szukamy tu tylko spokoju, stronimy od natrętów. Jak widać, bezskutecznie.

Cmoknął językiem pięć razy z udanym zatroskaniem.

– Oderwanie od życia prowadzi do alienacji – zawyrokował smutno. – A z tego tylko kłopoty. Lepiej zawrócić z tej drogi.

– Nie czuję się na siłach – odparłem z rezygnacją. – Za daleko zaszedłem.

– Moglibyśmy wam pomóc – zaproponował ochoczo.

– Dziękuję, szkoda fatygi. To u mnie nieuleczalne.

– Defetyzm... – pocieszył mnie. – Spróbować zawsze warto.

– Próbowało już wielu. Niestety, bezskutecznie.

– Przychodzę z konkretną sprawą, a nie z ogólnikami.

– Nie wątpię – przytaknąłem. – Byłbym bardzo zdziwiony, gdyby było inaczej.

Nie zrażony zupełnie tym nieprzyjaznym tonem, przystąpił do wyłożenia swojego interesu:

– Wśród niezliczonych talentów, jakimi was Bóg obdarzył... – rozpoczął ironicznie.

– Bóg?! – przerwałem natychmiast. – I nie wstyd to tak bluźnić przeciw prawom natury, przeciw nauce i prawdzie? A może coś odkryto i są jakieś nowe wytyczne?

– Szyderstwo całkiem chybione – skrzywił się pobłażliwie i dodał wyjaśniająco: – Figura retoryczna. Nie odpowiada wam „Bóg", tym lepiej, niech będzie „natura". Jesteśmy elastyczni...

– Jak pałka milicyjna.

157

– Średnie – skwitował kwaśno. – Stać was na coś lepszego.

– Niestety, to jest mój poziom. Nie radzę liczyć na więcej.

– Przesadna skromność. Przesadna! – Podniósł rękę do góry, uśmiechając się chytrze. – Więc na czym to ja stanąłem?

– Na Bogu lub... na naturze.

– No właśnie! – zmrużył oczy. – Otóż, o ile wiem, wśród licznych umiejętności, jakieście w życiu posiedli, umiecie również przebierać palcami po klawiaturze.

– Zachodzi chyba pomyłka – zrobiłem zdziwioną minę. – Umiem jedynie grać.

– I tak to nazywają – pokiwał twierdząco głową. – Otóż zależy nam, by owe umiejętności nie leżały odłogiem, lecz mogły się rozwijać, a wy byście z nich czerpali stosowną satysfakcję.

– Nie gonię za rozgłosem.

– Owszem, widzimy to – przyznał z kamienną twarzą – odnotowując zwłaszcza wasz pociąg do estrady: popisy z klezmerami, występy w kabarecie...

– Kabaret z Ajschylosem nie przynosi poklasku – stwierdziłem elegijnie. – Pracowałem społecznie. Upowszechniałem kulturę. To było z mojej strony jedynie poświęcenie.

– W takim razie, tym lepiej. Bo oto nasze motywy okazują się zbieżne. My też działamy wyłącznie dla dobra kolektywu. Otóż społeczność szkolna, w związku z wypadającą wkrótce trzydziestą rocznicą wybuchu wojny domowej w Hiszpanii, wojny, w której Polacy, a ściślej, polska lewica ma piękną i chlubną kartę, pragnie, by ta okazja została stosownie uczczona, i oczekuje od nas przygotowania imprezy.

– Przepraszam, kto oczekuje?

– Czy mówię nie dość jasno? Powtarzam: społeczność szkolna.

– A jak to po niej poznać?! – zapytałem z emfazą.

– Po pierwsze, po nastrojach – odpowiedział rzeczowo jak doświadczony lekarz. (To odgrywanie roli skrajnego doktrynera szalenie go bawiło.) – O czym się mówi, rozmawia... – dorzucił poglądowo. – Po wtóre zaś, po otwarcie formułowanych wnioskach, jakie są wysuwane przez ciała przedstawicielskie.

– To znaczy, przez kogo, na przykład?

– Choćby przez koło doradcze naszej organizacji.

– Koło doradcze... – westchnąłem. – Ciekawe. Nie miałem pojęcia, że coś takiego istnieje.

– No, to teraz już macie.

– No dobrze, lecz o co chodzi? – zmieniłem nagle ton na szorstki i rozdrażniony. – Co to ma ze mną wspólnego?

– Już najuprzejmiej wyjaśniam – odpowiedział pokorą. – Chodzi o akcent muzyczny. O to, byście z a g r a l i – zaakcentował czasownik. – Byście waszych zdolności użyli dla dobra ogółu.

Uśmiechnąłem się blado („a więc tutaj ich boli").

– Co niby miałbym zagrać? – spytałem odpychająco.

– Ach, nic nadzwyczajnego! Przy waszej wirtuozerii to, doprawdy, igraszka.

– No więc?

– Kilka hiszpańskich melodii... Piosenki z tamtych lat.

– Nie mam tego, niestety, w swoim repertuarze – przybrałem wyniosłą pozę rozrywanego maestra.

– Dostarczymy wam nuty – pośpieszył z zapewnieniem.

Stało się dla mnie jasne, że mu naprawdę zależy, i chciałem się przekonać, ile jest gotów poświęcić.

– Tu nie chodzi o nuty – powiedziałem kapryśnie. – Ja w ogóle nie grywam tego rodzaju rzeczy. Grywam jedynie jazz albo... muzykę poważną.

– Ejże, nie przesadzajcie! Co to jest dla was zagrać kilka hiszpańskich kawałków!

– Rzeczywiście, niewiele – przyznałem nonszalancko. – Nie pozwalają mi jednak na to moje zasady. Ludzie zasad, jak wy, powinni to zrozumieć. Ale mam dla was radę.

– No? – wycedził nieufnie.

– Zaproście do współpracy nasz „Tercet egzotyczny". Przy jego specjalizacji... kubańskie pieśni ludowe... nadaje się jak znalazł do waszego programu.

– Zrobiliśmy to już – oświadczył bez entuzjazmu. – Ćwiczą – dodał z wyższością.

– W takim razie, w czym rzecz? Macie oprawę muzyczną.

– Jeżelibyśmy mieli, nie byłoby tej rozmowy.

Zaświtał mi nagle pomysł groteskowego numeru. Puściłem próbną strzałę:

– No, skoro, rzeczywiście, jesteście w takiej potrzebie... może i, ostatecznie, mógłbym się na coś przydać.

– To jest poza dyskusją – uśmiechnął się nieszczerze.

– Rozumiem, że potrzeba „przerywników muzycznych" lub „muzycznego tła" w hiszpańskim stylu i rytmie, by przybliżyć odbiorcy narodowy charakter przypominanej historii.

– Macie kwalifikacje nie tylko artystyczne, ale i oświatowe. Nasz człowiek od agit-prop nie ujałby tego lepiej!

– Dziękuję za uznanie. A wracając do rzeczy: otóż mógłbym wykonać kilka hiszpańskich motywów z opery *Carmen* Bizeta, na przykład: *Habanerę* lub *Pieśń toreadora*. Albo... *Bolero* Ravela w transkrypcji na fortepian. Pasowałoby wam?

– Widzę, że mimo smutku, jaki wyziera wam z twarzy, jesteście w świetnym humorze.

– Bynajmniej nie żartuję – oświadczyłem z przejęciem.

– To w takim razie, zwyczajnie brak wam oleju w głowie. To pachnie sabotażem!

– Sabotaaażem! – zakpiłem. – Nie obrażajcie się, lecz tak stawiając sprawę, to wy ujawniacie braki, i to elementarne, w zakresie wiedzy muzycznej. Obawiam się, że nie wiecie, czym jest *Carmen* Bizeta. Otóż jest to opera na wskroś rewolucyjna! Bo co przedstawiały opery do czasu *Carmen* Bizeta? Historie mitologiczne, legendy, wątki baśniowe. Puszyli się w nich bogowie, książęta, arystokraci. A kto zajął ich miejsce w obrazoburczej *Carmen*? Otóż to! Proletariat! Doły społeczne. Lud. Robotnice, żołnierze, mniejszości narodowe (mam na myśli Cyganów). I wy mi powiadacie, że użycie motywów z tego jakże słusznego dzieła klasyki muzycznej zakrawa na dywersję! Opamiętajcie się!

– Dobra, dobra – rzekł Kugler protekcjonalnym tonem. – Nie popisujcie się. Wiem, że do kpin i błazeństw macie szczególny pociąg. Lecz nie zrobicie mnie w konia.

– Bolek, mówmy poważnie – przeszedłem nagle na ty, wpadając w ton poufały, a nawet kumoterski. – Kto się tu zorientuje, co to jest za muzyka? Że jakiś marsz, powiedzmy, to *Marsz przemytników* akurat. Zastanów się, człowieku! Nie wiesz, jaki jest poziom? Spokojna głowa, nikt, nawet „koło doradcze" nie będzie miało pojęcia.

– To twoje ostatnie słowo? – nie dał się jednak wciągnąć (tyle że przyjął „ty").

Skręcało mnie ze złości, że nijak nie mogę go zażyć. Nie dałem za wygraną:

– Pozwól – kiwnąłem głową i ruszyłem powoli w kierunku sali muzycznej. Wahając się, poszedł za mną.

Zasiadłem do pianina i zagrałem szkicowo kilka znanych tematów z koncertu na gitarę Joaquina Rodriga – owych smętnych melodii, w których wibruje nastrój hiszpańskiego pustkowia, spalonej, rdzawej ziemi i apatycznych gór.

– No, może być? – spytałem, nie przerywając gry.

– Co to jest? – odbił pytanie z wyraźną nieufnością.

– Takie kawałki ludowe – wzruszyłem ramionami, zdejmując palce z klawiszy.

Milczał przez dobrą chwilę. Siedziałem nieruchomo z rękami na kolanach i pochyloną głową.

– Dobra – powiedział wreszcie. – Niech będzie. Weźmiemy to. Chociaż sprawdzimy jeszcze – podniósł palec do góry w geście błazeńskiej przestrogi i zabrał się do odejścia.

– Chwileczkę – krzyknąłem za nim. – Jest tylko jedna sprawa...

Zatrzymał się i odwrócił.

– O co chodzi? – zapytał.

– Jeżeli mam wziąć w tym udział, to muszę mieć zaświadczenie zwalniające mnie z lekcji. Inaczej, to nic z tego. Nie będę się tego uczył w czasie wolnym od zajęć.

– To jest praca społeczna! – obruszył się przesadnie.

– Jak uważasz – odrzekłem. – Ja powiedziałem swoje.

Obrócił się na pięcie i wyszedł zamaszyście.

Po kilku dniach jakiś chłopak (jego drugi zastępca, jak okazało się później) dostarczył mi pisemko, którego zażądałem. U dołu widniała pieczątka i podpis Solitera.


Prace przygotowawcze dobiegały już końca, gdy po raz pierwszy przyszedłem na próbę akademii. Rzecz była właściwie gotowa. Doskonalono całość: retusze, drobne skróty, dynamika i tempo.

Pracą kierował Karakan. Siedział przy małym stoliku, na którym stała lampka, leżał scenariusz programu i zdjęty z ręki zegarek (radziecki, niklowy Poljot), i z długopisem w ręku śledził tok widowiska. Zauważywszy mnie w drzwiach, przywołał gestem do siebie i wskazał na krzesło obok. Biorący udział w programie dzielili się na trzy grupy: recytatorów, mówców i „Tercet egzotyczny". Do tego dochodził jeszcze zapowiadacz-narrator – wysoki Karol Broda z dziesiątej A (z angielskim) – persona w pewnym sensie najważniejsza w programie, swoisty mistrz ceremonii, pełniący jednocześnie funkcje konferansjera, sprawozdawcy-mentora i kapłana pamięci.

Rzecz zaczynała się od słynnego wiersza Władysława Broniewskiego. Karol Broda wchodził majestatycznie na scenę, stawał przed mikrofonem i przeszywając widownię piorunującym spojrzeniem, mówił powoli, eksponując głoskę „r", która w jego ustach warczała jak złowróżbny werbel:

> Umierający republikanie,
> Brocząc po bruku krwią swoich ran,
> W krwi umaczanym palcem na ścianie
> Wypisywali: „No pasaran!"

Na kolejnych zwrotkach, do Karola Brody dołączali stopniowo pozostali wykonawcy. Wchodzili na estradę po troje, stawali z pochylonymi głowami, po czym podnosili je dramatycznie i włączali się do recytacji, skandując słowa ostatniej linijki.

> Ogniem, żelazem napis ten ryto

– grzmiał Karol Broda swoim spiżowym głosem -

> pośród barykad z bruku i serc.
> Tak się rodziła wolność Madrytu

– i w tym momencie pierwsza trójka wspomagała go chórem:

> droższa niż życie, trwalsza niż śmierć.

Po chwili na estradzie było już sześcioro wykonawców. Karol Broda niestrudzenie kontynuował:

> Na nią dwa lata parły faszyzmy,
> ogniem, żelazem żłobiąc jej kształt.
> Wolność na posąg rosła ojczyzny

– zawieszał dramatycznie głos, a szóstka wykrzykiwała unisono:

162

tej, która depcze ucisk i gwałt.

W ostatniej zwrotce wprowadzona była pewna modyfikacja: chór „bojowników" (w ostatecznej sile dziewięciu) nie skandował już z przodownikiem całej linijki, a tylko dwa ostatnie jej słowa, będące przewodnią frazą i tytułem utworu. Karol Broda zbliżał się patetycznie do finału:

> W wierszu mym – wolność, równość, braterstwo,
> wiersz mój zbroczony krwią swoich ran

– niezależnie od interpretacji recytatora, nie było jasne, dlaczego i w jaki sposób w i e r s z broczy krwią, i kto go właściwie poranił -

> Jeśli ma zginąć, niech poprzez śmierć swą

– w wykonaniu Karola Brody klauzula tego wersu brzmiała jak „śmierćstwo" (zapewne wskutek rymu z „braterstwo") -

> ... niech poprzez śmierćstwo
> głosi nadzieję:

> *„NO PASARAN!"*

– padał z dziesięciu gardeł gromki okrzyk w rytmie: ósemka, dwie szesnastki, ćwierćnuta, przy czym wszyscy wznosili w tym momencie zaciśniętą prawą pięść.

Po kilkusekundowej, dramatycznej pauzie Karol Broda rozpoczynał swój narracyjny maraton.

Przedstawiana historia, inkrustowana obficie wyimkami z przemówień, rezolucji i odezw, roiła się od sprzeczności, z którymi niewprawny umysł, nie obeznany zwłaszcza z prawami dialektyki, zupełnie sobie nie radził.

Oto, choć Republika była demokratyczna, to jednak jej rząd – prawowity! – był wsteczny: „burżuazyjny". Ta okoliczność, z kolei, bynajmniej nie przeszkadzała najczarniejszej reakcji zawiązać natychmiast spisku przeciwko demokracji. Spisek ów, z jednej strony, był dziełem „żałosnej mniejszości", z drugiej, wzięły w nim udział nieomal wszystkie siły „tego jeszcze na poły feudalnego państwa". Nie winno przeto dziwić, iż ów „wąski margines" posiadał jednocześnie „morderczą, miażdżącą przewagę". Wszelako przewrotność reakcji nie kończyła się na tym. Owa „miażdżąca przewaga" była zarazem pozorna! W istocie, „krwawy kolos stał na glinianych nogach", bo „jego czas już minął", bo „stał na straconej pozycji i czekał go śmietnik

Historii". I z tego właśnie powodu sam nie mógł wzniecić rebelii; musiał w tym celu wezwać „zbójeckie bandy" z zewnątrz. Wsparcie, jakiego skwapliwie udzieliły mu Niemcy i faszystowskie Włochy, okazało się wkrótce tak silne i zasadnicze, że trzeba mówić właściwie nie o buncie wewnętrznym, lecz – obcej interwencji. Wojna domowa w Hiszpanii nie była, innymi słowy, żadną wojną domową, ale „zbrojną krucjatą światowego faszyzmu przeciw hiszpańskim masom, które los swego kraju wzięły we własne ręce"…

Polityka Zachodu wobec wydarzeń w Hiszpanii była głęboko obłudna i krótkowzroczna zarazem. Nic w tym zresztą dziwnego. Panował tam przecież ustrój oparty na wyzysku, i decydował o wszystkim brudny interes klasowy. Państwa Europy Zachodniej i Stany Zjednoczone upatrywały w walce hiszpańskich mas ludowych większe niebezpieczeństwo niż w zbrodniczych knowaniach światowego faszyzmu! Dlatego też, jak Piłat, nie tylko umyły ręce, ale w milczący sposób poparły interwencję.

Oto jak świat reakcji, z egoistycznych pobudek, torował drogę zbrodni i sam się wystawiał na cios, jaki miał paść niebawem.

Lepiej nawet nie myśleć, jak by się to skończyło, gdyby nie Związek Radziecki, który od razu pojął, do czego to wszystko zmierza, i udzielił Hiszpanii daleko idącej pomocy.

Jednak największe zasługi dla sprawy Republiki położył Związek Rad nie jako państwo-mocarstwo, lecz jako światowa ojczyzna ruchu robotniczego. Gdy – jak ziemia szeroka – rozległy się głosy protestu, gdy masy ludowe wszech krajów w akcie solidarności zaczęły deklarować chęć niesienia pomocy swoim hiszpańskim braciom, ZSRR niezwłocznie wyszedł temu naprzeciw, podejmując zadanie koordynacji działań. W ich wyniku powstały legendarne już dzisiaj Brygady Międzynarodowe, złożone z ochotników z kilkudziesięciu krajów! Ci ideowi ludzie z dnia na dzień rzucali pracę, przerywali naukę, żegnali się z rodziną, by czym prędzej pośpieszyć na pola bitewne Hiszpanii.

Była to, historycznie, nowa forma sojuszu. Nie wspierały się wzajem rządy, państwa czy armie, ale – masy ludowe, klasy społeczne i partie. Nikt tutaj nie ingerował w czyjeś wewnętrzne sprawy (jak to było w przypadku państw imperialistycznych), albowiem istota rzeczy nie była sprawą wewnętrzną: walka ludu Hiszpanii o wyzwolenie społeczne nie miała charakteru lokalnego konfliktu, lecz stanowiła cząstkę nadrzędnego procesu – śmiertelnej walki klas w skali całego globu.

Owa apoteoza internacjonalizmu była z pewnością głównym przesłaniem akademii, pod względem siły wyrazu ustępowała jednak liturgii narodowej, to znaczy, „polskiej karcie".

Wprowadzał Karol Broda, jednakże już po chwili był przy nim Mówca Pierwszy i przejmował pałeczkę, mówiąc z pamięci fragment odezwy KPP:

– Rządząca klika sanacyjnych generałów rozsławiła Polskę po świecie smutną sławą masowych rzezi robotników i chłopów, bezprawia i krzywdy, afer korupcyjnych i więziennych katowni. Rządząca klika sanacyjnych generałów zbeszcześciła i zhańbiła imię Polski, stawiając się w obliczu demokratycznej opinii Europy w roli wasala faszystowskich Niemiec, pobratymca najczarniejszej reakcji, barbarzyństwa i wstecznictwa.

Tu wchodził Mówca Drugi i przezwyciężał ten ponury początek:

– Lecz dziś już idzie o Polsce zupełnie inna sława. Sława Polski Ludowej, Polski walczącej o wolność. Ta sława idzie z gór, i z dolin, i z nizin Hiszpanii, gdzie najlepsi z najlepszych, skupieni w pododdziałach imienia Dąbrowskiego, walczą na śmierć i życie o wyzwolenie ludów.

Ledwo wybrzmiało echo tej radosnej nowiny, na scenie zjawiał się zaraz następny wykonawca, który był *porte-parole* szlachetnych Dąbrowszczaków:

– Poszliśmy za tradycją bohaterów walczących „za wolność waszą i naszą": Polski i wszystkich narodów. W naszych walkach hiszpańskich jaśniały przed nami postaci najpierw walczących w kraju, a później na obczyźnie, po stronie Komuny Paryskiej.

Ta patetyczna wypowiedź cieszyła polskie serce, budziła też jednak zdziwienie, zwłaszcza gdy Karol Broda – w nieco innym kontekście – stwierdzał, co następuje:

– Dzisiaj naród hiszpański zna całkiem innych Polaków niż z wojen napoleońskich, z szarży pod Somosierrą, Tudelą i Saragossą, gdzie starzy legioniści, naiwni demokraci, oszukani nikczemnie przez tyrana Europy szli przeciw biednym Hiszpanom w imię straconej Polski.

Jednym z kulminacyjnych punktów nie tylko tej części programu, lecz całej akademii, był fragment przemówienia Dolores Ibarruri, słynnej La Pasionarii, w którym żegnała ona ofiarnych Dąbrowszczaków i dziękowała za pomoc. Ową szczególną pozycję oracja La Pasionarii zawdzięczała jednakże nie swojej treści i formie, lecz temu, kto ją wygłaszał. Otóż mówiła ten tekst naczelna piękność szkoły: kruczowłosa, wyniosła Lucylla

Różogrodek, obiekt umizgów i westchnień nie tylko szkolnej młodzi, lecz i męskiej starszyzny – studentów i playbojów. Lucylla (zwana „Lucy" w nielicznym gronie wybranych), w czarnej, obcisłej sukni z wpiętym nad lewą piersią czerwonym dorodnym goździkiem, w czarnych angielskich szpilkach (podobno od rodziny) i ze szkarłatną przepaską w zmierzwionych, bujnych włosach, wchodziła wolno na scenę, po czym, po długiej pauzie, swym niskim, zmysłowym głosem rozpoczynała monolog:

– Zostawiliście wasze żony, wasze kobiety i dzieci, by ruszyć w niełatwą drogę, pełną zdradzieckich wybojów, zasieków, pułapek i granic jeżących się od bagnetów, ażeby dotrzeć tutaj i rzec Hiszpanii w potrzebie: „Jesteśmy. Nie jesteś sama".

Zaiste, moc tych słów była piorunująca. „Lucy" mówiła to tak, że się zapominało, kto mówi do kogo i po co. Hiszpania to była ona, a śmiali bojownicy – rzesza jej wielbicieli, gotowych rzucać rodziny, kochanki i narzeczone, aby paść u jej stóp i leczyć jej samotność.

– Wzruszyły mnie bardzo listy, które niedawno czytałam: od waszych matek i żon, od sióstr i od narzeczonych. Mimo, że t u jesteście, że narażacie swe życie, a wielu z was, niestety, padło na polu chwały, one nie mają żalu, nie przeklinają Hiszpanii, przeciwnie, dumne są z tego, że ich synowie i bracia, mężowie i narzeczeni walczą i giną za wolność, że od krwawiącej Hiszpanii nie odwracają się tyłem, lecz stoją u jej boku i nawet w tych trudnych dniach służą jej swoim orężem.

Zbliżał się wielki finał.

Franco rzucał do walki wciąż ostatnie rezerwy; niemiecki Legion Condor, bombardujący bezlitośnie miasta i wsie, był dziesiątkowany radziecką bronią przeciwlotniczą; republikanie i *voluntarios internacionales* z okrzykiem „*venceremos*"[1] podejmowali jeden atak za drugim; batalion Palafoxa i centuria Komuny Paryskiej stawiały niezłomny opór barbarzyńskiemu najeźdźcy, a mądrzy komuniści przejmowali ster władzy.

Niestety, mimo zwycięstw i niezłomnego oporu, Republika ginęła. Padały kolejno miasta i całe prowincje Hiszpanii. Padała Andaluzja i twierdza w Alcazar, padały Aragonia, Katalonia i Madryt.

Na tle *Guerniki* Picassa, rzuconej z epidiaskopu, pojawiał się Mówca Pierwszy i rozpoczynał epilog:

---

[1] zwyciężymy

– Gdy pod ciosami brutalnej przemocy, w męce niewysłowionej, padają opuszczeni obrońcy wolności, gdy chór szakali i hien wyje za najeźdźcą stare hasło żołdaka rzymskiego: „biada pokonanym!", my, wsłuchani w mogiły męczenników tej samej sprawy, rozsiane po naszym kraju tak gęsto jak po żadnym innym, odpowiadamy hasłem, które przyniosła Eliza Orzeszkowa z cmentarzy powstania styczniowego: *„gloria victis"* – chwała zwyciężonym.

Na te słowa wkraczał na estradę Mówca Drugi i przełamywał ten grobowy nastrój akcentem nadziei i wiary:

– Nie, nie! Po stokroć nie! Nie zostaliście zwyciężeni! My wierzymy w to mocno: to  w a s z e  będzie zwycięstwo!

Ostatnie słowo narracji należało do Karola Brody:

– Atmosferę tamtych czasów lepiej może oddać literatura niż najlepsze nawet dzieło historyczne. Na to jednak trzeba poczekać. Jak Krzysztof Cedro czekał na Żeromskiego. Szwoleżerów Legii Nadwiślańskiej dzieli od powstania *Popiołów*, któż by pomyślał, sto lat!

„Tercet egzotyczny" zaczynał nucić *La Kukaraczę*, a cały zespół przystępował do zbiorowej recytacji innego słynnego wiersza Władysława Broniewskiego – *Cześć i dynamit*.

O przyjaciele! Dzieją się dzieje.
Walka za nami. Walka przed nami.
Ja chcę wam rzucić za Pireneje
serce poety: cześć i dynamit!

Tak kończyła się akademia. W swej kategorii wspinała się ona na szczyty – ze względu na szczególne stężenie trzech najgorszych czynników: komunistycznej tromtadracji, patosu i drętwej mowy. Upiorniejsze od tego były jedynie rytualne, wielogodzinne apele z okazji kolejnych rocznic wybuchu Rewolucji Październikowej. Inne natomiast brzemiona, jakie przychodziło nam dźwigać, jak choćby coroczne misteria odprawiane z okazji Miesiąca Pamięci Narodowej, Święta Kobiet, a zwłaszcza Pierwszego Maja, w porównaniu z programem, jaki właśnie poznałem, zdawały się być igraszką, nieomal wodewilem.

A jednak, mimo to, działo się coś dziwnego. Ta odległa historia, wzięta na łoże tortur „akademii ku czci", opierała się dziwnie jej zabójczym zabiegom i bodaj jako jedyna spośród wydarzeń i spraw włączonych przez komunę do swojej hagiografii nie dawała do końca zohydzić i ośmieszyć.

Powody tego jednakże nie tkwiły w polityce, lecz raczej w geografii, a jeszcze szerzej: w kulturze. Chodzi po prostu o to, iż ów dramat dziejowy rozgrywał się... na Zachodzie, w dodatku w strefie języka, który się często słyszało w amerykańskich westernach, będących w owym czasie u szczytu popularności. Czyż coś, co się działo nad „Ebro", w „Barcelonie", w „Madrycie"... w regionie „Katalonia" albo w „Guadalajarze"... czyż nawet najczerwieńsza awantura w „Bilbao", w „Granadzie" czy „Las Palmas" mogła budzić awersję? – Wreszcie, wojna hiszpańska była tematem lub tłem kilku „zachodnich powieści", i to takich autorów, jak Hemingway, Sartre czy Malraux, którzy cieszyli się wtedy, przynajmniej w naszym kraju, czymś więcej niż powodzeniem – wielbiono ich bezkrytycznie i czczono niczym bogów. Ich książki, przybyłe do nas stosunkowo niedawno (pod koniec lat pięćdziesiątych), były „księgami świętymi" – zaczytywano się w nich, szukano w nich prawdy i wiedzy, i wzorowano się chętnie na zachowaniach postaci. Lektura zaspokajała ukryte naiwne marzenia o mocnym, męskim życiu. Jego ucieleśnieniem, przynajmniej jednym z nich, był udział w wojnie hiszpańskiej.

W programie akademii nie było, naturalnie, tego rodzaju odniesień. Mit walczącej Hiszpanii tworzyły pierwiastki i środki pochodzące bez reszty ze spichrzy i arsenałów bolszewickiej historii, agitacji i sztuki. Jedynym elementem z innego porządku czy świata była muzyka Rodriga. Chociaż wiedziałem o tym i właśnie z tego względu podsuwałem ją memu chytremu adwersarzowi, nie przewidziałem jednak, jaką faktycznie rolę odegra ona w imprezie. Nie przyszło mi to do głowy nawet na „generalnej". Miałem się o tym przekonać dopiero na występie, i to też nie od razu.

Gdy rzecz się zaczynała, gdy ze strony widowni, nabitej po brzegi młodzieżą spędzoną z wszystkich klas, doszedł mnie powiew wrogości, obrzydzenia i kpiny, poczułem się niepewnie – czy aby moja dywersja w ogóle będzie czytelna? Czy nie zostanę wzięty za zwykłego sługusa, który chcąc się wykazać, poszedł na kolaborację i oto okrywa się hańbą?

Ów dławiący niepokój wzrósł i sięgnął zenitu, gdy wkrótce po rozpoczęciu doszło do incydentu w stylu wybryków „czerni" na wychowawczych imprezach w Miejskim Domu Kultury. Kiedy jeden z trzech Mówców, tłumacząc interesy, jakie miały w Hiszpanii państwa burżuazyjne, zaczął się długo rozwodzić o istniejących tam złożach miedzi, rtęci i siarki oraz tak ważnych surowców pod względem strategicznym, jak ołów, wolfram i piryt, ktoś z sali (chyba Byś?) wrzasnął na całe gardło:

– A zwłaszcza p i r y t  w  d z i c z y! – co wzbudziło na chwilę nieopisaną wesołość (rechot, chrapliwe krzyki, głośne bekanie i wycie).

– Co za hołota i chamstwo! – mruknął z pogardą Karakan, siedzący obok mnie, w półmroku, w prawej kulisie.

– Nie byłbym tak surowy – wziąłem w obronę widownię, przed którą sam drżałem ze strachu. – Wydaje mi się natomiast, że wasza ocena nastrojów wśród społeczności szkolnej względem czczonej rocznicy nie była zbyt precyzyjna.

– Nie bądź-no taki mądry – odszczeknął się Karakan. – Lepiej skup się na swoim. Za chwilę twoja kolej.

Kiedy na miękkich nogach wyszedłem w końcu na scenę i siadłem przy fortepianie, przywitała mnie cisza nabrzmiała pogardą i drwiną. „Sprzedał się!" „Poszedł na lep!" „Robi sobie opinię!" – słyszałem niewymówione wyrazy potępienia.

Gdy jednak z instrumentu dobyłem pierwsze dźwięki, kiedy spod moich palców popłynął smętny temat Joaquina Rodriga, a zwłaszcza gdy, lekko swingując, użyłem po raz pierwszy harmoniki jazzowej dodawszy małą decymę w akordzie dominantowym (rozkoszny, podniecający dysonans), surowe audytorium zaczęło wyraźnie mięknąć i odpuszczać mi winę. Wreszcie, gdy po sekwencji niespełnionych rozwiązań, przeciąganej umyślnie do granic wytrzymałości, zamknąłem ją w końcu toniką i diabolicznym glissandem, odetchnąłem na dobre: pohukiwania i krzyki, jakie się na to ozwały, były wyrazem nie tylko pełnego rozgrzeszenia, lecz i głębokiej wdzięczności, poparcia i zachęty.

Dalszy ciąg akademii zdawał się niezawodnie potwierdzać to przeświadczenie. Moje kolejne wejścia witano coraz huczniej, a gdy kończyłem wstawkę, rozlegał się jęk zawodu i ryki: „Więcej flamenco!"

Przypomniał mi się finał Przeglądu Scen Amatorskich – uroczystość rozdania nagród w Domu Kultury, zdominowana bez reszty przez „Poganiaczy kotów". Teraz, na tym apelu, ja byłem kimś takim jak oni, to ja pełniłem rolę szarego sztukatora, który dla głównych artystów i bohaterów imprezy stał się niespodziewanie zdradziecką piątą kolumną. Ciesząc się powodzeniem u narowistej „czerni", spychałem ich na margines i, na zasadzie kontrastu, wzmagałem niechęć do nich.

– Tańce! Tańczyć fandango! – dochodziły mnie wrzaski z rozdrażnionej widowni, kiedy czekałem w kulisie na swoje ostatnie wejście.

Spojrzałem na Karakana.

– Oto prawdziwy głos ludu – stwierdziłem melancholijnie. – Nie wyczuwacie mas. W procesie alienacji zaszliście tak daleko, że nie macie pojęcia o ich żywotnych potrzebach.

– Mylicie się, towarzyszu – użył z ironią formułki, którą zakpiłem był z niego, odpierając zaczepkę na górnym korytarzu. – Jest dokładnie na odwrót. Gdybyśmy ich nie znali, gdybyśmy, jak sądzicie, wierzyli tylko temu, co wynika z teorii, nie byłoby was tutaj, nie angażowałbym was do naszego programu. Zrobiłem to tylko dlatego, że właśnie wiem, czego trzeba, by założone cele zostały osiągnięte. Gdy się ma do czynienia z tak ciemnym elementem – kiwnął z pogardą głową w kierunku audytorium – należy to uwzględnić i rzucić trochę błyskotek, aby do niego dotrzeć. Odruchy warunkowe, Pawłow... słyszeliście. Teraz już nie te czasy, żeby nawracać na siłę. Nie sprawdziło się to. O wiele skuteczniejsza jest metoda „marchewki". Pograsz im trochę, poskaczą, będą myśleli, że kpią, lecz coś zapamiętają, coś wejdzie im do tych łbów... zakutych, kapuścianych. Bez twojego „flamenco" efekty byłyby słabsze.

– Oszukuj się, jeśli chcesz – powiedziałem z wyższością, choć wcale się już nie czułem tak pewnie jak przed chwilą: zadowolenie z siebie i wiara, że jestem górą, odbiegły nagle ode mnie. – Nie zmienisz tym stanu rzeczy.

– Nie myśl, żeś wygrał tę partię – wycedził zimno Kugler. – W najlepszym wypadku: remis.


## Komu bije dzwon?
### (Opowieść pana Konstantego)

Kiedy usłużna pamięć, wyrwana do odpowiedzi, wydobyła z archiwum zamówiony materiał, kiedy schodząc po schodach z milczącym panem Konstantym, przeglądałem pośpiesznie, wewnętrznymi oczami, tę całą dokumentację, a zwłaszcza owo wspomnienie sprzed niespełna pół roku, zwróciłem naraz uwagę, że nie mogę ustalić, czy podczas akademii Madame była na sali – i to mnie zastanowiło.

Na tego rodzaju imprezach nauczyciele, w większości, siedzieli w pierwszym rzędzie, ona zaś, niczym królowa, zawsze na samym środku. Gdy wychodziłem na scenę, a zwłaszcza gdy się kłaniałem, nie mógłbym jej nie dostrzec. A skoro byłbym dostrzegł, nie mógłbym nie pamiętać. Tym bardziej, że pamiętałem, i to dokładnie, innych. Na przykład, Solitera, jak bije mi brawo z niechęcią albo odwraca głowę, by piorunować wzrokiem entuzjastów „flamenco", którzy nazbyt krzykliwie domagali się bisu. Albo Eunucha i Żmiję siedzących obok siebie, jak wymieniają ciągle jakieś uwagi szeptem z wyrazem dezaprobaty. Natomiast po Madame nie został żaden ślad. Choćby nieostry obraz, choćby strzępek obrazu: mina, pozycja, gest, jakiś detal ubrania.

Im dłużej to drążyłem, im mocniej naświetlałem negatywy tych scen, zaczął w nich w końcu majaczyć widok pustego krzesła. Coraz wyraźniej widziałem, że w środku pierwszego rzędu, tuż obok Solitera, jedno miejsce jest wolne; zarazem zaś zachowanie naszego pryncypała, owe raptowne zwroty i spoglądanie za siebie, zaczęło mienić się sensem: nie było już tylko aktem poskramiania zuchwalców; przybrało również wyraz oczekiwania na kogoś, rozglądania się za kimś, niecierpliwienia się. Miałem coraz mocniejsze i natrętniejsze wrażenie, że jej tam wtedy nie było, on zaś z tego powodu jakby się denerwował.

Teraz, w obliczu tego, o czym już usłyszałem i dalej miałem słuchać, ów wyłowiony szczegół tamtego wydarzenia – puste krzesło Madame, jej nieobecność wtedy – stał się dla mnie znaczący.

Nie miałem jednak czasu, by dalej to rozważać i wdawać się w spekulacje, bo oto już szliśmy ulicą i pan Konstanty zaczął:

– Nie wiem, co wiesz na temat hiszpańskiej wojny domowej, i wolę tego nie wiedzieć. To, czego uczą tu w szkole, jeżeli w ogóle uczą, na pewno jest stekiem kłamstw, a do literatury, u c z c i w e j literatury, nie masz z pewnością dostępu, ponieważ jest z a k a z a n a. Zresztą, jest jej niewiele. Chyba żaden epizod z najnowszej historii świata nie jest tak przekłamany jak właśnie ta tragedia, i to nie tylko u nas, ale i na Zachodzie, w demokratycznych państwach.

No, ale nie zamierzam robić ci teraz wykładu. Opowiem ci jedynie historię Maksymiliana, a wnioski wyciągaj sam. Tylko powtarzam raz jeszcze: wszystko, co tutaj powiem, jest tylko i wyłącznie do twojej wiadomości. Z nikim, ale to z nikim, masz o tym nie rozmawiać. Nawet rodzicom nie mów, a już kolegom w szkole, a tym bardziej na lekcjach, to niech cię Pan Bóg broni! Ściągniesz na siebie biedę! A przez siebie i na mnie. A zatem przyrzekasz?

- Tak.
- Słowo?
- Słowo honoru.
- Dobra, a więc zaczynam.

Wojna domowa w Hiszpanii wybuchła w trzydziestym szóstym, siedemnastego lipca... Był to przedziwny czas. Niedobry. Morowy. Chory. Pewien porządek świata dobiegał swego kresu. Infekcja, która się wdała już dobre dwadzieścia lat wcześniej, przechodziła ze stadium pierwotnej inkubacji w fazę dojrzałą, drapieżną. Armia drobnoustrojów ruszała do ataku. Rosła śmiertelna gorączka, otwierająca drogę obłędowi i zbrodni.

W Sowietach – terror i czystki, fingowane procesy, wywożenie na Sybir, głód, niewolnicza praca, lecz przede wszystkim przerzut... przemyślna kontrabanda „czerwonego zarazka", wszędzie gdzie tylko się dało. Sfora biesów-agentów puszczona w świat, by zarażać, tworzyć ośrodki zapalne, przygotowywać lont na godzinę wybuchu „rewolucji światowej".

Tymczasem w drugiej z krain, gdzie diabeł lubi gościć, tytułującej się wtedy przezwiskiem *Drittes Reich*[1], inna zgraja czarownic odprawiała swój sabat. Wśród gigantycznych budowli, na gigantycznych placach roznamiętnione tłumy zagrzewano do walki. Pochodnie, ryk megafonów i zbiorowa ekstaza. *Lebensraum*[2] dla Germanów, którzy są *Herrenvolk*[3]! Trzecia Rzesza Niemiecka stanie się Tysiącletnią! *Weg mit den Juden und Slawen!*[4] Świat ma należeć do nas!

I wszędzie czerwień sztandarów... jakby zapowiedź krwi. Tam – żółty sierp i młot, tu – czarne haki swastyki.

A świat tymczasem – co? Indolencja, beztroska. Somnambulizm. Parady. Wesoła zabawa i jazz. Nie wiedzieć o niczym! Nie słyszeć! Uprawiać psychodramę albo klęczeć w przybytkach awangardowej sztuki. W tym było coś straceńczego, jakby łaknienie śmierci. Dziś, gdy po latach spoglądam na ów czas i na siebie, widzę, jak bardzo i ja byłem tym zaczadzony. Te wszystkie wyprawy w góry, to zdobywanie szczytów, rozkoszny dreszcz ryzyka, dach Europy, Mont Blanc – to wszystko była ucieczka. Rozrzedzone powietrze. Słońce, błękit i dal.

---

[1] Trzecia Rzesza
[2] Przestrzeń życiowa
[3] narodem panów
[4] Precz z Żydami i Słowianami!

Tym samym dotknięty był Maks, i to o wiele silniej. Ów nieustanny ruch, zabawa w punktualność, a w końcu ten cały pomysł, by rodzić na szczytach Alp... Fanaberie epoki! Ekstrawagancja, brawura, trochę niewinnej mistyki. Owszem, w szlachetnym stylu, niemniej z chorego pnia. Spróchniałego od wewnątrz, zwanego dekadencją.

Ale w tym *Holder Wahnsinn*[1] zdarzały się też inne reakcje i zachowania. Pojawiał się odruch sprzeciwu: budził się *homme revolté*[2], który pojąwszy naraz, że zbliża się katastrofa, uznawał, że trzeba jednak, choćby na przekór, coś robić.

Czytałeś *Zwycięstwo* Conrada? Tam jest to opisane. Wspaniale opisane! Bohater tej powieści, Szwed z pochodzenia, Heyst, jest człowiekiem głęboko rozczarowanym do świata, pełnym odrazy i wzgardy. Świat to marność lub piekło, a ludzie to szarańcza dręcząca się nawzajem lub goniąca za wiatrem. Schopenhauer. Mizantrop. Jedynym wyjściem dla niego jest odrzucenie gry. Wycofanie się z życia. Dlatego postanawia zamieszkać na „końcu świata", na niemal bezludnej wyspie, gdzieś na archipelagu obecnej Indonezji. Lecz kiedy już tam płynie, gdy w jakimś portowym mieście czeka na zmianę statku, na ów ostatni rejs, jest świadkiem pewnej sceny, która go bulwersuje. Jakaś nieszczęsna dziewczyna z zespołu muzykantów, grającego w hotelu dla rozerwania gości, zostaje na jego oczach dotkliwie upokorzona przez ordynarną szefową. Zdawałoby się, drobiazg. Nie takie rzeczy widywał. A jednak w tym wypadku nie może być obojętny. Zdumiony samym sobą, ofiarowuje jej pomoc.

„Nie jestem dość bogaty, aby panią wykupić", zwraca się do niej nieśmiało pamiętnymi słowami, „lecz zawsze mogę wykraść".

Co z tego wynikło, to już inna historia. Jeżeli nie znasz tego, możesz sobie przeczytać. Tu chodzi mi tylko o impuls, o tę nagłą reakcję. O to coś, co czasami każe nam wstać i wyjść, albo wykonać coś, choć miałoby to kosztować nawet najwyższą cenę.

Podobny odruch, jak sądzę, zadziałał wtedy u Maksa. Cóż jednak go wywołało? Jakieś szczególne bestialstwo dokonane w Hiszpanii? Zbombardowanie Guerniki? Masowe rozstrzeliwania? Nie. Co innego. Bliżej. Coś, co się działo w kraju.

---

[1] słodkim szaleństwie
[2] człowiek zbuntowany

W Polsce na wojnę w Hiszpanii reagowano różnie. Rząd – kunkta-torsko, niechętnie; po cichu sprzyjał Franco. Nie było to zbyt chwaleb-ne, jakkolwiek trzeba pamiętać, kogo się miało za miedzą na zachód od Poznania. Chcę przez to powiedzieć tyle, że w porównaniu z innymi dżentelmenami Europy, którzy, choć mniej zagrożeni, też się nie wy-chylali, a i nie odmawiali, dla świętego spokoju, takiej czy innej przysłu-gi rozbestwionym gangsterom, nie byliśmy, mimo wszystko, specjalnie od nich gorsi. W szkole pewnie cię uczą, że w akcji pomocy i wsparcia wiedli prym komuniści... To prawda, lecz wieloznaczna. Po pierwsze, co to było – ta cała KPP? W czyim imieniu działała? A dwa, to komu w isto-cie śpieszyła ona z pomocą? Republikanom? Kortezom? Czy raczej „ja-kobinom", awanturniczej lewicy, kontrolowanej bez reszty przez agen-tów Stalina?

Trzeba to jasno powiedzieć: KPP była w Polsce agenturą sowiecką i wszystko, co robiła, robiła na polecenie towarzyszy z „centrali", na roz-kaz Kominternu. To znaczy, w interesie komunistycznej Rosji. Służąc obłędnej idei i bandziorowi wszechczasów, który szykował powoli wielki skok na Europę, wysłali tysiące ludzi na poniewierkę i śmierć...

No, ale wracajmy do rzeczy.

Maks był człowiekiem z gruntu apolitycznym. Żył w świecie innych pojęć. Jakby nie schodził z gór. Gdybym miał jednak określić jego charak-ter społeczny, rzekłbym, iż był liberałem z lekkim przechyłem na lewo. Był wrażliwy na nędzę; na krzywdę, niesprawiedliwość. Ale zarazem naj-dalszy od wszelkich radykalizmów, a zwłaszcza od komuny w leninowskim wydaniu. Bał się Rosji sowieckiej, nie cierpiał bolszewików, nazywał ich czasami „azjatycką zarazą". A jednak kiedy nasz rząd wystąpił z inicjaty-wą, by ludzi walczących w Hiszpanii pozbawić obywatelstwa, by zamknąć im drogę powrotu, odebrał to bardzo źle.

„Tak się nie postępuje", mówił zirytowany. „To się prędzej czy później obróci przeciw wszystkim. Dziś oni, jutro inni. Niebezpieczny precedens. To chwyt poniżej pasa. Trzeba się temu sprzeciwić."

Zadziwił mnie. Jak nieraz. Skąd u niego reakcja na tę akurat sprawę, i to jeszcze tak silna? Czemu przejął się nagle losem ludzi formacji obcej mu, nienawistnej?

„Odkąd to los 'zarazków' tak ci leży na sercu?" zapytałem go wtedy. „Wiesz chyba, co to za jedni i z kim są powiązani."

„To nie jest jeszcze powód, by im odmawiać powrotu! Tym bardziej, że większość z nich to ludzie oszukani. Nie wiesz, co u nich znaczy 'spontaniczna reakcja'? To był normalny werbunek. Presja wywierana na ludzi, którzy nie mieli wyboru. Bo tu klepali biedę lub żyli na marginesie."

„Kogo chcesz wzruszyć tą bajką?" zacząłem się niecierpliwić. „Jeśli mnie, to daremnie. A zresztą, gdyby nawet, to co tu można zrobić?"

„Niewiele, zgadzam się z tobą... Lecz zawsze można, na przykład, pojechać tam... zobaczyć."

„Po co?!" Aż podskoczyłem.

„No, wiesz", odrzekł spokojnie, „żeby się zorientować, co tam naprawdę się dzieje, i żeby... nie oddać im pola."

Pojąłem, że wszelka dyskusja pozbawiona jest sensu. On się już zdecydował, rzecz była przesądzona. Chciał tylko mnie powiadomić.

„A co z dzieckiem i Claire?"

„Właśnie!" podjął natychmiast, jakby głównie w tej sprawie spotkał się wtedy ze mną. „Chciałem cię o coś prosić. Abyś był z nią w kontakcie i w razie czego jej pomógł..."

„W razie c z e g o?" przerwałem.

„No, wiesz", rozłożył ręce, „różnie może się zdarzyć."

Spytałem, czy powziął ten plan w porozumieniu z Claire. Odpowiedział, że tak i że jest między nimi, jak zawsze, pełna zgodność.

Co miałem na to powiedzieć? Przyjąłem zobowiązanie.

Znając go, wyczuwałem, że wszystko miał obmyślane w najdrobniejszych szczegółach i że za tą eskapadą kryją się powiązania, jakie miał za granicą, przede wszystkim we Francji. Nie wnikałem w to jednak.

Moje domysły zresztą potwierdziły się wkrótce. Przedostał się do Hiszpanii drogą przez Pireneje. Przez pierwszych kilka miesięcy dawał o sobie znać dość często i regularnie. Musiał mieć stały kontakt z jakąś bazą we Francji, bo listy były słane z departamentu Gard. Aż gdzieś pod koniec maja trzydziestego ósmego zamilkł i przepadł bez wieści. Nikt spośród kilku ludzi, z którymi był tam w kontakcie, nie potrafił powiedzieć, co się z nim nagle stało. Albo po prostu zginął, albo wpadł w czyjeś ręce i został uwięziony.

Ona znosiła to wszystko z niebywałą godnością. Jej spokój, opanowanie i niezachwiana wiara, że on żyje i wróci, były imponujące. To wtedy właściwie odkryłem, jakim była człowiekiem...

Zapadła nagle cisza, w której na pierwszy plan wybiły się dźwięczne kroki mojego *cicerone* (jego brązowe półbuty miały skórzane podbicie, a nie gumowe, jak moje). Szliśmy ciemną ulicą, po wilgotnym chodniku, na którym się walały opadłe liście klonu. On lekko pochylony, z rękami założonymi do tyłu, ja obok, po jego prawej, trzymając ręce w kieszeniach. Spojrzałem nań kątem oka. Patrzył przed siebie w ziemię i coś wyrabiał z wargami. Uzmysłowiłem sobie, że to nie pierwszy raz przerywa opowiadanie i dziwnie się zachowuje, gdy zjawia się na scenie postać matki Madame.

– Użył pan czasu przeszłego – przerwałem w końcu milczenie. – Powiedział pan: „b y ł a człowiekiem". Znaczy to, że nie żyje?

– No pewnie, że nie żyje – odparł z odcieniem złości.

– Od kiedy? – nie wytrzymałem.

– Chwileczkę! Po kolei! – ofuknął mnie i dodał: – Zastanawiam się tylko, co opowiedzieć naprzód: czy to, co było w Hiszpanii i co się wtedy z nim działo (lecz o czym się dowiedziałem dopiero w wiele lat później), czy to, jak sprawy się miały z mojego punktu widzenia.

– Z pana punktu widzenia – odezwałem się cicho – jeśli wolno mi radzić.

– Nie – powiedział po chwili. – Lepiej będzie jednakże, jeśli opowiem teraz, co się stało w Hiszpanii. Tylko pamiętaj: nikomu!

Maks przeszedł Pireneje w trzydziestym siódmym, w grudniu. Naprzód się znalazł w Léridzie, potem pod Saragossą, a na koniec w Madrycie. Działał w niejednej grupie, choć głównie we francuskich. Organizował transport, brał udział w kilku potyczkach. Stopniowo poznawał ten kraj i jego niedawną przeszłość, znaczy, historię tej wojny. I zrozumiał niebawem, że tam są d w a fronty, nie jeden: że przeciw Republice walczy nie tylko Franco i jego poplecznicy, ale i... Józef Stalin, i to znacznie skuteczniej, a zarazem – perfidniej.

Zwycięstwo lewicy w Hiszpanii w trzydziestym szóstym roku było dla Sowieciarzy, z jednej strony, sukcesem, a z drugiej, ostrzeżeniem. Jątrzyli tam od dawna, jak zresztą wszędzie w tym czasie. Nie spodziewali się jednak, że akurat w tym kraju – katolickim, rolniczym – eksperyment się uda. Skoro jednak się udał, trzeba było natychmiast przejąć nad nim kontrolę. „Rewolucja", po pierwsze, musiała być zgodna z teorią, lecz, co jeszcze ważniejsze, nie mogła być niezależna od bolszewickiej Rosji. Pamiętaj, największym wrogiem całej tej bandy z Kremla – Lenina, Trockiego, Stalina – nie była żadna „prawica", „imperialiści", „faszyści", lecz zawsze i niezmiennie... ustrój demokratyczny, a w szczególności lewica, prawdziwa, rzetelna lewica, to znaczy taka formacja, która w legalny sposób – politycznymi środkami – walczyła o interesy i prawa ludzi pracy. O tak, to właśnie jej nienawidzili najbardziej! Bo zabierała im miejsce, bo stanowiła przeszkodę dla ich zbójeckich metod.

Dlatego też, gdy tylko zwyciężył ów front ludowy, co jednak nie przyniosło oczekiwanych skutków, czerwone biesy natychmiast dolały oliwy do ognia. Zaczęły to diabelskie misterium podpalania, rozpasania i rzezi. Morderstwa polityczne, prowokacje, napady i nie kończący się strajk. Rozkręcać spiralę gwałtu, podsycać ogień anarchii, aby w jakimś momencie, gdy zamroczenie zbiorowe osiągnie apogeum, chwycić wszystkich za gardło i rzucić na kolana. I od tej chwili już władać – niepodzielnie, bezwzględnie.

I pewnie by im to wyszło, gdyby nie drugi diabeł, co panoszył się wtedy i też chciał podbić świat. Widząc, że kawał Europy staje się łupem rywala, pośpieszył czym prędzej na żer, aby walczyć o swoje.

Tak się zaczęła ta wojna. Oto prawdziwe jej tło. Gdyby nie pucz komunistów, gdyby nie Komintern, gdyby nie wypuszczenie motłochu na ulicę, z pewnością by do niej nie doszło.

No, ale skoro już doszło, nie myśl, że Sowieciarzom było to nie na rękę. Przeciwnie, spadało im z nieba! Sądzisz, że w owym czasie oni poważnie myśleli o rewolucji światowej? O tym, by „lud wyklęty" zaczął masowo „powstawać" i obalać „tyranie"? Nic bardziej fałszywego! Rewolucja światowa, owszem, była ich celem, lecz pod jednym warunkiem: że od początku do końca będą ją kontrolować. Że będą powstawać państwa całkowicie zależne od moskiewskiej centrali – kolonie ZSRR. Wszelkie inne warianty „wyzwalania się ludów z jarzma wyzysku i biedy" były niedopuszczalne. Bo mogły nagle wykazać, że Rosja nie jest najlepsza w budowie „lepszego świata", że, owszem, przoduje, jak zawsze, lecz – w ciemiężeniu ludzi!

Podbić wtedy Hiszpanię pod pozorem rewolty? Byli na to za słabi. Lecz rozdmuchawszy ogień, pozwolić mu się rozszerzać w nieprzewidziany sposób? Wszystko, tylko nie to! Trzeba ją było zarżnąć, jak kozła ofiarnego, lecz przedtem jeszcze – oskubać; wycisnąć z niej, co się da.

To właśnie z tego powodu rebelia frankistowska wprost spadała im z nieba. Zresztą, robili wszystko, aby ją sprowokować. A odkąd wojna wybuchła i włączyli się do niej Mussolini i Hitler, pozostawało już tylko tak zręcznie manewrować, by trwała jak najdłużej. Bo taka wojna dla Rosji była na wagę złota... Jak się za chwilę przekonasz, nie tylko w przenośnym sensie. Po pierwsze, niechciane dziecko mordowali „Herodzi", a nie rodzona matka: „ojczyzna proletariatu". Po drugie, taka rzeź była nieoceniona dla celów propagandowych: można było udawać, że się ofierze pomaga, w istocie zaś tylko przedłużać krwawą, bolesną agonię. I wreszcie, ten rzeźnicki karnawał przynosił wielką forsę. Wiesz, ile Stalin wycisnął w tym okresie z Hiszpanii? Sześćset milionów dolarów! W złocie! Nie w żadnych papierkach.

Co, wyobrażasz sobie, że on im pomagał za darmo? Że słał te czołgi i bomby w imię wzniosłych idei solidarności mas? To wszystko był złoty interes. Za darmo, a przynajmniej nie za własne pieniądze, wysyłało się ludzi, i to w dodatku nie swoich. Z Rosji jechali tam tylko agenci, prowokatorzy i doradcy wojskowi. Natomiast „siłę żywą", czyli mięso armatnie rekrutowano gdzie indziej, wszędzie, gdzie tylko już były założone agendy – w Austrii, we Francji, we Włoszech, w Czechach i na Bałkanach. W Polsce taką agendą była KPP.

Genialnie wymyślone! Doprowadzić do wojny, czerpać z niej jak najdłużej różnorodne profity, a wreszcie, gdy w kasach i skarbcach pokazuje się dno, przyspieszyć wielki finał: ze wszech miar pożądany upadek Republiki.

Jak morduje się kogoś, komu niby się sprzyja? Jest na to stary sposób. Rosjanie są w nim mistrzami. Sowieci zaś w tej metodzie osiągnęli perfekcję nie znaną dotąd na świecie. Atakuje się umysł, wywołuje się obłęd. Tym właśnie była akcja „zwierania szeregów lewicy". W przeciągu krótkiego czasu, po stronie republikańskiej, wszyscy walczyli z wszystkimi, skakali sobie do gardła, panował terror i strach, klimat podejrzeń, donosów, intryg i prowokacji. Gdy na froncie, w okopach, robiło się coraz trudniej, w dowództwie, na szczytach władzy, wyrzynano się wzajem. W tej sytuacji Franco spokojnie siedział i czekał. I rzeczywiście, gdzieś w grudniu trzydziestego ósmego, byli już tak skołowani i wycieńczeni przez czystki, że ledwo stali na nogach. Franco, dostawszy wiadomość, że Stalin ostatecznie porzuca Republikę (wywiózłszy całe złoto), przystąpił do ofensywy – ostatniej, „katalońskiej". W trzydziestym dziewiątym, w styczniu, upadła Barcelona, a w końcu marca – Madryt. Franco prowadził wojnę, nie pasjonując się nią. Kiedy mu doniesiono, że wszystko już skończone, nie podniósł nawet głowy znad papierów na biurku. Natomiast przystąpił zaraz do bezwzględnej rozprawy z masą republikanów. Zginęło wtedy blisko dwieście tysięcy ludzi, a ponad drugie tyle – wylądowało w więzieniach.

Stalin odetchnął z ulgą.

Maks zniknął z pola widzenia, bo musiał się ukrywać. Jako ochotnik z Polski, ale nie z KPP, wydał się naraz „czerwonym" niezwykle podejrzany. Uznano go za szpiega – faszystowskiego agenta. Wydano nań wyrok śmierci. Ukrywał się z jednym Francuzem, ściganym za to samo. W odróżnieniu od Maksa, był to typ „polityczny" – działacz, organizator, entuzjasta idei. Pojechał do Hiszpanii, by włączyć się do walki o „lepsze jutro świata". Lecz bardzo szybko wpadł w wir rozgrywek partyjnych i intryg, i na tym grząskim gruncie przebył daleką drogę. W końcu „wiedział za dużo" i trzeba go było sprzątnąć. Cudem uniknął śmierci. To Maks, zresztą przypadkiem, uratował mu życie. Trzymali się odtąd razem. Zaprzyjaźnili się. To właśnie od niego Maks dowiedział się całej prawdy o sowieckiej „pomocy" i w ogóle o tej wojnie. I dzięki niemu również wydostał się z Hiszpanii. Dosłownie w ostatniej chwili. Tuż przed upadkiem Madrytu.

Pamiętam dobrze ten dzień, gdy nagle, po blisko roku zupełnego milczenia, nadeszła od niego wiadomość – telegram nadany z Francji: żyje, jest cały i zdrów, ale nie wraca do kraju; a ona niech się pakuje i niech zaraz przyjeżdża – oczywiście wraz z dzieckiem.


Pan Konstanty znów umilkł. Szedł, lekko pochylony, ze wzrokiem utkwionym w chodnik.

– Dlaczego nie chciał wracać? – zapytałem półgłosem.

– Ponieważ był przekonany – usłyszałem odpowiedź – że Polska lada moment zostanie napadnięta. I to naraz z dwóch stron. Z zachodu i ze wschodu.

– Kiedy to było, dokładnie?

– W trzydziestym dziewiątym, w kwietniu.

– Już wtedy to przewidywał?

– W dniu upadku Madrytu Niemcy zerwały traktat, który zawarły z Polską w trzydziestym czwartym roku, a bodaj w tydzień później wkroczyły do Czech i na Litwę. Mniej więcej w tym samym czasie szef dyplomacji sowieckiej na oficjalnym spotkaniu z ambasadorem Francji powiedział bez ogródek, że ZSRR nie widzi innego wyjścia dla siebie niż... czwarty rozbiór Polski. To były znane rzeczy, publikowane w prasie. A niezależnie od tego – pan Konstanty przystanął i spojrzał w moją stronę – on miał jakiegoś nosa.

Staliśmy pod latarnią, w kręgu mętnego światła, u brzegu rozległej kałuży.

– I co, pojechała do niego? – odezwałem się wreszcie po dłuższej chwili milczenia, ściskając w kieszeniach palce.

– Tak – odparł pan Konstanty – i to niemal z dnia na dzień. Pamiętam: Dworzec Główny; wieczór; wagon sypialny. Widziałem ją tam wtedy, w otwartym oknie pociągu, po raz ostatni w życiu.

Zapatrzył się w kałużę, na której falowały cienie naszych sylwetek. Wreszcie ruszył na nowo, obchodząc ostrożnie wodę.

Znowu szliśmy w milczeniu.

Walczyłem z natłokiem myśli. O co pytać? Co mówić? Zdałem się na cierpliwość. W końcu odezwał się:

– Miała wtedy przed sobą niespełna trzynaście lat życia.

Przeliczyłem natychmiast: rok pięćdziesiąty drugi.

– Co się stało? – spytałem.

– Wypadek samochodowy. Tyle że... – nie dokończył.

– Tyle że co? – podjąłem.

– Tyle że nie jest jasne, co było jego przyczyną...

– Przepraszam – wpadłem mu w słowo – gdzie obecnie jesteśmy? We Francji, czy znowu w Polsce?

– We Francji, mój drogi, we Francji.

– Nie wrócili po wojnie...

– Nie – odpowiedział krótko.

– A co to był za wypadek? W jaki sposób zginęła?

– Za kierownicą. Prowadząc. Straciła panowanie.

– I co w tym jest niejasnego?

– Rzecz podstawowa: dlaczego? Na równej, pustej drodze?

– Jechała sama, czy... z kimś?

– Sama. Lecz Maks to widział.

– I co takiego zobaczył?

– Że auto nie hamuje. Że zjeżdża na pobocze i leci dalej na dół.

– I co by to miało znaczyć?

– Że nie działały hamulce i układ kierowniczy.

– No dobrze, no i co z tego?

– Że wszystko to zostało specjalnie uszkodzone.

– Po co? A raczej, przez kogo?

– To właśnie jest niejasne. W każdym razie on sądził... był święcie przekonany!... że to była pułapka. Zastawiona na niego. To on miał być ofiarą.

– I kto niby za tym stał?

Pan Konstanty przystanął, wyjął z kieszeni spodni srebrną papierośnicę i pudełko zapałek, wyciągnął spod gumki Giewonta i z namaszczeniem zapalił.

– Wszystko, co wiem, wiem od Maksa – wypuścił z rozkoszą kłąb dymu.

– I prawdę mówiąc, nie wiem... nie wiem, co o tym myśleć.

– Dlaczego?

– Posłuchaj – szybkim ruchem wsunął papierośnicę i pudełko zapałek z powrotem do kieszeni i znowu ruszył z miejsca – ten Francuz, co mu pomógł wydostać się z Hiszpanii, później, za okupacji, działał w Ruchu Oporu. Znowu ich drogi się zeszły: wciągnął go do współpracy. I tam to się zaczęło. Wróciły stare sprawy, ów chorobliwy trans – prowokacji i zabójstw. Pod pozorem rozliczeń ze zdrajcami narodu i kolaborantami załatwiano dziesiątki doraźnych porachunków, a także różne „zaszłości". Krąg zaczął się zacieśniać. Ginęli kolejno ludzie z siatki tego Francuza, w tym kilku weteranów właśnie z wojny w Hiszpanii, a wreszcie i on sam został zamordowany. Maks dostrzegł w tym dla siebie śmiertelne zagrożenie. Uznał, że po tym człowieku – następny będzie on. I tak jak stali, uciekli. Wszyscy troje. Natychmiast. W góry. Gdzieś pod Megève.

Czytałeś *Zwycięstwo* Conrada? A, już pytałem cię o to! Przeczytaj, koniecznie przeczytaj! To znów jest jak z tej powieści. Wcielone zło tego świata, odrzuconego ze wzgardą, puka do drzwi azylu, by zmusić do pojedynku. Niejaki pan Jones, Ricardo i straszny osiłek Pedro: trójka spod ciemnej gwiazdy, nasłana przez Schomberga. Z zawiści. Przez podłość. Zło.

Tak przynajmniej to wszystko prezentował mi Maks.

Po kilku latach spokoju, gdzieś w pięćdziesiątym drugim, znowu poczuł ich oddech. Któregoś dnia, blisko domu, zauważył człowieka, którego widywał w Hiszpanii. Był to niejasny typ, grający na różne strony, przed którym ostrzegał Maksa ów francuski kolega. Maks odniósł teraz wrażenie, że jest to wywiadowca, który miał za zadanie ustalić jego adres. Potem zjawili się inni. Przynajmniej według niego, bo nie mam innych danych. Mam natomiast podstawy, by sądzić, że zwariował.

Był pewien, że go śledzą, że czają się do skoku. Wszystko, co działo się wokół, wzbudzało w nim podejrzenia. Stał się skrajnie nieufny, we wszystkim węszył zdradę. Choć, z drugiej strony, fakt: NKWD w tym czasie poczynał sobie we Francji wyjątkowo zuchwale. Porywali z ulicy. Zgarniali w biały dzień. Nawet w centrum Paryża. Były głośne wypadki.

No i wreszcie się stało. Ta sprawa z samochodem. Dla niego to był zamach. Potwierdzenie podejrzeń, że jest na celowniku. Nie wiem, co tam znaleźli. Mówił, że robił badania, że brali wszystko pod lupę. Zresztą, jakkolwiek było, nerwy po tej historii puściły mu na dobre. Stał się innym człowiekiem. Rozchwianym. Pobudzonym. Dręczącym się wyrzutami. Maniakalnie ostrożnym, a przy tym – nierozważnym. Takim go właśnie znalazłem, gdy wkrótce po śmierci Stalina powrócił z nią do kraju.

– Z nią? – nie wytrzymałem.

– No, z córką... przecież nie z trumną! – wyjaśnił pan Konstanty z odcieniem irytacji. – Z twoją obecną panią, co uczy cię francuskiego.

– Ach, słusznie! Oczywiście! – udałem spóźniony refleks.

– Ty rozumiesz?! – znów stanął, tym razem u szczytu schodów prowadzących do przejścia pod kolejowym wiaduktem. – Rozumiesz, co on zrobił? Tam niby osaczony, uciekł t u t a j się chronić! W tamtym czasie! Rozumiesz? Wiedząc, co się tu dzieje! Nie mając żadnych złudzeń!

Pan Konstanty zachłannie zaciągnął się papierosem, po czym go cisnął pod nogi, przydeptał niedopałek i ruszył w dół, ostrożnie, po wyślizganych schodach.

– To świadczy, w jakim był stanie – powiedział nieco spokojniej. – Do czego go doprowadził ten „pojedynek ze światem". Człowiek przy zdrowych zmysłach nie robi takich rzeczy.

Szliśmy ciemnym tunelem w oparach stęchlizny i moczu. Z niewysokiego sufitu kapała obficie woda.

– Tak, to była choroba – znów usłyszałem głos mojego przewodnika – rodzaj choroby nerwowej. Polegającej na głodzie: strachu i zagrożenia. Ludzie, dotknięci nią, w istocie, chcą się bać. To działa jak narkotyk. Kiedy nic się nie dzieje, stwarzają sytuacje, by urojony świat znów zyskał potwierdzenie. On zawsze miał skłonności do wyzywania losu. Teraz, wskutek tych przejść, to wszystko zwyrodniało. Wyjątkowa odwaga, odpowiedzialność za innych, ostrożność i dyscyplina – wszystko to się stopiło w skrajną nieobliczalność. W szukanie śmierci, zguby.

Chociaż czas, w którym wrócił, nie był już tak złowrogi jak przez ubiegłe lata, to jednak w dalszym ciągu niewiele było potrzeba, aby dostać po głowie. Tymczasem on, ledwo wrócił, zamiast przycupnąć gdzieś cicho, zaczął się zaraz obnosić z tą całą swoją historią. Aż go wreszcie przymknęli. I to nie zwykłe UB, lecz Informacja Wojskowa. Najmroczniejszy krąg piekła.

No, i nie wyszedł już stamtąd. Dostał podobno zawału. Ja to nawet przyjmuję, ponieważ wydali ciało. Lecz w takich okolicznościach... to było tylko jedno: najzwyczajniejsze morderstwo. Stało się w końcu to, czego tak się obawiał, a jednocześnie ku czemu szedł straceńczo naprzeciw.

Rozległ się łoskot pociągu jadącego nad nami i pan Konstanty urwał. Przyspieszyliśmy kroku i wyszliśmy z tunelu. Zaczęliśmy piąć się po schodkach po drugiej stronie torów.


– No, a co z nią w tym czasie? – zapytałem zdyszany, gdy znów byliśmy na górze.

– Z kim? – odrzekł, roztargniony.

Już miałem na języku „No, z córką... przecież nie z trumną!" (co ciągle brzmiało mi w uszach), powstrzymałem się jednak, ograniczając jedynie do szczypty zniecierpliwienia:

– No, jak to z kim? – mruknąłem. – Z tą, którą nazwał Zwycięstwem.

– Ach, z La Belle Victoire! To też jest smętna historia.

„Nareszcie!" pomyślałem i zacisnąłem kciuki.

– Kiedy tylko przyjechał i wciągnął mnie w to wszystko, wielokrotnie mnie prosił, a nawet zobowiązywał, bym nie zostawiał jej samej, „gdyby mu się coś stało", i abym nad nią czuwał. Byłem, rzecz jasna, gotów służyć wszelką pomocą, zauważyłem jednak, że kontakt z nią nie jest łatwy.

Była zamknięta w sobie, niekomunikatywna, a nawet odpychająca. No, niby nic dziwnego: przecież dla niej ten kraj, zwłaszcza w tamtym okresie, to była obca pustynia. Gorzej! Kolonia karna. Wokół nędza i terror, a w domu – izolacja. Żadnego środowiska, żadnych kolegów, przyjaciół. Jedyny dostępny świat – to garstka znajomych ojca. Na ogół starszych, dziwacznych, okaleczonych przez wojnę, zgorzkniałych, zastraszonych. Zresztą, wyobraź sobie! Jesteś w tym samym wieku. Robisz zaraz maturę – i fiu! przenoszą cię nagle... ja wiem?... powiedzmy, do Lwowa, który kiedyś był polski i gdzie twój ojciec, przed wojną, studiował matematykę. No, i jakbyś się czuł? A dla niej, jestem pewien, to był skok jeszcze większy. Z raju – prosto do piekła. Wyobraź sobie: Alpy, francuskie *lycée*, elegancja, a potem nagle gruzy, polityczne szaleństwo i zamiast „C h a- n e l  5" s z a- r e mydło do prania. To musiało być straszne!

Była jak dziki ptak zamknięty naraz w klatce. Nie wychodziła z domu. Była zdesperowana. Maks zamartwiał się tym.

„Po coś ją brał tu ze sobą?!" robiłem mu wymówki. „Żeś sam się zdecydował, to w końcu twoja sprawa. Ale żeś ją w to wpakował... wybacz, lecz to już przekracza wszelkie granice rozsądku."

„Ty, zdaje się, nic nie rozumiesz", odpowiadał mi na to. „M u s i a ł e m ją stamtąd zabrać. Zrobiłem to g ł ó w n i e dla niej." I zaraz ściszał głos: „Tam była z a g r o ż o n a. Oni mścili się na mnie, uderzając w rodzinę. Ja miałem zginąć ostatni."

Opadały mi ręce.

Poznałem sprawę lepiej, dopiero gdy go zamknęli i chciałem coś dla niej zrobić, jakem się był zobowiązał.

Początkowo myślałem, że nic z tego nie wyjdzie. Była tak nieprzystępna, że czułem się natrętem, osobą niepożądaną, a nie potrzebnym oparciem. Szybko jednak pojąłem, skąd się to u niej bierze. To nie była reakcja na mnie jako takiego, tylko jako na kogoś, kto związany jest z Maksem. Bo jej stosunek do ojca był niedobry, wręcz wrogi. Nie wiem, czy było tak zawsze, czy miało to głębsze podłoże, czy wynikało po prostu z ostatnich wydarzeń i przejść. W każdym razie, w tym czasie na wszystko, co z nim się wiązało, reagowała fatalnie.

Była to sytuacja jak z tragedii antycznej. Szlachetne intencje ojca krzywdzące własną córkę. Niechęć skrzywdzonej córki wobec ojca w nieszczęściu. Dramat i klęska człowieka, który za śmiały czyn płaci straszliwą cenę

184

– utratą żony, obłędem, awersją córki do siebie i śmiercią w kazamatach w zupełnym osamotnieniu.

Moja rola w tym wszystkim też miała coś tragicznego. Żeby dotrzymać mu słowa, znaczy, aby jej pomóc, musiałem w pewnym sensie obrócić się przeciw niemu. Był to niejako warunek, by w ogóle do niej dotrzeć, aby oswoić ją i nakłonić do działań mających na celu jej dobro.

Gdy się zorientowałem, że była blisko z matką, że to z nią przede wszystkim łączyły ją silne więzy, zacząłem stwarzać wrażenie, że ja, w istocie... też... głównie... przyjaźniłem się z Claire, a nie z Maksymilianem. Opowiadałem o studiach w Instytucie Francuskim, no i o tym okresie, gdy Maks pojechał na wojnę...

Nie pamiętała mnie. Cóż, miała trzy, cztery lata.

No, ale przede wszystkim, dawałem jej dość wyraźnie i jasno do zrozumienia, że choć przyjaźniłem się z Maksem, wiele jego posunięć wzbudzało we mnie opór. Tak było z tym pomysłem rodzenia na Mont Blanc, z wyjazdem do Hiszpanii, i teraz z tym powrotem. A jednak, z drugiej strony, gdyby nie to jego uwielbienie dla Alp, nie przyszłaby na świat t a m – we Francji, na Zachodzie, co może się jeszcze okazać zupełnie zasadnicze. Bo „więcej od przeciwności oraz od wychowania", jak mówi tamten wiersz, „znaczy chwila narodzin": g d z i e, w jakim miejscu na Ziemi „wita cię promień światła". I podobnie z Hiszpanią. Gdyby nie ów przedziwny, niezrozumiały impuls, gdyby nie ta decyzja „zmierzenia się ze złem świata", znów by się nie znalazła w tamtej części Europy, i nie byłaby teraz osobą dwujęzyczną, o ile by w ogóle żyła, spędziwszy czas okupacji tu, na terenie Polski. Nie ma więc tego złego, co by na dobre nie wyszło. Może i to się obróci któregoś dnia na jej korzyść. Niech w końcu nie zapomina, jak ma na drugie imię! Lecz jeśli ma się tak stać, jeżeli los, jeszcze raz, ma jej okazać łaskawość, nie może się nań obrażać; musi mu pomóc, dać szansę.

Wreszcie, po długich perswazjach, zdołałem ją namówić, aby zaczęła studia. Romanistykę, rzecz jasna. Stwarzało to jakiś cel w życiu, a przy tym pozwalało wejść w środowisko ludzi, z którymi coś ją łączyło – znajomość języka, Francji; co więcej, nad którymi miała niebagatelną przewagę, i mogła wśród nich, z łatwością, zyskać mocną pozycję. Nie zdajesz sobie sprawy, co to wtedy znaczyło – znać bezpośrednio Paryż, w ogóle być na Zachodzie, a zwłaszcza urodzić się tam i mówić bez akcentu.

185

No więc zaczęła te studia. Trudności, rzecz jasna, nie miała. Przeciwnie – najwyższe oceny, nagrody za prace roczne. Wiem o tym wszystkim dobrze, bo przecież Jerzyk z nią był... na jednym roku, w grupie. Tego rodzaju wyniki, nawet w tamtym okresie, stwarzały człowiekowi najrozmaitsze szanse, w tym również wyjazdu na Zachód. Zwłaszcza po Październiku. I, rzeczywiście, bodajże gdzieś w pięćdziesiątym siódmym, gdy b a r d z o   r ó ż n i  ludzie dostawali paszporty i jeździli „prywatnie" do rodzin za granicę, albo na jakieś występy, albo na konferencje, ona, i jeszcze ktoś, została wytypowana do stypendium UNESCO – na jakiś kurs lingwistyczny w Paryżu, na Sorbonie. I wtedy się zaczęło.

Otóż wyobraź sobie, że nie dostała zgody. Nie dali jej paszportu. Mimo że była najlepsza, a politycznie rzecz biorąc – zupełnie neutralna. I mimo interwencji – wydziału, rektoratu. Gdy dowiedziałem się o tym, postanowiłem zadziałać, choć nie prosiła mnie o to. Spotkałem się z takim jednym, co miał kontakty w UB, i poprosiłem go, aby wybadał sprawę. Powrócił zakłopotany. Nie, nic się nie da zrobić. Przyczyny utajnione. Rzecz pachnie nie najlepiej. Chodzi prawdopodobnie o zgon jej ojca w więzieniu. I powody zamknięcia. I to, co wyszło w śledztwie. Gdyby został, jak wielu, zrehabilitowany – wtedy to co innego. Lecz jak na razie, nie został. Zresztą, nikt nie wystąpił z taką inicjatywą.

„Jak można występować o rehabilitację, skoro nie został skazany?! Nie było nawet procesu!"

Mój łącznik rozłożył ręce:

„Niestety, nic nie poradzę. Ja mam ręce za krótkie."

Tymczasem zauważyłem, że ona po tej historii znowu jest niewyraźna. Choć nie wiedziała tego, co doniósł mi ów człowiek, robiła wrażenie osoby głęboko przekonanej, że oto spełnia się fatum. Wpadła w potrzask. W pułapkę. Ten powrót wtedy tutaj to było przekleństwo losu! Już nigdy stąd nie wyjedzie! Nie wydostanie się stąd!

Chcąc być wierny Maksowi, pragnąłem jej dopomóc i działać dla jej dobra. Lecz cóż było dla niej dobrem? To, czego chciał dla niej Maks? Czy czego sama chciała? Maks przywiózł ją tu z Francji, bo się bał o jej życie. Dojdź teraz, czy miał rację, czy powodował nim obłęd! Według mojej oceny, popełniał wielki błąd, a ją unieszczęśliwiał. – Na czym miałem się oprzeć i czyją stronę trzymać?

Powiedziałem jej tak:

„Dostałem informację, że nie puścili cię z powodu historii z ojcem. Cokolwiek się z nim stało, są za to odpowiedzialni, i dobrze o tym wiedzą. Jego śmierć ich obciąża i chcieliby to zataić. Dlatego też uważam, że trzeba ich przycisnąć. Najlepszą obroną jest atak. A zatem trzeba działać! Wystąpić zaraz z wnioskiem o rehabilitację, a nawet odszkodowanie. – Jeśli ci więc zależy na odzyskaniu wolności, powinnaś podjąć walkę. Będę ci w tym pomagał, mam różne możliwości, jednakże krok zasadniczy musisz wykonać ty... A poza tym uważam, że mu się to należy. Cokolwiek o nim myślisz, jakkolwiek go osądzasz. To był wspaniały człowiek. Nie ma już dzisiaj takich."

Nie chciała nawet słuchać. Brzydziła się tu wszystkim i nie ufała niczemu. Sądziła, że wszelki kontakt z tutejszą rzeczywistością, a w szczególności z władzą, może jej tylko zaszkodzić. Wierzyła w inną strategię. W strategię sfinksa. Pozoru. I dopiero w tej masce, drążenia swojej sprawy – samotnie, nocą, skrycie, bez żadnego wspólnika.

To właśnie był cały Maks! Pod względem charakteru ona jest jego repliką...

Pan Konstanty przystanął i wyprostował plecy. Po drugiej stronie ulicy stał dom, w którym mieszkałem.

– No, to jesteśmy na miejscu – powiedział, zmieniając ton. – I widzisz, chociaż chłodno, nie było chyba tak źle.

Szukałem gorączkowo jakiegoś zaczepienia, którego mógłbym się chwycić, aby podciągnąć się wyżej. Być u samego szczytu i nie postawić tam stopy – to byłoby haniebne, po prostu niewybaczalne. Niestety, wszystkie pomoce, które sobie zawczasu byłem przygotowałem, okazały się teraz, jak zwykle, bezużyteczne. Znowu musiałem się zdać na żywioł improwizacji.

– Istotnie – przytaknąłem. – Nawet całkiem przyjemnie. Może by jeszcze rundkę? Tutaj, zaraz za rogiem, jest bardzo miły placyk.

– E, chyba już nie – powiedział. – Ja jeszcze muszę wrócić, nie zapominaj o tym.

– Fakt – pochyliłem głowę. Odbiłem się jednak zaraz i dziarskim, mocnym tonem oznajmiłem swą wolę: – No, to teraz ja p a n a kawałek odprowadzę! Przynajmniej do wiaduktu. – I żeby nie było dyskusji, pierwszy ruszyłem z miejsca, zwracając się doń jednocześnie z następującą kwestią: – Od tego czasu minęło bez mała dziesięć lat. I co, dopięła swego?

– Gdyby dopięła – odrzekł, podążając w ślad za mną – nie byłoby jej tutaj. Tymczasem jest, jak wiesz. A zatem nie dopięła.

– Nie udało się jej, czy dała za wygraną?

– Osoba o takim imieniu nie daje za wygraną – powiedział ni to z ironią, ni to z rodzajem smutku.

– Więc co robiła w tym celu?

– Powiadam: na różne sposoby szukała jakiegoś wyjścia. Naprzód, przez tę promotor... no, jak jej tam było?

– Surową?

– O, właśnie, przez panią Surową! Potem, gdy to nie wyszło, przez Centre, gdzie zaczęła pracować, niejako śladem swej matki. A teraz... właściwie nie wiem. Mogę się tylko domyślać. Nie mam już z nią kontaktu.

– Dlaczego? Co się stało?

– Zadrażniona ambicja.

– Czyja? Pana czy jej?

– Naturalnie, że jej. Nie podejrzewasz chyba, że mógłbym się na nią obrazić.

– No, to o co jej poszło?

– Że poprosiła mnie o coś, a raz się to tylko zdarzyło, a ja akurat tej prośby nie byłem w stanie spełnić.

– Co to była za prośba?

– Ach, nie ma o czym mówić...

– A jednak... to ciekawe.

– By Jerzyk, będąc we Francji, spotkał się z pewnym człowiekiem i, wyjaśniwszy mu wszystko, poprosił go w jej imieniu, aby się z nią ożenił. Naprzód, aby jej przysłał tak zwany list intencyjny, następnie, w przypadku odmowy, przyjechał osobiście, a gdyby i to nie wyszło, by wziął z nią ślub *per procura.*

– To była miłość czy... fikcja?

– Oczywiście, że fikcja! A jak sobie wyobrażasz!

– No, i dlaczego ta prośba nie została spełniona?

– Bo Jerzyk stanowczo odmówił podjęcia się tej misji.

Serce zabiło mi mocniej. Głosowi jednak nadałem niefrasobliwe brzmienie:

– Dlaczego? – zapytałem, nawet z lekkim uśmiechem.

– Właściwie nie wiem dokładnie – odpowiedział z powagą. – Nie wytłumaczył mi tego. Mogę się tylko domyślać... Nie była mu obojętna.

„Więc jednak!" pomyślałem, przypominając sobie, jak Jerzyk nerwowo się zaśmiał na dźwięk nazwiska Madame.

– No, to tym bardziej – rzekłem, niczym bystry adwokat. – Dlaczego nie chciał jej pomóc, skoro była mu bliska?

– Zastanów się, co ty mówisz! – żachnął się pan Konstanty.

– Co w tym osobliwego? – wzruszyłem ramionami. – Skoro to była formalność...

– Ech, jeszcze jesteś za młody, by się na tym wyznawać – poklepał mnie pobłażliwie i znowu się zatrzymał.

„To koniec", pomyślałem. Nie omyliłem się.

– No, to pędź już do domu, bo nigdy nie skończymy wzajemnie się odprowadzać. I jeszcze raz: pamiętaj, ani słowa, nikomu. Paplaniem zaszkodzisz wszystkim: sobie, i mnie, i jej.

– Może być pan spokojny – ściągnąłem rękawiczkę, widząc, że też to robi, aby uścisnąć mi dłoń. – Ach, tylko jeszcze jedno, jeżeli pan pozwoli...

– No, co tam jeszcze chcesz wiedzieć?

– Kiedy wspomniałem u pana, że ona jest dyrektorką, która ma przeprowadzić reformę mojego liceum, pan Jerzyk... a zresztą i pan... zrobiliście wrażenie zdumionych, zaskoczonych, a pan Jerzyk powiedział: „A więc zrobiła to...", jakby się czegoś spodziewał. Co miał właściwie na myśli?

– Jak to co? Jeszcze nie wiesz? Teraz, gdy znasz już sprawę?

– No, mówiąc szczerze, nie bardzo... – odrzekłem *ritardando*.

Pokręcił wolno głową z łagodnym politowaniem.

– Kto może być w tym kraju dyrektorem liceum? – spytał rzeczowym tonem. – Jaki warunek, bezwzględnie, stawiany jest kandydatom?

– Zdarzają się wyjątki.

– Kpisz, czy o drogę pytasz?

– Dowodu jednak pan nie ma.

– Cel nie uświęca środków – wyciągnął do mnie rękę. Wyciągnąłem i ja. – Bywaj zdrów! Powodzenia!

Poczułem uścisk dłoni – suchej, zimnej, kościstej.

– Dziękuję panu za wszystko – powiedziałem solennie. – Zwłaszcza za zaufanie, jakim mnie pan obdarzył.

– Za to się nie dziękuje – nie rozluźniał uścisku. – Tego się nie zawodzi. – Puścił wreszcie i zaraz naciągnął rękawiczkę.

Ruszyliśmy w dwie strony.

Przez chwilę słyszałem odgłos oddalających się kroków. Potem zapadła cisza.

Pulsowały mi skronie, kręciło mi się w głowie. Zamknąłem na chwilę oczy.

W ciemności wyłonił się zaraz widok pustego krzesła. Jakby stary elektryk z Przeglądu Scen Amatorskich włączył słabą punktówkę wycelowaną w to miejsce.

# ROZDZIAŁ CZWARTY

## Księgarnia „Logos – Kosmos"

Radio rzęziło w stołowym na cały regulator. Spoza straszliwych wizgów, dudnienia i buczenia, jakby z piekielnej otchłani, poprzez ryk potępionych, dochodził ledwo słyszalny, a jednak rozpoznawalny głos znanego spikera Radia Wolna Europa. W twardych, surowych słowach, niczym Katon z Utyki, gromił „reżym warszawski", który z powodu niewinnej, a jakże słusznej mowy słynnego filozofa, wygłoszonej niedawno na Uniwersytecie z okazji dziesiątej rocznicy polskiego Października, miotał się w gniewie i szale, rozdając bolesne razy.

Ogłuszony historią – ba, lawiną historii, jaka zwaliła się na mnie w ciągu ostatnich godzin, byłem spragniony ciszy i zupełnego spokoju. Niemniej, radiowy tumult, jaki wypełniał mieszkanie, owa wrzawa bitewna walczących ze sobą fal – „dywersyjnych", „głuszących" i bliżej nie określonych – sprzyjała mi w pewien sposób, ponieważ stwarzała szansę, że mój powrót do domu ujdzie uwagi rodziców, a przeto że unikę ewentualnych pytań, jak spędziłem czas i w czyim towarzystwie, na co odpowiedź, choć prosta, byłaby kłopotliwa.

Niestety, ledwom zdjął kurtkę i zaczął się przemykać w stronę mojego pokoju, zgiełk przycichł w jednej chwili, zdławiony gwałtownym skrętem gałki potencjometru, po czym doszło mych uszu cierpkie pytanie matki:

– Wolno wiedzieć, gdzie byłeś?

Znieruchomiałem w pół kroku, z ręką na klamce drzwi do mojego pokoju.

– Na spacerze z Konstantym – odrzekłem, nadając głosowi odcień oczywistości.

– Nie mogłeś powiedzieć wychodząc? – odbiła sprawnie tę piłkę, podkręcając ją nieco.

– Mogłem – przyznałem ze skruchą, licząc że zamknie to sprawę. – Jakoś nie powiedziałem...

– Jakoś n i e powiedziałeś – powtórzyła jak echo, uwydatniając nieznacznie partykułę przeczącą.

– Uważasz, że coś ukrywam? – odszczeknąłem nerwowo, zamiast przełknąć wymówkę.

– Nic nie uważam. Stwierdzam – odrzekła z udaną pokorą, po czym znowu zagrzmiały surmy Wolnej Europy.

Dokonawszy pośpiesznie wieczornej toalety, ułożyłem się w łóżku i zaraz zgasiłem światło. W mieszkaniu było już cicho, radio w stołowym milczało.

W ciemności, leżąc na wznak z zamkniętymi oczami, przystąpiłem natychmiast do przeżuwania zdobyczy – tego ogromu wiedzy, który niespodziewanie, przynajmniej w takim wymiarze, stał się moim udziałem.

Od chwili, gdy w parku na ławce, wymiętoszony przez Żmiję, powziąłem zuchwałą myśl o lustracji Madame i poczyniłem w tym celu pierwsze nieśmiałe kroki, upłynęły zaledwie dwa tygodnie z okładem. Przez ten niedługi czas, wbrew własnym oczekiwaniom, zaszedłem bardzo daleko. Rozpoczynając akcję, wiedziałem tyle co nic. Obecnie moja wiedza była wprost kolosalna. Któż poza nielicznymi (i, naturalnie, UB) wiedział to wszystko co ja! Epopea narodzin, peregrynacje wojenne, ucieczki, francuski *lycée*, fatalny powrót do kraju, śmierć rodziców, szykany, poczucie osaczenia, walka za wszelką cenę (choćby w sojuszu z diabłem) o wydostanie się stąd... Tak, znałem jej biografię, a nawet motywy działania, jak bliski członek rodziny, jak brat... przyjaciel... powiernik.

Przypomniał mi się moment, gdy wielce podniecony, zadowolony z siebie, wracałem z rekonesansu, którego owocem była lokalizacja jej domu. To błahe osiągnięcie jawiło mi się wówczas jako milowy krok; mierzyłem go w latach świetlnych, których przebycie zmienia obraz gwiazdy na niebie z migotliwego punktu w potężną tarczę słoneczną. Myślałem teraz o tym z uśmiechem pobłażania. Jeśli tamto być miało tak olbrzymim postępem, to czym dopiero jest to, co stało się dziś wieczorem? Co najmniej lądowaniem na powierzchni planety.

Tak jest, „stałem na ziemi". Przed sobą miałem krajobraz – rozmaitość kolorów, kształtów, świateł i cieni. Czy jednak znaczyło to, że rozumiem, co widzę? Albo: czy to, co widzę, jest wiedzą ostateczną? Przecież to, co się widzi, to tylko pewien wygląd, jedna z wielu postaci lub masek rzeczywistości, pod którą kryją się dalsze – być może w nieskończoność. Błękit nieba, toń wody, masyw gór, zieleń lasu – to wszystko jest czymś innym, gdy bierze się to pod lupę, i innym – pod mikroskopem, i jeszcze, jeszcze innym – w świetle fizyki cząsteczek. Gdzie kończy się spojrzenie? Czy jest granica poznania?

Madame liczyła sobie niecałe trzydzieści dwa lata. Dokładnie, jak wyliczyłem, jedenaście tysięcy sześćset trzynaście dni. Szesnaście milionów minut. Miliard z groszami sekund. Jeśli połowę tego odjąć na sen, a nadto, powiedzmy, sto milionów na okres wczesnego dzieciństwa, czas świadomego jej życia wyrażał się, mniej więcej, w czterystu milionach sekund lub siedmiu milionach minut. Ile z nich upłynęło w zasięgu mego istnienia – na moich, by tak rzec, oczach? Jaki procent całości? Trzy setne? Cztery setne? A przecież nawet i wtedy, w tym znikomym ułamku, dane mi było poznanie ledwie wyglądu, powierzchni – tego, co w filozofii nazywa się zjawiskiem. Nie miałem dostępu do głąb, do rzeczy samej w sobie. Tymczasem każda z chwil była czymś wypełniona. Cóż o tym wszystkim wiedziałem? Nic, absolutnie nic. A co dopiero mówić o czasie spędzonym gdzie indziej, nie w mojej obecności...

Zacząłem o tym myśleć – o różnych chwilach jej życia: ważnych, mniej ważnych, błahych. Rok trzydziesty dziewiąty, Dworzec Główny w Warszawie, wieczór, wagon sypialny, Konstanty na peronie. Widzi go z okna przedziału... Przedziału czy korytarza? Pamięta taką scenę? Przynajmniej wie, że była? Czy zdaje sobie sprawę z dwuznacznej natury uczuć Konstantego do matki? Francja: dom, szkoła, lekcje, nauczyciele, koledzy. Dni sączące się wolno – poranki, popołudnia, pierwsza bezsenna noc. Wakacje: wycieczka w Alpy? Atlantyk? Morze Śródziemne? Godziny samotności. Marzenia. Dojrzewanie. Odkrycie własnego ciała. Wreszcie ta katastrofa. Śmierć matki. Dzień pogrzebu. Wiedza o życiu jej ojca, o jego przygodach w Hiszpanii, o całym tym uwikłaniu, które go w końcu zgubiło.

Co rozumiała z tego? I co rozumie teraz? Dlaczego jej nie było na tamtej akademii? I kim był dla niej ów człowiek, którego prosiła o ślub? I jak się rzecz miała z Jerzykiem? Było coś między nimi?

Piętrzące się pytania uprzytomniły mi naraz, że zdobywana wiedza działa na mnie odwrotnie, niżem się był spodziewał. Zamiast wprawiać mnie w nastrój miłego podniecenia, zaspokajać ciekawość i inspirować w planach słownego oblężenia, powodowała zamęt i rozstrajała nerwy. Oto im więcej wiedziałem, tym chciałem – jeszcze więcej; zarazem zaś świadomość, że ten „alpejski kwiat" – dumny, niezłomny, „zwycięski" – został dotkliwie zraniony i nosi piętno dramatu, zabarwiała beztroskie choć dręczące tęsknoty odcieniem niejakiej powagi, a to, paradoksalnie, jeszcze wzmagało torturę.

Dopóki się jawiła jako Królowa Śniegu, wyniosła i urodziwa, chłodna i niedostępna, marzenia z nią związane miały charakter drapieżny, były podszyte gwałtem. Chciało się ją „obnażyć", wytrącić z równowagi, przyłapać na słabości – przekonać się, krótko mówiąc, czy ma też inne oblicze, a jeśli tak, to jakie. Z chwilą zaś, gdy opowieść o kolejach jej życia strąciła ją z Olimpu i zesłała na ziemię, wyznaczając w dodatku los niecodziennie gorzki, zmienił się również rodzaj budzonych przez nią emocji. Miejsce mrocznych pożądań, dzikich i perwersyjnych, zajęło onieśmielenie i niema fascynacja, nacechowana respektem i niekłamanym współczuciem. I to właśnie było piekłem. Bo ginęła nadzieja na jakiekolwiek remedium. Gdy w grę wchodziła tylko dławiąca ekscytacja, podrażniona ambicja, poczucie podrzędności, to wszystko dawało się jeszcze tak czy inaczej łagodzić; przynajmniej istniała szansa na zadośćuczynienie – choćby ów plan zdobycia możliwie najszerszej wiedzy, a później igrania nią, zwracania na siebie uwagi, niepokojenia, peszenia. Tymczasem urzeczenie brzemienne w szacunek i żal kompletnie wiązało ręce. Bo cóż można było począć z tą kombinacją uczuć? W jaki sposób im sprostać, w czym szukać ukojenia? Dalej w mówieniu, w słowach? W intrygowaniu aluzją, w gorszeniu dwuznacznością? W dawaniu do zrozumienia, że „wszystko" o niej wiem? Teraz, w tym stanie rzeczy, nie miałoby to sensu. Wręcz szkodziłoby sprawie. A poza tym przyrzekłem Konstantemu milczenie. Dałem mu słowo honoru. Wciąż jeszcze czułem na ręce jego żelazny uścisk.

Co robić? Co robić dalej? Jak wybrnąć z tej sytuacji? Tak żeby, z jednej strony, nie zawieść zaufania i nie zaszkodzić nikomu, a z drugiej... żeby jednak... żeby jednak coś wygrać. Przynajmniej złagodzenie zawstydzającej udręki.

Niestety, nic mądrego nie przychodziło mi na myśl. A jednocześnie sen pierzchał, rozpraszany gorączką wzbudzonej wyobraźni. Czułem, że wpadam w potrzask. Sięgnąłem po kontakt lampy i zapaliłem światło. Po chwili, zdjąwszy tom z półki, zacząłem – leżąc na boku – czytać *Zwycięstwo* Conrada.

Obudził mnie głos matki:
– Jest dwadzieścia po siódmej. Chcesz się spóźnić do szkoły?
Powrót do świata jawy kosztował mnie sporo wysiłku.
– Już wstaję – wymamrotałem.
– Coś ci jest? Źle się czujesz? – troszczyła się surowo. – Dlaczego lampa się pali?
Rozchyliłem powieki i zacisnąłem je zaraz, rażony blaskiem światła. „O której mogłem zasnąć?"
– Czytałem... – rzekłem sennie... – Widocznie zasnąłem nad książką. Czuję się bardzo dobrze – dodałem siadając wolno.
– Więc radzę ci się pośpieszyć – nawiązała z ironią do tempa mego ruchu i zniknęła za drzwiami.

Moje oczy, nawykłe ostatecznie do światła, spoczęły na rozpostartej, leżącej grzbietem do góry na podłodze przy łóżku powieści Josepha Conrada. Schyliłem się po nią leniwie i odwróciłem ku twarzy stronice w otwartym miejscu.

„Dam się unieść prądowi" – tak brzmiało pierwsze zdanie, na które padł mój wzrok. Uwydatnione przez odstęp i pokaźne myślniki, było sformułowaniem postanowienia Heysta. Cofnąłem się w tekście kawałek, do poprzedniego wcięcia. Było tam coś o rozwadze jako czymś destrukcyjnym, zasiewającym w duszy głęboką nieufność do życia. „Świat nie jest prowadzony przez ludzi przewidujących" – wyrażał pogląd narrator. Czyny, zwłaszcza te wielkie, miały się rodzić z odruchu, „w błogosławionej mgle", nie z zimnej kalkulacji.

Ubrałem się, spakowałem i bez śniadania wyszedłem.

Francuski w poniedziałki był w planie na czwartej lekcji. Po przerwie śniadaniowej. Dziesiąta pięćdziesiąt pięć.

Do tego czasu, w myślach, przebyłem długą drogę.
Z początku byłem beztroski. Ech, co tam! Czym się przejmować! –
Że wiem o niej to wszystko, lecz muszę siedzieć cicho? Że mam związane
ręce? – Owszem, jest to przeszkoda, lecz nie sytuacja bez wyjścia. Wciąż
istnieje możliwość zagrania inną kartą. Simone de Beauvoir. Proszę bardzo, jak znalazł! Może to nawet i lepsze. Zwłaszcza gdy ma się w rękawie
atut w postaci ocen i argumentów Jerzyka... Od tej strony zapukać! Tego
klucza spróbować! Zręczne otwarcie tych drzwi może dać nawet więcej
niż cokolwiek innego. Bo kryje się za nimi właściwie wszystko, co ważne
z mego punktu widzenia. Smak literacki. Charakter. Ideały życiowe. Sfera uczuć. Intelekt. Poglądy polityczne. Umiejętnie podjęta i kierowana
rozmowa wokół tego pisarstwa jest niezawodnym testem. Jakakolwiek
opinia wygłoszona w tej kwestii, a zwłaszcza odpowiedzi na przemyślne
pytania nie mogą być neutralne – będą o czymś świadczyły, odsłonią różne rzeczy. Nie da się o tym mówić – nie mówiąc czegoś o sobie.

Jednakże z biegiem czasu mój optymizm i wiara w pomyślny rozwój
sprawy zaczęły stopniowo słabnąć. Dysputa literacka jako forma poznania duszy drugiego człowieka i jako namiastka zbliżenia – to wszystko
brzmi bardzo ładnie, tylko co to oznacza! Po pierwsze, ileż pracy należałoby włożyć w same przygotowania, żeby coś z tego wyszło! Trzeba by
znowu czytać te wszystkie powieścidła i nudne memuary... Mało – czytać. Studiować! Opanowywać na pamięć, by móc się w tej materii ze swobodą poruszać. Koszmar, istna gehenna! No, a poza tym jeszcze (a raczej
przede wszystkim) obmyśleć samo „kolokwium", czyli strategię pytania
i kierowania rozmową, tak aby wiodła dyskretnie ku ważkim *confessions*.
Karkołomne zadanie. I ponad moje siły. – Lecz nawet jeśli założyć, że
byłbym w stanie mu sprostać, to jak do takiej rozmowy w ogóle miałoby
dojść? W wyniku czego i gdzie? Na lekcji? W gabinecie? Marzenia ściętej
głowy! Zabiegi podejmowane dla niewinniejszych celów były tłumione
w zarodku i spełzały na niczym!

Pod koniec trzeciej lekcji moje zwątpienie sięgnęło ostatecznego dna.
Straciłem wszelką wiarę nie tylko w ten czy ów plan, lecz w ogóle w możliwość jakiegokolwiek działania, które by uśmierzało wertherowskie cierpienia. Wtedy zaś zrodził się lęk. Zaczęło mi się zdawać, że wszystko po
mnie widać: całe to udręczenie – żałosne, poniżające, a także – że coś
wiem. I myśl, że za pół godziny mam stanąć z nią oko w oko, wprawiła

mnie w istny popłoch. Nie, nie może mnie ujrzeć, gdy jestem w takim stanie! Trzeba ustąpić pola, póki nie dojdę do siebie.

Na przerwie śniadaniowej, nie uprzedziwszy nikogo o moim zamierzeniu, wyszedłem dyskretnie ze szkoły.

Naprzód przez jakiś czas szwendałem się po ulicach, wyobrażając sobie, co się dzieje na lekcji, a zwłaszcza – jej początek. Czyta listę. Mnie nie ma. A przecież w pierwszych trzech kratkach rubryki obecności na linii mojego nazwiska nie widnieją literki „nb" (nieobecny), co znaczy, że wcześniej byłem. – *„Qu'est-ce qu'il y a?* Gdzie on jest?... Był? I co? *Disparu?*[1] Zwalniał się? Nikt nic nie wie? Szczególne obyczaje!" – Co z tego może wyniknąć? Obniży stopień na okres? Zapyta? Zażąda wyjaśnień? Jak będę się tłumaczył? – Zeszyt! „Nie mam zeszytu... *Vous le gardez toujours.*[2] A poza tym odczuwam, że pani ma mnie już dosyć i mego mędrkowania. Nie chciałem się więc naprzykrzać..." – Niezłe. Co na to powie?

Myśl o nie oddanym zeszycie natchnęła mnie do działania.

Z placu Komuny Paryskiej (przed wojną Placu Wilsona), z przystanku opodal miejsca stracenia nieszczęsnej Ruhli, pojechałem do centrum – w Aleje Ujazdowskie.

Mieściła się tam księgarnia o nazwie „Logos – Kosmos", zajmująca się głównie importem i sprzedażą książek obcojęzycznych wydanych na Zachodzie. Sowieckie i enerdowskie albumy z dziełami sztuki, zawsze stojące w witrynie w eksponowanym miejscu, stanowiły wyjątek w asortymencie placówki. Poza tym „Logos – Kosmos" prowadził dział zamówień na określone pozycje (realizacja zlecenia w sprzyjających warunkach trwała cztery miesiące, w niesprzyjających – rok, a w niepomyślnych – wieczność) oraz dział komisowy *alias* antykwaryczny (zaopatrzony najlepiej).

Lubiłem tę księgarnię i często tam zachodziłem, chociaż moje wizyty bywały na ogół bolesne. Straszliwie wysokie ceny, zwłaszcza na książki nowe z „krajów burżuazyjnych", sprawiały, że zazwyczaj musiałem obejść się smakiem. Te gorzkie doświadczenia nie zniechęcały mnie jednak i wstępowałem tam znowu, nawet gdy nie szukałem niczego konkretnego. Bo trze-

---

[1] Co się z nim dzieje? (...) Zniknął?
[2] Pani go wciąż przetrzymuje.

ba jeszcze dodać, że owo „zagłębie książkowe" różniło się od innych magazynów tej branży nie tylko asortymentem i szerszą skalą usług, lecz również wystrojem wnętrza, procedurą zakupu i znacznie uprzejmiejszą niż gdzie indziej obsługą. Półki i lady z książkami stały wzdłuż ścian pomieszczenia, klienci zaś mieli prawo nie tylko do nich podchodzić i s a m i wynajdywać poszukiwane pozycje, lecz grzebać w stertach i rzędach. Jeżeli ktoś się śpieszył lub mimo czynionych wysiłków nie odnajdywał jednak upragnionego tytułu, mógł liczyć na chętną pomoc uprzejmego subiekta, a nawet bywał proszony, aby „pozwolił z nim" na tajemnicze zaplecze.

Pchnąłem masywne drzwi i wkroczywszy do środka, ruszyłem z bijącym sercem do działu wydawnictw francuskich. – Będzie? Nie będzie? Było! A ściśle mówiąc – była. „Zwycięstwo" po francusku jest rodzaju żeńskiego:

Joseph Conrad
**VICTOIRE**
*Du monde entier*
Gallimard

Osiem czerwonych liter tytułowego słowa świetnie się odznaczało na jasnobeżowej okładce.

Zajrzałem na tył książki, gdzie wpisywano cenę. Osiemdziesiąt dwa złote! Majątek! Za te pieniądze w księgarni zwanej radziecką mógłbym dostać co najmniej trzy podręczniki szachowe, a w księgarni muzycznej – płytę długogrającą z przyzwoitym nagraniem, nie mówiąc już o innych dobrach i przyjemnościach, jak kino (siedem biletów), teatr (co najmniej trzy) lub przejazdy taksówką (z domu do szkoły pięć razy).

Nie zawahałem się jednak, lecz, zacisnąwszy zęby, ze znaleziskiem w ręce przeszedłem do sekcji niemieckiej.

Schopenhauer Joanna. *Jugendleben*... i coś tam. Nie, nic takiego nie było. Znalazłem natomiast *Gedichte*[1] Friedricha Hölderlina – jakieś stare wydanie, gotykiem, w twardej oprawie; na metrykalnej stronicy widniała czarna pieczątka: swastyka w kółku z orłem i napis „Stolp – Garnisonsbibliothek"[2]. Sprawdziłem w spisie rzeczy, czy jest hymn *Ren* (*Der Rhein*). Był. Cena książki? Sześć złotych! – Doskonale! Bierzemy.

---

[1] *Poezje*
[2] Słupsk – Biblioteka Garnizonowa

Przy kasie, z nonszalancją erudyty-światowca spytałem, czy miewają *Jugendleben und... Wander* Joanny Schopenhauer.

– No, wiecie państwo, matki słynnego filozofa – dodałem na wszelki wypadek.

Sprzedawca pakujący moje cenne nabytki spojrzał na mnie uważnie, po czym przerwał swą czynność i poszedł na zaplecze. Po chwili wrócił stamtąd trzymając w rękach książkę w żółto-białej okładce, na której czerniały litery stylizowane na gotyk:

Joanna Schopenhauer
**Gdańskie wspomnienia młodości**

– Czy o to ci idzie? – zapytał. Na ustach błąkał mu się filuterny uśmieszek.

– Proszę! Polskie wydanie! – pokryłem zaskoczenie protekcjonalnym tonem. – A kiedyż to wydali?

– Już dobre siedem lat temu – wyjaśnił z udaną pokorą. – W pięćdziesiątym dziewiątym. Pozycja antykwaryczna.

Zacząłem przerzucać strony wolnym, niedbałym ruchem, starając się odnaleźć rozdział trzydziesty dziewiąty.

– Da się czytać ten przekład? – spytałem lekceważąco.

– Ossolineum! – odrzekł z emfatycznym zgorszeniem. – Wątpisz w ich kompetencje? Pierwszy edytor w Polsce!

*„Ah, quel chien de pays!"*[1] – mój wzrok napotkał tymczasem te francuskie wyrazy, wyróżnione kursywą, które widziałem poprzednio w gdańskim wydaniu *Wspomnień*.

Tak jest, to było to. Opis drogi powrotnej do Gdańska przez Westfalię. Wypatrzywszy pośpiesznie jakiś garb stylistyczny, spadłem na zdanie jak sęp i odczytałem je na głos:

> Wielkimi, polnymi kamieniami zasypanych dróg, nazywanych gościńcami, którymi wlekliśmy się przez całe dnie, nie mieliśmy ochoty mieniać na obok nich biegnące tak zwane letnie drogi, na których powóz zapadał się w błocie po osie.

Uniosłem wzrok znad tekstu.

– Pan to uważa za dobre? – skrzywiłem się z niesmakiem. – Zaczynać od dopełnienia, w dodatku z piętrową przydawką, i jeszcze oddzielić je

---

[1] „Ach, cóż za pieski kraj!"

od orzeczenia głównego wtrąceniem i zdaniem podrzędnym?!... Przyzna pan, że to horror. Poza tym, dwa razy „który": „k t ó r y m i wlekliśmy się" i zaraz „na k t ó r y c h powóz". Za blisko! Nieporadnie! No, i wreszcie to „mieniać"! – wzniosłem oczy do góry w geście błagania o litość. – Co to ma być? Archaizm? Nie sądzę, aby w ten sposób mówiła pani Joanna. Jeśli już miałbym się trzymać proponowanych tu słów – z grymasem obrzydzenia powróciłem do tekstu – można by to przynajmniej trochę lepiej ułożyć... ja wiem?... na przykład tak:

„Chociaż główne gościńce były pozarzucane polnymi kamieniami, przez co całymi dniami musieliśmy się wlec, nie chcieliśmy jednak ich zmieniać na drogi biegnące obok, nazywane letnimi, bo tam się powóz zapadał w błocie po same osie."

Nie lepiej? I nie jaśniej? I bez tych wszystkich „których"? No, a przy tym ta fraza... ta kadencja... ten rytm... – przymknąłem z błogością powieki i wskazałem na ucho. – Ufam, że pan to słyszy i umie właściwie docenić...

Księgarz roześmiał się jak z cyrkowego numeru, niby z pobłażliwością, lecz i z dozą uznania. (Podobnie swego czasu zareagował ES, gdy zacząłem znienacka mówić tekstem Szekspira, a potem improwizować.)

– Owszem, słyszę – powiedział z wyraźnym rozbawieniem. – I doceniam, doceniam...

– A jaki znajduje to wyraz – zmieniłem nagle ton na błazeńsko poważny – w pana podejściu do mnie jako do strony w transakcji, którą pan proponuje?

Znów się roześmiał wesoło, po czym podjął konwencję.

– A jakiż, za pozwoleniem, w ogóle mogłoby znaleźć?

– Jak to jaki? To proste – wytrzeszczyłem nań oczy. – W opuszczeniu mi ceny. W wielkodusznej obniżce. Spójrzmy – zamknąłem książkę plecami okładki do góry. – Pierwotną ceną było... dwadzieścia osiem złotych. Ile zaś teraz się żąda? – Zajrzałem na skrzydełko: – O dziesięć złotych więcej! Czym można uzasadnić tak drastyczną podwyżkę? Chyba, zgodzi się pan, nie walorami przekładu.

– O cenie decyduje nie przekład, tylko popyt.

– Chce pan przez to powiedzieć, że gdańskie wspomnienia młodości Joanny Schopenhauer są u nas artykułem najpilniejszej potrzeby?

– Może nie n a j-pilniejszej – odpowiedział z powagą – jednak pilnej na tyle, że złotych trzydzieści osiem nie wydaje się ceną specjalnie wygórowaną, przeciwnie, wręcz okazyjną. Niejeden zapłaciłby za to – podniósł egzemplarz ze stołu i pogładził okładkę, niby strzepując z niej kurz – nawet dwa razy tyle, i jeszcze by dziękował.

– Rzecz jednak w tym, czy to pewne? – wysunąłem wątpliwość. – Ma pan takiego pod ręką? – Rozejrzałem się wokół. – Jakoś nie widzę nikogo. A tu, proszę: jest klient gotów rozstać się z groszem. Nie lepiej więc jego się trzymać, wychodząc mu trochę naprzeciw, niż czekać Bóg wie ile na mitycznego kupca, który z radości zapłaci rzekomo nawet więcej?

– Co masz na myśli mówiąc: „wychodząc t r o c h ę naprzeciw"?

– Ach, doprawdy, niewiele! Przynajmniej umorzenie tej drakońskiej podwyżki, czyli powrót do ceny pierwotnej, nominalnej.

– Co? Do dwudziestu ośmiu?! – roześmiał się szyderczo. – Chyba sobie żartujesz!

– No dobrze: trzydzieści dwa. To wszystko, co mogę zapłacić. Mam sto dwadzieścia złotych, to cały mój majątek – wyciągnąłem z kieszeni dwa wymięte banknoty: ceglastą stuzłotówkę z portretem Robotnika i granatową dwudziestkę z wizerunkiem Włościanki. – Za tamte dwie pozycje – wskazałem ruchem głowy na wciąż nie zapakowane *Gedichte* i *Victoire* – jestem winien, o zgrozo, aż osiemdziesiąt osiem. Pozostaje różnica. Po prostu więcej nie mam.

– Inaczej mówiąc, żądasz, bym ci opuścił sześć złotych.

– Nie tyle żądam, co wnoszę.

– Czy zdajesz sobie sprawę, co by to oznaczało, gdybym uległ naciskom?

– Ja nie naciskam, ja stwierdzam – wykorzystałem zręcznie chwyt retoryczny matki.

– Więc gdybym przystał na to?

– Że zrobił pan dobry interes: trzy książki za jednym zamachem.

– Nic podobnego. Przeciwnie. Że jedną z książek, niemiecką, oddałbym ci za darmo.

– Chwaliłoby się to panu.

– Chwaliło? Niby dlaczego?

– Pan wie, co tam jest w środku? – spytałem lodowato – Swastyka – ściszyłem głos. – Zarabiać na takim druku! – uniosłem ramiona w geście oburzenia i zgrozy. – Ba, żeby tylko swastyka! Niech pan przeczyta ten napis – otworzyłem *Gedichte* na metrykalnej stronie – „Garnisonsbiblio-thek"! Biblioteka wojskowa! Rozumie pan, co to znaczy?

Sprzedawca patrzył na mnie z uśmiechem pobłażania, kręcąc prze-cząco głową.

– No dobrze, wystarczy już – zamknął niemiecki tomik i położył na wierzchu *Gdańskie wspomnienia młodości.* – Minąłeś się z powołaniem. Winieneś grać w kabarecie.

– Zdarza mi się czasami – rzekłem kokieteryjnie.

– Pakować? – spytał przekornie.

– Dziękuję. To niekonieczne.

Przesunął stosik ku mnie i schował banknoty do kasy.

Włożyłem nabytek do teczki i skłoniwszy się grzecznie, opuściłem księ-garnię.

## Gambit hetmański

Popołudnie i wieczór, a także dni następne spędziłem na lekturze. Dokończyłem *Zwycięstwo*, przejrzałem je po francusku, poznałem *Gdań-skie wspomnienia* Joanny Schopenhauer i przyswoiłem sobie kształty go-tyckich liter. Założyłem też nowy zeszyt. Nie opatrzyłem go jednak dany-mi personalnymi (imię, nazwisko, klasa) i mianem „Język francuski", a tyl-ko dziwnym nagłówkiem „*Cahier des citations*"[1], i zacząłem wpisywać tam rozmaite wyimki z owych czytanych tekstów.

Na pierwszy ogień poszły trzy strofy z hymnu *Ren*: te, które mówił Konstanty (podaję w tłumaczeniu): „Teraz jednak, z gór wnętrza...", „Był to głos najszlachetniejszej z rzek..."; i ta, gdzie było zdanie znane mi z wpi-su do książki (otwierały ją słowa: „Jest zagadką, co z czystego poczęło się źródła..."). Linijki przytoczone przez „K." w jej dedykacji podkreśliłem starannie, a obok nich, równolegle, wpisałem jeszcze przekład, który po-dał Konstanty („Albowiem jakim się rodzisz, takim już pozostajesz...").

Następnie, na gładkie kartki z bezdrzewnego papieru (jak informował o tym nadruk u spodu okładki) dostały się fragmenty *Gdańskich wspo-mnień młodości* – głównie wzięte z rozdziału numer 39, poświęconego

---

[1] „Zeszyt cytatów"

w całości drodze powrotnej z Anglii. Znalazły się wśród nich, między innymi, takie:

Poza tym zupełnie nieświadomie –

to podkreślenie też moje –

wybrałam się w podróż w stanie, w jakim kobiety nie powinny wyjeżdżać, o ile nie są do tego zmuszone najbardziej naglącą potrzebą.

Swoboda w wysławianiu się obcym językiem i łatwość przyswajania sobie zwyczajów i obyczajów miejscowych uczyniła mnie mile widzianym gościem...

Przez dłuższy czas uchodziłam za znacznie starszą, niż byłam...

To zdanie zostało, z kolei, przeinaczone przeze mnie, i to, rzekłbym, gruntownie. Autorka oznajmiała, że uchodziła za... młodszą.

I wciąż wzdychałam wewnętrznie: *Ah, quel chien de pays!*

To także było przeze mnie nieznacznie przerobione: w tekście stało faktycznie zaledwie „znów", a nie „wciąż".

Po serii wyimków ze *Wspomnień* szły *citations* z *Victoire*. Tych wypisałem najwięcej. Po pierwsze, z powodu języka: w owej kolekcji tytułów, o jakże szczególnej zasadzie czy kryterium doboru, jedynie tę pozycję miałem w przekładzie francuskim. Po drugie zaś – i to głównie – z powodu pierwiastków treściowych, choć niezupełnie tych samych, do których w swej opowieści nawiązywał Konstanty. Dla niego odniesieniem był przede wszystkim Heyst: miał obrazować Maksa, tłumaczyć jego reakcje, jego odruchy sprzeciwu, a później śmiertelną walkę z łajdactwem tego świata. Dla mnie zaś najważniejszą i jakby znajomą postacią była Alma czy Lena, jak nazwał ją w końcu Heyst. Albowiem los tej dziewczyny – angielskiej muzykantki, pięknej, dumnej i mężnej, zdanej na samą siebie, usidlonej nikczemnie przez właścicieli orkiestry i próbującej się wyrwać z poniżającej niewoli – miał w sobie coś podobnego do dramatu Madame, przynajmniej w moim odczuciu. Reszty dopełniał tytuł francuskiego przekładu. To słowo, bez rodzajnika!, wybite na okładce, wyglądało jak imię pierwszoplanowej postaci (jak „Lord Jim" albo „Fedra"); jakby dawało znak, że cała ta opowieść, o cokolwiek w niej chodzi, dotyczy pewnej Wiktorii.

I rzeczywiście, czyż zdania, powiedzmy, takie jak te:

A ja oto jestem tu, i nikogo to nie obchodzi, czy przy najbliższej okazji skoczę do wody, czy nie... Nikt na świecie nie jest tak samotny jak dziewczyna, która musi sama o sobie myśleć

nie mogłyby paść z ust Madame w momencie desperacji, kilkanaście lat temu, podczas rozmowy z Konstantym?

Albo czyż innym razem, gdy przyszła go prosić o pomoc (o ową szczególną przysługę), nie mogła była rzec tak:

Niech pan coś dla mnie zrobi. Pan jest dżentelmenem. Nie pierwsza zwróciłam się do pana, czyż nie? Przecież to nie ja zaczęłam. To pan przyszedł do mnie i zaczął do mnie mówić...

A on czyż nie mógłby odrzec, umyślnie słowami Heysta:

Nie jestem dość bogaty, aby panią wykupić... nawet gdyby to dało się zrobić

(zmieniając może tylko to oficjalne „panią" na familiarne „cię"), aby po chwili dodać:

Wszystko będzie dobrze.

Tego rodzaju kwestii, które tak czy inaczej mogły się wiązać z jej życiem, było w tej książce pełno. Pod koniec mego wyboru znalazła się jeszcze taka:

Wiem tylko, że kto sobie nałożył więzy, jest zgubiony. Zalążek zepsucia przeniknął do jego serca.

Ale akordy finalne tej dziwnej antologii – a były nimi, rzecz jasna, pamiętne słowa Heysta – brzmiały niczym *postscriptum*; odzywał się w nich jak gdyby głos samego kopisty:

Może jednak mógłbym na coś się przydać? Co pani sobie życzy, abym zrobił? Proszę, niech pani rozkazuje [*Je suis à vos ordres*].

Podczas całej tej pracy – czytania, wynajdywania i tworzenia z cytatów pewnego rodzaju sieci – hamowała mnie myśl, że staczam się do poziomu wielbicieli *Popiołów*. Cóż w końcu za różnica, o jaką książkę chodzi i kto jest bohaterem – namiętna Helena de With czy muzykantka Lena – jeśli efekt lektury polega na tym samym: na przeżywaniu czegoś na podobieństwo fikcji, na podstawianiu kogoś, kogo się zna, pod postać, na wyławianiu z tekstu wypowiedzi i zdań brzmiących co najmniej dwuznacznie, na ich fetyszyzacji i podniecaniu się nimi! Czyż wypisana przeze mnie, na przykład, taka kwestia:

*Lecz pani to robi uroczo, doprawdy, czarująco*

która w kontekście sceny mówiła o uroku uśmiechania się Leny, natomiast w oderwaniu znaczyła już, co kto chciał, nie była w jakimś stopniu tym samym co owo zdanie w trybie rozkazującym „Więc zdejm ubranie!" z *Popiołów*, zakreślane przez wszystkich?

Tak i nie – mimo wszystko! Bo chociaż sama praktyka może i była podobna, to jednak fetysz, w swej klasie, różnił się zasadniczo. Aż nie chciało się wierzyć, że te dwie książki powstały niemal w tym samym czasie, że wyszły spod piór dwóch ludzi tej samej generacji (autor *Popiołów* był nawet młodszy o siedem lat), no i – narodowości! Jedna z nich – powieść Conrada – wciągała i urzekała: intrygującą fabułą, wykwintnym a prostym stylem, żywymi postaciami o wyrazistych rysach, a nadto jeszcze stawiała filozoficzny problem postawy wobec zła. Druga natomiast – *Popioły* – była nudna i ciężka, a w partiach romansowych – kiczowata i śmieszna; brnęło się przez tę gląwtę – egzaltowaną, sztuczną – z trudem i zawstydzeniem.

Czyżby i w tym wypadku rację miał Rożek Goltz, twierdząc, że gdyby Conrad nie wyjechał do Anglii i nie zmienił języka, to pisałby tak samo „jak ten nasz cud, Żeromski"?

W dniu, w którym wypadała kolejna lekcja z Madame, udałem się do szkoły, zabierając ze sobą moje nowe „pomoce", to znaczy: *Victoire*, „*Cahier des citations*" i *Gdańskie wspomnienia młodości* Joanny Schopenhauer. Nim jednak podjąłem decyzję zrobienia z nich użytku, sprawdziłem naprzód w dzienniku, czy moja nieobecność na ostatnich zajęciach została odnotowana. Nie, nie została. Dziwne. Zwłaszcza że lista była, i to na pewno, sprawdzana, bo inni nieobecni (od pierwszej lekcji w tym dniu) w czwartej kratce rubryki mieli wpisane „nb" i to wyraźnie jej ręką. Dlaczego mnie nie wpisała? Osłonił mnie ktoś życzliwy, tłumacząc jakąś blagą? Wypełniła rubrykę po lekcji, mechanicznie, idąc jedynie tropem zastanych adnotacji? Raczej to drugie niż pierwsze, bo o pierwszym z pewnością ktoś by mnie powiadomił. Jakkolwiek zresztą było, zdecydowałem się.

Przed lekcją, tuż przed jej przyjściem, wyjąłem „pomoce" z teczki i położyłem stosik na ławce po stronie przejścia („*Cahier*" na samym dole, na wierzchu – *Victoire*). Następnie, przez pierwszy kwadrans (konwersacja, pytania), siedziałem nieruchomo nie spuszczając z niej wzroku, a w myśli konfrontując to wszystko, co o niej wiedziałem, z żywym obrazem osoby. Nie bałem się już niczego. Byłem zupełnie spokojny. Pewny swojej pozycji, czekałem na jej ruch. Nie wykonała go jednak. Zajęła się innymi, a na mnie nie zwracała nawet najmniejszej uwagi. Ten *modus procedendi* nie był specjalną nowością, nie jeden już raz w ten sposób ignorowała mnie, lecz odkąd zabrała mi zeszyt, stał się niejako regułą. Przystąpiłem do akcji – kryptonim „gambit hetmański".

Sięgnąłem po *Victoire*, w jej miejsce położyłem wydobyty spod spodu „*Cahier des citations*", po czym otwarłszy powieść na stronie ze słowami „niech pani mi rozkazuje", zacząłem udawać, że czytam, i to ostentacyjnie: rozparłem się w krześle wygodnie i wyciągnąłem nogi, krzyżując stopy w kostkach, grzbiet zaś otwartej książki oparłem o kant pulpitu, tak żeby czerwony tytuł był widoczny z katedry.

„No, proszę, słucham, czekam...", sparodiowałem w myśli nadużywane przez nią wyzywające *dictum*. „Przyjmuje pani ofiarę? Tej 'jasnobeżowej figury' nic ani nie zasłania, ani nie ubezpiecza. Podobnie i te 'dwa piony', w rogu na skraju ławki, można bezkarnie bić. No więc? Przyjmuje pani? Przypominam o czasie. Jest on po mojej stronie. Zużyłem go znacznie mniej. A na pani zegarze za niedługo już limit. Lepiej się więc pośpieszyć!"

Te buńczuczne wyzwania nadawane przeze mnie drogą telepatyczną nie odnosiły jednak pożądanego skutku. Cóż, z tym, ostatecznie, można się było pogodzić. Gorzej, że sama akcja pozostawała bez echa. Madame nie tylko nie poszła tropem podstępnej Żmii (inwazja, aneksja książki, pręgierz, nota w dzienniku), lecz nawet nie przywołała mnie do porządku słowem. A nie mogła nie widzieć, że bojkotuję lekcję, i to w zuchwały sposób. Nie miałem co do tego najmniejszych wątpliwości. Rzucając co jakiś czas kontrolne spojrzenia znad książki, stwierdziłem kilkakrotnie, że widziała, co robię. W jej twarzy nie dostrzegłem jednak choćby cienia przygany, a jeśli już coś, to raczej – umyślne lekceważenie.

„Jeżeli sądzisz, że zdołasz mnie sprowokować w ten sposób", zdawały się mówić jej oczy błądzące gdzieś obok mnie, „to się głęboko mylisz. Mnie w końcu jest wszystko jedno, czy będziesz znał ten język i jaką uzyskasz ocenę. Uważasz, że wszystko już umiesz i nie masz co robić w tej klasie? Wolno ci, bardzo proszę. Dla mnie to tylko wygoda. O jedno zmartwienie mniej."

Owszem, mogła tak myśleć, to byłoby w jej stylu. Wiedziała, że znam ten język nie tylko lepiej od innych, lecz w ogóle na poziomie znacznie wyższym niż szkolny; a jednocześnie ten fakt zupełnie jej nie obchodził. Gdy pierwszy raz stwierdziła, że mówię właściwie płynnie i z wyrobionym „er", nie opatrzyła tego choć słowem komentarza (*„Mais tu parles bien!*[1] No, no! Gdzieś się tego nauczył?"*), lecz przeszła nad tym milcząco do porządku dziennego. A później, gdy z mej biegłości zacząłem robić użytek, to znaczy, gdy zbyt gorliwie pracowałem na lekcjach, wtrącając się co chwila z jakimiś uwagami i brylując wymową, jeszcze bardziej ochłodła wobec mojej osoby.

„A jednak to niemożliwe", myślałem patrząc w tekst, „by nic jej nie obchodziło moje postępowanie, a zwłaszcza, że czytam książkę mającą za tytuł słowo, które jest jej imieniem i które już raz, znacząco, wystąpiło w sygnale nadanym z mojej strony. Może nie widzi tego? Może to wszystko wciąż jeszcze jest nie dość wyzywające?"

Aby wykluczyć ten powód, posunąłem się dalej. Rozłożyłem na ławce *Gdańskie wspomnienia młodości* (na stronach z zakreślonym *„Ah, quel chien de pays!"*), nieco niżej, przed sobą – *„Cahier des citations"* (na ostatnich wypisach, z wieńczącym oświadczeniem *„Je suis à vos ordres"*[2]), otwarty zaś *roman* ustawiłem p i o n o w o w prawym rogu pulpitu – okładką, czyli tytułem zwróconym w stronę katedry.

W ten sposób okopany – za tarczą *Victoire* i szańcem *Gdańskich wspomnień* – pochyliłem się nisko nad transzeją zeszytu i z dzidą pióra w ręce zacząłem symulację sporządzania notatek. Zerkałem co chwila do książek, po czym wracałem nad zeszyt i udawałem, że piszę.

Niestety, i te manewry nie wywołały reakcji. „Przeciwnik" je zlekceważył tak samo jak poprzednie; nie tylko nie zaczął strzelać; nie wysłał nawet zwiadu dla rozpoznania sił i typu uzbrojenia. Gdy przechodziła koło mnie po zakończeniu lekcji, zmierzając w stronę drzwi, z wyraźną ostentacją spojrzała w inną stronę.

---

[1] Ależ ty mówisz! Proszę!
[2] „Jestem na pani rozkazy"

„Im bardziej się będziesz wysilał, by zwrócić na siebie uwagę", zdawał się mówić ten gest, „tym mniej cię będę dostrzegać. *Tu ne m'intéresses pas!*[1]"

Mimo tego responsu, nie dałem za wygraną. „Cierpliwości, młodzieńcze!" odezwał się we mnie echem błazeński zwrot Jerzyka. „Istotą oblężenia jest spokój i wytrwałość. Jeśli nie ogniem, to głodem weźmiemy w końcu tę twierdzę."

I odtąd na lekcjach z nią, z żelazną dyscypliną, odprawiałem uparcie swój dziwaczny rytuał. Rozkładałem na ławce trzy „pomoce-przynęty" i pogrążałem się w „pracy", wyczekując z napięciem upragnionego natarcia. Przez kilka kolejnych zajęć nic się nie wydarzyło. Zachowywała się tak, jakby nie było mnie w klasie. Zacząłem tracić nadzieję. A jednak, na przekór temu, dalej trwałem przy swoim. Jak miało się wkrótce okazać, była to droga właściwa.

Pod koniec którejś lekcji, gdy ze szczególną werwą „sporządzałem notatki", zleciła dyżurnemu, by zebrał od wszystkich zeszyty, ponieważ, jak oświadczyła, „przed końcem okresu i wystawieniem stopni chciałaby mieć pojęcie, *de quoi ils ont l'air*[2]". Zawirowało mi w głowie. Więc jednak! Nie wytrzymała. Chce „mieć pojęcie"! Proszę!

Podałem dyżurnemu „*Cahier des citations*", opatrzywszy go jeszcze swoimi inicjałami.

Na pauzie, a następnie przez kilka kolejnych dni, różnymi sposobami wywiadywałem się, czy do podobnej kontroli doszło też w innych klasach, w których miała zajęcia. Nie, z taką formą „ucisku" nigdzie się nie spotkano. – Co? Bierze zeszyty do wglądu? – wybałuszano oczy. – Zamierza je oceniać? I ma to wpływać na stopień, jaki postawi na okres? No, to *adieu „suffisant"*! *Bonjour „insuffisant"*![3]

Mnie dzwony tymczasem biły bynajmniej nie na larum, ale na tryumf mych sił. Bo wszystkie owe poszlaki wskazywały wyraźnie, że zarządzona inspekcja miała na celu wyłącznie rozliczenie się ze mną.

Przyszłość nie zaprzeczyła mojemu domniemaniu. Ale i nie potwierdziła go jasno. „*Cahier des citations*" powrócił do mych rąk (znowu przez dyżurnego) bez żadnych adnotacji ani słów komentarza, jakby w ogóle nie

---

[1] Nie intersujesz mnie!
[2] jak one wyglądają
[3] żegnaj, trójo! Witaj, dwójo!

208

był poddawany kontroli. Ów brak jakichkolwiek śladów – sprawdzania czy choćby lektury – owszem, można by uznać za rzecz mającą znaczenie, w ogóle – za reakcję, jednakże tylko wtedy, gdyby był czymś szczególnym: gdyby się, mianowicie, odnosił wyłącznie do mnie. Tymczasem był on powszechny. Wszystkich spotkało to samo: zeszyty powróciły w stanie nie naruszonym – bez ocen i opinii. Nie nastąpiło też żadne podsumowanie ustne. Ot, wzięła i oddała – jak gdyby nigdy nic, jakby cała ta akcja miała służyć jedynie wzmocnieniu dyscypliny lub jej tylko wiadomym celom.

Niewątpliwą ripostą było dopiero to, że na okres dostałem – jako jedyny w szkole, nawet nie tylko w klasie! – ocenę bardzo dobrą.

## Droga rycerska, dworska i trzecia: naukowa

Cóż jednak oznaczał ów respons?

Że zdaje sobie sprawę, iż moja znajomość języka przewyższa poziom szkolny i mimo moich zachowań, dalekich od przykładności, a nawet całkiem bezczelnych, jest przez nią oceniana rzetelnie i sprawiedliwie?

Utopijna wykładnia. Godna równie świetlanej co bałamutnej historii o młodym, niesfornym talencie i zacnym pedagogu.

Rzeczywistość uczyła czegoś całkiem innego: że ocena zależy nie tylko od stanu wiedzy i wymaganej biegłości w zakresie danego przedmiotu, lecz również, i to istotnie, od tak zwanej „postawy", czyli od stylu bycia i zdyscyplinowania. Można było być orłem w takiej czy innej dziedzinie i wcale z tego tytułu nie miało się jeszcze piątki. Wystarczało się spóźniać lub źle prowadzić zeszyt, lub nie uważać na lekcjach, lub być zbyt pewnym siebie, i już najwyższa nota nie była przyznawana albo wymownie cofana.

Jeśli więc w danym wypadku rzecz się miała inaczej, to o czymś to świadczyło. No właśnie, tylko o czym?

Odpowiedź na to pytanie nasuwała się jedna: chce mnie przewrotnie rozbroić; wywyższając – odprawić; uwolnić się ode mnie. W języku polityki tego rodzaju awans zwie się „kopniakiem w górę". – Niech się syci godnością, niech się pławi w promieniach glorii tryumfatora, i niech wreszcie przestanie mącić swoją osobą. „Masz piątkę i daj mi spokój!" – oto co znaczył jej ruch. – „Idź z Bogiem, swoją drogą!"

Jak należało postąpić wobec takiej repliki? I w ogóle – jaki był wybór? Jawiły się trzy możliwości.

Najprościej było się poddać, zaniechać dalszej gry. Powiedzieć sobie: Trudno. Cóż, nie udało się! Takich rzeczy nie można pokonywać na siłę. To byłoby sprzeczne z celem. Jeśli dosyć wyraźnie daje do zrozumienia, że widzi moje manewry, ale nie życzy sobie tego rodzaju zabawy albo, w najlepszym razie, lojalnie mnie ostrzega, abym na nic nie liczył, to trzeba to uszanować i pogodzić się z tym.

Szlachetna rezygnacja średniowiecznego rycerza – jak rycerz Toggenburg z Schillerowskiej ballady.

Przeciwieństwem pokory był atak za wszelką cenę. Zuchwały, brawurowy, z podniesioną przyłbicą. O takiej dramaturgii i w takim, powiedzmy, stylu:

Odrzucam wszelkie skrupuły, zahamowanie i wstyd, i bezceremonialnie, najlepiej zaraz po lekcji, podchodzę i zapytuję, czemu właściwie zawdzięczam tak wysoką ocenę. Wdziękowi? Elokwencji? *„Cahier des citations"*? Czy jednak przede wszystkim wypracowaniu o gwiazdach? Przyznaję, wiele trudu włożyłem w to *confession*. Opłaciło się jednak. Nie, nie chodzi o stopień, ale o efekt pracy, o poziom poprawności. Bo skoro nie usłyszałem żadnego słowa krytyki, wnoszę, że jest wysoki, co niezmiernie mnie cieszy. Ale cóż gramatyka! Język jest głównie po to, by się komunikować, by dzielić się myślami. Otóż ciekawy jestem, co sądzi o tym wszystkim, o czym tam napisałem. Podziela moje poglądy na temat astrologii? Również gotowa jest przyznać, iż ludzie spod pewnych znaków są sobie przeznaczeni? A ona sama, no właśnie!... spod jakiego jest znaku? – Och, proszę, niech tym razem nie skąpi mi odpowiedzi! To przecież niewinne pytanie. – No dobrze, lecz nie nalegam, jeśli coś ją wstrzymuje. „W każdym razie i tak... *vous êtes... ma victoire"*. – „Victoire?" – „Mais oui¹, zwycięstwem nad samym sobą".

Byłby to podbój dworski w renesansowym stylu, na modłę śmiałych umizgów adoratorów z Szekspira.

I wreszcie wariant trzeci. Nie dawać za wygraną, lecz i nie atakować. Wciąż czekać – lecz nie bezczynnie. Próbować przenieść grę na pole pozaszkolne. Przerzucić piłkę gdzie indziej. Na teren neutralny. Taki, gdzie

---

¹ „pani jest... moją wiktorią". „Wiktorią?" „Tak jest"

prawa szkoły byłyby zawieszone; gdzie miast władczyni i sługi – „pani dyrektor" i „ucznia" – byłoby dwoje ludzi.

Projekt najambitniejszy i najbardziej nęcący. Godny racjonalizmu i nauk oświeconych Woltera i Rousseau.

Na niemą kapitulację, choć była najłatwiejsza, jakoś nie mogłem się zdobyć: było mi czegoś żal; zawód smakował zbyt gorzko. Z kolei, aby przypuścić „renesansową" szarżę, pełną śmiałych zaczepek i brawurowych ripost – nie czułem się na siłach. Abym mógł ją wykonać, musiałbym być beztroski, to znaczy, nie zatruty toksyną namiętności. Tymczasem, niestety, byłem. A to – obezwładniało. Przynajmniej osłabiało panowanie nad sobą – nad twarzą, głosem, ruchami, a zwłaszcza nad językiem. Namiętność jest zawsze ponura i pozbawia lekkości... – wyczytałem gdzieś kiedyś tę zagadkową myśl (czy nie w *Czarodziejskiej górze*?); teraz na własnym przykładzie poznawałem jej prawdę.

Wybrałem wariant trzeci.

Ledwo wyposażony, właściwie bez ekwipunku, ruszyłem w dalszą drogę – przecierać nowe szlaki.

## Centre de Civilisation

Piorunujący brzmieniem swej hieratycznej nazwy Centre de Civilisation Française już od ponad ćwierćwiecza nie miał siedziby w masywnym i pełnym dostojeństwa starym Pałacu Staszica stojącym przy szlaku królewskim (w delcie Nowego Światu, u wrót Krakowskiego Przedmieścia), lecz w zaniedbanym budynku Uniwersytetu przy ulicy Oboźnej, tym samym, w którym się mieścił wydział romanistyki, a także, jak na ironię, cuchnący odorem myszy i doświadczalnych szczurów biedny wydział biologii. Z pewnością i pomieszczenia zajmowane w tym gmachu daleko odbiegały pod względem wielkości i szyku od wnętrza, które przed wojną zwało się Złotą Salą. Trzy ciasne pokoiki zastawione półkami, biurkami i kartoteką – będące jednocześnie archiwum, kancelarią, wypożyczalnią książek, a także *salle de lecture*, o czym anonsowała tabliczka przybita do jednych z drzwi – oto co stanowiło witrynę Cywilizacji, znaczy, Kultury francuskiej: ucieleśnienia idei Racjonalizmu, Postępu, Nowoczesności, Wolności.

A jednak, mimo wszystko – mimo tej degradacji, mimo ciasnoty i biedy, obskurnych drzwi i podłóg, ohydnych biurowych mebli i dawno nie mytych szyb – było w owym przybytku inaczej niż gdzie indziej, i to nawet tuż obok, w tym samym gmachu, „za ścianą", na przykład: w sekretariacie albo czytelni wydziału, które niedawno poznałem.

Przede wszystkim uderzał tu całkiem inny zapach – przyjemny, delikatny, swoiście odurzający: subtelna (nie „słodka") konwalia zmieszana z oparami szlachetnego tytoniu (jak miało się okazać: Gitanów i Gauloisów).

Następnie, wzrok napotykał liczne drobiazgi biurowe nie widywane gdzie indziej – zmyślne i estetyczne, zgoła pociągające: kolorowe pinezki i gumki recepturki; lśniące, kształtne spinacze w owalnym pojemniku z magnetycznym „kraterem"; rolki taśmy klejącej (przejrzystej lub matowej) w zgrabnych, poręcznych oprawkach z zębatym obcinakiem; i wreszcie, cała kolekcja jednorazowych BIC-ów – głównie prostych, kanciastych, z przezroczystego tworzywa (o różnobarwnych zatyczkach – niebieskich, czerwonych i czarnych – i skuwkach w tych samych kolorach, strzelistych jak główki pocisków), lecz również o obłych kształtach, z mechanizmem wciskowym (z przezroczystą iglicą i małym otworkiem z boku, w który wskakiwał z trzaskiem trójkątny ząbek zwalniacza).

Z tą galanterią współgrały stojące na półkach książki oraz gazety i pisma, rozłożone starannie na lekko pochyłym blacie. Chodzi o to, że książki nie były oprawione w jednaką, burą tekturę lub obłożone papierem – szarym, pakowym, siermiężnym, jak w innych bibliotekach; a grzbiety ich okładek (lub nierzadko obwolut) mieniły się kolorami i lśniły laminatem lub sztywnym celofanem, jakich w żadnym z państw-stron Układu Warszawskiego, nawet we wschodniej części ojczyzny Gutenberga, stojącej technicznie najwyżej, nie używano w produkcji oprawy druków zwartych. Z kolei periodyki, a nawet gazety codzienne («Le Figaro», «Le Monde») odznaczały się innym niż krajowe papierem i charakterem druku. Papier był cienki i gładki, a przy tym wcale mocny, druk zaś – wyraźny i kształtny, wygodny i miły dla oka. (Papier gazet krajowych był szorstki, łykowaty i bardzo łatwo się darł; druk zaś nie trzymał linii, skakał na wszystkie strony i miał niezgrabny krój liter; poza tym się rozmazywał. O zdjęciach i ilustracjach nawet nie ma co mówić.)

Wreszcie, przy wielkim biurku, pełniącym rolę recepcji, o blacie wyściełanym ciemnozielonym suknem, siedziała nobliwa pani, nic nie mająca wspólnego z wyglądem personelu, jaki się spotykało gdzie indziej w podobnych miejscach (w sekretariatach, czytelniach i biurach administracji). Szczupła, pod sześćdziesiątkę, o wyrazistej twarzy i szpakowatych włosach (krótko i zgrabnie przyciętych), w ładnych szkłach bez oprawki (z cieniutkim złotym siodełkiem i takimi rączkami), w świetnie skrojonym kostiumie z szarego *fil-à-fil* i bordową apaszką zawiązaną pod szyją, siedziała wyprostowana, stukając na maszynie – sprawnie i energicznie. Jej długie kościste palce były przyozdobione srebrnymi pierścionkami, przegub zaś prawej ręki – gustowną bransoletą z tego samego metalu. W zasięgu tejże ręki, na ciemnozielonym suknie, leżała paczka Gitanów, czerwona, cylindryczna zapalniczka na gaz z przezroczystego plastiku i biała popielniczka z napisem „Courvoisier", na której dnie spoczywał zgnieciony niedopałek z czerwonym śladem szminki.

Wchodząc do pomieszczenia, zakładałem bezwiednie (zapewne pod wpływem wizji, czy, skromniej: *l'imaginaire*[1], jaki wzbudzała nazwa owej ekspozytury francuskiego *esprit*), że wewnątrz będzie gwarno, ruchliwie, a nawet tłoczno, a w każdym razie tak, że moje ciche wejście nie będzie rzucało się w oczy. Dlatego też zastawszy, co właśnie zastałem był, straciłem naraz rezon i wpadłem w zakłopotanie. Miast przejść niezwłocznie dalej, do pustej *salle de lecture*, by tam, w spokoju i ciszy, przemyśleć powzięty plan i dostosować szczegóły do danych okoliczności, przystanąłem jak głupi przy blacie z czasopismami i począłem niepewnie przeglądać «Le Figaro». Na skutki tego potknięcia, a raczej szkolnego błędu, nie trzeba było czekać dłużej niż pół minuty.

– Mogłabym ci w czymś pomóc? – spytała „srebrna" dama, przerywając pisanie. Głos miała niski, głęboki, uderzająco podobny do głosu jednej z lektorek Radia Wolna Europa.

Znowu – po raz już który! – musiałem improwizować.

Moją jedyną busolą były reguły gry w szachy. Te zaś nakazywały: nie atakować za wcześnie, a zwłaszcza nie wychodzić na początku hetmanem; wybrać, w miarę możności, mniej popularne otwarcie, rozwijać je metodycznie i czekać na błąd przeciwnika; ofensywę rozpocząć dopiero z mocnej pozycji.

W danej rzeczywistości znaczyło to zdobyć względy, a nawet podbić serce srebrnowłosej Marianny.

---

[1] wyobrażenia

213

– Mam nietypową sprawę – zbliżyłem się do biurka – i stąd też moje wahanie, czy w ogóle się z nią zwracać. Widząc, że jest pani zajęta, nie chciałem przerywać pracy.

– O co chodzi? Mów, śmiało – przyjrzała mi się uważnie. – Wszystko da się załatwić. To tylko kwestia woli; w najgorszym razie: czasu.

– To bardzo miłe i rzadkie, że pani tak stawia sprawę. Niemniej, obawiam się, czy w danym wypadku, istotnie, będzie można zaradzić. Bo rzecz, o którą mi chodzi, ma związek z kulturą francuską... szczególny... nie oczywisty... nie pierwszorzędnej wagi.

– Oby miał jakikolwiek – rzekła z dowcipnym uśmiechem.

– Chodzi o tłumaczenie. Dokładnie, o przekład francuski hymnu *Ren* Hölderlina... wie pani, tego niezwykłego niemieckiego poety, co przeszedł samotnie Alpy zmierzając do Bordeaux, a później, wracając stamtąd, również samotnie i pieszo, doświadczył objawienia, które go poraziło i odebrało mu rozum. Podobno na jakimś szczycie ukazał mu się Dionizos i odbył z nim rozmowę. W każdym razie w Paryżu... Ale nie o to chodzi! Rzecz w tym, że piszę pracę o romantycznych podróżach... markiza de Custine, Joanny Schopenhauer... i potrzebuję cytatu właśnie z owego hymnu... Dlaczego po francusku? Dlaczego mi nie wystarcza oryginał lub przekład polski? Już śpieszę z wyjaśnieniem! Jest to praca na konkurs ogłoszony przez pismo... «Perspective de Genève» i takie są wymagania, aby wszelkie cytaty były w języku francuskim. Podobny problem mam z tekstem Joanny Schopenhauer, no ale ten przynajmniej napisany jest prozą, więc potrzebne wyimki mogę przełożyć sam. Tymczasem wiersz, i to taki!...

– rozłożyłem ramiona i wzniosłem oczy do nieba. – Otóż byłem już wszędzie, we wszystkich bibliotekach, wydziałowych, centralnej, a nawet w narodowej, i nigdzie tego nie mają... nigdzie nie mogli mi pomóc. Wreszcie ktoś mi powiedział, że z tego rodzaju sprawą winienem pójść do Centre; że s t ą d nie wyjdę z kwitkiem. Oto dlaczego tu jestem. W pani ostatnia nadzieja! A warto jeszcze dodać, iż pierwszą nagrodą w konkursie jest rzecz nie do pogardzenia: miesięczny pobyt w Szwajcarii, a tam... wycieczki w Alpy, i to nie byle gdzie, między innymi właśnie w rejony źródeł Renu, w masyw Świętego Gotharda albo w masyw Adula,

gdzie lasy przerażone –

zacząłem bez żenady, horrendalnie fałszując, małpować Konstantego, podniósłszy nieznacznie głowę i przymrużywszy oczy –

a sponad nich skały
wznosząc głowy, codziennie, spoglądają w dół,
tam, w lodowatej otchłani...

tu urwał mi się wątek. By zatuszować to jakoś, dorzuciłem niezwłocznie, niby wieńczący akord zarzuconej melodii, początek trzeciej strofy, który znałem najlepiej –

Głos... najszlachetniejszej z rzek,
Renu – urodzonego wolnym...

Srebrnowłosa Marianna patrzyła na mnie z uśmiechem – godnym co najmniej autora *Traktatu o tolerancji*.

– W masyw Adula, powiadasz... – odezwała się wreszcie, jakby ta nazwa własna budziła w niej jakieś wspomnienie. – „Tam, w lodowatą otchłań" – dodała elegijnie dobrą wymową niemiecką, zmieniając stosownie przypadek.

Struchlałem. Zna niemiecki! I w ogóle wszystko wie! To koniec, jestem zgubiony! Zaraz mnie zdemaskuje.

Obawy te jednakże okazały się płonne. Jej ton, spojrzenie, mimika były jedynie grą, żartobliwą ironią.

– Uważaj, żebyś tam nie wpadł – uniosła wysoko brwi w geście błazeńskiej przestrogi.

– Mogę panią zapewnić, że skorzystam z tej rady – odwzajemniłem uśmiech, opuszczając powieki. – Rzecz jednak w tym, że naprzód muszę zwyciężyć w konkursie.

– Skoro taki jest cel – podniosła się energicznie – trzeba się wziąć do roboty. – Podeszła do katalogu. – *Ren* Hölderlina, powiadasz... A zatem: romantyzm niemiecki.

Stała na tle kartoteki zwrócona do mnie tyłem. Wysoka, elegancka, o regularnej kompleksji i harmonijnych ruchach. Nawet tak błahą czynność jak wysuwanie szufladek i wertowanie fiszek wykonywała z gracją, z iście królewską godnością, jakby to było co najmniej przebieranie w precjozach albo granie na harfie. Nagle dotarło do mnie, że stylistyka ta – ów sposób noszenia się, bycia – ma niejeden rys wspólny z manierami Madame. Ależ tak, oczywiście! To było dokładnie to! Ten rodzaj *pas*, te gesty, ta sama „choreografia". Wytworność i precyzja, pańskość, szczypta przesady. Giętki i cięty język. Ironia i przekora. Tyle że w jej wydaniu było to sympatyczne, tchnęło przyjaznym powiewem, a nie, jak w przypadku Madame, lodem mrożącym krew w żyłach.

„I cóż by jej szkodziło", pomyślałem ze smutkiem o mojej monarchini, „grać tę 'partię francuską' nie w wariancie 'zamkniętym', lecz właśnie w takim, 'otwartym' – w tonacji dur, nie moll! Ileż by na tym zyskała! I ileż ja bym zyskał!"

Tymczasem srebrna Marianna podeszła do regałów, wyjęła z rzędu książek jakiś masywny tom i oparłszy go grzbietem o kant dogodnej półki, zaczęła przerzucać stronice.

„Ciekawe", podjąłem monolog, „gdzie Konstanty z tym wierszem zapoznawał był Claire? I w jakiej czynił to formie? Mówiąc z pamięci, jak mnie? Dając do przeczytania? – Jakkolwiek udzielał tej lekcji, jeśli to było w Centre (gdziekolwiek mieścił się wtedy), to rzecz się oto powtarza – jak temat w utworze muzycznym. Oto znowu ktoś komuś, kto pełni tutaj służbę, intonuje tę pieśń. Oto znów się ozwała – niby echo po latach. Więc 'święty ogień' znów płonie! Powraca dawny czas!"

– C'est ensuite seulement que les impies[1] – w ciszy rozległ się nagle głęboki alt Marianny. Patrzyła w otwartą książkę, trzymając czubki dwóch palców mniej więcej na środku stronicy. W ciągu dalszego czytania przesuwała je w dół:

> łamiąc własne prawa
> lżyli niebiański ogień,
> by na koniec, wzgardziwszy ścieżkami śmiertelnych,
> wybrać drogę zuchwalstwa
> i ulec pokusie dorównania bogom.

Uniosła wzrok znad tekstu i obróciła się ku mnie.

Rozumiałem te zdania, lecz nie miałem jasności, co do ich pochodzenia. Wiersz, którego przekładu na język potomków Chlodwiga rzekomo poszukiwałem, nie był mi dobrze znany, i to oględnie mówiąc. W istocie wiedziałem tylko – z niemieckiego wydania – że został napisany w tysiąc osiemset pierwszym i zadedykowany jakiemuś Sinclaire'owi; że nie jest rymowany i ma formę stroficzną; że strofy są obszerne, na ogół piętnastowersowe, i tyleż jest ich w sumie. Co się zaś tyczy treści, to cała moja wiedza sprowadzała się głównie do owego wyimka wypisanego ołówkiem na tytułowej stronie *Gdańskich wspomnień młodości* Joanny Schopenhauer i kilku mu przyległych, które dla potrzeb rozmowy przełożył mi Konstanty i które

---

[1] A potem, bezbożnicy

później wpisałem do mojego „Cahier". O dalszym ciągu wiersza i innych jego motywach nie miałem żadnego pojęcia. Dlatego też owi zuchwalcy „łamiący własne prawa" i „lżący niebiański ogień", choć brzmieli równie podniośle co „z rzek najszlachetniejsza", nie bardzo mi z nią współgrali. W tym stanie rzeczy najlepiej było zachować ostrożność.

– *C'est une allusion à moi?*[1] – zapytałem z uśmiechem, chcąc przede wszystkim ukryć symptomy dezorientacji, a zarazem pokazać, że uchwyciłem sens, a nawet że potrafię przytomnie zareplikować, i to w obcym języku.

– *Pardon, mais pourquoi?*[2] – pochyliła w bok głowę, marszcząc „pytajnie" brwi.

– *Voilà que moi...* – szukałem gorączkowo jakiejś zręcznej formułki; wreszcie przyszło mi w sukurs rodzime porzekadło: – *je me jette sur le soleil avec la serfouette*[3].

– *Ça n'existe pas en français* – oznajmiła figlarnie (znowu w podobny sposób, jak to czyniła Madame, tyle że właśnie przyjaźniej) i dodała rzeczowo: – *en français on dit „vouloir prendre la lune avec les dents"*.[4]

– Słusznie – przyznałem skwapliwie, jakbym tylko zapomniał, a nie po prostu nie wiedział, i rozbawiony materią francuskiego przysłowia, a zwłaszcza tym, że „*lune*" jest rodzaju żeńskiego, dorzuciłem z uśmiechem: – To nawet dużo celniej oddaje mój przypadek.

– Celniej? Niby dlaczego?

– Jeśli moim księżycem – znalazłem zręczny kamuflaż dla sensu mego żartu – jest język, sztuka mówienia, to zęby są temu bliższe aniżeli motyka.

– *Tiens*, niech i tak będzie – wzruszyła ramionami. – Ja w każdym razie nie miałam niczego takiego na myśli. Natomiast twojemu poecie, jak tutaj wyjaśniają – znów zajrzała do książki – chodzi w tym zdaniu o tych, co w imię szczytnych idei wzniecają rewolucje, lecz zamiast lepszego świata tworzą na ziemi piekło. Historycznie rzecz biorąc, odnosi się to do wodzów Rewolucji Francuskiej; moralnie, do wszelkich despotów, a zwłaszcza samozwańców, owładniętych przez *hybris*, nieposkromioną pychę.

---

[1] To ma być do mnie aluzja?
[2] Przepraszam, niby dlaczego?
[3] Że oto niby ja (...) porywam się z motyką na słońce
[4] Po francusku to nie istnieje (...) po francusku się mówi „chcieć sięgnąć księżyca zębami"

Znowu podniosła głowę znad otwartego tomu.

– Skoro nie w związku ze mną pani to odczytała... to czemu akurat to? Ten wiersz jest bardzo długi, liczy piętnaście strof.

– Akurat na to trafiłam – odrzekła wyjaśniająco. – Tu nie ma całego tekstu. To nie jest wybór w i e r s z y – uniosła nieco książkę, którą trzymała w rękach – lecz studia francuskich znawców literatury niemieckiej, poświęcone poezji okresu romantyzmu. Są tu więc tylko wyimki cytowane w rozprawach. Z wiersza, którego szukasz, ten pierwszy wpadł mi w oczy. Być może jest ich więcej – powróciła do biurka i położywszy tom na ciemnozielonym suknie, poczęła metodycznie przewracać kartkę po kartce.

Nareszcie „byłem w domu".

– Potrzebuję właściwie trzech, czterech strof początkowych. Głównie takiego fragmentu, gdzie powiedziane jest, iż więcej od przeciwności oraz od wychowania znaczy chwila narodzin, „promień światła, który narodzonego wita".

– „Car tel tu es né, tel tu resteras..." – odczytała z uśmiechem, jakby w pytajnym trybie. – O to ci chodzi? O to: „rien n'est plus puissant, que la naissance, et le premier rayon du jour qui touche le nouveau-né"[1]?

– Ma to pani?! – krzyknąłem.

– „Mais qui, mieux que le Rhin" – ciągnęła w odpowiedzi – „naquit pour être libre?"[2] Faktycznie, ładne to – stwierdziła z upodobaniem. – Jak na to natrafiłeś?

Zrobiłem błazeńską minę wyrażającą sąd, że jestem obdarzony szczególną intuicją. Jednocześnie uznałem, że oto nadszedł czas, by zacząć ofensywę.

– A mówiąc serio – rzekłem, przywdziawszy maskę powagi – dzięki pewnej pianistce... pewnej niezwykłej osobie, z którą zetknął mnie los. Uczyła mnie muzyki i gry na fortepianie. I miała niepospolity, czarowny dar wymowy. Mogłem jej słuchać bez końca. (Obecny mój sposób mówienia, który, jak mi się zdaje, zwrócił pani uwagę, a nawet wywołał uśmiech ironii i pobłażania, stanowi bez wątpienia dalekie i... kalekie echo jej pełnej wdzięku, fascynującej sztuczności.) Wielbiła literaturę,

---

[1] „Albowiem jakim się rodzisz, takim już pozostajesz..." (...) „nic nie ma takiej mocy, jak same narodziny i pierwszy promień światła dla nowonarodzonego"
[2] „Ale któż bardziej niż Ren" (...) „urodził się, aby być wolnym?"

a zwłaszcza poezję niemiecką, i często przytaczała fragmenty różnych wierszy, jakby tytułem dowodu dla jakieś swojej myśli. Otóż w owej kolekcji złotych wersów i strof, ten wielki hymn o Renie zajmował szczególne miejsce. Znała go nie wyrywkowo, ale gruntownie, w całości, i czciła niczym modlitwę...

Uśmiech, jaki rozkwitał na twarzy srebrnej Marianny, był obecnie uśmiechem godnym już tylko autora *Rozprawy o metodzie*.

– Jeśli więc chcę zacytować słowa owego wiersza, to między innymi dlatego, aby złożyć jej hołd, a także w przekonaniu, że jego magiczna moc przyniesie mi zwycięstwo...

Sięgnąłem po tom studiów germanistów francuskich, leżący przed Marianną na ciemnozielonym suknie, i znalazłszy wyimek na otwartej stronicy, zacząłem czytać go na głos (podaję w tłumaczeniu z języka francuskiego):

> Albowiem jakim się rodzisz, takim już pozostajesz;
> jakiekolwiek by były
> przeszkody i wychowanie,
> nic nie ma takiej mocy,
> jak same narodziny
> i pierwszy promień światła dla nowonarodzonego.

Podniosłem głowę znad książki i z wyrazem zachwytu zmieszanego z wdzięcznością spojrzałem ku Mariannie, która przysiadła tymczasem na prawym brzegu biurka i zapaliła Gitana.

– Więc to ma być o tobie? – wciągnęła dym przez nos i wypuściła ustami, na których wciąż się błąkał delikatny uśmieszek – czy o twojej niezwykłej pani od fortepianu?

– O jednym i o drugim, choć na różne sposoby – odpowiedziałem z uśmiechem.

– Więc sprawa załatwiona. Masz, co ci było potrzebne – stwierdziła „zamykająco", lecz nie ruszyła się z miejsca. Co więcej, w dalszym ciągu patrzyła na mnie uważnie z tym przekornym uśmieszkiem, który zdawał się teraz wyrażać nieme pytanie: „czy to na pewno już wszystko?"

– Bardzo pani dziękuję – powiedziałem solennie, jakbym też kończył sprawę. – Przepiszę sobie to teraz – i odwróciwszy się szybko, przeszedłem do *salle de lecture*.

Spędziłem tam więcej czasu, niż było go potrzeba na wykonanie kopii jedenastu linijek odnalezionej cytaty. Odkrywszy bowiem w przypisach inne jeszcze urywki tego wiersza w przekładzie, przepisywałem je również; zresztą, chciałem po prostu nieco dłużej odetchnąć po tym popisie kuglarstwa i odczekać taktycznie z podjęciem dalszej gry, która miała wejść właśnie w decydującą fazę.

Do „szachownicy" wróciłem mniej więcej po pół godzinie.

– Dziękuję jeszcze raz – powiedziałem dyskretnie, lecz zamiast położyć książkę, na biurku lub gdziekolwiek, dalej trzymałem ją w ręce na wyciągniętym ramieniu.

– Połóż to tam – poleciła, wskazując głową na stolik stojący obok biurka i znów przerywając stukanie na wielkim Remingtonie. – I nie ma za co, naprawdę! To przecież nasza rola.

– Nasza?

– Ośrodka. Centre. Po to tutaj jesteśmy.

Uznałem, że nie ma co zwlekać:

– A właśnie, jeśli wolno, mam jeszcze jedno pytanie.

– Pytaj. Kto pyta, nie błądzi, jak powiada przysłowie.

– Czy prawdą jest, że Centre zakłada teraz w Polsce szkoły z językiem francuskim?

Zrobiła zdziwioną minę.

– Nic o tym nie wiem – rzekła. – Skąd takie wiadomości?

Opuściwszy przyłbicę, ruszyłem do ataku:

– Nie umiem wskazać źródła. Właśnie dlatego pytam. Jednak już kilka razy doszły mnie takie słuchy – starałem się nadać głosowi ton maksymalnie lekki. – Słyszałem wręcz, że w Warszawie taka placówka już działa. Jej dyrektorem podobno jest rodowita Francuzka, a w każdym razie osoba związana właśnie z Centre.

W oczach srebrnej Marianny zaśnił błysk rozbawienia.

„Zna ją! To oczywiste! No, i co teraz powie?"

– A nie słyszałeś przypadkiem – podjęła z udaną powagą – jak się nazywa ta pani?

– Niestety – uniosłem ręce w geście bezradnej niewiedzy, po czym zamarłem w bezruchu, czekając na jej ruch.

– No cóż – odrzekła po chwili – nie mogę tego potwierdzić.

– To znaczy, czego, przepraszam?

– Prawdę mówiąc, niczego. Centre nie zakłada tych szkół i nie ma z tym nic wspólnego. A ta pani dyrektor... jeżeli, oczywiście, to ta sama osoba, którą j a mam na myśli... bynajmniej nie jest Francuzką.

– Rozumiem jednak z tego, że jakieś dzwony biją, tyle że nie w tym kościele.

– Co chcesz przez to powiedzieć?

– No, że w owych pogłoskach są jednak ślady prawdy.

– Przypuszczam, że chodzi o projekt Ministerstwa Oświaty podjęty w ramach umowy między Polską a Francją o współpracy w dziedzinie nauki i edukacji. Rzecz tę, ze strony francuskiej, prowadzi Service Culturel...

– Service Culturel? – przerwałem.

– Wydział do spraw kultury Ambasady Francuskiej.

„Ach, więc aż tam jesteśmy!" poczułem falę gorąca i żywsze bicie serca.

– I Francja mianowała dyrektorem tej szkoły... kogoś, kto nie jest Francuzem?! – zdumiałem się przesadnie. – A w każdym razie przystała na taką nominację?

– Nie wiesz, gdzie my żyjemy? – rzekła zniecierpliwiona.

– No tak, ma pani rację.

– Ale i ty masz swoją – stwierdziła pojednawczo. – Były z tym korowody.

– Nie mogli się „dogadać"... – rzuciłem ironicznie.

– Wbrew różnym uzgodnieniom wynikającym z umowy, Ministerstwo Oświaty nie chciało nawet słyszeć o dyrektorze-Francuzie. Wtedy strona francuska zastrzegła sobie prawo do typowania osoby przynajmniej spośród Polaków. Niby zgodzono się na to, w praktyce jednak czyniono same trudności i wstręty. Każdy kandydat był zły.

– Ale w końcu... ta pani... okazała się dobra.

– Nic podobnego. Bynajmniej.

– To jak ją zatwierdzili?

– Francuzi się uparli. Uznali, że ich prestiż jest wystawiany na szwank i postawili warunek: albo ich wniosek przechodzi, albo się sprawę zamyka i cały projekt pada. – Zrobiła krótką pauzę i z drwiącym uśmiechem dodała: – Natychmiast podpisali.

Pamięć odbiła mi echem opowiadanie Jerzyka, zwłaszcza wykład na temat „wymiany z zagranicą", załatwiania zaproszeń i „handlu żywym towarem".

– Więc mają w tym jakiś interes – stwierdziłem tonem znawcy.

– Kto?

– Ministerstwo Oświaty.

– Nie sądzę – rzekła sceptycznie. – Dla nich to raczej haracz. Odwalanie pańszczyzny. Wywiązywanie się z umów, które im się narzuca w ramach „transakcji wiązanych".

– Oj, chyba nie nadążam...

– A co ty sobie myślisz? Że tutaj komuś zależy na nauce języków? Szczególnie francuskiego, tego symbolu kultury „inteligencji mieszczańskiej", ziemiaństwa i burżuazji, „tego reliktu przeszłości, co poszła na śmietnik Historii"? T u t a j zależy jedynie na materialnych korzyściach i paru innych rzeczach, o których wolę nie mówić, i właśnie w zamian za to idzie się na koncesje w dziedzinie nauki i sztuki, z których zresztą, na ogół, i tak niewiele wynika.

– Znaczy, że oni to robią...

– Tak jest! – wpadła mi w słowo. – Dla tworzenia pozoru. Nic z tego nie będzie, wierz mi!

– No, mimo wszystko, już jest.

– Co j e s t? – uniosła brwi i wytrzeszczyła oczy.

– No, to jakieś liceum... Przynajmniej ta pani dyrektor!

– To próba. „Eksperyment", jak oni to nazywają. Za rok, za dwa-trzy lata okaże się „niewypałem".

– Za rok, za dwa-trzy lata nie będę już, jak sądzę, zainteresowany sprawą. Rzecz interesuje mnie dziś. W związku z moimi planami, które są pani znane. Otóż chodzi mi o to, czy mógłbym w jakiś sposób nawiązać kontakt z tą szkołą... czy, ściślej, z tą panią dyrektor... bo, o ile rozumiem, pani chyba ją zna...

– Na jakiej podstawie tak sądzisz?

– Zapytała mnie pani, czy może znam jej nazwisko, dając do zrozumienia, że ma pani kogoś na myśli. Czy nie jest to podstawa... logicznie dostateczna?

– Masz kartezjański umysł! – uśmiechnęła się kpiąco.

– To p a n i powiedziała – odwzajemniłem uśmiech.

– No więc czego właściwie oczekujesz ode mnie? Żebym podała ci adres? – („Adres już mam!") – Telefon? – („Zdobyłem go na początku.")

– I, szkoły czy... do domu?

– Nie-nie, no bez przesady! – uniosłem ręce w geście „poddaję się bez bicia". – Gdzieżbym śmiał niepokoić kogoś nieznajomego! A zwłaszcza go nachodzić w jego prywatnym mieszkaniu!

222

– No więc?

– Myślałem o czymś innym. O forum, jakim jest Centre. O ile mi wiadomo, bywają tu różne imprezy: projekcje filmów, odczyty, dyskusje literackie, na których zbiera się kwiat warszawskiej romanistyki, a nawet szerszy krąg miejscowych galomanów. Nie sądzę, aby dyrektor francuskojęzycznej szkoły (choćby w okresie próbnym) był poza tym środowiskiem i mógł nie uczestniczyć w jego sprawach i życiu. A skoro się nie mylę i jeśli, oczywiście, na owe konwentykle każdy ma prawo wstępu, mógłbym, przychodząc na nie, znaleźć jakąś sposobność, by poznać go osobiście i porozumieć się z nim.

– Z kim? Teraz ja nie nadążam.

– No jak to z kim! Przecież mówię: z dyrektorem tej szkoły.

– To jest o n a, nie on.

– Dyrektor to dyrektor. Funkcja nie ma rodzaju.

– Ale człowiek ma płeć.

– Jakie to ma znaczenie? – prychnąłem (nieco przesadnie).

– Czasem ma, *mon ami* – znowu się uśmiechnęła, tym razem zagadkowo, po czym zrobiła „dzióbek" i oczy zdziwionej lalki.

Nie byłem w stanie powstrzymać inwazji rumieńca na twarz.

– Więc powiadasz – podjęła po osiągnięciu celu – że również chciałbyś bywać na „konwentyklach" Centre... – Spostrzegłszy, że na podłodze leży błyszczący spinacz, podniosła go i wtrąciła do „krateru" pudełka, w którym tłoczyły się inne. – Nie ma najmniejszych przeszkód. Wstęp jest wolny. Dla wszystkich. *Tu es le bienvenu!*[1] Obawiam się jednakże, że akces ten nie spełni wiązanych z nim oczekiwań. Przeceniasz bowiem Centre. Twoje wyobrażenie o naszej działalności jest mocno przesadzone. Owszem, mamy w programie projekcje francuskich filmów, a także spotkania z ludźmi z akademickiej Francji, ale co to za filmy! i jakie to spotkania! i kto na nie przychodzi!

Filmy? Trzeci garnitur, i to sprzed wielu lat (projekcje się odbywają w budynku Geografii, w salce na trzecim piętrze; fatalna jakość odbioru).

Odczyty? Specjalistyczne, dla wąskiej grupy znawców.

A audytorium? Studenci, i to wcale nie liczni, i kilku wykładowców.

Dlaczego tak się dzieje? Dlaczego dumny tytuł „Centre de Civilisation" nie ma pokrycia w treści?

---

[1] Jesteś mile widziany!

Cóż – rozłożyła ramiona – nie ma środków, funduszy. – Uniosła palec do góry. – I nie ma przyzwolenia.

Niemniej, nie mylisz się, sądząc, że istnieją imprezy, na które ściąga *le beau monde*, cała francuskojęzyczna, „europejska" Warszawa, w tym również i... d y r e k t o r, którego chciałbyś poznać. Jednak dostać się na nie to już nie takie proste. Trzeba być z towarzystwa albo mieć... zaproszenie. A zaproszenia przyznaje (rozsyła lub wydaje) gabinet Service Culturel.

Masz jeszcze jakieś pytania? – ujęła obło BIC-a, który spoczywał na biurku, i jęła się nim bawić, wciskając i zwalniając raz po raz jego przycisk.

– No, oczywiście – odparłem. – I chyba wie pani jakie.

Przestała pstrykać iglicą i zmierzyła mnie wzrokiem, udając, że próbuje odgadnąć moje myśli. Wreszcie sięgnęła po czarną plastikową kasetkę jeżącą się guzikami, przy których widniały litery w porządku alfabetycznym, i przycisnęła pierwszy (z literą A pod spodem). Gładka część wierzchniej płaszczyzny podskoczyła sprężyście i stanęła pionowo, odsłaniając karteczkę z wydrukowanym diagramem, w który wpisano ręcznie numery telefonów. Następnie podniosła słuchawkę i wykręciła sześć cyfr. Po chwili głęboki alt zagruchał gardłowym „er".

*C'est elle, de la part du Centre, oui-oui, de la rue Oboźnà.*[1] I dzwoni z taką sprawą: jest u niej młody człowiek, *gentil et résolu*[2], obyty, oczytany, z przyzwoitym francuskim, któremu bardzo zależy na żywym kontakcie z językiem i zachodnią kulturą. Czy można by go wpisać na listę stałych gości programu Service Culturel?... Zasadniczo nie bardzo?... Jest limit miejsc... Kontrole... A jednak, w drodze wyjątku? Osobiście uważa, że zasługuje na to. To młodzieniec z przyszłością!... A zatem, *d'accord*?... Ma przyjść... Już go wysyła. *Merci.*

Odłożyła słuchawkę.

– Rozmowę usłyszałeś – znów zwróciła się do mnie. – I ufam, że zrozumiałeś. Teraz weźmiesz autobus linii 117, który się zatrzymuje w Alejach Jerozolimskich pod samym gmachem KC i który cię przewiezie na drugą stronę Wisły, w rejon Saskiej Kępy. Wysiądziesz na Placu Przymierza, naprzeciw kina Sawa, i stamtąd udasz się pieszo przez ulicę Zwycięzców do wąziutkiej przecznicy o nazwie Zakopiańska. Odnajdziesz na

---

[1] To ona, z Centre, tak-tak, z ulicy Oboźnej.
[2] miły i rezolutny

niej dom z numerem 18, gdzie mieści się siedziba Ambasady Francuskiej, i wkroczysz na jej teren. Gdyby cię ktoś zatrzymał i pytał, czego tam szukasz, powołasz się wtedy na mnie (moje nazwisko Zamoyska) i powiesz, że masz spotkanie z *mademoiselle* Legris. To właśnie ona cię przyjmie i wpisze cię na listę, a może nawet od razu wyda ci zaproszenie, bo wiem, że lada dzień ma się odbyć wernisaż głośnej grafiki Picassa. *Mademoiselle* Legris będzie chciała z pewnością pomówić z tobą przez chwilę, aby cię trochę poznać, więc proszę, bądź tak miły i nie przynieś mi wstydu. Zresztą, sam chyba rozumiesz: to w twoim interesie. Życzę ci powodzenia.

*Au revoir, jeune homme.*[1]

## Odkrycie Ameryki

"I młody człowiek pojechał..."

Gdy wartka akcja życia, w którym coś odgrywałem, zamierała na chwilę, zwalniając mnie z wymogu podtrzymywania roli, nieraz moim odruchem podczas takiego antraktu było myślenie o sobie w formie klasycznej narracji (trzecia osoba, czas przeszły) – jakby to, co się działo, ze mną i wokół mnie, stanowiło materię opowiadanej historii. Temu się właśnie oddałem, kiedy tylko autobus linii 117, w którym zająłem miejsce, ruszył spod gmachu KC.

"Ponieważ nie było tłoku, przeciwnie, było pusto, nie wybrał swojego kąta 'na rufie' przy tylnych drzwiach, ale, podobnie jak inni, zajął miejsce siedzące, przy oknie, po prawej stronie. Za szybą z securitu, powleczoną od zewnątrz warstewką starego brudu, przesuwał się do tyłu ciąg szarawych widoków: masywne gmachy muzeów, Muzeum Narodowego i Oręża Polskiego, ponure kamienice stojące wzdłuż wiaduktu, wreszcie szeroki pas rzeki, toczącej leniwie wody.

Przejeżdżając przez most, zdał sobie nagle sprawę, że się przemieszcza na wschód.

– A przecież zmierzam do czegoś, co jest wysepką Zachodu – pomyślał rozbawiony. – Trawestacja konceptu i przedsięwzięcia Kolumba. Ciekawe, co odkryję?

---

[1] Do widzenia, młody człowieku.

Na Rondzie Waszyngtona, poza jakąś babiną i starszym panem z paczką, wsiadło – w ostatniej chwili – dwóch mężczyzn w średnim wieku. W odróżnieniu od innych, nie skasowali biletów ani też nie usiedli na żadnym z wolnych miejsc, lecz w nonszalanckich pozach stanęli przy kasownikach – na przedzie i z tyłu wozu – i z kamiennymi twarzami zaczęli patrzyć przez okna.

– Kontrolerzy – pomyślał. I choć nie miał powodu, ażeby się ich bać – w kieszeni jego kurtki tkwił ważny bilet miesięczny na wszystkie linie normalne komunikacji miejskiej (potwierdziła to ręka, wsunięta tam mimowolnie) – poczuł w sobie napięcie i szybsze bicie serca.

– No i czego się boisz? – zaapelował do siebie. – Przecież nic ci nie grozi. A gdyby nawet groziło, to co? No właśnie, co? – Strata pieniędzy na mandat? – Można nie płacić od razu. Można zażądać blankietu na wpłatę do dwóch tygodni, a potem zwlekać latami, jak większość ludzi to robi. – Więc c o innego? Wstyd? – A czego tu się wstydzić? Że oszukuje się państwo? Przedsiębiorstwo państwowe? – A co to znaczy: p a ń s t w o w e? Czy aby nie tyle co: n a s z e? A skoro znaczy: n a s z e, to gdzie tu jest oszustwo? Można oszukać kogoś, ale samego siebie? – A poza tym, czy ten, z którym się układamy (jeśli już go traktować jako kogoś drugiego, a nie jako nas samych), czy ten ktoś – MZK – jest partnerem bez skazy, który się wywiązuje ze wszystkich zobowiązań, jakie na siebie przyjął? I czy my wobec niego mamy te same prawa, jakie on wobec nas? Jak choćby prawo kontroli – zgodności z rozkładem jazdy, warunków podróżowania (zwłaszcza w godzinach szczytu), uprzejmości kierowców? Czy on nam także płaci za swoje uchybienia: kary za niepunktualność, chroniczne przerwy w ruchu? Albo odszkodowania za każdy uszczerbek na zdrowiu doznany wskutek ścisku lub przytrzaśnięcia drzwiami? – Nie płaci, ani grosza. Nawet się nie poczuwa. Płacimy tylko my. – A zatem, o co chodzi? Gdzie tu występek, przewina, godne napiętnowania? Nierówność wobec prawa zwalnia z reguł *fair play*. Czyż nie tego dowodzi cała nauka historii i większość lektur szkolnych? – Walka z wyzyskiwaczem jest słuszna i postępowa. Łamanie praw krwiopijców to cnota, a nie grzech. Dochodzić sprawiedliwości w świecie przemocy i gwałtu wolno wszelkim sposobem...

Sformułowanie w myślach tej żarliwej obrony pasażera na gapę (którym sam przecież nie był!) nie przyniosło mu ulgi. Przeciwnie, jeszcze bardziej rozstroiło mu nerwy. Zamiast dać sobie spokój z domniemanymi stróżami Miejskiego Przewoźnika i zająć się sprawami w danej chwili dla niego po stokroć ważniejszymi (jak pozyskać dla siebie *mademoiselle* Legris? jak pokierować rozmową? jakie zadać pytania?), wpatrywał się natarczywie w plecy jednego z nich, czekając z zapartym tchem na potwierdzenie domysłu, czyli – początek akcji.

Było, jak podejrzewał.

Po chwili, jak jeden mąż (choć nie patrzyli na siebie) sięgnęli pod klapy płaszczy i wydobyli stąmtąd wiszące na krótkich paskach blaszane złotawe krążki, które jak górskie odznaki ozdobiły im piersi, i stanąwszy w rozkroku nad siedzącymi tuż przy nich, wyrzekli równocześnie sakramentalną formułkę:

– Prosz-sz-szę bilety do kontroli.

Zdawałoby się, że po tym mógłby się już odprężyć. W końcu całe napięcie zostało rozładowane: wyczuł ich; odgadł; ma nosa. – Tymczasem, nic podobnego. Był dalej podminowany i dalej, nierozumnie, folgował złym emocjom.

– Żeby taki paskudziarz, co wszystkie grzechy świata ma wypisane na twarzy, mógł żądać czegoś od innych! By mu... okazać bilet! Bym j a – monada wolna, nieposkromiona jak Ren, udająca się właśnie do Ambasady Francuskiej – miał się podporządkować jego bezczelnej woli, poświęcić mu cząstkę czasu, wykonać przez niego ruch ręką! – Nie, to jest nie do przyjęcia! To uwłacza godności i ogranicza wolność. Nie można się z tym pogodzić! – Lecz jak się nie pogodzić? Nie okazać biletu? Nie reagować w ogóle? – Takie postępowanie skończyłoby się niechybnie interwencją fizyczną: szturchaniem, potrząsaniem, wreszcie wzięciem pod ręce i wywleczeniem z wozu na następnym przystanku. To byłoby jeszcze gorsze. – A zatem nie ma wyjścia... Ależ to przemoc! Terror! – Pomocy, o Rousseau!

Duch autora *Rozprawy o źródłach i zasadach nierówności wśród ludzi* (niestety, nie nagrodzonej przez Akademię w Dijon) i słynnej *Umowy społecznej* wysłuchał go, jak się zdaje, i wybawił z opresji, choć w sposób, pod względem moralnym, budzący zastrzeżenia, albowiem – cudzym kosztem. Stało się, mianowicie, że jeden z kontrolerów (ten działający z przodu) po sprawdzeniu biletu starszemu panu z paczką, co wsiadł ostatnio na Rondzie, nie przeszedł dalej ku innym, lecz zaczął się przyglądać owemu pakunkowi i stwierdził:

– Duże to.

– Piecyk – wyjaśnił pasażer. – Słoneczko elektryczne. Właśnie wiozę z naprawy...

– A co mnie to obchodzi! – uciął ostro kontroler. – Bagaż. Jak każdy inny. A za bagaż się płaci.

– Panie! Jaki tam bagaż! – polemizował podróżny. – Bagaż to jest walizka. Albo wózek. Lub rower.

– Miejsce zajmuje tak samo – nie ustępował kontroler.

– Jakie miejsce! I komu! Trzymam to na kolanach. A poza tym jest pusto.

– No i co z tego, że pusto? – odparł spokojnie kontroler i dodał patrząc w bok: – Bilet za bagaż, proszę.

– Dobrze, już dobrze, kasuję – starszy pan podniósł się z miejsca i sięgnął do kieszeni.

– Teraz? – prychnął kontroler. – Teraz to już za późno – i stanął przed kasownikiem.

– No co pan? – człowiek z paczką wyraźnie tracił cierpliwość. – Niech mi pan da skasować!

– Dawałem. Całą minutę. Jakoś pan nie skorzystał.

To oschłe oświadczenie uruchomiło lawinę. Wymiana argumentów, dotąd w miarę spokojna, nabrała przyspieszenia i rozgorzała gniewem. Posypały się racje i słowa *ad personam*. Do zaciętej pyskówki włączyli się rychło inni, siedzący dotychczas cicho, stając murem w obronie właściciela piecyka. Na czoło tego chóru wzburzonych obywateli wysunął się inwalida – starszy, barczysty mężczyzna o sztywnej prawej nodze – siedzący na miejscu dla kalek. Był już poddany kontroli i, mimo ułomności widocznej gołym okiem, zmuszony do okazania jakiejś legitymacji, która go uprawniała do ulgowych biletów. Pewnie to mu dopiekło i teraz usposabiało do roli koryfeusza.

– Wziąłbyś się lepiej, nygusie – grzmiał stentorowym głosem – do jakiejś solidnej roboty, miast ludziom uprzykrzać życie. Najlepiej krowy pasać! Albo do chlewu z widłami! Myślisz, że my nie wiemy, o co tu się rozchodzi? Że premię masz od mandatów?

– No, no! – warknął kontroler. – Nie spoufalaj się pan!

– Miałeś obsrane gacie, gdy ja walczyłem za Polskę! – Sowiński-w-okopach-Woli podniósł do góry laskę jak legendarną szpadę.

– Coś ty powiedział, wałachu? – wycedził przez zęby kontroler, podchodząc do weterana.

– To, co słyszałeś, knurze! – rzucił mu w twarz jenerał i wstał, ruszając ku wyjściu.

– Popamiętasz te słowa – poprzysiągł zemstę kontroler i mruknął coś do kierowcy.

– Możesz mi skoczyć... wiesz gdzie! – zbył tę pogróżkę Sowiński i stanął u przednich wrót.

Tymczasem kontroler powrócił do pasażera z piecykiem i zażądał od niego Dowodu Osobistego. Ten go wyśmiał (słowami: 'i jeszcze czego, bucu!'), po czym, z dobytkiem w rękach, zrównał z Polakiem Prawym, dziękując mu za wsparcie..."

W tym dramatycznym momencie moja narracja, niestety, urwała się w pół zdania, albowiem rozwój wypadków – jak wściekła fala morska – objął moją osobę i wciągnął mnie w swój wir. (Nie tworzy się eposu, gdy się walczy o życie.)

Rzecz w tym, że na Placu Przymierza, który stanowił miejsce mojego przeznaczenia (jak zresztą i kilku innych moich *socii malorum*[1]) i do którego właśnie dobiliśmy szczęśliwie, kapitan nawy – kierowca – nie spuścił przedniego trapu: nie otworzył drzwi przednich, przed którymiśmy wszyscy, zamierzający wyjść, z jenerałem na czele, stali w kornym ordynku; otworzył jeno tylne, przeznaczone – formalnie – tylko dla wsiadających.

Pierwsza reakcja na to była czysto werbalna:

– No, co jest? Otwieraj pan! – odezwały się głosy, w tym głównie Sowińskiego.

Gdy jednak po mrocznym milczeniu i bezruchu kierowcy zorientowano się, iż to nie opieszałość, lecz umyślne działanie (czy raczej: zaniechanie), wybuchł tumult i zamęt. Pomstując i przeklinając ("Co za swołocz i bydło!") rzucono się w panice w kierunku tylnych drzwi, przez które wchodzili właśnie ostatni z wsiadających.

– Zamykaj! – wrzasnął kontroler obstawiający „rufę" do kapitana przy sterze.

Ozwał się syk automatu i pneumatyczne ramię pchnęło harmonię drzwi. Ich prasującej sile stawił jednakże opór rosły i krewki młokos, który akurat wsiadał, to znaczy, zdążył wcześniej, w ekstrawagancki sposób, umieścić na pierwszym stopniu swoją potężną stopę.

---

[1] towarzyszy niedoli

– Ruszaj! – „tylny" kontroler znów rzucił komendę kierowcy.
„Skakać za burtę!" uznałem – i licząc na zrozumienie i solidarność
młokosa krzyknąłem doń:
– Kanary! – aby nie puścił drzwi.
Nie zawiódł moich nadziei. Naparł na drzwi jeszcze mocniej i przywarł do nich plecami, robiąc mi wąskie przejście. Autobus jednak już jechał.
– Skacz! – ponaglił mnie młokos z surową życzliwością, a widząc, że
się zabieram do tego jak desperat, skarcił mnie po bratersku: – Bokiem,
ofiaro, nie przodem!
Było już jednak za późno. Skoczywszy, jak skoczyłem, czyli na oślep
przed siebie, nie tylko padłem jak długi, ledwo dotknąłem był ziemi, lecz
poturlałem się po niej, brukając sobie odzież.
„Człowieku, po coś uciekał?" zakołatało mi w głowie legendarne pytanie, gdy dźwigając się z bruku odkryłem z przerażeniem rozmiary spustoszenia, jakie w moim ubraniu poczynił był upadek. Rękawy i przód kurtki
były poobcierane i poznaczone błotem, szew pod pachą – pęknięty, a prawa nogawka spodni – rozdarta, i to paskudnie: na samym przodzie, pośrodku, zwisał trójkątny strzęp, odsłaniając kolano.
„Jak ja się teraz pokażę *mademoiselle* Legris?" myślałem zdesperowany. „Czy w ogóle mogę w tym stanie przekroczyć próg Ambasady? Czy
wpuszczą mnie do środka? Nie wezmą za wariata? Młodocianego kloszarda? I czy w tej sytuacji wolno mi się powołać na srebrnowłosą Mariannę?
Nie narażę na szwank jej wysokiego nazwiska? – Tak, to jest niedopuszczalne. Jeżeli w dalszym ciągu chcę jeszcze dzisiaj tam iść, muszę się
wpierw doprowadzić do względnego porządku."
Udając, że nie dostrzegam skamieniałych przechodniów, przypatrujących mi się ze zgrozą lub ze zgorszeniem, ruszyłem wolnym krokiem w kierunku kina Sawa, aby tam, w toalecie, dokonać stosownych zabiegów. Przechodząc przez ulicę spojrzałem za niknącym w oddali autobusem, który
uwoził w nieznane mych towarzyszy podróży – jenerała, babinę i właściciela piecyka, porwanych nikczemnym podstępem w odwecie za brak pokory.
„Ocalony z transportu", nadałem tytuł swej prozie.

Przywrócenie odzieniu schludnego wyglądu w iście spartańskich warunkach przybytku kina Sawa było zadaniem niełatwym, aczkolwiek wykonalnym. Kawałkami gazety, wyraźnie «Trybuny Ludu», które w jednej z trzech kabin, w zastępstwie rolki papieru, zbawczo wisiały na gwoździu sterczącym jak kolec ze ścianki, starłem plamy na kurtce, wspomagając się wodą, rwącą do umywalki lodowatym strumieniem z uszkodzonego kranu; następnie burą szmatą, zdjętą z chudych żeberek nieczynnego grzejnika, wypucowałem sobie moje czeskie półbuty nadając im nawet połysk (choć nie oślepiający); wreszcie, otwartą ranę prawej nogawki spodni zaszyłem przy pomocy dwóch niewielkich agrafek, które, harcerskim zwyczajem, przejętym od Konstantego, zawsze ze sobą nosiłem. Wykonując tę czynność, sformułowałem w głowie – przezornie, na wypadek gdyby panna Legris zauważyła „szew" i oniemiała ze zgrozy – wyjaśniające zdanie: *J'ai eu un accident*[1].

Doprowadziwszy do ładu zszarganą garderobę, stwierdziłem, że na czyściec zasługuje też ciało, to znaczy, twarz i ręce, których stan po tych wszystkich przejściach i zatrudnieniach wołał o zmiłowanie. Mydła jednak nie było. Nie dałem za wygraną: w pobliskim kiosku „Ruchu" nabyłem je – najdroższe, jakim dysponowano („Kwiat bzu" firmy Uroda) – i wróciwszy do kina, dokończyłem ablucji.

Odświeżony, umyty, pachnący *fleur de lilas*, ruszyłem wolnym krokiem w kierunku Zakopiańskiej.

„Szedł ulicą Zwycięzców na podbój Victoire – miłośnik *Zwycięstwa* Conrada."

W oszklonej budce MO stojącej na chodniku przed wejściem do Ambasady siedział wąsaty sierżant, zatopiony w lekturze «Przeglądu Sportowego».

„*Adieu!*" pożegnałem go w duchu. „Przekraczam granicę państwa." I wszedłem na teren placówki.

A kiedy przekroczyłem próg sławnej rezydencji (masywna, dwupiętrowa, kryta dachówką willa, na oko: lata trzydzieste), rzeczywiście, wstąpiłem jak gdyby w inny świat. To już nie tylko zapach czy jakiś drobiazg, jak w Centre, odróżniały to wnętrze od nawet najbardziej szykownych i reprezentacyjnych miejsc, jakie mi się zdarzyło poznać w ludowym państwie. Tu wszyst-

---
[1] Miałem wypadek

ko było inne, i to fundamentalnie, począwszy od podłogi wyściełanej chodnikiem purpurowo-błękitnym, przez śnieżno-białe ściany podświetlane przemyślnie małymi reflektorami, tak aby wyeksponować wiszące na nich ozdoby (reprodukcje obrazów, zdjęcia Paryża, plakaty), przez nowoczesne sprzęty o przyjemnych kolorach i harmonijnych kształtach, po różnorodną resztę sutego wyposażenia. Wzrok, na czymkolwiek spoczął, dziwił się, nie poznawał, odkrywał inną materię – jakby z innej planety.

Odparłem jednak atak pierwszego oszołomienia i z cierniem agrafki w spodniach (raniącym umysł, nie ciało) podszedłem do recepcji i przedłożyłem sprawę. Urzędująca tam pani – Polka, znów nietypowa, z gatunku srebrnej Marianny, choć już nie tak nobliwa – była powiadomiona, że przyjdzie ktoś taki jak ja, i zaraz, przez telefon, przekazała wiadomość – z pewnością pannie Legris – że już przybyłem i czekam, po czym, z miłym uśmiechem, bawiła mnie rozmową. Wie, że władam francuskim, ale czy dostatecznie, by się nie denerwować? Bo jeśli nie, to chętnie będzie mi służyć pomocą. – Podziękowałem uprzejmie. – To świetnie! Gdybym jednak znalazł się w tarapatach, to żebym się nie wahał... Ona tu cały czas jest. – Skinąłem dwornie głową ("doceniam, lecz dziękuję").

Tymczasem bezszelestnie (dywany, wykładziny!) zjawiła się obok nas *mademoiselle* Legris – wzór biurowego bóstwa (zachodniej jakości, rzecz jasna): zgrabna, w obcisłym kostiumie, starannie umalowana, o kasztanowych włosach i zielonkawych oczach. Klasyczna sekretarka z francuskich żurnali mody... Przywitawszy się ze mną (bez podawania ręki), zaprosiła na górę – tam się bowiem mieściły pokoje Service Culturel.

Miała łagodny głos, dźwięczny i melodyjny, i mówiła spokojnie, jasnymi, prostymi zdaniami. Starała się zapewne ułatwić mi percepcję; przemawiało też za tym spoglądanie mi w oczy, w których zdawała się szukać dowodów rozumienia. Wszystko to razem jednak – ów pietyzm wysłowienia wraz z aksamitem tonu, a zwłaszcza ekspresją twarzy (ciągle spojrzenia w oczy) – miało taką naturę, jakby mnie słodko... wabiła. Gdyby ktoś patrzył na nas, nie wiedząc o co chodzi i nie znając języka, czyli słysząc jej mowę jedynie jako grę dźwięków, mógłby odnieść wrażenie, że mnie czaruje... uwodzi... zniewala czułymi słówkami.

"Syrena", pomyślałem, wpatrując się w jej usta, z których ulatywało gruchanie francuskiej mowy. "Dlaczego srebrna Marianna nie uprzedziła mnie i nie podpowiedziała, bym się przywiązał do masztu?"

Tymczasem to, co śpiewała zielonooka zwodnica, było całkiem niewinne – rzeczowe, zgoła służbowe:

Francja, to znaczy, ludzie powołani do tego, by ją reprezentować, a zatem pan ambasador, dyrektor Service Culturel, a wreszcie ona sama, skromna *secrétaire* są, naturalnie, szczęśliwi, że program prezentacji współczesnej kultury francuskiej, który stanowi owoc współpracy wielu ogniw i wysokich urzędów, z Ministerstwami Kultury i Spraw Zagranicznych na czele, i który ich komórka ma zaszczyt realizować, spotyka się w naszym kraju z tak żywym zainteresowaniem i chyba – akceptacją. Doprawdy, to bardzo cieszy, że tylu Polaków się garnie do ich kultury i sztuki i że *tout le monde* chce bywać na rozmaitych imprezach, a zwłaszcza na otwarciach połączonych z cocktailem. – Cóż, jak wiadomo jednak, wszystko ma swoje granice. Nawet największa widownia czy sala recepcyjna ma tyle miejsc, ile ma, i nie pomieści więcej niż daną liczbę osób. Tymczasem ambasada ma różne zalecenia i wiele zobowiązań natury protokolarnej. Na wernisaże, spektakle i pokazy zamknięte mają być zapraszani przede wszystkim członkowie stosownych władz i urzędów, i korpus dyplomatyczny. W następnej kolejności – świat nauki i sztuki. Dopiero na końcu tej listy figuruje *milieu* związane z romanistyką. Tu zaś – chce jasno powiedzieć – limit miejsc jest niewielki i wyczerpany do cna. A zatem bardzo jej przykro, lecz o wpisaniu mnie na listę stałych gości, niestety, nie może być mowy. Mam się tym jednak nie martwić, bardzo mnie o to prosi, bo widzi inny sposób załatwienia tej sprawy. Chodzi o to, że goście tak zwanej „klasy A" (przedstawiciele władz i dygnitarze CD) często nie mogą uświetnić swą obecnością imprezy i zawsze ileś osób nie potwierdza przybycia lub nie przychodzi *tout court*. Właśnie to stwarza szansę dla moich aspiracji. Mogę wypełniać te luki – być zawsze zamiast kogoś, kto akurat się nie zjawi. Zostanę wyposażony w specjalną kartę wstępu, coś w rodzaju wejściówki, i na nią będę wchodził, a potem, w miarę możności, znajdował sobie miejsce. *Compris? Formidable!*[1] – To teraz kilka słów o najbliższych imprezach. Otóż trzeba mi wiedzieć, że mam niezwykłe szczęście lub świetną intuicję (a może ktoś mi coś mówił?), że akurat w tym czasie zdecydowałem się zgłosić swoje zainteresowanie programem Service Culturel, albowiem w najbliższej przyszłości będzie on oferował rzeczy, doprawdy, niezwykłe, istne *événe-*

---

[1] Jasne? To świetnie!

*ments*, produkcje najwyższej jakości, którymi Francja się chlubi. – Po pierwsze, już za tydzień, w galerii Zaszetà, odbędzie się wernisaż najnowszej grafiki Picassa, g e n i a l n e j *tout simplement*[1] i... – karminowe usta na ułamek sekundy zastygły we frywolno-zagadkowym uśmiechu – i bardzo *scandalisant*[2] ... drobnomieszczaństwo, rzecz jasna, nie ją, ma się rozumieć. – Następnie, po Nowym Roku, przyjeżdża do Warszawy Comédie Française z głośną *Fedrą* Racine'a, którą zaprezentuje na deskach Teatru Polskiego. Tylko dwa przedstawienia. – Wreszcie, pod koniec stycznia, dwudziestego siódmego, sensacja chyba największa: Grand Prix ostatniego Cannes, światowy przebój kina, *Kobieta i mężczyzna* błyskotliwego Lelouche'a. Pokaz zamknięty. Jeden! W kinie Skarb na Traugutta. – Na razie tyle – *pas mal*[3], nie mogę chyba nie przyznać. A oto moja karta. *Que je m'amuse bien!* – *Voilà!*[4] – Może mam jakieś pytania?

Uznałem, że nie ma co zwlekać – robiła bowiem wrażenie, jakby chciała już kończyć – i odrzekłem, że owszem, choć związane z czymś innym. Chodzi mi, mianowicie, o polsko-francuską współpracę w dziedzinie edukacji, konkretnie zaś o sprawę francuskojęzycznej szkoły, która podobno już działa na terenie Warszawy – właśnie pod auspicjami prężnego Service Culturel. – Czy jest to w ogóle prawda? Bo krąży na ten temat wiele sprzecznych opinii. Jeśli zaś tak, to, po pierwsze, która to jest ze szkół? A dwa: na czym właściwie polega rola strony francuskiej? Czy prawdą jest, że dyrektor... to ktoś, kto przyjechał z Francji? – Interesuję się tym... nie ze względu na siebie – ja szkołę mam już za sobą – lecz z powodu mojego... mojego młodszego brata, który widząc, jak wiele zawdzięczam francuszczyźnie, pragnąłby pójść w moje ślady i opanować ten język – szybko a pierwszorzędnie. Niestety, zwykła szkoła, do której obecnie uczęszcza, nie stwarza mu takich szans. Krótko, chciałby się przenieść, jeśliby było dokąd i jeśli to możliwe.

Słuchając tego wszystkiego, zielonooka Ondyna uśmiechała się słodko i z końcem każdego zdania potakiwała głową – jakby mnie ośmielała („rozumiem, co mówisz, brawo!, mów dalej, miły chłopcze"). A kiedy dobrnąłem do końca, wyprostowała się, złożyła ładnie ręce i rozpoczęła odpowiedź.

---

[1] całkiem po prostu
[2] gorszącej
[3] nieźle
[4] Niech dobrze się bawię. – Proszę.

*C'est vrai*[1], jest taki plan, by stworzyć w Polsce sieć szkół z wykładowym francuskim, lecz jego realizacja – to długi, złożony proces. Obecnie jest on w fazie zupełnie początkowej, zwanej „eksperymentem". Chodzi o to, że polskie Ministerstwo Oświaty chce się oprzeć w tym względzie wyłącznie na siłach rodzimych i od strony francuskiej oczekuje pomocy jedynie w formie szkolenia i rozwijania kadr oraz dostawy książek, to znaczy, podręczników. Tymczasem strona francuska stoi na stanowisku, popartym doświadczeniem zdobytym w innych krajach, że przedsięwzięcie ma sens i przynosi wyniki wtedy i tylko wtedy, gdy kadra, przynajmniej w części, nie jest rodzima, lecz obca, rodowicie francuska. Chcąc jakoś przezwyciężyć tę różnicę poglądów znaleziono kompromis: kadra będzie rodzima, ale szkolona we Francji. Wybrani przez stronę francuską nauczyciele polscy, czy, ściślej: z a t w i e r d z e n i – na podstawie wyniku językowego testu oraz dokumentacji, świadczącej o osiągnięciach natury dydaktycznej, zostaną wysłani do Francji na kurs specjalistyczny, a po jego skończeniu – na półroczną praktykę do szkół dla cudzoziemców. Dopiero z taką kadrą, w ten sposób wyszkoloną, przystąpi się do tworzenia liceów francuskojęzycznych. A więc mój *frère cadet*[2] nie ma, niestety, możności spełnienia swych aspiracji, ponieważ rzeczona szkoła, jak dotąd, nie istnieje. Istnieją jedynie o s o b y będące kandydatami na przyszłych wykładowców, które w różnych placówkach przechodzą próbę wstępną.

Gdy z ust Zielonookiej poszybowało zdanie wyjaśniające istotę zbawczego kompromisu („kadra będzie rodzima, a l e s z k o l o n a we F r a n c j i"), poczułem, jak od głowy przenika mnie fala gorąca, a serce przyspiesza bicie – jakbym po długiej żegludze, pełnej zwątpienia i lęku, ujrzał na horyzoncie wyraźny zarys lądu. Jak miało się okazać, było to ledwie preludium do znacznie mocniejszych przeżyć. Bo to, co nastąpiło, kiedym jeszcze o krok posunął się był dalej, przeszło, doprawdy, wszystko, czego się spodziewałem.

Ale – nie uprzedzajmy. Powoli, po kolei!

Wciąż podpierając się troską o mego *frère cadet*, zapytałem nieśmiało, czy są już jakieś terminy – przynajmniej zakończenia owych preliminariów i dokonania selekcji do pierwszego szkolenia.

---

[1] To prawda
[2] młodszy brat

W replice usłyszałem, że owszem, jak najbardziej. Ponieważ kurs we Francji planuje się na lato, selekcja kandydatów, owo ich „zatwierdzenie", nastąpi już niedługo, pod koniec pierwszego kwartału nadchodzącego roku, tak aby mieli dość czasu na zamknięcie swych spraw i liczne formalności natury paszportowej.

I jeszcze jedno pytanie: „test językowy" – to jasne, lecz cóż właściwie oznacza wspomniana „dokumentacja, świadcząca o osiągnięciach natury dydaktycznej"? Co to ma być? Staż pracy? Świadectwa kuratorium? Dyplom wyższej uczelni lub tytuł naukowy?

Ach nie, nic podobnego! Są to głównie opinie francuskich rzeczoznawców wizytujących lekcje zgłoszonych pretendentów oraz własne raporty samych zainteresowanych o stosowanych metodach, przebiegu nauczania i osiąganych wynikach – z udokumentowaniem. Zresztą, jeżeli tak bardzo mnie to interesuje, to może mi pokazać, jak to mniej więcej wygląda.

Obróciła się lekko na kręconym fotelu i z białego regału stojącego tuż za nią wyciągnęła opasły, błyszczący segregator, po czym znów pokonawszy sto osiemdziesiąt stopni otwarła go przed sobą i zaczęła przekładać zawarte w nim koperty z przezroczystego plastiku, w których się znajdowały różnorodne papiery. – Oto dokumentacja, o którą się pytałem. Opisy lekcji... sprawdziany... przykłady *compositions*.

To właśnie w tym momencie, gdy wymawiała ten wyraz, odkryłem Amerykę: w plastikowej koszulce, którą miała przed sobą, niczym owad pod szkłem lub zasuszona roślina, tkwił mój niebieski zeszyt z wypracowaniem o gwiazdach. Była do niego przypięta srebrzystym, lśniącym spinaczem karteczka z adnotacją pisaną ręką Madame:

> Wypracowanie ucznia ostatniej klasy liceum.
> Półtora roku nauki metodą intensywną.

Zamarłem. A więc to tak! I jeszcze do tego – kłamstwo. Bo jakie „półtora roku"! Najwyżej trzy miesiące. I jaką „intensywną"! Najzwyklejszą pod słońcem, a w moim przypadku nawet, można by rzec: powściągliwą.

Lecz przede wszystkim mój poziom znajomości języka w ogóle nie miał związku z zajęciami szkolnymi. Od wczesnego dzieciństwa miałem lekcje prywatne, a nadto jeszcze rodzice zmuszali mnie nieustannie do konwersacji w domu i lektur w tym języku, nękając uwagami, że braki w tym zakresie to „wstydliwe kalectwo", „dowód nieokrzesania", a nawet

„wstyd i hańba". – Dawniej każdy młodzieniec z szanującego się domu znał c o n a j m n i e j francuski! – padały napomnienia. – Że zaś dzisiaj tak nie jest, bo „inne są obyczaje", to nie jest żadne alibi. Powoływać się na to i równać do tych wzorów to dowód skrajnej głupoty.

Ojciec otwierał tom *Pism* Zygmunta Krasińskiego i pokazywał mi list, w którym autor *Nie-Boskiej*, na kilkunastu stronach, wykładał po francusku literaturę polską Henrykowi Reeve'emu, młodemu Anglikowi, przyjacielowi z młodości.

„Miał siedemnaście lat, kiedy pisał te słowa", powiadamiał mnie cierpko. „Potrafiłbyś napisać choć zwykły list w tym języku?"

Z podrażnioną ambicją wracałem do nauki i zaciskając zęby wkuwałem dziesiątki zasad, wyrazów i idiomów, dopóki nie nabrałem jakiej takiej biegłości. Stosowałem też inne metody i zabiegi. Uczyłem się pisać po polsku – jak gdyby po francusku. Polegało to – z grubsza – na upraszczaniu myśli, na takim jej wyrażaniu, by się dawała z łatwością wyłożyć w obcym języku. Uczyłem się wreszcie na pamięć całych zdań lub sekwencji, które wpadały mi w ucho lub efektownie brzmiały, by móc się w stosownych momentach popisać w towarzystwie – jak brawurowym pasażem.

To tak doszedłem do wprawy – po latach trudów i ćwiczeń.

Jaki miała w tym udział i zasługę Madame?! Niestety, mniej niż znikomą. A mogła byłaby mieć! Nawet w tak krótkim czasie, jaki minął od chwili, gdy zaczęła prowadzić zajęcia w naszej klasie, mogłaby z powodzeniem rozwinąć moją sprawność. Jeśliby tylko chciała. Gdyby mi poświęciła nieco więcej uwagi. Gdyby chociaż nie była wobec mnie tak oziębła czy wręcz odpychająca. Wystarczyłoby tylko, by rozmawiała ze mną – w taki sposób, na przykład, jak srebrnowłosa Marianna: przyjaźnie, ironicznie, przekomarzając się z wdziękiem. Już to by mi wiele dawało. Bo czując z jej strony sympatię lub choćby nawet przekorne ale zainteresowanie, z pewnością (jak znam siebie) nie żałowałbym trudu, by popisywać się przed nią i imponować jej, a to, z natury rzeczy, byłoby jakimś treningiem i czynnikiem postępu.

Dlaczego nie zależało jej na tym? Dlaczego nic nie robiła, aby mieć ze mnie – więcej? Dlaczego nic nie robiła, aby mieć w ogóle coś? Przecież owo „świadectwo dydaktycznych osiągnięć" w istocie spadło jej z nieba! Nie uczyniła niczego, by wydobyć je ze mnie, nie mówiąc już o działaniu, które służyłoby temu, bym w ogóle mógł je dać. Przeciwnie, robiła wszystko, by mnie raczej zniechęcić. Czy mogła była zakładać, że właśnie takie podejście wobec mojej osoby przyniesie taki skutek? Mało prawdopodobne. A zatem – o co jej szło? Co nią powodowało?

W gorączce myślenia o tym, przebiegłem w wyobraźni odmienny rozwój wypadków (jak gdyby to był wariant, którego partner nie zagrał): mianowicie, odkrywszy moje umiejętności, skupia na mnie uwagę, otacza szczególną opieką, a nawet zaczyna mnie szkolić w tak zwanym trybie specjalnym czy indywidualnym (jak robił to, na przykład, nauczyciel fizyki z „geniuszem" Rożkiem Goltzem). Wyróżnia mnie, krótko mówiąc, i czyni swym faworytem. – Co wtedy by się działo? – Wywyższony nad innych, dopuszczony do łask, uległbym afektowi w o wiele większym stopniu. Nie trudno sobie wystawić, jakby na mnie działały okazywane mi względy, publiczne wychwalanie i stawianie za wzór, a zwłaszcza ewentualne... zajęcia dodatkowe: ćwiczenia i konwersacje po lekcjach, w gabinecie. Całkiem straciłbym głowę i zrobiłbym dla niej na pewno bez porównania więcej. Takich *compositions*, które by mogły jej służyć za „świadectwo osiągnięć", napisałbym jej z tuzin. – I jakbym wtedy wyglądał, odkrywszy, co właśnie odkryłem – w znacznie większym wymiarze? Jak oszukany zalotnik. Okpiony, ośmieszony, i to we własnych oczach.

Być może więc ów dystans, na jaki mnie trzymała – owa alpejska zima, która w niej nie mijała, powstrzymująca surowo przed wzrostem i rozkwitem, a niepoprawne pędy ścinająca w zarodku – być może więc ów sposób postępowania ze mną, który poczytywałem za wyraz wyniosłości, stanowił przejaw *fair play*? Może to wszystko płynęło nie z dumy, lecz – z uczciwości? – Wiedząc o swojej sile, nie chciała z niej robić użytku, manipulując emocją. A gdy już tak się zdarzyło, że otrzymała ode mnie coś, co służyło jej sprawie, i skorzystała z tego, wyrównała rachunek jedynie „służbową" piątką, natomiast w relacji ludzkiej jeszcze bardziej ochłodła. Na pozór – czarna niewdzięczność. W istocie – rzetelny ruch.

„Nie zabiegałam o nic", deszyfrowałem tę grę. „Nie uczyniłam niczego, ażeby cię wyzyskać. Skoro zaś, mimo to, złożyłeś mi daninę, mającą akurat wartość dla moich interesów, wykorzystałam ją. Miałam do tego prawo. Czyż nie dostałeś piątki? Żeby zaś było jasne, że to nie żaden rewanż ani tym bardziej zachęta do dalszych starań i ofiar, została ci postawiona w milczeniu, bez komentarza, a nawet w atmosferze niechęci i nieufności... Ale jest jeszcze jedno. Znasz moje drugie imię, o którym mało

238

kto wie. I datę urodzenia. Ciekawe, skąd i jak, bo przecież nie ode mnie. Wynika z tego, że węszysz. Że chyłkiem zdobywasz dane. Możesz temu zaprzeczyć? Dlatego też nie miej żalu, że ci odpłacam podobnie."

– Czy teraz już wszystko jasne? – W odmętach wyobraźni doszła mnie śpiewna prozodia francuskiego pytania i przywróciła jawie.

Przez chwilę byłem zgubiony, lecz gdy tylko spostrzegłem dwoje zielonych oczu wpatrzonych we mnie badawczo, natychmiast odzyskałem zachwianą przytomność umysłu.

Ależ tak, oczywiście, i dziękuję za wszystko. Naprawdę, to z jej strony nadzwyczajna uprzejmość, że tyle dla mnie zrobiła i tak wyczerpująco przedstawiła mi sprawę. – Włożyłem kartę wstępu pod skrzydełko okładki mego kalendarzyka i podniosłem się z miejsca.

Ach, nie ma o czym mówić! – Zielonooka też wstała i wyszła zza swej fortecy. Było jej bardzo miło. A teraz mnie odprowadzi.

Przez chwilę się biłem z myślami, czy podejmować ten temat; kiedy jednak w milczeniu zaczęliśmy schodzić na dół (ona pół kroku przede mną), machnąłem w duchu ręką i zaryzykowałem. Tonem właściwym rozmowie pozaprotokolarnej zapytałem z uśmiechem, co sądzi o tych pracach pisanych przez adeptów języka francuskiego poddanych nauczaniu „metodą intensywną" – jeśli je, oczywiście, czytała... przynajmniej jedną z nich.

Odparła, że *en principe* to do niej nie należy, a zatem oficjalnie nie ma żadnej opinii. Nieoficjalnie natomiast może powiedzieć tyle, że zdarzają się prace, doprawdy, zdumiewające – pomysłowością, stylem i bogactwem języka. Taki, na przykład, *essai* wokół idei i dzieła Michela de Nostre-Dame to istny majstersztyk. Jej szef, dyrektor „Service", kiedy się z tym zapoznawał, był pod takim wrażeniem, że nie mógł się powstrzymać od żywiołowych reakcji. Wydawał okrzyki zdumienia, to znowu parskał śmiechem, i coraz to ją odrywał od urzędowej pracy, aby jej odczytywać taki czy inny passus. Istotnie, jak to pamięta, było to *très amusant et parfaitement bien écrit*[1]. Szczególnie zapadła jej w pamięć niezwykle pomysłowa, przewrotna i komiczna, interpretacja postaci zodiakalnego *Verseau*[2]. Ale to nic dziwnego – jest to bowiem jej znak...

---

[1] bardzo zabawne i świetnie napisane
[2] Wodnika

„Choć ma postać mężczyzny" – moja pamięć natychmiast przywołała ten ustęp z mojego *composition* – „reprezentuje w istocie to, co w naturze kobiece. Poi, aby ożywić. A przy tym – pluskiem wody – p r z y z y w a, w a b i  i  k u s i."

– I co, zgadzało się? – zapytałem z uśmiechem.

– *Peut-être...* – odrzekła figlarnie.

– Mogłyby też być Ryby – mruknąłem rozbawiony, ni to do siebie, ni do niej.

– *Poissons? Pourquoi?*[1] – podchwyciła, przystając nieopodal recepcji.

Spojrzałem w zielone oczy.

„Czyż nie jesteś syreną?" spytałem telepatycznie, a głosem odpowiedziałem: – Sąsiadują z Wodnikiem.

Roześmiała się ładnie i podała mi rękę („bywaj, uroczy chłopcze, a nie zapomnij o mnie!").

Kłaniając się spostrzegłem, że urzędniczka z recepcji z uśmiechem, lecz i z uwagą, przygląda się tej scenie.

Skinąłem uprzejmie głową i ruszyłem ku wyjściu.

„Spokojnie, tylko spokojnie", mówiłem do siebie w myślach, próbując zapanować nad rozognionym umysłem, gdy szedłem alejką dziedzińca prowadzącą do bramy. „Wyjść stąd, wrócić do domu, zasunąć story w oknach, położyć się na łóżku, przykryć wełnianym kocem i wtedy dopiero zacząć trawienie tych wszystkich wrażeń i zasadniczych zdobyczy. Nie wcześniej. Teraz odetchnąć."

Zamknąłem za sobą furtkę, wciągnąłem głęboko powietrze i ruszyłem z powrotem w kierunku Placu Przymierza.

– Halo, obywatelu! – zza pleców dobiegł mnie naraz tubalny męski głos.

Zwróciłem się w tamtą stronę.

Z oszklonej budki MO wychodził wąsaty czytelnik «Przeglądu Sportowego». Po chwili był już przy mnie. Przystanął, zasalutował i rzekł:

– Dokumenty poproszę.

Zgłupiałem, i to kompletnie. Wszystkiego bym się spodziewał, tylko nie czegoś takiego.

---

[1] Ryby? A to dlaczego?

– Przepraszam, lecz o co chodzi? – zapytałem stropiony.

– Dokumenty poproszę – powtórzył, jakby wyjaśniał.

– Przepraszam, ale dlaczego? Z jakiego właściwie powodu?

– Nie muszę się tłumaczyć. Widocznie są powody.

– Chciałbym jednak je znać.

– Poznacie. W stosownej chwili. Na razie, Dowód proszę.

Nie miałem jeszcze Dowodu, choć miałem już doń prawo. Nie wyrobiłem go sobie, bo szkoda mi było czasu na liczne formalności (liczne i uciążliwe), jakich Komenda Milicji – organ w strukturze państwa wydający dokument – wymagała w tym względzie. Dlatego też moim „papierem” o zasadniczym znaczeniu ciągle pozostawała legitymacja szkolna – i tę przy sobie miałem. Okazanie jej jednak w danych okolicznościach uznałem za niewskazane. Zdradzałoby to bowiem mój urzędowy adres i otwierało drogę do interwencji w szkole, to zaś by było fatalne. Zwłaszcza że do rękawa nie miałem przyszytej tarczy (filcowej, czerwonej oznaki z rzymskim numerem liceum), co kodeks ucznia uznawał za ciężkie uchybienie, dając tym samym do ręki broń nieżyczliwym i wrogom.

Chcąc zyskać nieco na czasie i wyczuć intencje sierżanta, zacząłem udawać szukanie – zrazu zwykłe, spokojne (wewnętrzne kieszenie, zewnętrzne), z czasem bardziej nerwowe (tylne kieszenie spodni) i w końcu – bezskuteczne.

– Niestety, nie wziąłem z domu – stwierdziłem z ubolewaniem, a widząc, że ten argument nie poprawia mych akcji, dodałem wyjaśniająco: – włożyłem dziś inne ubranie i zapomniałem przełożyć.

– To nie jest wytłumaczenie – rzekł flegmatycznie sierżant. – Obowiązkiem każdego, k a ż d e g o  obywatela jest mieć dokumenty przy sobie.

– Całkowicie się zgadzam – na podnoszące się fale zacząłem lać oliwę. – Cóż jednak na to poradzę, że akurat zapomniałem? Człowiek, istota omylna.

– Nie mając dokumentów lub nie chcąc ich okazać, możecie być zatrzymani.

– Za co?!

– Do wyjaśnienia.

– Przecież nic nie zrobiłem!

– A skąd ja mam to wiedzieć?

241

– I Dowód panu powie...
– Słuchajcie-no, nie mędrkujcie! Okazujecie, czy nie?
– Kiedy mówię, że nie mam.
– Mam dzwonić po radiowóz?
– O rany, czego pan chce?! Jak się n a z y w a m? Gdzie m i e s z k a m? –
Sięgnąłem do kieszeni i wydobyłem stamtąd zbawienny bilet miesięczny.
– Proszę: nazwisko, adres i moja podobizna z pieczątką MZK, aby nie było
najmniejszych, n a j m n i e j s z y c h wątpliwości, że chodzi na pewno
o mnie.

Odebrał od mnie bilet i zatopił w nim wzrok, po czym jął nim obracać to
w jedną stronę, to w drugą, jakby się w nim dopatrzył czegoś podejrzanego.
– Ważny, zapewniam pana – nie wytrzymałem napięcia. – Znaczek
jest p r z y k l e j o n y i ma wpisany numer. Można zajrzeć i sprawdzić.
– Nie jestem kontrolerem – rzekł upominająco. – Dla mnie to nie jest
dokument. – I zmienił nagle ton na urzędowo-rzeczowy: – W jakim celu
byliście na terenie placówki?

„Ach, a więc o to mu chodzi!" Poczułem zdenerwowanie. Bo jak to
wytłumaczyć?
– Czyżby wstęp był wzbroniony? – udałem naiwnego.
– Czy mówię, że jest wzbroniony? Pytam o cel wizyty. Tu nie ma kon-
sulatu.
– No to co z tego, że nie ma?
– To że nie chodzi wam raczej o uzyskanie wizy. A w takim razie o co?
– Czy trzeba się z tego tłumaczyć?
– Skoro was o to pytam...
Pojąłem, że dalsza dyskusja nie wróży niczego dobrego. By wyjść z tej
opresji cało, trzeba było coś dać lub choćby „pójść na wymianę".
– Chodzi o mecz szachowy między Polską a Francją – rzekłem z ka-
mienną twarzą. – Dopinamy terminy. Ostatnie ustalenia. I żeby pan przy-
padkiem nie pomyślał, że bujam – sięgnąłem do wewnętrznej kieszeni
marynarki i wydobyłem stamtąd moją kartę klubową – oto legitymacja.
Proszę, niech pan obejrzy.

Wziął ją i zaczął oglądać, a ja ciągnąłem jak w transie:
– O ile się nie mylę, czytuje pan «Przegląd Sportowy». Mógł pan tam
o mnie przeczytać. Wicemistrzostwo juniorów. Klub Robotniczy Marymont.

Na chwilę zapadła cisza.

– Jesteście wolni – powiedział, oddając mi bilet i kartę.

– No właśnie... – mruknąłem dwuznacznie.

Zasalutował i odszedł.

Chowając dokumenty spojrzałem mimowolnie na fronton Ambasady. W jednym z okien parteru mignęła mi wyraźnie twarz urzędniczki z recepcji.

Uniosłem głowę do góry, jak kiedy przychodzi nagle olśniewająca myśl lub – szuka się w niebie natchnienia.

„A nad nim, w porywach wiatru, na jasnym, wysokim maszcie, powiewał dumnie sztandar Republiki Francuskiej.

– Zwycięstwo – pomyślał z nadzieją."

## Dalej! Dalej na zachód!

Zwycięstwo... Lecz Pyrrusowe! – Nie, nie ze względu na cenę, jaką mnie kosztowała ta wyprawa „za morze" (potyczka z kontrolerami, skok „lorda Jima" za burtę, zniszczona garderoba, przeprawa z milicjantem), ale ze względu na skutek natury psychologicznej, jaki był jej owocem.

Bo cóż w istocie się stało?

Zyskując, z jednej strony, upragnioną możliwość gry na innym terenie niż szkolna jałowizna, z drugiej, po raz kolejny i jakby już ostateczny, wskutek odkrycia prawdy o strategii Madame, a zwłaszcza o jej motywach i głównym celu życiowym, traciłem wiarę w sens tych... „zachodów miłości", a przez to i ochotę, by je kontynuować.

Bo na co mogłem liczyć wiedząc to, co wiedziałem? Że na wystawie w Zachęcie lub w kuluarach teatru uda mi się ją podejść i że ona tam będzie inna dla mnie niż w szkole? Że będzie ze mną rozmawiać? Swobodnie... żartobliwie... w sposób nieoficjalny? Że stanie się co najmniej jak srebrnowłosa Marianna lub jak Zielonooka?

Otóż nie bardzo. J u ż nie. W każdym razie nie mogłem sobie tego wyobrazić.

Jak niby miałoby dojść do „zawiązania akcji"? A przede wszystkim dlaczego miałaby być tam inna? Co miałoby spowodować, że lód stopnieje i pęknie? Jakie bodźce czy słowa?

Owszem, był taki ruch: pozoracja szantażu. Zagranie zdobytą wiedzą na temat jej osoby, a zwłaszcza powziętych planów. Danie do zrozumienia, że wiem, gdzie znajduje się zeszyt i po co się tam znajduje...

„À *propos*, dla ścisłości, uczy mnie pani zaledwie trzy... trzy i pół miesiąca, a nie p ó ł t o r a  roku. Doprawdy, to zbytek skromności zaniżać sobie tak wynik. No, ale i półtora to bardzo dobry czas! Byle się nie wydało. – Wyjazd już w lecie, prawda?"

Niewiele o mnie wiedziała – jakie mam przypadkowo lub nieprzypadkowo kontakty i w ogóle „kim jestem" – więc tego rodzaju strzała, wypuszczona znienacka, mogłaby posiać lęk i skłonić ją do reakcji... A nuż akurat znam kogoś z obsady Service Culturel? Skoro bywam na owych ekskluzywnych imprezach i tak dobrze znam język! A z drugiej strony, kto wie, może mam kogoś w UB? Skoro tak sobie poczynam i czuję się taki pewny! Lecz nawet jeśli nie znam i niczego nie knuję, to jakże można mi ufać – młokosowi w afekcie – że będę siedział cicho, że nie rozpaplę sprawy? Tacy jak ja, gdy ich „weźmie", bywają nieobliczalni! Lepiej więc mnie oswoić i – łaską unieszkodliwić.

Przy jej podejrzliwości, do której miała podstawy, a także ostrożności, o której wspominał Konstanty, takie rozumowanie było prawdopodobne.

Czy jednak chciałbym tego? Czy osiągnięta w ten sposób upragniona reakcja miałaby dla mnie wartość? Nie miałaby najmniejszej. Sama myśl o czymś takim przejmowała mnie wstrętem. Osiągnąć cel w takim stylu – to byłoby żałosne. Czułbym się upodlony. To byłaby przegrana.

Przypomniał mi się Jerzyk i jego opowiadanie o docencie Dołowym. O przemycanym kawiorze, „końcówkach" do długopisów, i o tym, jak Jerzyk odkrył te złote interesy, i jak mu przyszło do głowy, że mógłby to wykorzystać. „Obrzydliwe, nieprawdaż?" słyszałem jego słowa, przesycone goryczą. „W parszywej rzeczywistości sam się stajesz parszywy! To jest najgorsze, pamiętaj!"

Podziałało to na mnie jak sygnał ostrzegawczy. Uwaga! Skończyły się żarty. Zaczyna się robić duszno, a grunt staje się grząski. Jeden fałszywy krok i tkwimy w bagnie po szyję. Żeby mnie nie wessało! – Może lepiej się cofnąć? Może zawrócić z tej drogi?

„Zawrócić?... Cofnąć się?... Teraz?" – odezwał się inny głos. „Gdy jesteś już tak daleko? – Nie, to niepodobieństwo! Musisz iść dalej. Musisz! Nie wolno rezygnować! Daj się unieść prądowi, jak sobie powiedział Heyst.

244

Przesadnie ostrożna rozwaga to nie najlepszy doradca. Błogosławiona mgła! Jej powinieneś zaufać, jeśli chcesz dojść do czegoś. Nic nie ma bez ryzyka. Bez grzechu nie ma życia. A zresztą – jaki grzech! I jakie tam ryzyko! Że się ulegnie pokusie nieczystego zagrania lub zrobi się jakieś głupstwo? To zawsze jest możliwe, nawet bez dalszych zmagań. Ale od czego rozsądek, jak nie właśnie od tego, aby nad sobą panować? – A zatem dosyć wahań. Dosyć rozterek. Dalej!"

„Iść dalej" to znaczyło pójść na wernisaż Picassa i tam, być może, ją spotkać. Tymczasem od jego daty dzielił mnie jeszcze tydzień, ten zaś przynosił ze sobą trzy lekcje francuskiego.

Zachowałem się na nich inaczej niż ostatnio. Przestałem ostentacyjnie czytać *Zwycięstwo* Conrada na przemian ze *Wspomnieniami* Joanny Schopenhauer i robić rzekome notatki; i w ogóle skończyłem z wyzywającą biernością. Z obrażonego, chmurnego – stałem się naraz pilny: skupiony, uważny, aktywny – rzekłbyś, wzorowy uczeń. Kreacja ta miała na celu uśpienie jej czujności, a przy tym wyrażała takie mniej więcej przesłanie:

„Gniewałem się na panią, to prawda, nie zaprzeczam, za ów brak odpowiedzi na moją serenadę i niepojęte, okrutne nasilenie niełaski, jakbym w czymś pani uchybił... Słowem, za tę nieczułość i za niesprawiedliwość. No, ale trudno. Minęło. Miłość wszystko wybacza. Znów jestem taki jak przedtem, a nawet bardziej karny."

Zostało to przyjęte, o dziwo, bez oporu, a nawet jakby z ulgą. Gdy wykonałem w końcu ów pierwszy gest pojednania (wobec milczenia innych odpowiedziałem poprawnie na zadane pytanie wokół *plus-que-parfait*[1]), nie odebrała tego z ostentacyjną niechęcią, czego nie wykluczałem, a nawet się spodziewałem, lecz wręcz z życzliwą uwagą, jakby w ostatnim czasie nie było tej zimnej wojny, pełnej napięcia i dąsów, a ja jakbym był co najmniej układną Agnieszką Wąsik. A później już odnosiła się do mnie zwyczajnie, neutralnie, to znaczy, bez wrogości, ale i bez sympatii. Chociaż...

Na trzeciej z tych lekcji stała się rzecz szczególna, dotychczas niebywała, i to co najmniej z dwóch względów. Otóż podczas ćwiczenia na wybór właściwych czasów w zdaniach podrzędnie złożonych – podyktowawszy

---
[1] czasu zaprzeszłego

zadanie do rozwiązania na piśmie i przeszedłszy się wolno między rzędami ławek w trybie nadzoru pracy – zatrzymała się przy mnie i po chwili, półgłosem (by nie przeszkadzać innym) zwróciła się do mnie p o p o l - s k u, co prawie się nie zdarzało:

– Przynieś mi z gabinetu skrypt *Concordance des temps*[1]. Leży na biurku. Pośrodku.

Zaskoczony, zdumiony, nie dowierzając uszom, podniosłem się i bez słowa ruszyłem w kierunku drzwi.

– *La clé*[2] – usłyszałem za sobą powstrzymujący mnie głos i odwróciłem się.

W dwóch palcach prawej ręki wyciągniętej w mą stronę trzymała okrągły „numerek" z aluminiowej blachy, na którym wisiał klucz Yeti od drzwi do gabinetu.

Gdy przejmowałem go od niej, mój wzrok w mimowolnym odruchu poskoczył ku jej twarzy i wpadł tam na jej spojrzenie, które nań jakby czekało. Patrzyła uważnie, badawczo, z niejasnym pytaniem w źrenicach. Skinąłem głupio głową, jak gdybym coś potwierdzał albo za coś przepraszał, i szybko wyszedłem z klasy.

„Co to ma być? Co to znaczy?" – myślałem w podnieceniu, przemierzając pospiesznie wymarłe korytarze i zbiegając po schodach. „Nic? – czyli tyle co znaczy tego rodzaju posyłka? Czy jednak coś ponad to? Podjęcie jakiejś gry? Odpowiedź na pojednanie?" Gubiłem się w domysłach. A tymczasem już stałem pod drzwiami gabinetu.

Nie po raz pierwszy miałem przekroczyć jego próg. Poprzednio jednak w tym wnętrzu byłem niezmiernie dawno, chyba z dwa lata wstecz, w każdym razie na pewno nie za kadencji Madame. Z tamtego czasu w pamięci pozostał mi mglisty obraz błyszczących politurą ciemnych, oszklonych szafek, a w nich lub na nich – głównie – kryształowych wazonów i pucharów sportowych, a także sutej zastawy do kawy lub herbaty. Poza tym – masywne biurko z dwoma telefonami i lampą na giętkim pałąku, a wreszcie – potężna palma, rosnąca w drewnianej donicy podobnej w kształcie do cebra.

Tym razem moim oczom – gdy otworzyłem był drzwi – ukazał się inny widok, i to pod każdym względem, zarówno wystroju wnętrza, jak jego

---

[1] Następstwo czasów
[2] Klucz

urządzenia. Śladu palmy, kryształów i „wysokiego połysku", miast tego zaś prostota i gustowność zarazem: zręczne, „ludowe" meble z naturalnego drewna o złocistym odcieniu; stół-biurko typu „krzyżak"; smukła stojąca lampa z abażurem ze słomy; podłoga wyłożona ciemnozielonym chodnikiem; w podobnym kolorze zasłony wiszące po bokach okien; lekkie regały z książkami; wreszcie, przy jednej ze ścian, coś w rodzaju kanapy czy ławy z tapicerką dla mniej więcej trzech osób, a przed nią niski stolik przykryty lnianą makatką, oraz dwa foteliki o niewysokich oparciach i drewnianych poręczach.

Spojrzałem w stronę regałów. W znakomitej większości stały tam książki francuskie. Na niższych poziomach – słowniki, wielki Larousse, kompendia i dziesiątki pozycji do nauki języka; na wyższych – rozmaitości, w tym wiele *livres de poche*. Natomiast na małej półeczce stojącej z boku kanapy leżały albumy z malarstwem i pisma ilustrowane, a na samym jej wierzchu, w ozdobnych zastawkach z drewna, pysznił się szpaler lśniących, złotawych grzbietów Plejady... Apollinaire, Baudelaire, Corneille, Molière, Racine – prawie cała klasyka w porządku alfabetycznym.

„Skąd ona to wszystko ma?" – nie mogłem wyjść z zadziwienia. „Kupuje? Sprowadza z Francji? Dostaje z Service Culturel? I czemu trzyma to tutaj? Do czego jej to potrzebne? Przecież nie do nauki! A więc? Na pokaz? Przed kim? Przed tą mityczną komisją, wizytującą szkoły?"

Wyrwałem się z zapatrzenia i podszedłem do stołu, aby wziąć stamtąd skrypt, po który mnie posłała. I wtedy moim oczom ukazało się coś, co aż zaparło mi dech.

Torebka. J e j torebka. Wisząca na krześle za stołem. Nie zapięta. Otwarta. A nawet uchylona.

W pierwszym odruchu, natychmiast, postanowiłem tam zajrzeć.

„Zobaczyć Dowód! Zdjęcie!" – myślałem podniecony. „Wpis 'panna' albo 'wolna' w rubryce 'stan cywilny'... Rysopis... 'Znaki szczególne'... Może ma jakieś znamię?... I miejsce urodzenia!... Co tam zostało wpisane?... 'Francja'?... Miejscowość... Jaka?... A dalej: datę meldunku!... I inne dokumenty!... Legitymację partyjną?... I wszystko, wszystko, wszystko!"

Rzuciłem się do drzwi i przekręciłem zasuwkę, zamykając gabinet. Gdy jednak powróciwszy lotem strzały do stołu, już wyciągałem rękę po ów przenośny skarbczyk, zastygłem jak porażony. W myślach ujrzałem naprzód jej zagadkowe spojrzenie, na które się natknąłem, gdy brałem od

247

niej klucz, a zaraz po tym scenkę w hotelowym pokoju, jak Jerzyk grzebie w bagażu docenta Dolowego.

„No tak...", straciłem impet, „oto jak działa Kusy. Nawet nie zauważasz, jak wpadasz mu w objęcia."

Chwyciłem nerwowo skrypt i – jakbym przed kimś uciekał – opuściłem gabinet.

„To jasne", myślałem w popłochu, sadząc po kilka stopni w drodze na górę schodami, „to była próba! Test. Na moją wiarygodność. Czy jestem przyzwoity i godny zaufania. Zapewne w tej torebce ma wszystko tak ułożone, by mogła bez trudu spostrzec nawet najmniejszą zmianę. – Całe szczęście, że coś mnie powstrzymało od tego!... Coś... Historia Jerzyka czy to badawcze spojrzenie w chwili wręczania klucza?"

Nie chcąc zwracać uwagi na swój powrót do klasy, wszedłem do niej, jak mogłem najciszej i spokojnie.

Stała między ławkami, zwrócona do mnie tyłem i pochylona nad książką, którą trzymała w rękach. Podszedłem i bez słowa podałem jej broszurę.

– O, dziękuję ci bardzo – mruknęła mechanicznie i wzięła ją ode mnie, nie przerywając czytania.

Odczekałem sekundę, a chyba nawet dłużej, i wyciągając przed siebie otwartą prawą dłoń, na której – jak na tacy – spoczywał kluczyk Yeti, powiedziałem półgłosem:

– *Et voilà la clé*[1]. – I utkwiłem spojrzenie na wysokości jej oczu, tak by, zwróciwszy je ku mnie, musiała się z nim spotkać.

Istotnie, tak się stało.

– *Ah, oui* – znowu mruknęła, tym razem jakby zmieszana, o czym zdawało się świadczyć również i to, że niechcący, gdy zabierała kluczyk, dotknęła lekko mej dłoni.

---

[1] I klucz proszę.

# ROZDZIAŁ PIĄTY

## Dla mnie świat jest tu!

Otwarcie wystawy w Zachęcie miało miejsce w niedzielę o godzinie dwunastej. Przybyłem tam znacznie wcześniej, co najmniej dwadzieścia minut. Mimo to, tak przed wejściem, jak (zwłaszcza) w westybulu, było już mnóstwo ludzi i wrzało od ruchu i gwaru. Przeważał język francuski, przynajmniej się wybijał – swoją koloraturą i szczególną dźwięcznością, ale słychać też było kilka innych języków – włoski, hiszpański, angielski – najsłabiej nasz rodzimy.

U szczytu pierwszych schodów, na szerokim półpiętrze, stały dwa mikrofony, a w tle widniała olbrzymia fotografia Picassa przecięta jego podpisem w ogromnym powiększeniu i ozdobiona u spodu stojącym na małym cokole szafirowym wazonem z bukietem kilkudziesięciu biało-czerwonych goździków. Nieco wyżej, z dwóch stron, znad marmurowych poręczy idących na pierwsze piętro, wystawały kamery i lampy na statywach.

Przed kontuarem szatni stał portier w uniformie i wysoka kobieta mówiąca po francusku z wpiętą w klapę kostiumu plakietką „Service – CBWA", którzy do oddających swoje wierzchnie okrycia zwracali się z grzeczną prośbą o okazanie zaproszeń, a jej bezgłośne spełnienie kwitowali przesadnie czołobitnym „dziękuję" albo „merci beaucoup".

Czekając na swoją kolej, zacząłem się niepokoić. Jak oni zareagują na moją carte d'entrée? Uznają ją bez słowa? Podziękują – jak innym? Czy jednak co najmniej się zdziwią lub – zgłoszą zastrzeżenia? Owszem, widniała na niej pieczątka Ambasady i zamaszysty podpis dyrektora wydziału, lecz papier ten nie był imienny. Co zrobić, gdy zaczną mnie pytać, kim jestem i skąd to mam? Mówić prawdę, jak było? Czy jednak kogoś udawać? Francuza? Ryzykowne. Człowieka powiązanego z korpusem dyplomatycznym? Nie byłem zdecydowany.

Wreszcie wpadłem na pomysł. Dobyłem z portmonetki jedną z mych nieodłącznych, nieocenionych agrafek i przekłuwszy nią kartę, przypiąłem ją sobie na piersi w najwidoczniejszym miejscu. Dochodząc do kontuaru, zacząłem odgrywać kogoś, komu bardzo się śpieszy i kto jest zamyślony, a gdy rozległ się przy mnie uprzejmy głos portiera – „zaproszenie, prosimy" – udałem zdziwionego, jakbym nie bardzo rozumiał, o co właściwie chodzi, i wskazałem dyskretnie na przypięty kartonik.

– *Oh, excusez moi!* – włączyła się wtedy kobieta z Service CBWA i, niczym odszkodowanie za popełnioną gafę, wręczyła mi katalog.

– *Merci, merci, madame* – odrzekłem na to z najlepszym, na jaki mnie było stać, gardłowym „er" i akcentem, i uśmiechając się w duchu oddałem płaszcz szatniarzowi.

Pokonawszy ten próg, przystąpiłem natychmiast do metodycznej lustracji zgromadzonych już gości, by stwierdzić, czy wśród nich znajduje się Madame. Nie odnalazłem jej. W tym stanie rzeczy zająłem najdogodniejszą pozycję do obserwacji wejścia – na schodkach po prawej stronie, za trójnożną tablicą z rozlepionym plakatem, i stamtąd, sam osłonięty, kontrolowałem wzrokiem wchodzących do galerii.

Zacząłem przy tym rozważać, jak ukartować spotkanie, kiedy w końcu się zjawi, a zwłaszcza w jakim momencie przystąpić do działania. I wziąwszy pod uwagę rozliczne za i przeciw, doszedłem wkrótce do wniosku, że wariant najkorzystniejszy to spotkać ją nie od razu, a nawet nie w trakcie zwiedzania, lecz raczej później, pod koniec, gdy zejdzie już całą wystawę i zacznie się zbierać do wyjścia. W tym momencie, po pierwsze, obrazy nie będą już dla niej wyłącznym lub choćby głównym przedmiotem zainteresowania: napatrzywszy się na nie, znów zacznie dostrzegać świat, na który wcześniej zapewne nie będzie zwracać uwagi lub który wręcz będzie traktować niechętnie i z rozdrażnieniem jako coś, co przeszkadza w kontemplacji dzieł sztuki; po drugie, dopiero wtedy będzie najlepszy pretekst do nawiązania kontaktu: cóż bowiem może się równać z naturalnością pytania o wrażenia z wystawy! A przecież nawet zdawkowa odpowiedź na to pytanie wystarczy już, by zadzierzgnąć i rozwinąć rozmowę; wreszcie, po trzecie, debiut w tej właśnie fazie imprezy stwarza realną szansę, aby opuścić galerię w jej towarzystwie. Razem!

Z założeń tych wynikał następujący wniosek: przez większą część wernisażu trzeba będzie ją śledzić, samemu się przed nią kryjąc; widzieć, nie będąc widzianym; panować nad sytuacją, tak by rozpocząć akcję w najstosowniejszej chwili.

Podniecające zadanie. Cóż, skoro wciąż jej nie było!

Tymczasem w westybulu robiło się coraz gęściej. Ludzie stali stłoczeni, dosłownie głowa przy głowie, i niecierpliwie czekali na chwilę inauguracji.

Sunąłem wolno wzrokiem jak okularem lornetki po twarzach zebranych gości, starając się nie pominąć ani jednej osoby. Niestety, żadna z nich nie była tożsama z Madame.

Wreszcie – zaczęło się. Rozbłysły reflektory, zaskrzeczały głośniki, operatorzy przywarli do wizjerów kamer, a na szerokie półpiętro zeszło z góry trzech mężczyzn w odświętnych garniturach i stanęło po środku przed dwoma mikrofonami.

Pierwszym przemawiającym (a ściśle, czytającym z wyjętej z kieszeni kartki) okazał się przedstawiciel Ministerstwa Kultury.

Po paru pierwszych zdaniach, poczuwszy smak drętwej mowy, przestałem go słuchać uważnie, wracając do obserwacji. Moją uwagę wskrzesiło dopiero słowo „Guernica", które w pewnym momencie dotarło do moich uszu, a za nim: „faszyzm", „Franco" i „wojna domowa w Hiszpanii". Dowiedziałem się wówczas, iż „ten genialny artysta stoi – i zawsze stał – po stronie sił postępu, czego dobitnym wyrazem jest jego przynależność do partii komunistycznej".

– Już od dwudziestu lat – grzmiał rzecznik Ministerstwa – kroczy w jej pierwszych szeregach, będąc jej chlubą i dumą. Podobnie jak Aragon i Paweł Eluard, czołowe, najwybitniejsze pióra współczesnej Francji.

Dygnitarz, skończywszy mowę, wyrecytował z pamięci konwencjonalną formułkę, iż ma zaszczyt poprosić, by zabrał teraz głos – dyrektor wydziału kultury Ambasady Francuskiej, pan François Janvier.

Dotknąłem odruchowo mej karty przypiętej na sercu i wyginając ją nieco, w górę i w bok zarazem, przeniosłem tam spojrzenie – na zamaszysty podpis nad pieczątką z nazwiskiem. Tak jest, to było ono.

A zatem miałem przed sobą szefa Zielonookiej – człowieka, który czytał moje wypracowanie! Ba, który czytając je, „nie mógł się był powstrzymać od żywiołowych reakcji".

Odpiąłem szybko kartę i razem z wkłutą agrafką schowałem ją do kieszeni.

Dyrektor Service Culturel był przystojnym mężczyzną lat około czterdziestu, o ogorzałej twarzy (jakby przyjechał prosto z Lazurowego Wybrzeża) i kruczo ciemnych włosach. Miał na sobie beżowy, świetnie skrojony garnitur, bladoniebieską koszulę z kołnierzykiem o rogach zapiętych na guziczki i granatowy krawat w szkarłatne, skośne pasy. Miast kamizelki z kompletu nosił cienki pulower w kolorze zgniło-zielonym, jego stopy zaś były obute w zgrabne pantofle z orzechowego zamszu.

Dyrektor mówił bez kartki – potoczyście, ze swadą, lekko gestykulując. Treść jego wystąpienia była mniej więcej taka:

Współczesna cywilizacja, choć stale się powołuje na idee postępu, rozumu i wolności, choć głosi, iż jej przyświeca wzniosły cel wyzwolenia i ubóstwienia człowieka, w istocie go zniewala, zakłamuje i pęta. Mimo niesłychanego rozwoju myśli technicznej, nauki i oświaty, i wzrostu poziomu życia, człowiek w tych nowych warunkach nie czuje się szczęśliwy. Trawi go alienacja, kompleks niższości, frustracja. Jest skrępowany, sztuczny. Głęboko n i e a u t e n t y c z n y.

Otóż Picasso, ten geniusz, co zawsze wyprzedzał epokę, widzi to jak nikt inny i wzywa do przebudzenia, do odwrotu z tej drogi.

Dokąd? – można zapytać. Otóż to! Do natury. Podobnie jak dwieście lat temu czynił to wielki Rousseau.

„Twoje rachunki kłamią!", rzuca w twarz oskarżenie współczesnej cywilizacji. „Nie spełniasz swoich obietnic. Zamiast lepszego życia przynosisz ludobójstwo, zamiast większej swobody – skrępowanie i wstyd. Nie wierzę ci! Nie ufam!"

I stary mistrz się obraca ku temu, co pierwotne, co pozostało niewinne – ku źródłom i korzeniom! *Le corps. Le corps humain.*[1] Oto rajska kraina, w której człowiek jest sobą, sobą i tylko sobą, i gdzie śpi jego szczęście, jego jedyne szczęście: *l'amour. L'amour physique.*[2]

---

[1] Ciało. Ciało ludzkie.
[2] miłość. Miłość fizyczna.

– Tak, *mesdames et messieurs* – kończył Dyrektor orację. – Przesłanie Pabla Picassa zawarte w tych arcydziełach ostatniego okresu przywodzi mi na myśl słynną, obrazoburczą kwestię, jaką wygłasza w reakcji na wieść o poselstwie z Rzymu Szekspirowski Antoniusz. Pozwólcie, że ją przypomnę. Otóż mówi on tak:

> Niech Tybr pochłonie Rzym i niech się walą
> mury cesarstwa. Dla mnie świat jest t u!
> Królestwa, ziemia przesycona gnojem,
> żywiąca bydło, jako i człowieka,
> to marna glina. Szlachectwo istnienia
> jest w tym jedynie: o, gdy taka para -

w tym momencie Dyrektor zawiesił nagle głos i zadarł głowę do góry, jakby szukał tam kogoś lub – w myślach – dalszego ciągu, co okazało się jednak tylko chwytem aktorskim: wyjaśnił bowiem zaraz, wychodząc na chwilę z roli, że na tych słowach Antoniusz przygarnia Kleopatrę i łączy się z nią w uścisku (użył słowa „*étreinte*”); po czym dokończył kwestię, a wraz z nią całą mowę:

> – o, gdy taka para
> bierze się wzajem i może to robić!

Wystąpienie Dyrektora spotkało się z entuzjastycznym przyjęciem. Rozległy się gromkie oklaski i okrzyki „*Bravo!*” z gardłowym „er” i akcentem na ostatnią sylabę, zupełnie jak po występie jakiejś gwiazdy w operze. Dyrektor zaś się ukłonił jak zawodowy aktor i znowu spojrzał w górę w kierunku pierwszego piętra, jakby i tam miał publiczność – niczym w loży balkonu.

Ostatni punkt otwarcia był krótki i czysto formalny. Reprezentant Zachęty i Biura Organizacji, chudy jegomość z wąsikiem o zastraszonym spojrzeniu i w szarym garniturze z kolekcji Mody Polskiej, złożył podziękowanie „tym wszystkim wspaniałym ludziom, dzięki którym wystawa dochodzi oto do skutku”, a w szczególności galerii Louise Leiris w Paryżu w osobach panów Daniela Henry'ego Kahnweilera i Maurice'a Jardot. Oni to bowiem podjęli wspaniałomyślną decyzję o użyczeniu zbiorów – bez żadnej należności, nawet za wymagane koszty ubezpieczenia, które w danym wypadku trzeba by płacić w dewizach.

– Polscy artyści-plastycy i miłośnicy sztuki zachowają ten gest niezwykłej szczodrobliwości na zawsze we wdzięcznej pamięci – chudzielec-biedaczysko, wypowiadając te słowa, giął się w kornym ukłonie w kierunku Dyrektora, który w replice na to położył rękę na sercu i schylił lekko głowę. Tymczasem gość z Ministerswa, nieruchomy jak głaz, patrzył na ów „hołd polski" z nietajoną odrazą.

– Wystawę grafiki Picassa – zakończył muzealnik pełnym wzruszenia głosem – ogłaszam za otwartą!

Tłum zbity w westybulu ruszył schodami w górę. Nie dołączyłem do niego. Czekałem, aż się przetoczy, kontynuując wytrwale przepatrywanie twarzy. Na schody wstąpiłem dopiero, gdy prawie wszyscy przeszli.

Skręciwszy na półpiętrze ku schodom prowadzącym na pierwszą kondygnację, spojrzałem tam odruchowo – na białą balustradę ciągnącą się wzdłuż pasażu – i stwierdziłem, że, owszem, jest to rodzaj galerii, i całkiem prawdopodobne, że podczas inauguracji tam także stali ludzie (przedstawiciele korpusu? bywalcy „klasy A"?), i że to ku nim pewnie kierował wzrok Dyrektor, recytując Szekspira i po skończonym występie.

Dotarłem w końcu na górę, wszedłem do pierwszej sali i – co tu kryć – zamarłem, ujrzawszy com był ujrzał. Nie, to nie była Madame. Chodzi o malowidła – o obrazy na ścianach.

Przychodząc na wystawę, wiedziałem, oczywiście, co mniej więcej mnie czeka. Znałem twórczość Picassa, z różnych jego okresów, włącznie z powojennymi, i byłem przygotowany na rzeczy śmiałe, pikantne, a nawet obsceniczne; miałem poza tym w pamięci uwagę Zielonookiej, że dla drobnomieszczaństwa *c'est très scandalisant*, a także to, co przed chwilą obwieścił był publicznie Dyrektor Service Culturel – że mamy tu do czynienia z kultem *du corps humain* i *de l'amour physique*. A jednak, mimo to, stanąwszy twarzą w twarz z utrwalonym graficznie wyrazem tego kultu, poczułem się zmieszany i swoiście speszony – jakby mnie kto obnażył i naigrawał się ze mnie.

Na różnej wielkości planszach kłębiły się nagie ciała, częściej kobiece niż męskie – pokraczne, monstrualne, dziwacznie zniekształcone. Nie deformacja jednak ani nie sama nagość były tym, co najbardziej bulwersowało widza, ale uwydatnienie, a zwłaszcza jego sposób, pierwszorzędnych cech płciowych, czyli narządów rozrodczych. Przede wszystkim obrazy były tak pomyślane, że krocze lub genitalia stanowiły na ogół swoisty punkt ciężkości lub pierwszy plan kompozycji, po drugie zaś, owe organy, niby ledwie muśnięte, odwzorowane szkicowo, nieomal symbolicznie (kropki, kreski i kółka, niekiedy czarna plama), były jednak zarazem piekielnie wyraziste, a w swej formie – dosadne. Przypominały czasem ikonografię dziecięcą z okresu genitalnego, w której mali artyści dają wyraz swym pierwszym odkryciom anatomicznym, przede wszystkim stwierdzeniu zagadkowej różnicy między ludzkimi ciałami – ciałami dziewczynek i chłopców. Innym znów razem to wszystko natrętnie się kojarzyło ze sztuką ludów pierwotnych, w której też, jak u dzieci, niebagatelną rolę odgrywa motyw płci.

Wszelako u Picassa nie było to naiwne jak u nieletnich grafików i jaskiniowych artystów. U niego tchnęło to cierpką, wręcz zjadliwą ironią. Z pokrytych farbą lub tuszem płócien i kart papieru bił drwiąco-rubaszny śmiech.

Lecz z czego właściwie się śmiał sędziwy mistrz z Malagi?

Najprościej rzecz ujmując: z wątpliwej, podejrzanej dorosłości Człowieka; ze śmiertelnej powagi, z jaką traktuje sam siebie jako twórcę kultury; z jego poczucia wyższości względem fauny i flory, nad które, jak mu się zdaje, raz na zawsze się wybił.

„Cóż to", spoza obrazów dochodził mnie kpiarski głos, „myślicie, że już jesteście istotami boskimi i wszystkie rozumyście zjedli? A w każdym razie, że wzniósłszy to wasze królestwo na Ziemi, z tym całym jego obrządkiem, obyczajem i duchem, dalekoście odbili od krewnych czworonogów? Otóż chcę wam przypomnieć, jak rzeczy wyglądają. Jesteście w dalszym ciągu i w sposób nieodwołalny poddanymi Natury – we władzy ślepych instynktów, popędów i tropizmów. Wbrew temu, co sądzicie o swoim powołaniu, jedyną waszą misją – każdego z was z osobna – jest przedłużenie gatunku. Płodzenie. Prokreacja. Reszta nie ma znaczenia. Reszta to pozór, ułuda i gonienie za wiatrem.

Patrzcie go, *homo sapiens*! Puszy się, stroi miny. A niżej pasa jest dziki, nieobliczalny i – śmieszny. Te wszystkie bruzdy, odrośla, okrągłości i dziurki, przez które właśnie dochodzi do aktu odrodzenia – ależ to jest ucieszne, gdy spojrzeć z tej perspektywy!"

Brnąłem przez tłum publiczności, nie wysuwając się zbytnio na czoło oglądających i prawie nie przystając przed stacjami bezwstydu. Chwytałem je jednym spojrzeniem, krótkim jak błysk migawki, i przechodziłem dalej, udając obojętność. Byłem napięty i czujny. Starałem nie rzucać się w oczy (najchętniej bym w ogóle zniknął), a sam chłonąłem wzrokiem, ile tylko się dało. Przyłapałem się naraz, że więcej uwagi poświęcam osobom zwiedzających niż samej ekspozycji. Ale już nie z powodu wypatrywania Madame; dla czegoś całkiem innego.

Otaczający mnie ludzie w przeważającej mierze byli ucieleśnieniem kondycji dojrzałości, zarówno pod względem wieku, jak i pozycji społecznej. Stanowili elitę – służbową, majątkową, artystyczną, fizyczną. Ich ciała były syte, wyraziste, zadbane, ich ubiory – kosztowne, a doświadczenie życiowe wypisane na twarzach – bogate i różnorodne. Wystarczył jeden rzut oka, by stwierdzić, że w szkole uczuć, namiętności i zmysłów, przeszli wiele już klas i zdali niejeden egzamin; że program w tym zakresie mają już przerobiony, materiał – opanowany, i to solidnie, gruntownie, a nie byle jak, po łebkach.

Krótko mówiąc, liczyłem (choć niezupełnie świadomie), że przyglądając się im, zwłaszcza kiedy patrzyli na owe akty i sceny, odczytam coś z ich wiedzy, odkryję ich sekrety; że ich *perceptio picturae*[1] schwytane *in flagranti* ujawni jakiś ślad całkowicie innego „gorącego" uczynku, popełnionego przez nich w mroku czasu przeszłego.

Była to złudna nadzieja, niemniej – podniecająca. A żyła w litanii pytań:

„Co czują, kiedy patrzą? A ściślej: co się w nich dzieje? Jakie echa lub cienie jakich doświadczeń lub doznań budzą się i wracają pod wpływem widzianych kształtów? I w jakiej postaci się jawią? Wspomnienia jakiegoś przeżycia? Fascynacji, odrazy, dreszczyku pożądania?"

Gorączka tych pytań wzrosła, gdy znalazłem się w sali, w której wisiał cykl grafik pod tytułem *L'étreinte* (tego właśnie wyrazu użył Dyrektor Service w komentarzu do sceny Antoniusz–Kleopatra; na metrykach Zachęty był on przetłumaczony równoważnikiem „w uścisku").

Obrazy te przedstawiały parę *in coitu* z różnych punktów widzenia i w rozmaitych pozycjach. Najczęściej kudłaty mężczyzna podobny do satyra wnikał w ciało kobiety ni to klęcząc, ni leżąc, ona zaś z zadartymi i zgiętymi nogami albo go przygarniała trzymając za pośladki, pod którymi pęczniała pokaźna gula jąder, albo wraz z ramionami wyginała się w tył,

---

[1] postrzeganie obrazu

wypinając do góry rozlewające się piersi. W innych wariantach ów splot i przyleganie do siebie ukazywane było z wielu perspektyw naraz, włącznie z niemożliwymi. Picasso przedmiot obrazu – *actus copulationis* – jakby rozkładał na części czy nawet czynniki pierwsze i ukazywał je łącznie w abstrakcyjnej syntezie. – Oto jak wyglądają – zdawały się mówić te plansze – ziemskie gody człowieka (w różnych „rzutach", ujęciach, „przekrojach" i detalach); oto jak rzecz się przedstawia w całokształcie zjawiska.

W tej sali było najtłoczniej; panował dosłownie ścisk. Aby przejść od jednego do drugiego obrazu, trzeba się było przepychać. Nie mogłem się zdecydować, czy patrzyć na eksponaty, czy obserwować ludzi. Miałem gonitwę myśli. Byłem podminowany.

Co to jest? Co oznacza ta cała sytuacja? – mnożyły się pytania. – Co właściwie tych ludzi tak w tym wszystkim pociąga? Dlaczego się tak gapią? Tak narkotycznie lub chciwie. Dlaczego tu panuje dwuznaczna atmosfera? Przecież to jest Natura, co pokazuje Picasso – natura elementarna, znana im wszystkim z autopsji. Skąd więc ta ekscytacja? Skąd te wypieki na twarzach i nerwowość w spojrzeniu? Dlaczego ich nie mają, gdy patrzą na dzieła sztuki przedstawiające człowieka w innych przejawach natury, jak macierzyństwo, uroda, cierpienie, a nawet śmierć?

Lecz właśnie! Może inaczej należy postawić pytanie? Może trzeba je odnieść nie do oglądających, ale do tych, co tworzą – do portrecistów Natury? Dlaczego mianowicie, malując prawie wszystko, ten temat omijają? Dlaczego nie pokazują poczęcia i narodzin? – Nie mogłem znaleźć w pamięci ani jednego przykładu klasycznego obrazu, który by ukazywał te dwa kluczowe akty. – Dlaczego to jest tabu? Przecież to także ludzkie. Więc czemu się o tym nie mówi? Nie pokazuje się tego? Albo, jeżeli już, nazywa się pornografią? *„Porne"* znaczy po grecku „uprawiająca nierząd", a więc akt płciowy – to nierząd?

Nie mogłem tego wszystkiego nijak uporządkować. Gubiłem się w dociekaniach. Nie rozumiałem sam siebie. O co właściwie pytam? Czemu mam zamęt w głowie? Dlaczego się denerwuję – ja, zwolennik rozumu?

Wreszcie jednak odkryłem przyczyny niepokoju. Były związane z Madame, i to na różne sposoby. Po pierwsze, ekspozycja miast być pomocną odskocznią do nawiązania kontaktu (gdyby się miało okazać, że w ogóle jest możliwy), stała się niespodzianie kłopotliwą przeszkodą. No bo co tu powiedzieć? – „Jak się pani podoba? Co pani o tym sądzi? Jak pani ocenia weryzm tego malarstwa?" – Jakoś głupio. Niezręcznie. Gotowa by pomyśleć, że robię sobie kpiny. A znowu nic nie powiedzieć? O tym co, bądź co bądź, było tu głównym powodem przybycia i obecności. Udawać, że tego nie ma, mówić na inny temat? Też niedobrze. Dziwacznie.

No, ale to utrudnienie, jakkolwiek kłopotliwe, nie stanowiło jeszcze o istocie bolączki. Ostatecznie, możliwość, że w ogóle spotkam Madame, wciąż była problematyczna. Źródło trującej krwi biło gdzie indziej, głębiej. W zbudzonej przez Picassa świadomości pozoru, jakim był świat moich uczuć, moich pragnień i marzeń, i w skutkach tej deziluzji.

Choć umysł miałem trzeźwy, a nawet, jak sądziłem, zbyt racjonalistyczny, swój afekt traktowałem jako namiętność duszy. Brałem go za fenomen samoistny, odrębny. I jako takiemu – ufałem, szukając dlań spełnienia w dziedzinie mowy, słów. Tymczasem nagle Picasso, ten Dionizos-Poganin, z szyderczym, sprośnym rechotem, wylewał mi na głowę kubełek zimnej wody:

„A więc powiadasz, *jeune homme*, że zadurzyłeś się... że wielbisz panią profesor... i marzysz o jakiejś wiktorii. – Na czym ma ona polegać, jeśli wolno zapytać? Na tym, że spojrzy na ciebie? Że powie ci coś miłego? Że ci okaże sympatię i będziecie prowadzić eleganckie *dialogues*... tfu! *conversations*? – Otóż, mój pięknoduchu, jest to słodka ułuda, którą cię wabi Natura. W istocie chodzi o to, abyś się z nią połączył i oddał jej nasienie. A to wygląda tak, jak ci tu pokazuję. Patrz, oto meta twych tęsknot, cokolwiek jest ich treścią, jakkolwiek się objawiają. Oto punkt docelowy twojej błogiej wędrówki. A pamiętaj, mój mały, że to zaledwie obrazki – sztuka, kreacja, ironia. W życiu rzecz jest o wiele... nieporównanie mocniejsza i mniej cywilizowana. Dzika, gwałtowna, obłędna. Deliryczna, pijana."

Patrzyłem oniemiały na wyuzdane ciała skłębione w płciowym uścisku, zadając sobie wreszcie pytanie dotychczas tłumione, czy pragnąłbym z nią tego. W utopijnym, rzecz jasna, projekcie rozwoju zdarzeń, zakładającym jej wolę, inicjatywę i śmiałość.

Lecz igła magnetyczna busoli mojego „ja" – tego, com brał za siebie, z kim się utożsamiałem – zachowywała się dziwnie. Nie wskazywała co prawda jednoznacznie na „nie" (kolor niebieski, „północ"), ale i nie na „tak" (kolor czerwony, „południe"). Wirowała szaleńczo jak w polu zmiennych sił lub zastygała w miejscu – pośrodku, w punkcie zero, jakbym stał na biegunie.

„Dlaczego...", ostatkiem sił przyparłem siebie do muru, „dlaczego nie odpowiadasz? I czemu właściwie nie 'tak'?"

„Bo to nie czyni zadość", odezwał się na to głos, który choć mówił we mnie, brzmiał obco i lodowato. „To jedynie uśmierza, to znaczy, zabija ułudę. Ale nie zaspokaja."

„Nie zaspokaja?"

„Nie. W dziedzinie słodkiej ułudy zaspokojenia nie ma."

„Bo co?"

„Bo nie ma formy, w której by mogło się ziścić."

Opuściłem powieki i pochyliłem głowę, po czym ruszyłem dalej, w kierunku następnej sali. W przejściu do niej jednakże stały niklowe słupki połączone pluszową, stylizowaną liną, która szerokim łukiem swojego zawieszenia zdawała się uśmiechać. No, bo i rzeczywiście, wnętrze przez nią strzeżone bynajmniej nie było smutne – ciemne czy wyludnione. Tonęło w rzęsistym świetle, gościło *haute société* i kipiało rozgwarem.

Na zestawionych stołach, pokrytych prawie do ziemi białymi obrusami, stały baterie kieliszków, platerowane kubełki z butelkami szampana i kryształowe naczynia pełne słonych paluszków, krakersów i oliwek nadzianych na wykałaczki. Pośrodku, na krągłym *plateau* ze złocistego drewna spoczywał wianuszek serów z wbitymi w nie nożykami.

Ludzie, trzymając kieliszki i paląc papierosy, stali w niewielkich grupkach i żywo rozmawiali. Co jakiś czas, leniwie, podchodzili do stołów, by dolać sobie szampana i przekąsić oliwką, albo schrupać krakersa, albo jedno i drugie, i jeszcze zagryźć serem, po czym wracali na miejsca, do życia towarzyskiego. O ile w westybulu, przed otwarciem wystawy, język polski, choć z rzadka, przebijał się tu i ówdzie, o tyle tu całkiem zamilkł, ustępując gościnnie przemożnej francuszczyźnie.

Udając, że patrzę w katalog, badałem wzrokiem salę.

Srebrnowłosa Marianna!... Zielonooka!... Dyrektor!... Profesor Levittoux! (którego znałem ze zdjęć)... I w końcu – ona, tak jest! We własnej osobie. Madame.

W czarnym, obcisłym golfie, na którym się srebrzył łańcuszek zwieńczony dorodną perłą, w spodniach w tym samym kolorze, zaprasowanych w kant, i w wysmukłych pantoflach na kształtnym, wysokim słupku, stała wyprostowana z lekko zadartą głową, trzymając lewą rękę na niewielkiej torebce przewieszonej przez ramię (zupełnie innej niż ta, którą widziałem był w szkole), a prawą dzierżąc kieliszek z musującym szampanem. Jej rozmówcami byli nobliwi starsi państwo: on w muszce (jak Konstanty), wysoki, szpakowaty; ona w sukni z żorżety i kapeluszu na głowie. Jak miało się wkrótce okazać, był to sam ambasador i jego połowica.

Osłupiałem z wrażenia. Przede wszystkim dlatego, że w ogóle ją ujrzałem i że moje rachuby potwierdzały się w końcu. Niemałą jednak rolę odgrywał w tym również jej wygląd i wielkopański styl w postawie i zachowaniu. Ileż razy widziałem, jak ludzie skądinąd śmiali, pewni siebie i zręczni, gubili się w sytuacji niecodziennej, odświętnej, wymagającej refleksu, dobrych manier i wdzięku! Jak maleli znienacka, stawali się nieporadni, zapominali języka i – wypadali fatalnie. Z nią zaś było na odwrót. W tym ekskluzywnym *milieu*, pełnym *esprit* i *brillant*, nie tylko nie traciła, lecz jeszcze zyskiwała. Mówiąc o czymś ze swadą godną zapewne samej Simone de Beauvoir, spowita w obcisłą czerń, na której się pyszniła połyskująca perła, z jedną nogą nieznacznie wysuniętą do przodu i lekko zgiętą w kolanie, a drugą wyprostowaną, mocno stojącą na ziemi na podwyższonym obcasie – była olśniewająca!

Lecz ta apoteoza słono mnie kosztowała. Bo niweczyła do reszty i tak gasnące nadzieje na nawiązanie kontaktu (o wspólnym wyjściu z galerii nie warto nawet wspominać), a na dobitek jeszcze boleśnie ośmieszała moje wyobrażenia o jej pozycji w świecie. Zakładać, że będzie tu gościem takim samym jak ja, przeciętnym, anonimowym, zwiedzającym wystawę samotnie wśród gawiedzi, i liczyć, że na koniec wpadnie w pajęczą sieć, jaką na nią zastawię – było, doprawdy, naiwne i godne pożałowania.

Ale i to jeszcze nie wszystko. Bo jej żywa sylwetka, tak jak się przedstawiała, w tej efektownej czerni i władczej, dumnej pozie, stanowiła niejasne, niepokojące wyzwanie wobec obrazów Picassa – nagości i fizjologii. Pomiędzy tym, co widniało na płaszczyźnie papieru, a tym, co się oto jawiło w przestrzeni jasnej sali, zachodził dziwny spór, trudny do wyrażenia. Sztuka – będąca pozorem – stała po stronie „prawdy". Życie w osobie Madame – będące rzeczywistością – było po stronie „pozoru".

Picasso obnażał, odsłaniał, pokazywał biologię i mówił:

„*Ecce Homo.*"

„*Mais non!*" – replikował kształt ludzki odziany w kruczą czerń i na wysokich obcasach. „*C'est moi qui suis L'Homme!*"[1] I wybierając mnie z tłumu na koronnego świadka, zaczynał przesłuchanie:

„No, i co wolisz, chłopcze?" zwracał się z niemym pytaniem. „Nagość, bezwstyd, zwierzęcość? *Le corps sauvage et nu?*[2] Czy szatę? Ciało odziane, i to o tak, *voilà*, że wygląda w ten sposób? – No właśnie! Widzisz sam! – Bo kim jest człowiek nagi? Kimś pozbawionym godności, a w każdym razie m n i e j wartym od kogoś ubranego. Nagi w rozmowie z ubranym nie ma... nie może mieć racji, jakkolwiek byłby piękny albo pociągający! – Ten kpiarz, Picasso, powiada, że Prawdziwy to Nagi czy też że Nagość to Prawda... Powiedzmy. Niech mu będzie. – Cóż to jednak za prawda, której każdy się wstydzi? To może być tylko jedno: hańba i nic innego. – Dziękuję. Wolę inną. A mianowicie taką, że jest nią właśnie strój, a nie bynajmniej nagość. Prawdziwie ludzki to taki, który jest właśnie odziany, tak samo jak dwunożny, a zwłaszcza ten, co mówi. A im lepiej odziany, tym bardziej ludzki. Boski! – No, a teraz wybieraj! Wolisz mnie taką, jak widzisz, elegancko ubraną, w postawie wyprostowanej, zniewalającą spojrzeniem, a zwłaszcza giętką mową? Czy obnażoną do cna, leżącą i rozwaloną w nieprzystojnej pozycji i, miast czarować słowami, wyjącą jak zwierzę w rui? Chcesz w s p i n a ć s i ę ze mną? Iść w Alpy? Wejść na Mont Blanc – szczyt ludzki? Czy s t o c z y ć s i ę w Rów Mariański? W prawieczną głębię i mrok? W matecznik pierwotniaków?"

Na tych pięknych pytaniach, choć jakże dojmujących, monolog jej postaci adresowany do mnie urwał się niespodzianie. Moja stacja odbiorcza przestała go dyktować. To zaś było wynikiem zmiany w polu widzenia.

Do konstelacji trzech osób, które obserwowałem, zbliżył się mianowicie Dyrektor Service Culturel, trzymając odkorkowaną, lśniącą butelkę szampana (z białą serwetką na szyjce zawiązaną jak szalik), i po dolaniu wszystkim musującego trunku poprosił prawdopodobnie, ażeby przeszli z nim dokądś – bo tak się właśnie stało.

„Znają się", pomyślałem i straciłem ich z oczu.

---

[1] Nic podobnego! (...) To ja jestem Człowiekiem.
[2] Ciało dzikie i nagie?

261

Starszego pana w muszce i damę w kapeluszu ujrzałem jeszcze raz w jakąś godzinę później, gdy pożegnawszy Zachętę, przechodziłem samotnie przez skwer u jej podnóża. Wsiadali do limuzyny – czarnego citroëna DS 21, któremu z przedniego błotnika po prawej stronie maski wyrastał srebrny drążek z niewielką chorągiewką – niebiesko-biało-czerwoną.

Wystawa wzbudziła w Warszawie niesłychany rezonans i to niemal z dnia na dzień. Gazety i czasopisma, radio i telewizja – wszystko to było pełne sprawozdań, omówień, dyskusji i artykułów wokół malarstwa Picassa pokazanego w Zachęcie. Przeważał entuzjazm i zachwyt. Sypano komplementami, podziwiano, cmokano. „Niespożyta witalność", „wielka pochwała życia", „ekstatyczny optymizm wywiedziony z Natury" – krzyczały nagłówki recenzji albo ich podrozdziałów.

Jednocześnie dzienniki w informacyjnych notach donosiły o dzikich, iście dantejskich scenach, do jakich dochodziło u podwoi galerii przed godziną otwarcia. „Takiego napływu gości nie pamiętają najstarsi pracownicy Zachęty. Tego jeszcze nie było!" – anonsowały gazety (zwłaszcza popołudniówki). „Potrójna ekipa bramkarzy nie może sobie poradzić ze szturmującym tłumem wielbicieli Picassa."

Lecz były też inne głosy. Krytyczne, pełne niechęci, a nawet potępienia. „Obsesja erotyczna", „odrażająca mania na tle organów płciowych", „żałosny ekshibicjonizm artysty z uwiądem starczym" – srożyli się recenzenci z najróżniejszych pozycji. I kpili z publiczności oraz... władz oświatowych:

„Na co walą te tłumy? Co je tam tak przyciąga?" – grzmiał pewien stróż moralności w oskarżycielskiej tyradzie. „Malarstwo? Sztuka? Piękno? Nie dajmy się zwariować! – Odpowiedzi udziela przekrój wiekowo-społeczny tej masy zwiedzających. Zasadniczy odsetek stanowią licealiści i wojsko na przepustce! Następnie – brać studencka, a wreszcie – gawiedź miejska, która, jak wiemy z badań, nie chadza do muzeów, ba! której przedstawiciele w przeważającej liczbie (jak wynika to z ankiet) znaleźli się tam obecnie, o zgrozo, pierwszy raz w życiu!

Od kiedy to, zapytuję, nasza młodzież i armia, i szary obywatel, pałają taką miłością do sztuki awangardowej?

I odpowiadam państwu: odkąd jej głównym tematem stały się treści i sceny... *Małżeństwa doskonałego*, a środki wyrazu zostały pomyślane w ten sposób, by rzecz była ukazana naraz ze wszystkich stron: z góry, z dołu, z profilu, a nawet *en face* i w środku. Komu jest to na rękę? Kto sprzyja temu po cichu?

Niestety, wstyd powiedzieć, gremia i instytucje będące spadkobiercami chlubnej polskiej tradycji nauki i oświaty, z Komisją Edukacji Narodowej na czele. Od lat zupełnie bezradne wobec palącej kwestii przygotowania młodzieży do życia seksualnego, z uczuciem wdzięczności i ulgi przyklasnęły wystawie."

Głos ten i temu podobne podsunęły mi pomysł zrobienia pewnej intrygi. Początkowo myślałem, że przeprowadzę ją sam, z czasem jednak uznałem, iż będzie dla mnie lepiej, jeśli się kimś posłużę. Wybrałem do tej roli klasowego kolegę, który względnie najsprawniej radził sobie z francuskim, a nadto miał wyraźne uzdolnienia aktorskie (swego czasu brał udział w pracach teatru szkolnego; w moim pamiętnym spektaklu grał Mefistofelesa).

Pokazałem mu kilka najsmaczniejszych omówień i komentarzy prasowych wokół Picassa w Zachęcie i zacząłem namawiać, by na najbliższej lekcji, gdy przyjdzie do konwersacji, wyskoczył z tym tematem i najpoważniej w świecie zgłosił Madame postulat załatwienia przez szkołę zbiorowego biletu na tę głośną wystawę.

– Dlaczego sam tego nie zrobisz? – spytał nieufnie Mefisto.

– Wiesz, jak mnie ona traktuje... – wzruszyłem ramionami. – Nie lubi mnie. Nie znosi! We wszystkim węszy podstęp. Cokolwiek mówię czy robię, podejrzewa, że kpię. Mnie nie wyjdzie ten numer.

– Uważasz, że m n i e wyjdzie? – wciąż nie był przekonany.

– Będę cię ubezpieczał – zapewniłem żarliwie. – Podrzucę tekst w razie czego.

W końcu dał się przekonać. Opracowaliśmy plan, to znaczy, scenariusz działania i „listę dialogową" z różnymi wariantami. W obranym dniu, na francuskim, usiedliśmy obok siebie.

– *Depuis plus d'une semaine*[1] – zaczął śmiało Mefisto, gdy pozwoliła mu mówić – Warszawa żyje Picassem. Wystawa jego grafiki przyciąga

---

[1] Od ponad tygodnia

263

tysiące ludzi. Mówi się o niej w radio, pisze się o niej w gazetach. Jest to *événement*, który trzeba zobaczyć. Niestety, dostać bilet to prawie beznadziejne. Zachęta jest oblężona. Kolejka się ustawia od wczesnych godzin rannych. Praktycznie, zamyka to drogę takim osobom jak my, licealistom mającym zajęcia przed południem. Zdani na samych siebie, działając w pojedynkę, nie mamy najmniejszych szans. Dlatego też wnosimy, by, wzorem innych szkół, zorganizować wycieczkę i wybrać się na wystawę grupowo, całą klasą. Rokuje to jak najlepiej, bo, dzięki zaleceniu Ministerstwa Oświaty, szkoły w danym wypadku są uprzywilejowane...

Na obliczu Madame pojawił się blady uśmiech.

– *Je ne suis pas au courant*[1] – stwierdziła przerywając.

– *La presse en a parlé*[2] – szepnąłem pochylony, kładąc zarazem palec na „liście dialogowej" pod kwestią, od której powinien kontynuować akcję.

– *La presse en a parlé* – powtórzył wiarygodnie i przejął sprawnie pałeczkę. – Poza tym zwiedzać wystawę pod przewodnictwem Madame to dodatkowy przywilej. Bo pani profesor z pewnością zna się na tym malarstwie i mogłaby nam niejedno *commenter... expliquer...*[3]

– *Moi?* – znów wpadła mu w słowo. – Czemu bym miała się znać na malarstwie Picassa?

– Jest cząstką kultury francuskiej – wypalił sam z siebie Mefisto.

– I co to ma do rzeczy? – wzruszyła ramionami.

Pośpieszyłem z pomocą.

– *Vous êtes pour nous non seulement...*[4] – zacząłem dyktować szeptem.

– *Vous êtes pour nous non seulement...* – powtórzył głośno Mefisto.

– *la lectrice de français...*[5]

– *... la lectrice de français...*

– *mais aussi notre maîtresse...*[6]

– *... mais aussi notre maîtresse...*

---

[1] Nic o tym nie słyszałam
[2] Prasa o tym donosiła
[3] objaśnić... wytłumaczyć...
[4] Jest pani dla nas nie tylko...
[5] lektorką francuskiego...
[6] lecz również naszą mistrzynią [również „kochanką"]...

– *de culture et de vie.*[1]
– *... de culture et de vie.*
Parsknęła krótkim śmiechem.

– *J'ai grand plaisir à l'entendre*[2] – zagrała (całkiem zręcznie) dworne podziękowanie w stylu późnego rokoko – choć byłabym szczęśliwsza, gdyby to jeszcze było mniej śmiesznie powiedziane.

– Co w tym było śmiesznego? – zapytał zdziwiony Mefisto.

– *Passons*[3] – potrząsnęła głową.

– No więc co z tą wystawą... – wróciłem do podpowiedzi.

– Więc jak? Możemy liczyć, że pójdziemy tam z panią? – przełożył sprawnie Mefisto.

– *Allez-y dimanche*[4] – poradziła rzeczowo.

– W niedzielę? – Mefisto zgłupiał.

– Dostała się w niedzielę? – udałem niedowierzanie.

– Dostała się pani w niedzielę? – przekazał głośno Mefisto.

– *Ça n'a pas d'importance.*[5]

– A w jaki dzień tam poszła? – znów szepnąłem przez zęby.

– To kiedy pani tam była? – spytał uprzejmie Mefisto.

– *Je n'y suis pas allée*[6] – odpowiedziała spokojnie.

– *Pas allée?* – osłupiałem.

– *Pas allée?* – podał dalej.

– *Non. Pas encore*[7] – dodała i szybko zmieniła temat.


## Ręka Hipolita

Że odrzuci petycję, a nawet że nie będzie traktować jej poważnie – to było oczywiste i co do tego nie miałem najmniejszych wątpliwości. Że jednak zaprzeczy faktom, że wyprze się samej bytności na wystawie w Za-

---

[1] w dziedzinie kultury i życia.
[2] Bardzo mi miło to słyszeć
[3] Nieważne
[4] Idźcie sobie w niedzielę
[5] To nie ma nic do rzeczy.
[6] Nie byłam w ogóle
[7] Nie. Jeszcze nie

chęcie – tego, przynajmniej w tej formie, nie wziąłem był pod uwagę. Teraz, gdy się to stało i po chwili namysłu doszedłem do przekonania, że jest to w gruncie rzeczy tak samo oczywiste (czyż istniał prostszy sposób na uniknięcie pytań na niewygodny temat?), stwierdziłem, że to kłamstwo sprawiło mi satysfakcję. Bo czemukolwiek służyło, dawało mi przewagę, a nadto stanowiło podstawę do gry wyobraźni:

Zwodzi, mówi nieprawdę – jak ktoś, kto kogoś zdradza. Zapiera się w żywe oczy, że była na tej wystawie; jak gdyby nie chodziło bynajmniej o wystawę, lecz o sekretną schadzkę, lub jakby za tą imprezą kryło się co innego niż oglądanie obrazów, coś występnego, tajnego – namiętność?, spotkanie z kochankiem? (Rzecz zupełnie jak z Prousta!) No, bo i w samej rzeczy, czyż oglądanie tych dzieł, jakkolwiek jawne, publiczne, nie było czymś intymnym... bezwstydnym... wiarołomnym? Czyż patrząc na owe scenki, dając im przystęp do siebie, nie zdradzała Kostiumu, a przez to i mnie, którego – Kostiumem uwodziła? Przecież widzenie bywa namiastką samego aktu. A zatem, rzeczywiście, miała powód, by kłamać!

Ta zabawa myślowa w Marcela i Albertynę czy Swanna i Odetę – w kogoś owładniętego zazdrosną namiętnością i wolą poznania prawdy o kłamliwej kochance – była podniecająca i wciągała jak wir. Stopniowo, niepostrzeżenie stawała się samoistna, traciła znamiona fantazji, przeradzała się w życie. Spostrzegłem, że na serio nie biorę już pod uwagę założonej rozgrywki na neutralnym terenie, a nawet że mi na tym właściwie nie zależy. Więcej: że raczej wolę, aby do tego n i e doszło! Natomiast coraz bardziej ogarniał mnie szał śledzenia, pasja inwigilacji, obserwowania z ukrycia. Stało się to potrzebą jak raz zażyty narkotyk.

Dlatego też niecierpliwie, z mroczną, niezdrową emocją wyczekiwałem przyjazdu Comédie Française i jej gościnnych występów na scenie Teatru Polskiego.

Spektakle miały się odbyć w sobotę i niedzielę. Postanowiłem, rzecz jasna, wybrać się na premierę, i pójść ewentualnie po raz drugi nazajutrz, gdyby pierwszego wieczoru Madame się nie pojawiła.

Wyposażony w kartę, nie miałem żadnych trudności z uzyskaniem biletu. Jedynie wybór miejsca stanowił pewien problem. Podjęcie decyzji w tej sprawie przypominało zadanie na ustawienie króla w optymalnej pozycji do ataku w końcówce. Należało ustalić w drodze eliminacji, który punkt audytorium jest dla mych celów najlepszy, i to bez względu na to, gdzie „przeciwnik" postawi... p o s a d z i swoją figurę. Logicznie, było nim miejsce, skąd w naturalny sposób, bez szczególnych zabiegów, widziało się oprócz sceny jak najwięcej widowni. Warunek ten, w danym wnętrzu, spełniały dwie skrajne łoże na pierwszym, wąskim balkonie, opasującym salę linią wielkiego „U". Dawały perspektywę nie tylko na cały parter i pozostałe łoże, lecz i na część drugiego, nisko zawieszonego i stromego balkonu. Lokalizacja ta jednak miała istotny minus. Wchodziła w obręb miejsc przeznaczonych dla osób uprzywilejowanych, słowem, dla *haute société*. W obliczu obserwacji poczynionych w Zachęcie, nie można więc było wykluczyć, że znajdzie się tam Madame, a nawet należało poważnie się z tym liczyć. Tymczasem taka koincydencja już by mi nie sprzyjała, przeciwnie, psułaby szyki. Pragnąłem tylko patrzyć, samemu nie będąc widzianym. Dlatego też, po namyśle, wybrałem drugi balkon: środek pierwszego rzędu. Traciłem stąd co prawda widok loży centralnej i kilku jej przyległych oraz tylnego parteru, lecz większość miejsc pozostałych, gdzie najprawdopodobniej mogła się znaleźć Madame, miałem jak na talerzu.

Nie skierowałem tam jednak swoich kroków od razu, gdy owego wieczoru, wyposażony w lornetkę, przyszedłem był do teatru, podobnie jak na wernisaż, z dużym zapasem czasu. Zatrzymałem się w hallu, stanąłem za jakąś planszą i znowu, jak w Zachęcie, wziąłem na muszkę wejście.

Tym razem los mi sprzyjał, choć kazał długo czekać. Przyszła w ostatniej chwili, bodaj po drugim dzwonku. W jej zachowaniu jednak nie było nic z pośpiechu, który cechował innych przybyłych w tym samym czasie. Ci wpadali do środka jak burza, z rozwianym włosem, i gnali na oślep do szatni, zdejmując okrycia w biegu; ona zaś – w zgrabnym kożuszku, z barwną chustą na szyi i w botach na obcasie z cholewkami do kolan – weszła spokojnie, godnie, zgoła majestatycznie, a bilet wyjęła z torebki (tej samej, którą miała na wernisażu w Zachęcie) nie wcześniej niż dopiero w przejściu do foyer, gdzie stały bileterki. Robiła wrażenie osoby o niezachwianej pewności, że spektakl nie zacznie się bez niej.

Trzymając stosowny dystans, postąpiłem w ślad za nią. Oddała ubranie szatniarce, sprawdziła w lusterku makijaż i poprawiła włosy, po czym nabyła program i weszła na teren parteru. Serce zabiło mi raźniej. „W porządku", pomyślałem, „oby tylko nie z tyłu", i zanim zdjąłem płaszcz, zajrzałem – przez inne wejście – na parterową widownię. Wkraczała w piąty rząd, przepuszczana przez ludzi, którzy już tam siedzieli. Popędziłem na balkon (była tam druga szatnia).

Z mojego miejsca na górze widziałem ją jak na dłoni. Wystarczał ruch samych oczu, i to bardzo nieznaczny, aby z kurtyny (sceny) przenieść spojrzenie na nią. Siedziała pośrodku rzędu, czytając w skupieniu program. Po swojej prawej stronie miała dwie starsze panie rozmawiające ze sobą, po lewej zaś – puste miejsce.

Wzbudziło to we mnie, rzecz jasna, lawinę domysłów i pytań. Kto miał tam przy niej siedzieć? Ktoś przypadkowy, obcy? Czy osoba znajoma mająca jej towarzyszyć? Jeśli to drugie, to kto? Z kim była umówiona lub miała razem przyjść? I czy ten ktoś nie przyszedł w sposób definitywny, czy może m i a ł jeszcze przyjść, choćby na drugą część? Jej niewzruszony spokój zdawał się przekonywać, że na nikogo nie czeka. To zaś mogło oznaczać, że, istotnie, jest sama – jak sama tu przybyła.

Sama! Bez towarzystwa! I jeszcze, na dokładkę, jest obok niej wolne miejsce! Czyż można było marzyć o lepszej konfiguracji? Czyż nie z takich założeń, z takiego *imaginaire* wyrastał plan podboju na „neutralnym gruncie"? Dokładnie! No i co? – Wobec rzeczywistości byłem jak porażony. Niezdolny do działania, a nawet do fantazji. Uciekałem przed myślą, co i jak by to było, gdybym na owym miejscu znalazł się wskutek przypadku. Zwłaszcza gdy siadłbym tam pierwszy, nie przeczuwając niczego...

Przyczyną tej niemocy był lęk przed odtrąceniem, przed odruchem niechęci na widok mojej osoby, przed upokarzającym poczuciem odrzucenia – że ją męczę lub drażnię, że jestem dla niej zawadą; i było to tak silne, że wolałem nic nie mieć, ale za to gwarancję, że nie poniosę klęski, niż narażać się na nią, choćbym miał odnieść zwycięstwo.

Wyjąłem z futerału szylkretową lornetkę i nastawiwszy ostrość na postaci Madame, ruszyłem obiektywem po długich rzędach parteru szukając znanych twarzy. Było wielu aktorów (między innymi Prospero i piękna Helena de With), reżyserzy filmowi (wśród nich twórca *Popiołów*) i kilku ludzi pióra starszego pokolenia. Przeniosłem spojrzenie na łoże i – zamarłem z wrażenia. W skrajnej prawej (tej właśnie, którą w pierwszym odruchu brałem był pod uwagę, by wykupić w niej miejsce) siedział pośrodku Jerzyk. Nieznacznie pochylony, wsparty łokciami o rant, oddawał się zajęciu temu samemu co ja – lornetowaniu widowni. Podążyłem spojrzeniem po linii jego wzroku i w polu mego widzenia znów się znalazła Madame.

Dalej czytała program. Wróciłem do Jerzyka. Trwał w niezmienionej pozycji – z czarną lornetką przy oczach. Nie przerwał tej obserwacji, nawet gdy rozległ się gong i światło na widowni zaczęło wolno przygasać.

Widziałem był już raz Fedrę – po polsku, w telewizji, przed dwoma, trzema laty. Spektakl ów, chociaż grany przez czołowych aktorów, niezbyt mi się podobał i pozostawił uczucie rozczarowania sztuką. Gasiłem telewizor zawiedziony Racinem. – To ma być ów *chef d'oeuvre* francuskiego dramatu? – Wzruszałem ramionami. – I to ma być ów drugi, „kontynentalny" Szekspir? (jak twierdził z całą mocą prelegent w słowie wstępnym, powołując się w kółko na opinie Stendhala). Dziwiłem się. Zżymałem. Dla mnie było to martwe. Bezkrwiste. Retoryczne. Mało mnie obchodziły te bombastyczne szały trawiące bohaterów. Były tak gigantyczne, że całkiem niewiarygodne. Tragedia nie przejmowała. Nikomu nie współczułem.

Tym razem rzecz mnie olśniła, i to od pierwszych słów. Przede wszystkim sam tekst brzmiał zupełnie inaczej. Nieporównanie czyściej aniżeli po polsku, nie archaicznie, jasno, a nade wszystko – pięknie w swej melodii i rytmie. Klasyczny aleksandryn, obcy polskiej prozodii, stukotał jak koła pociągu: ta–ta–tà  ta–ta–tà, albo w śpieszniejszym rytmie: ta–tà  ta–tà  ta–tà – wprawiając w trans słuchania. Rygorystyczna forma nie czyniła zarazem wypowiedzi sztucznymi. Ich ekspresja i tok, mimo owej konwencji, były zgodne z naturą języka mówionego, a nawet jeszcze więcej: były jej ideałem. Śladu patosu, przesady, operowego stylu, wszystko – bardzo prawdziwe, wiarygodne w wyrazie, a przy tym – kryształowe, nieskazitelnie czyste.

Nie mniej istotną rolę odgrywali aktorzy – i to nie tyle ich gra (powściągliwa, dyskretna, wirtuozerska w mówieniu), co sama ich prezencja – ich uroda i wygląd. Byli to ludzie piękni, szlachetnie uformowani, dorodni, pełni wyrazu – doprawdy, jakby stworzeni na podobieństwo bogów. Zwłaszcza czwórka grająca pierwszoplanowe postaci: Hipolita i Fedrę, Arycję i Tezeusza. Mieli w sobie to coś, co zwykło się zwać rasą. Wysocy, o smukłych szyjach i harmonijnych rysach, poruszający się godnie, a przy tym lekko i z gracją, promieniowali mocą połączoną z powabem. Byli w swych typach wzorcowi. Surowy Dumny Młodzieniec. Dojrzała Wielka Dama. Urocza Młoda Piękność. Mąż w sile wieku – Pan. Wszyscy oni wzbudzali adorację i podziw, uwielbienie zmieszane z nieokreśloną tęsknotą i dojmującym żalem. Że są jakby skądinąd, a przez to – nieosiągalni. Że się ich nie zna, nie pozna, a gdyby nawet poznało – prywatnie, poza teatrem – to pewnie by już nie byli takimi jak na scenie.

Spełniali – można powiedzieć – największy ideał sztuki: wzniecali uczucia do czegoś, co istniało pozornie – do fikcyjnych postaci, do zmyślonego świata, a w ślad za tym marzenie – niedorzeczne, dziecinne – by znaleźć się w owym świecie. Bo tylko w nim – w iluzji – była możliwa szansa na zadośćuczynienie. Lecz właśnie! T y l k o szansa. Bo w namiastce przeżycia, jaką stanowił akt odegrania na scenie burzliwego dramatu, szansa ta była zawsze, nieodwracalnie tracona. Los owych pięknych istot był nieodmiennie tragiczny. Skazany na przegraną, na niespełnienie i śmierć.

Oto Tezeusz, król Aten, mąż owiany legendą herosa i zalotnika – słynny pogromca Skirona, Prokrusta i Minotaura; ukochany Ariadny, którą zdradziecko porzucił, i zdobywca Antiopy, królowej Amazonek, z której się począł Hipolit; wreszcie, stateczny małżonek młodszej siostry Ariadny, ognistokrwistej Fedry – wyruszywszy z wyprawą do odległego Epiru, by wesprzeć tam przyjaciela, już od ponad pół roku przebywa za granicą i nie daje o sobie żadnego znaku życia.

Przez ten czas, w jego domu, w rodzinnym mieście Trojzenie, zaszły poważne zmiany:

Hipolit, jego syn, pozostawiony na straży domowego ogniska, młodzieniec czysty i dumny, gardzący dotąd miłością, uległ temu uczuciu do trzymanej w pałacu pod surowym nadzorem ateńskiej księżniczki, Arycji, ostatniej potomkini wrogiego ojcu rodu.

Fedra zaś, jego żona, od dawna skrycie wielbiąca szlachetnego pasierba, zapałała ku niemu szaloną namiętnością.

Oboje dumni, wyniośli, zgorszeni własną hańbą, bronili się, jak mogli, przed działaniem trucizny tkwiącej w strzałach Amora: on szukał zapomnienia w straceńczych jazdach rydwanem i trudach polowania; ona grała niełaskę, udając złą macochę. Daremnie. Afrodyta była od nich silniejsza. W rozpaczy doszli wreszcie do kresu wytrzymałości. On postanawia wyjechać; ona – zejść z tego świata.

Tu właśnie się zaczyna sceniczna akcja tragedii.

I oto co się dzieje:

Ledwo zapadły decyzje – gdy bohaterom zostało już tylko się pożegnać – nadchodzi nagle wieść o śmierci Tezeusza. Jest smutna, lecz jednocześnie przynosi pewną ulgę, a nawet rodzi nadzieję. Z jego odejściem bowiem przynajmniej maleje wstyd i hańba występnych uczuć, a może i wzrasta szansa na jakieś ukojenie. Przecież Hipolit dla Fedry, pod względem krwi, jest obcy. Ich związek zatem – obecnie – nie naruszałby tabu. A z punktu widzenia władzy i interesów państwa, byłby nawet korzystny, przeciwdziałając waśniom na tle praw do sukcesji. Czymś jeszcze naturalniejszym byłoby poślubienie Arycji przez Hipolita. Tych bowiem dzieli jedynie wrogość zmarłego ojca do rodu pięknej księżniczki. Czyż jednak sam Tezeusz nie pojął ongi za żonę nieprzyjacielskiej królowej, z którą prowadził był wojnę?

W ten sposób Afrodyta dolewa oliwy do ognia. Mrzonki, pragnienia, żądze, które już miały zostać raz na zawsze zgaszone, buchają nowym płomieniem.

Dochodzi do spotkania – Hipolita z Arycją i Fedry z Hipolitem. Dwoje płonących miłością pozornie trwa przy swoim: mimo nowych warunków, powstałych wskutek wieści o śmierci Tezeusza, chcą oni przeciąć węzeł, który spętał im wolę i ściska boleśnie serce. Pragną jednak się rozstać przynajmniej pojednani – przez wyrównanie krzywd wyrządzonych w przeszłości.

Hipolit więc odwołuje okrutny wyrok ojca skazujący Arycję na wieczyste poddaństwo i zwraca jej Ateny, do których ma ona prawo; Fedra zaś ubolewa z powodu wyrazów wrogości w stosunku do Hipolita i czynionych mu wstrętów, prosząc o wielkoduszność.

Jednakże w te akty skruchy i gesty pojednania wkrada się inny ton i całkiem inne treści. Wyrównywanie rachunków i prośby o wybaczenie przeradzają się raptem w otwarte miłosne wyznania. Puszczają wodze dumy, walą się tamy wstydu: zrazu dwuznaczne słowa stają się jednoznaczne. *Puisque j'ai commencé de rompre le silence*[1] – Hipolit zmienia naraz kierunek wypowiedzi i skacze w przepaść prawdy (podaję w tłumaczeniu):

> Trzeba iść dalej, pani, trzeba ci objawić
> To, czego dłużej w sobie nie zdołam już trawić.

I w długiej, namiętnej tyradzie nazywa rzecz po imieniu. Mówi, jak został zraniony, jak się dręczył i bronił, i jak na koniec uległ *d'un amour si sauvage*[2].

---

[1] Lecz skoro już złamałem pieczęcie milczenia
[2] miłości tak dzikiej

271

Wyznanie Hipolita – wbrew jego przypuszczeniom – uszczęśliwia Arycję. Wszystkiego się spodziewała, tylko nie czegoś takiego. Dla niej to istny cud. Błogi sen. Wniebowzięcie. Oto, skazana przez lata na wieczyste panieństwo i pogodzona poniekąd z tym niewesołym losem, dostaje w jednej chwili – wolność, królestwo i miłość, i to ze strony kogoś, kto ją swoiście urzeka. Rozkwita przeto jak kwiat dotknięty światłem słońca:

> Dzięki ci za te wszystkie szczodrobliwe łaski.
> Lecz wiedz, że nie królestwo, chociaż najznaczniejsze,
> Jest spośród tych dobrodziejstw dla mnie najcenniejsze.

Akceptacja wyznania! Odwzajemnienie uczucia! Szczęście: chwila wytchnienia w udręce samotności! Czyż jest coś dla człowieka bardziej upragnionego i godnego doznania?

Scenę tę odegrano z urzekającą finezją:

Hipolit, ośmielony przyzwoleniem Arycji, wyciągał ku niej wolno otwartą prawą dłoń (jakby ją prosił do tańca), a wtedy ona swoją unosiła ku niemu. Nie dotykali się jednak. Kiedy końce ich palców dzielił dosłownie centymetr, zastygali w bezruchu – na podobieństwo Boga i stworzonego Adama z fresku Michała Anioła.

Zapadła chwila ciszy, po czym rozległy się brawa. Spojrzałem natychmiast w dół, na piąty rząd parteru.

Nie klaskała jak inni. Siedziała nieporuszona.

Tymczasem akcja dramatu zmierzała ku kulminacji. Na scenę wkraczała Fedra ze swoją wielką „arią".

Tak, zdaje sobie sprawę, że mierzi Hipolita, że uczyniła wszystko, aby go sobie zrazić, a jednak w sytuacji, jaka oto powstała, ośmiela się apelować, by nie brał teraz odwetu za doznane przykrości, a zwłaszcza by się nie mścił na jej nieletnim synu, a jego przyrodnim bracie. Więcej, niechaj go uzna i otoczy opieką. On jeden może to dziecko obronić przed wrogami!

> Tylko ty bezpieczeństwo możesz mu zapewnić.

Już ta kwestia pobrzmiewa niejaką dwuznacznością („zostań jego obrońcą", więc – jakby moim mężem?). Ale to jeszcze nic. Fedra rozpędza się i traci panowanie nad potokiem wymowy. Zaczyna utożsamiać pasierba z jego ojcem:

> Nie, co mówię! On żyje, gdy oddycha w tobie.
> Czyż nie męża mojego widzę w twej osobie?

I przywołuje czas pamiętnych wydarzeń na Krecie, gdy przybył tam Tezeusz, by zabić Minotaura, i jak tego dokonał z pomocą jej siostry, Ariadny. Był wtedy dokładnie taki, jakim jest teraz Hipolit – młody, wspaniały, piękny. To właśnie wtedy w jej sercu zbudził miłość ku sobie. Lecz cóż! Spóźniła się! Ariadna była pierwsza! A kiedy, w lata później, poślubiła go jednak, był to już inny człowiek. Wiązała się z mężczyzną, z którego tamten uleciał. Zrozumiała to w pełni, gdy po raz pierwszy ujrzała (w Atenach) Hipolita – ową replikę ojca z okresu jego świetności. Tak, to właśnie ten kształt, ta czarująca postać, do kogokolwiek należy! – do ojca, czy do syna – stanowi jej przeznaczenie.

Lecz właśnie to jest straszne! Że człowiek nie wybiera! Jest on igraszką losu na pośmiewisko bogów! Miota się, płonie, cierpi, a oni czerpią z tego niewysłowioną rozkosz albo świetnie się bawią. W jękach i szlochach ofiary zdaje się czasem pobrzmiewać ich sardoniczny śmiech.

Jest to nie do zniesienia. Więc jeśli śmiertelny ma godność, musi przerwać ten spektakl, ową nierówną grę. Skończyć ze sobą! Skończyć! Położyć kres upodleniu.

I Fedra, wyznawszy miłość, czyli – we własnym mniemaniu – sięgnąwszy dna upadku, zaklina Hipolita, aby teraz ją zabił. Przynajmniej niech zada jej śmierć, skoro niczego innego nie może dla niej uczynić.

> Oto me serce. Przebij. Tutaj cios mi zadaj.
> Czuję, jak się wyrywa naprzeciw twej ręce,
> Niecierpliwe, by z grzechu oczyścić się w męce.
> Uderz. Albo, jeżeli to niegodne ciebie,
> Jeśli nie chcesz mnie, w gniewie, wspomóc w tej potrzebie
> Lub ręki sobie kazić moją krwią nikczemną,
> Użycz chociaż żelaza. Zlituj się nade mną.
> Daj.

Po tych słowach znów następowała krótka scena mimiczna – odpowiednik poprzedniej, tyle że negatywny (jakby w tonacji moll). Tę odegrano z kolei z imponującą precyzją, jak układ baletowy:

Na brzmiącym wieloznacznie, ostatnim, króciutkim „daj", Fedra stojąca na scenie na lewo od Hipolita (z punktu widzenia widowni) sięgała prawą ręką po jego krótki miecz, przytroczony rzemieniem do pasa na lewym boku. Na to Hipolit – też prawą – kierował ku rękojeści, chcąc wzbronić do niej przystępu. Wtedy zaś Fedra – lewą – chwytała to prawe

273

ramię – od góry, powyżej nadgarstka – i odciągała ku sobie; natomiast prawą, powoli, wydobywała miecz i unosiła go w górę.

W tej pozycji, zwróceni *trois quarts* ku widowni, zastygali w bezruchu na dobrych kilka sekund.

Był to wspaniały obraz – mieniący się znaczeniami. Kiść ręki Hipolita zwisała w uchwycie Fedry jak głowa martwego ptaka. Kontrastował z nią miecz wzniesiony ostrzem do góry. Mierzyli się spojrzeniami. Wszystko to miało coś w sobie z perwersji i masochizmu: prowokowanie gwałtem do popełnienia gwałtu.

„Zabij mnie, bo cię zetnę!" wołało ramię Fedry przedłużone o miecz. „Odbierz mi broń i przebij! Lub, skoro już jej nie masz, uduś własnymi rękami! Niech zginę w tym słodkim uścisku! Albo... przynajmniej rusz ręką, zrób coś z tą wiotką garścią, bezwolną, niegodną mężczyzny, która mnie upokarza i poniża do reszty. Przynajmniej ją obróć i weź... weź mnie... na chwilę... za rękę!"

Gdyby Hipolit to zrobił – gdyby swoją prawicą wywinął się z uścisku i ujął lewą dłoń Fedry – przekształciłby ich pozycję w klasyczną pozę zaślubin. Staliby przed widownią jak para przed ołtarzem. Lecz on tego nie robił – być może właśnie dlatego. Stał oniemiały, „cofnięty", z grymasem wstrętu na twarzy.

Była to alegoria wzgardy i odrzucenia. Mówiła, że brak wzajemności jest czymś nieodwołalnym. Nic nie zdoła jej wzniecić, jeżeli sama nie płonie. Ani zaklęcia, błagania, ani groźba i gwałt. Te dwie cząsteczki ludzkie nie łączą się ze sobą, nie mogą się połączyć. Im jedna bardziej przyciąga, tym druga bardziej odpycha. – Niespełnienie. Nieszczęście. Samotność spotęgowana.

Po chwili napiętej ciszy znów się zerwały oklaski. Znowu spojrzałem w dół. Tym razem biła brawo, choć nie tak gorąco jak inni. Przeniosłem wzrok na łoże. Jerzyk, z lornetką przy oczach, wpatrywał się w aktorów.

Gdy brawa w końcu umilkły, Fedra ciskała wściekle ramieniem Hipolita w geście zranionej ambicji i schodziła ze sceny nie oddawszy mu miecza. Wkrótce zaś potem spadała – jak grom z jasnego nieba – wieść, że Tezeusz żyje i właśnie zawija do portu. I na tym się kończyła pierwsza część przedstawienia.

Ludzie zaczęli wstawać i wychodzić na przerwę.

Wspierając brodę na rękach, obserwowałem parter. Nie ruszała się z miejsca. Początkowo myślałem, że tylko odczekuje, aż minie fala tłoku w przejściach między rzędami i w drzwiach do foyer; z czasem jednak, gdy sala zaczęła świecić pustkami i prawie wszyscy wyszli (w tej liczbie również i Jerzyk), ona zaś dalej siedziała, co więcej, powróciła do lektury programu, pojąłem, że nie zamierza opuszczać fotela w antrakcie. Była to sytuacja, doprawdy, jak wymarzona. Prawie pusta widownia, a na niej – ona, sama. I blisko piętnaście minut danych do dyspozycji. Zupełne przeciwieństwo konfiguracji w Zachęcie. Znowu poczułem niepokój i szybsze bicie serca, a w głowie odezwał się głos, który już nieraz słyszałem:

„Zejść tam szybko i podejść! Czego się tutaj bać?! Jeżeli w t y c h warunkach nie zdobędziesz się na to, to nigdy się nie odważysz. A skoro się nie odważysz, to nie jesteś jej wart. – Daj się unieść prądowi!... Błogosławiona mgła!... No, dalej! Nie ma co zwlekać! Każda chwila jest cenna! – I podejść od lewej strony, tam gdzie jest puste miejsce. Być może drugą część będziesz oglądał już stamtąd..."

Podniosłem się i, jak w transie, ruszyłem po „złote runo".

Choć szedłem, jak się zdawało, krokiem zdecydowanym, droga z balkonu na dół zabrała mi więcej czasu, niż w przeciwnym kierunku przed rozpoczęciem spektaklu. Kiedy zaś w końcu dobrnąłem do jednych z drzwi na parter i stanąłem w ich progu, oto jaka odsłona zjawiła się moim oczom: w ścieżce czwartego rzędu, przed siedzącą Madame, zwrócony do niej przodem, stał nieco pochylony – Dyrektor Service Culturel. Rozmawiali, a raczej – on nieprzerwanie mówił, żywo gestykulując. Ona, nieporuszona, patrzyła ku niemu w górę i tylko od czasu do czasu wtrącała kilka słów. W końcu, gdy rozległ się dzwonek i publiczność powoli zaczęła wracać na salę, Dyrektor się wyprostował i, rzuciwszy spojrzenie w stronę loży centralnej, wykonał kilka gestów, mówiących, że musi już iść. Z mimicznym „à bientôt!" wycofał się z rzędu foteli i zniknął w foyer. I rzcczywiście, po chwili zjawił się w tamtej loży – w ślad za ambasadorem i jego połowicą.

Znów pognałem na górę. Po drodze, od bileterki, na którą się natknąłem, kupiłem w pośpiechu program. Swoje miejsce zająłem na krótko przed podniesieniem kurtyny. Fotel obok Madame w dalszym ciągu był pusty. Jerzyk przeglądał program. Zajrzałem do niego i ja. W gasnącym świetle widowni, u góry jednej ze stron, mignęło mi jego nazwisko.

Druga część przedstawienia nie miała już takiej siły i urody jak pierwsza, choć grano równie dobrze, w tym samym tempie i rytmie. Przyczyna tkwiła zapewne w materii samej akcji, w danej fazie dramatu. Bo odkąd wrócił Tezeusz, linia rozwoju wypadków czy ich temperatura zaczęła z wolna opadać ku nieuchronnej klęsce. Właściwie od pierwszej sceny (dialog: Tezeusz – Fedra) rzecz była przesądzona. Nic się już nie dawało odwrócić czy naprawić. Można było jedynie odwlekać katastrofę: prowadzić grę pozorów, ukrywać prawdę, kłamać. Zmowa milczenia jednak, nikczemne oskarżenia – nie, mimo wszystko te sprawy nie miały już owej mocy, co dramat samej pasji; co konflikt duszy i ciała, powinności i serca. Tamto, mimo kostiumu i wyszukanej formy, tchnęło mocą i prawdą; intryga niedopowiedzeń i tragedia pomyłek, jakkolwiek prawdopodobne, były jednak umowne, typowo teatralne.

Blaskiem z pierwszej połowy rozjarzyły się jeszcze dwa krótkie epizody: scena zazdrości Fedry i ta, w której Hipolit przekonuje Arycję do wspólnej ucieczki z Trojzeny.

Dreszcz przechodził po plecach, gdy Fedra, usłyszawszy w tyradzie Tezeusza zdanie o Hipolicie, iż ten kocha Arycję, wpadała mu w pół słowa pełnym zgrozy „Co, panie?" i, jakby ścięta z nóg, chwytała się kolumny, szukając w niej oparcia.

Brak wzajemności, wzgarda ze strony Hipolita – dopóki się zdawały podyktowane dumą lub zawierzeniem czystości – dotykały jak susza albo surowy chłód; kiedy niespodzianie okazywały się jednak pochodną namiętności żywionej ku innej kobiecie, nabierały wymiaru katastrofy kosmicznej. Fedrze, niejako fizycznie, usuwał się grunt spod nóg i pochłaniało ją piekło. Ból odrzucenia „dla innej" był czymś nie do zniesienia.

Drugi atak histerii następował po słowach powiernicy, Enony, pragnącej ją pocieszyć. Gdy piastunka mówiła:

> I cóż im po miłosnym bezowocnym szale?
> Nie będą się już widzieć.

Fedra wpadała jej w słowo dzikim, wulgarnym wrzaskiem, zupełnie nie licującym z jej pozycją i krwią:

> Ale kochać dalej!

Te nagłe zmiany tonu – z wysokiego na niski, z królewskiego na gminny – fenomenalnie zresztą robione przez aktorkę, zdawały się uzmysławiać, jak krucha jest w człowieku powłoka jego szlachectwa. Wystarcza oto podrażnić nienasyconą wolę i wtrącić do wrzącej krwi szczyptę soli z piołunem, by puścił natychmiast kręgosłup i kościec sublimacji, dojrzewające przez lata czy nawet pokolenia – te wszystkie nawyki i formy szlifujące naturę – i aby z wyniosłej damy wyszła bezwstydna hetera, czy nawet jeszcze gorzej: z królowej – goniąca się suka.

Zupełnie inny klimat miało spotkanie i dialog Hipolita z Arycją. Tutaj po raz ostatni odżywa w tragedii nadzieja. Choć sprawa bierze zły obrót, choć pętla sprzecznych racji zaczyna się zaciskać, nie wszystko jest jeszcze stracone: z pożogi namiętności, jak z płonącego domu, można jeszcze ocalić przynajmniej jedno – i c h szczęście. Wystarczy, że ujdą razem, że ucieknę z Trojzeny – tak jak stoją, natychmiast.

Pięknie Hipolit zaklinał honorową Arycję, by porzuciła wahanie i by mu zaufała:

> Zerwij pęta, odepchnij niewolę nikczemną;
> Odważ się i jedź ze mną, odważ się być ze mną;
> Rzuć to miejsce plugawe, zepsuciem skażone,
> Gdzie oddychasz trucizną, idąc w każdą stronę...

Ach, gdybyż z takim apelem zwróciła się do mnie Madame!

Uprzytomniłem sobie, że śledzę to przedstawienie, podobnie jak odbierałem *Zwycięstwo* i strofy *Renu*, i grafiki Picassa – przez pryzmat „mojej biédy", jak pewną swoją miłość nazwał Fryderyk Chopin. Nie polegało to jednak na czerpaniu emocji z luźnego podobieństwa dwojga głównych postaci do osób rzeczywistych (że niby Hipolit to ja, a Fedra to Madame) – bądź co bądź, ich historia była zupełnie inna. Istota mego odbioru tkwiła w duchu fantazji, w swobodnej grze wyobraźni. Na osnowie dramatu odgrywanego na scenie, i z jego elementów, snuł mi się w głowie bezwiednie dramat zupełnie inny, który stanowił projekcję niewyrażonych marzeń.

Oto ojciec Madame, duch niespokojny i śmiały, szlachetny idealista wyzywający los, popełnia – niczym Tezeusz jadący do Tartaru – katastrofalny błąd. Owładnięty szaleństwem czy manią prześladowczą, na przekór rozsądkowi i przestrogom przyjaciół, powraca z wojennej tułaczki do rodzinnego kraju, zniewolonego przez reżim moskiewskich barbarzyńców i rządzonego nikczemnie przez ich miejscowych kamratów. Co gorsza, wlecze tam z sobą swoją jedyną córkę – dziewczynę piękną i dumną, zrodzoną w sercu Alp, której na znak ufności w sprzyjające mu szczęście nadał był niegdyś imię: „Zwycięstwo" – Victoire.

Fałszywy krok mści się szybko: nieszczęsny Maks-Tezeusz ginie w lochach UB – niczym w czeluściach Tartaru, piękna zaś Victoire, zdana na samą siebie, zostaje odcięta od świata szczelną „żelazną kurtyną".

Zrazu zdesperowana, zaczyna jednak z czasem – jak Ren urodzony wolnym – torować sobie drogę ku otwartej przestrzeni, tam gdzie zachodzi słońce – ku galijskiej równinie. Ima się różnych forteli, prowadzi podwójną grę. Wreszcie, po wielu porażkach i bezowocnych próbach, staje w obliczu szansy znacznie większej niż dotąd, bo uwikłanej swoiście w interes ciemiężycieli. Czy uszczkną coś z dóbr Zachodu, do których ciekne im ślina, zależy w pewnym stopniu od tego, czy zwrócą jej wolność. Tym razem tak rzecz wygląda. Ona zaś ma jedynie wykazać się jako pedagog – przed cudzoziemskim gremium.

I tu się właśnie zaczyna główna akcja dramatu.

Gimnazjon, w którym się zjawia i który ma przysposobić do nowego systemu, jest – jak wszystko w tym kraju, spodlonym, znieprawionym przez bolszewicką tyranię – spaczony i zacofany. Wychowawcy – zgorzkniali, nieciekawi, kostyczni. Wychowankowie – gnuśni, ograniczeni, krnąbrni. Nauka w tych warunkach to orka na ugorze, a życie – istna gehenna. Samotność. Wyobcowanie. Brak wspólnego języka choćby z jedną osobą.

I oto w tym ostępie – ponurym i zatęchłym – na krótko przed terminem odzyskania wolności, w ciżbie nieokrzesanych, niemrawych podopiecznych napotyka młodzieńca o szczególnych zdolnościach, manierach i wymowie, i równie nieprzeciętnym uroku osobistym. Inteligentny, obyty, wręcz błyskotliwy w rozmowie, a przy tym – dziwnie nieśmiały, zamyślony i smutny, zrazu ją intryguje, a z czasem – wbudza sympatię. Owych przyjaznych uczuć nie okazuje mu jednak, przeciwnie, gra – jak Fedra – odpychającą władczynię. Nie chce żadnych stosunków natury nieoficjalnej, choćby najniewinniejszych. To mogłoby jej tylko tak czy inaczej zaszkodzić. Poza tym – sentymenty! I na cóż jej one, po co! – skoro niebawem wyjeżdża, by więcej tu nie wrócić. Nie, absolutnie nie może pozwolić sobie na to („kto sobie nakłada więzy, naraża się na zgubę").

Ale niezwykły uczeń nie tylko po prostu j e s t czarującym młodzieńcem; zdaje się on ponadto cicho ją adorować. Wpatruje się w nią jak w obraz, chyłkiem tropi jej dane, w pisemnej pracy domowej przemyca kunsztowne wyznanie. Ach, jak uroczo to robi! Doprawdy, jest wzruszający! Czy jest gdzieś ktoś na świecie, kto by ją tak wyróżniał? Być może. Le

Petit George[1]. Syn przyjaciela jej ojca i zalotnika matki. Lecz cóż to za porównanie! Jego namiętność ku niej jest mroczna i nużąca. Odstręcza ją, krępuje, paraliżuje sztucznością. Zatruta neurastenią, histeryczna, żałosna. A poza tym – w ogóle, niezależnie od tego – jak blady jest afekt Mężczyzny, z reguły wtórny, chwiejny, skażony już zwątpieniem, przy pierwszym porywie Chłopca, szalonym i bezkrytycznym! W każdym razie dla kogoś, kto minął już smugę cienia – dla kobiety dojrzałej, trzydziestoparoletniej.

Uwielbia ją. Ubóstwia! Stawia ją na ołtarzu! Choć tyle ma wokół siebie zalotnych rówieśniczek. To pochlebia ambicji. To osobliwie podnieca. To wyzwala pragnienie, aby mu wyjść naprzeciw i stać się dlań, zaprawdę, wszechmogącą boginią.

Nie można jednak ulec tego rodzaju pokusie. To byłoby ryzykowne i – niegodziwe zarazem. Wszelako, z drugiej strony, nic nie zrobić w tej sprawie, dalej grać lodowatą, nieczułą Królową Śniegu – to też nie rozwiązanie.

Zaczyna się walka wewnętrzna. Między podszeptem próżności a odpowiedzialnością. Między odruchem serca a dyscypliną rozsądku. – Uczynić coś dla niego, dać mu coś, ofiarować, ale tak, by nie zbudzić zbyt głębokich nadziei. Owszem, okazać łaskę, a nawet uszczęśliwić – jak Hipolit Arycję – ale bez konsekwencji. Na moment. Na jedną chwilę.

Stawia mu „celujący". Jedynemu w gimnazjum. A jego pracę pisemną, ze stosowną opinią, przekazuje do wglądu cudzoziemskiej komisji. Może wyniknie coś z tego? Może przewodniczący, *monsieur le directeur*, zwróci na niego uwagę – jak niegdyś profesor Billot na esej *du* Petit George – i wyciągnie doń rękę? Zaproponuje stypendium, zaprosi na kurs do Francji? – No tak, ale to przyszłość i w dodatku niepewna. A co tymczasem? Już? By zaraz ujrzeć efekt? – Wywyższyć go w drobnej sprawie. Okazać zaufanie. Wysłać do gabinetu, gdzie znajduje się skarbiec z rzeczami osobistymi. Nie strzeżony. Otwarty. – Wręczyć mu klucz do niego! W ten symboliczny sposób dopuścić go do siebie. Powiedzieć do niego: „*La clé!*" i, spoglądając mu w oczy, podać go – gestem Stwórcy z fresku Michała Anioła.

I tak się dzieje. Lecz cóż! To ciągle jeszcze nie to. Gra aluzji, metafor nie spełnia oczekiwań. Na twarzy faworyta nie zalśnił blask radości czy płomień oszołomienia. Dalej jest przygaszony, strapiony, obolały. Trzeba inaczej z nim

---

[1] Jerzyk

279

mówić. Inaczej go wyróżnić. – Zabrać go do teatru! Na Comédie Française, która właśnie przyjeżdża z inscenizacją *Fedry*. Akurat otrzymała zaproszenie z poselstwa, *valable pour deux personnes*[1]. O, to jest rozwiązanie!

Lecz ręka Opatrzności – na dobre czy na złe – nie dopuszcza do tego. Krzyżuje plany, mąci – dość, że niweczy ów zamiar. Idzie na spektakl sama, marnując drugie miejsce. Fotel koło niej jest pusty. Chyba jako jedyny, przynajmniej na parterze. Ogląda przedstawienie, żałując że tak wyszło. A kiedy słyszy słowa: „Zerwij pęta, odepchnij niewolę nikczemną", i ich kontynuację: „Rzuć to miejsce plugawe, zepsuciem skażone...", pojmuje w nagłym błysku, że to jest właśnie to, co winna mu powiedzieć.

Ach, że go tutaj nie ma! Że nie siedzi koło niej! Że nie słyszy tych słów, na które w jakiś sposób zwróciłaby mu uwagę!

Ale on – jest! I słyszy. Siedzi z przodu balkonu. A gdy opadnie kurtyna – już wkrótce, za kilka minut – i umilkną oklaski, spotkają się przy szatni albo przy wyjściu z teatru. Nie wszystko jeszcze stracone! Ten dramat nie kończy się źle...


Ta snuta bezwiednie bajka w kulisach świadomości była tak czarująca i sugestywna zarazem, że po skończonym spektaklu, niepomny obrazów jawy i głuchy na głos rozsądku, ruszyłem zdecydowanie dopisywać jej finał – na scenie rzeczywistości.

Odebrawszy okrycie, zbiegłem czym prędzej na dół, wypatrzyłem swą Fedrę w tłumie stojących do szatni, po czym wyszedłem na zewnątrz, by tam jej oczekiwać – u stóp wejściowych schodów.

W drzwiach pokazał się naraz – otoczony młodzieżą – rozpromieniony Prospero. Wyraźnie komentował grę francuskich aktorów. Perorował, przystawał, odtwarzał ich gesty i pozy. Odszedłem kilka kroków, by nie natknął się na mnie. Jego widok jednakże natchnął mnie pewną ideą. Ależ tak, oczywiście! Zacząć z nią to spotkanie, jak zacząłem był z nim. Zwrócić się do niej wierszem! Tym razem – aleksandrynem. Jeśli wtedy ów trik okazał się tak skuteczny, może i teraz będzie. A zresztą, jakże inaczej miałyby brzmieć moje słowa, przynajmniej początkowe, skoro to ma być scena jak z prawdziwego dramatu.

---

[1] ważne dla dwóch osób

Palcami prawej ręki objąłem czoło i skronie (jak zwykł to czynić Konstanty), zacisnąłem powieki i wytężyłem umysł.

*Madame! Est-ce bien vous-même?* –

zacząłem układać tekst.

*– Mais quelle coïncidence!*
*Quel étrange et curieux concours de circonstances!*[1]

Dobranie pierwszego rymu uruchomiło mechanizm rezonowania wyrazów. Nasuwające się słowa przywoływały inne o współbrzmiących końcówkach lub przychodziły od razu parami, trójkami, czwórkami. I tak, wewnętrznym uchem, usłyszałem konsonans: *question-conversation*, który mi coś przypomniał. No, oczywiście! Tamto! Tę lekcję, na której zacząłem swe tajne dochodzenie. Tak, to aż się prosiło, aby do tego nawiązać. Napiąłem łuk poezji, czy, ściślej – *l'art poétique*:

*Profitons-en pour faire une conversation;*
*Pour nous poser enfin quelques bonnes questions.*[2]

Zadowolony z siebie, zwolniłem czoło z uścisku i otworzyłem oczy. I oto co się wtedy przed nimi ukazało:

Na wprost wyjścia z teatru, przy samym krawężniku, stał błękitny peugeot z uruchomionym silnikiem i włączonymi światłami o żółtym zabarwieniu. Przednie drzwiczki po prawej były szeroko otwarte; na miejscu obok kierowcy siedziała osoba płci żeńskiej, w której po chwili poznałem *mademoiselle* Legris, i podniesioną ręką dawała komuś znaki. Tym kimś była Madame, schodząca właśnie po schodkach. Podeszła do samochodu, otworzyła tylne drzwiczki i szybkim, zręcznym ruchem wślizgnęła się do środka. Szczęknęły, raz po raz, zatrzaskiwane zamki i pojazd ruszył ostro w kierunku ulicy Oboźnej. Usiłowałem dojrzeć, kto siedzi za kierownicą, ale bez powodzenia. Z pewnością był to Dyrektor, lecz nie stwierdziłem tego. Wyraźnie dostrzegłem jedynie tablicę rejestracyjną: WZ 1807. (Rok pamiętnego zwycięstwa Napoleona nad Rosją i utworzenia przezeń nowego państwa polskiego o nazwie Księstwo

---

[1] Madame! I pani tutaj? (...) Cóż za zbieżność zdarzeń!
Doprawdy, nadzwyczajne! Cóż za dziwny traf!
[2] Wykorzystajmy to więc, aby podjąć rozmowę;
By zadać sobie wreszcie kilka istotnych pytań.

Warszawskie.) Nieco niżej, po prawej, widniała owalna plakietka z literami CD. Wsunąłem ręce w kieszenie mego szarego płaszcza (w jednej z nich rezydował cienki zeszyt programu) i z pochyloną głową ruszyłem wolnym krokiem w stronę Nowego Światu, gdzie przy biurze podróży o nazwie „Wagons-Lits-Cook" znajdował się najbliższy przystanek autobusu.

## Rachunek sumienia

Zdawałem sobie sprawę, że mimo skurczu serca, o jaki mnie przyprawiła ostatnia, krótka scenka mego dramatu na żywo (bardziej w swym charakterze filmowa niż teatralna), wyszedłem był z perypetii i tak obronną ręką. Ładnie byłbym wyglądał, gdybym w przystępie maligny lub szaleńczej odwagi zdążył rozpocząć akcję! Na przykład, w kolejce do szatni albo tym bardziej w hallu, tuż przed jej wyjściem na zewnątrz. Koszty takiego kroku byłyby znacznie wyższe. A jednak mimo to – pomimo świadomości, iż miałem właściwie szczęście – nie czułem się szczęśliwy. Trawiło mnie poczucie zawodu, niespełnienia, a zwłaszcza, że jestem osobą... istotą *minorum gentium*.

Oto przez dwie godziny śledziłem na scenie dramat osnuty na micie greckim. Jego protagoniści, choć byli śmiertelnymi, mieli coś w sobie z tytanów. Stanowili jak gdyby najdorodniejsze okazy człowieczego rodzaju. Ich losy i namiętności, które nimi targały, były królewskie, wielkie.

W tych herosów z kolei wcielały się jednostki co najmniej nieprzeciętne, a w skali rzeczywistości uformowanej przez ustrój demokracji ludowej – zgoła nie z tego świata. Kobiety i mężczyźni niespotykanej urody, o kryształowych głosach, rasowi, charyzmatyczni. I jeszcze do tego – z Zachodu! Z burżuazyjnej Francji – Olimpu sztuki i życia! Członkowie legendarnej Comédie Française! Jakże musieli być zdolni, bogaci wewnętrznie, wrażliwi, a także ciekawi świata i doświadczeni życiowo! I jakież dzięki temu musiało być ich życie – codzienne, osobiste – tam, w cieniu Wieży Eiffla i Łuku Tryumfalnego!

I wreszcie, to misterium przebóstwionych postaci odgrywane przez ludzi o półboskiej naturze śledziła niepospolita, a dla mnie – boska kobieta. Zrodzona z niepoślednich, tajemniczych rodziców, jak Ren w „zamczysku Alp", tej „kuźni, gdzie się wykuwa jedynie czysty kruszec"; piękna, o bystrym umyśle i silnym charakterze; doświadczona surowo przez przeciwności losu; pojmana i uwięziona przez bolszewicki pomiot, tych czerwonych pigmejów okupujących kraj, i próbująca podstępem wydostać się z pułapki... Któż miał taki życiorys i taką osobowość! Któż na tej ziemi jałowej odznaczał się taką siłą, inteligencją, urodą! „O, gdzież był taki drugi, który by był tak wolny!"

Jak przystało na dumną *femme emancipée*, przybyła do teatru – sama, w ostatniej chwili. A gdy go opuszczała, podjechał po nią wóz *du corps diplomatique*. Jak po księżnę lub gwiazdę. Jak rydwan po boginię! Zabrano ją zapewne na kolację lub bankiet wydany w ambasadzie albo w hotelu „Bristol" na cześć francuskich artystów. By piła tam szampana i prowadziła rozmowy pełne *esprit* i *brillant*. Równa między równymi. W innej czasoprzestrzeni!

A kim ja byłem przy tym? Wobec nich. Wobec niej. Czyż nie istotą podrzędną, co nawet się n i e dostała pomiędzy nagie ostrza owych potężnych szermierzy? Czym było moje życie? Co na nie się składało? – Dzieciństwo w zburzonej Warszawie. Makabra stalinizmu. Zdziczałe obyczaje. Ubóstwo, szarość, półmrok. Żałosne misteria ludzi biednej, podbitej prowincji, gdzie diabeł mówi dobranoc. Świat rzeczy używanych, starych, brzydkich, kalekich. „Zrzuty" i „ciuchy" z Zachodu, słuchanie Wolnej Europy. I wciąż ta sama śpiewka: „kiedyś!... gdzie indziej!... nie tu!... skończyło się!... skończone!" Tak, proza mego życia była całkiem wyzbyta, jak powiedział poeta, urody koniunktiwu.

Jednakże los to nie wszystko. Ostatecznie, Madame, mimo niezwykłych kolei i nietypowych przejść, także od wielu lat brnęła przez te ugory. Liczy się w równym stopniu ogień wewnętrzny – duch. Siła i jasność płomienia. Temperatura żaru. – No a jak pod tym względem jawiłem się, wypadałem, przynajmniej we własnych oczach? – Znowu blado, mizernie. Jak karłowaty kaleka. – I cóż że się dobrze uczyłem, miałem dobre maniery, mówiłem po francusku i grałem na fortepianie! Że byłem wprowadzony w arkana królewskiej gry w szachy i miałem małpią pamięć! Że, wreszcie, wielbiłem słowa i potrafiłem nimi w różny sposób żonglować, a nawet mówić wierszem! – To wszystko było grzeczne, układne, „kulturalne". Zimne, matematyczne, logiczne, abstrakcyjne. Nie było w tym szaleństwa, boskiej głupoty, ekstazy. Było w tym „szkiełko i oko", zero „czucia i wiary". Wszystko w głowie, nic w ciele! Wszystko w myślach, nic w zmysłach! Wolałem kostium niż nagość. Wolałem pozór od prawdy. Opancerzony, zamknięty, zaszpuntowany w sobie. Złożony z ironii, dowcipu, paradoksu, błazeństwa. Blednący na widok krwi. Wstydzący się natury. Nie znajdujący formy dla porywu miłości...

Czy taki ktoś mógł być – bohaterem dramatu? Być może, ale na pewno nie takim jak Hipolit, jak Fedra, jak... Antoniusz! Najwyżej takim jak Jakub z gorzkiej komedii Szekspira; jak Molierowski mizantrop; jak – Beckettowski Hamm. Czyli – karykaturą lub anty-bohaterem. Figurą negacji, zwątpienia, choroby, wydziedziczenia.

Skoro zaś tak, to Madame – kimkolwiek była w istocie: Królową Śniegu, Renem, Leną czy *femme fatale* – nie mogła tego nie czuć. A skoro czuła, to jasne, że nie ciągnęło jej do mnie, a nawet ją odpychało. Jeżeli była jak ja, zimna, nadmiernie dumna, spętana przez rozum i wstyd, to taki ktoś jak ja mógł tylko ją onieśmielać czy wręcz paraliżować – niczym krzywe zwierciadło. Jeżeli pod maską chłodu kryła się dzielna dziewczyna walcząca z determinacją o wydostanie się z klatki, to taki ktoś jak ja nie był jej na nic potrzebny; potrzebowała Heysta, Kapitana, Mężczyzny, a nie błędnego chłopca, pełnego kompleksów i chimer. Wreszcie, jeżeli była – Heleną czy Kleopatrą, „contessą", elegantką i lwicą salonową, to taki ktoś jak ja po prostu dla niej nie istniał, był jak byczący owad, w najlepszym razie – statysta.

Nielekkie było brzemię tej wielopiętrowej konkluzji.

By odegnać od siebie przygnębiające myśli i wyrwać się z apatii, sięgnąłem po zeszyt programu i zajrzałem do środka.

Odwrotną stronę okładki wypełniała w całości podobizna Racine'a; była to czarnobiała reprodukcja portretu, który przypisywano François de Troy. Przedstawiała pisarza w miarę jeszcze młodego, trzydziestoparoletniego. Migdałowymi oczami spoglądał tęsknie gdzieś w bok, jakby na kogoś koło mnie (po mojej prawej stronie) i smutno się uśmiechał w ledwo uchwytny sposób.

„Patrzy na nią, nie na mnie", pomyślałem z goryczą. „Na postać, nie na tło. Ja jestem dlań... pustym miejscem."

Przerzuciłem stronice, szukając nazwiska Jerzyka. Odnalazłem je szybko – ponad tytułem „Geniusz" i gęstą szpaltą tekstu.

Była to z entuzjazmem i swadą napisana zwięzła sylwetka Racine'a z wplecionym tu i ówdzie detalem biograficznym. W umyśle czytającego rozkwitał obraz artysty pełnego wewnętrznych sprzeczności.

Oto w pobożnym mieszczuchu uformowanym duchowo przez słynny Port-Royal, jansenistyczną „samotnię", w której kultywowano obyczajowy rygoryzm i doktrynę wyższości łaski bożej nad wolą i zasługą człowieka, gnieździł się umysł genialny o zgoła diabelskich zdolnościach. To najogólniej. A dalej: w ubogim sierocie z prowincji, poczciwym i nieśmiałym, mieszkał żądny kariery i rozgłosu światowiec; w lodowej górze logiki tkwił wulkan namiętności; w wyznawcy Apollina wyprawiał dzikie orgie rozpasany Dionizos; w jasnej, chrześcijańskiej duszy otwartej na nadzieję i niebiańską pogodę panował posępny mrok skrajnego pesymizmu.

Jakie ziarno i gleba, taki owoc i plon. Życie i dzieło pisarza nosiło wszelkie znamiona owych ostrych sprzeczności. Było przedziwnie rozdarte, jaskrawo zróżnicowane. Po dziewiętnastu latach anielskiego dzieciństwa i przykładnej młodości wypełnionej modlitwą i wzorową nauką (choć zdradzaną niekiedy dla sensacyjnych romansów czytanych pod ławą szkolną) następował wiek męski – grzeszny, występny, szalony, znaczony miłosną gorączką i przygodami ciała, orlimi lotami geniuszu i zawrotną karierą, zdobny w fawory królewskie, a z drugiej strony, z piętnem niejednej *diablerie*. W ciągu dziesięciu lat powstało siedem tragedii, jedna lepsza od drugiej, a ich autor brylował w salonach i na dworze, podbijał i zdobywał serca pięknych aktorek i wspinał się do wysokich a popłatnych godności. Wreszcie, w wieku zaledwie trzydziestu siedmiu lat, zrywał nagle z teatrem i libertyńskim życiem, „tą karygodną ułudą i targowiskiem próżności"; jak marnotrawny syn wracał do Port-Royal, dopełniał aktu skruchy, paląc wszystkie notatki i plany kolejnych dramatów, i żenił się z szarą mieszczką, pobożną, cichą córką wziętego notariusza, która do końca swych dni nie przeczytała słowa z jego natchnionych linijek. Miał z nią siedmioro dzieci: pięć córek i dwóch synów, którym zohydzał, jak umiał, literaturę piękną. W ciągu dwudziestu trzech lat owego zacnego życia stał się zręcznym dworakiem skłonnym do bigoterii.

A jednak i w tym okresie jego niezwykły geniusz dał jeszcze o sobie znać. Stało się to za sprawą pani de Maintenon, niemłodej już i pobożnej morganatycznej żony Ludwika czternastego, która patronowała znanej pensji dla dziewcząt z uboższych rodów szlacheckich. W zakładzie tym uprawiano, między innymi, teatr – dla kształcenia wymowy i eleganckich manier. I w trosce o repertuar na wysokim poziomie sięgnięto po „złote zgłoski" autora *Bereniki*. Przyniosło to najzupełniej niespodziewane skutki. Dziewczęta grały za dobrze, zatrważająco dobrze! Z takim ogniem i żarem, że bogobojna patronka kazała przerwać próby. Nie chcąc jednakże tracić znakomitego pióra, zwróciła się do poety, aby specjalnie dla niej – dla zakładu w Saint-Cyr – napisał nową sztukę, „moralną", „ze śpiewami", w której by nie czyhało „niebezpieczeństwo dla duszy". Racine, od lat dwunastu kroczący drogą cnoty, mający wszelki teatr za dzieło złego ducha, zrazu odrzucił prośbę, później długo się wahał, aż w końcu – znęcony myślą o trudzie dla chwały bożej – podjął się spełnić zadanie.

I oto co z tego wynikło: ułożona tragedia pod tytułem *Estera*, osnuta na motywie wziętym z Pisma Świętego, mimo wzniosłych idei i braku zdrożnych treści, wzbudziła w pensjonarkach niezdrowe podniecenie. W zakładzie zapanowała gorąca atmosfera: ambicje, rywalizacja, intrygi, bufonada. A kiedy na przedstawienia zaczęła zjeżdżać socjeta, surowy przybytek dziewictwa zmienił się w istny salon, o ile nie w dom rozpusty. Wzięły górę emocje, tryumfowała zalotność, dochodziło do zbliżeń. W tym stanie rzeczy, w poetę też wstąpił dawny duch. Jak w czasach, gdy żył teatrem i aktorkom-kochankom ustawiał każdą linijkę, każde słowo i akcent, jął znowu zwracać uwagę na najdrobniejsze detale w interpretacji tekstu; i kiedy jedna z panienek, grająca rolę Elizy, potknęła się w monologu, krzyknął z udręką w głosie: „pani mi kładzie sztukę!" i przerwał przedstawienie. Gdy zaś speszona dzierlatka buchnęła głośnym płaczem, zrobiło mu się przykro i pobiegł ocierać jej łzy. Błagając o wybaczenie i pragnąc ją uspokoić – a zarazem i siebie – szukał ustami jej ust. W ten sposób doszli do zgody.

Znowu więc – po raz już który i w jakich okolicznościach! – demoniczny Dionizos wygrywał z anielskim Apollem; znowu, wbrew zamierzeniom, czy zgoła im na przekór, sztuka wznieciła pożar. Tak wielka była siła jej bezbożnego piękna! Dlatego też drugi z utworów, jaki poeta napisał dla pani de Maintenon, dramat biblijny *Atalia* (uznany po wielu latach za jedno z największych arcydzieł francuskiego teatru) pozwolono odegrać wychowanicom Saint-Cyr jedynie raz, przed królem, w zwykłych, codziennych ubraniach.

Na stronie, gdzie kończył się szkic, na jej dolnej połowie, widniała reprodukcja innego portretu Racine'a. Był to obraz Charona namalowany z fantazji w blisko stulecie od śmierci autora *Brytanika* i przedstawiał pisarza czytającego swój utwór wielkiemu *Roi-Soleil*:

Poeta, na pierwszym planie, siedzi w fotelu ( z lewej), trzyma przed sobą książkę otwartą mniej więcej w środku i patrzy w nią z wyrazem rozanielenia na twarzy. Król zaś (po prawej stronie i odrobinę głębiej) spoczywa swobodnie na sofie wspierając głowę na ręce i spogląda ku niemu z zadumą i uznaniem – jak gdyby myślał sobie: „ładnie piszesz, Racine, i całkiem ładnie czytasz".

Scenka ta dała mi asumpt do refleksji nad sobą.

„Jeśli nie jest się królem", pomyślałem ze smutkiem, w którym migotał jednak mały płomyk nadziei, „i jeśli nie ma się nawet natury bohatera, a jednocześnie się nie jest li tylko zjadaczem chleba, lecz kimś kto marzy i tęskni za nie wiadomo czym, i nieustannie błaznuje, bo nie potrafi zwyczajnie wyrazić żadnego uczucia, to wtedy, by się spełnić i znaleźć ukojenie, trzeba zostać artystą – źrenicą świata i magiem."

I ujrzałem się nagle oczami wyobraźni, jak siedzę całymi dniami w jakimś pokoju przy biurku i w taki czy inny sposób – piórem, czcionką maszyny – zaczerniam kartki papieru. Wymyślam i układam urzekające historie – wzięte z rzeczywistości, lecz od niej powabniejsze; misternie skomponowane niczym utwór muzyczny i brzmiące w głośnej lekturze rytmicznie jak poemat. I dobieram wyrazy, i bawię się zdaniami, aż wychodzi mi wreszcie kryształowy akapit. I wtedy idę na spacer – aby obmyśleć następny.

– To będzie moje życie – powiedziałem półgłosem i odłożyłem program.

W poniedziałek po szkole poszedłem do biblioteki, wypożyczyłem tragedie Racine'a po francusku i – tytułem przymiarki – przepisałem starannie do mojego „*Cahier*" monolog Hipolita i „wielką arię" Fedry.

Po wielokrotnej lekturze umiałem teksty na pamięć.

## Kobieta i mężczyzna

Odkąd zostałem wysłany po skrypt do gabinetu, Madame stawała się dla mnie z lekcji na lekcję łaskawsza. Już nie tylko jak dawniej zauważała mnie, a w mówieniu zgubiła ów szorstki i drwiący ton; zwracała się do mnie uprzejmie i – częściej niż do innych. Następowało to zwykle, gdy ktoś czegoś nie umiał lub dał błędną odpowiedź. Zwracała wtedy wzrok na mnie i zadawała pytanie: „no a jak to z tym jest?" – jakbym był super-arbitrem; lub: „czy to było poprawne?" i, po moim przeczeniu: „a jak po-winno być?" – Mówiłem, co kwitowała pochlebnym „*voilà!*" i wracała do punktu, w którym utknęło ćwiczenie.

Było w tym coś z podejścia do klasowego prymusa, co nigdy nie zawo-dzi i jest stawiany za wzór. Nie powiem, by mi ta rola specjalnie odpowia-dała. Jeśli jednak cierpliwie znosiłem tę sytuację, to dla pewnych szcze-gólnych i całkiem niespodziewanie okazywanych mi względów.

Zaczęła się mną wyręczać w pisaniu na tablicy. Wyławiała mnie wzro-kiem i mówiła po polsku: „chodź, będziesz mi pomagał", po czym, gdy podchodziłem, podawała mi kredę. Lub brała mnie na lektora jakiegoś tekstu z gazety, słowami „bądź tak miły" albo „bardzo cię proszę". Z kolei podczas dyktanda lub pisemnego ćwiczenia z odmiany czasowników, cho-dząc między ławkami, rzucała przy mnie półgłosem: „ty możesz tego nie robić". Zdarzyło się jej wreszcie (co prawda tylko raz) wymówić moje imię i to w zdrobniałej formie.

Zupełnie nie potrafiłem wyjaśnić sobie tej zmiany. Co ją spowodowało? Co kryło się za tym zwrotem? Spotkała się z Jerzykiem, który jej coś powie-dział? Została uprzedzona o rychłej wizytacji rzeczoznawców francuskich i jęła mnie na tę okazję oswajać i urabiać? A może wcale nie było żadnej istotnej racji? Może motywem był kaprys? Chęć prowadzenia gry, bawienia się moją osobą? Jakkolwiek rzecz się miała, uznałem, że najlepsza odpowiedź na to „otwarcie" – to spokój, wyczekiwanie. Mówiąc językiem szachowym: „nie przyjmowanie ofiary" (tak samo jak i ona nie była przyjęła mojej).

„Niech rozwinie tę grę", mówiłem sobie w duchu, „niech stanie się bar-dziej jasne, do czego zmierza i po co. Tymczasem – żadnej szarży. Tyle co każe teoria, żeby nie dać się zjeść. Obrona Caro-Kann. Chodzenie pod dyktando. – Świecić przykładem prymusa? Proszę bardzo, niech będzie. Być nieustannym dyżurnym do rozmaitych posług? Nie dyskutować, wyko-nać. Słyszeć od czasu do czasu jakby zalotny ton, brzmiące dwuznacznie życzenia i polecenia służbowe, a wreszcie – nie do wiary! – zdrobnienie własnego imienia – i w żaden sposób, nijak, nie reagować na to? Trudno, niestety – nie. Czekać. Z kamienną twarzą. Aż wybije godzina. Kto wie, może już wkrótce – w kinie Skarb na Traugutta, na pokazie zamkniętym..."

Dwudziesty siódmy stycznia. Piątek. Godzina dwudziesta. Był to dzień jej urodzin, o czym nie pamiętałem do chwili wyjścia z domu, kiedy to w radio puszczono fragment *Requiem* Mozarta (dokładnie *Dies irae*). Z kolei w autobusie odkryłem inną rzecz. Jak podróżując „na Zachód", do Ambasady Francuskiej, jechałem, wzorem Kolumba, w przeciwną stronę świata, tak teraz – w wymiarze czasu, w porządku dni tygodnia – znowu jakbym się cofał. Otwarcie wystawy Picassa miało miejsce w niedzielę. *Fedrę* w Teatrze Polskim oglądałem w sobotę. *Kobietę i mężczyznę* miałem zobaczyć w piątek...

„Ciekawe, dokąd zajadę na takim wstecznym biegu? – pomyślał rozbawiony. – Może nadrobię w ten sposób swoje fatalne spóźnienie i dane mi będzie wreszcie doświadczyć świętej godziny?

Tym razem ekwipunek tajnego wywiadowcy składał się prócz lornetki (z którą od jej użycia po raz ostatni, w teatrze, nie rozstawał się już) z okularów optycznych z przyciemnionymi szkłami, nie noszonych na co dzień, i starego numeru dziennika «L'Humanité», który w razie potrzeby miał służyć za osłonę. Dysponował poza tym kompletem dokumentów, od *carte d'entrée* począwszy, przez szkolną legitymację, po kartę klubu Marymont, no i – bilet miesięczny. W lewej kieszeni spodni tkwiła solidna gotówka – siedemdziesiąt pięć złotych (trzy dwudziestki w banknotach i piętnaście w bilonie), a w prawej – świeża chusteczka i dwie nieodłączne agrafki.

Wysiadł na rogu Traugutta i Krakowskiego Przedmieścia, gdzie mieścił się budynek Wydziału Filozofii, a przed wojną gimnazjum Zygmunta Wielopolskiego (do którego uczęszczał, między innymi, Gombrowicz i prototyp postaci Tadzia ze *Śmierci w Wenecji*) i minąwszy fasadę kościoła Świętego Krzyża, skręcił w przechodnią bramę przy Filologii Klasycznej, prowadzącą na teren rozległego dziedzińca, którym do kina Skarb dochodziło się milej niż od strony ulicy.

Było mroźnie i sucho, na niebie – księżyc w pełni. W jego jaskrawym świetle niektóre ciemne okna połyskiwały widmowo.

Zatrzymał się, uniósł rękę i spojrzał na zegarek. Było za kwadrans ósma. – Idealnie – pomyślał. Nałożył okulary, wyjął z kieszeni gazetę i ruszył wolnym krokiem ku swemu przeznaczeniu..."

Przed kinem, w przedsionku i w hallu było już sporo ludzi i znowu jak poprzednio w Zachęcie i w teatrze – kwitło ruchliwe życie: nawoływania, pozy, perlisty śmiech, francuszczyzna; woń gauloisów, gitanów, cygar, zachodnich perfum; ekscentryczne ubiory i zadawanie szyku. I znowu wiele twarzy, które były mi znane. Świat teatru i filmu, korpus dyplomatyczny, Akademia Sztuk Pięknych, Filologia Romańska.

Była już na widowni, gdy przekroczyłem jej próg. Siedziała mniej więcej pośrodku, w towarzystwie... Jerzyka.

„No no! To coś nowego", pomyślałem z uśmiechem i siadłem dwa rzędy za nimi.

Miała na sobie gustowny, szkarłatno-bordowy żakiet, a wokół szyi apaszkę w biało-błękitne wzory; ciemnobrązowy kożuszek otulał częściowo jej plecy, a jego kołnierz i góra zwieszały się, wywinięte, znad oparcia fotela. Jerzyk był w garniturze; płaszcz trzymał na kolanach.

Rozmawiali. Lecz dziwnie. Nie spoglądając ku sobie. A ona jeszcze przy tym wierciła się niespokojnie i rozglądała po sali (podobnie jak Soliter na akademii ku czci Hiszpańskiej Wojny Domowej).

Rozpostarłem przed sobą ćwiartkę «L'Humanité» i śledziłem ich dalej spoza tego organu.

W ich mowie i zachowaniu wyczuwałem napięcie. Nie byli naturalni. On – chmurny, usztywniony, ona – podminowana. Nie mogłem jednak dociec istoty tego fermentu. W panującym rozgwarze nie docierały do mnie nawet strzępy wyrazów.

„Że też niczego nie słychać!" pomyślałem ze złością i dałem się unieść prądowi – hipotez i spekulacji.

Co znaczy, że są tu razem? Co może to oznaczać? Spotkali się po *Fedrze* i pogodzili się – podjęli przerwaną znajomość? Doszło do tego bez związku z francuskim przedstawieniem? A może, wbrew pozorom, wcale nie przyszli tu razem? Może Jerzyk się dosiadł, widząc, że jest przy niej miejsce? (Innego następstwa zdarzeń nie brałem pod uwagę.) I teraz się męczą ze sobą. Wymieniają pretensje? Wypominają coś sobie? On ją znowu oblega swoimi amorami?

Tymczasem na widowni robiło się coraz tłoczniej. Fotele pozajmowano do ostatniego miejsca, a ludzi wciąż przybywało. Stawali pod ścianami, siadali na podłodze – z przodu, przed samym ekranem. Wreszcie zamknięto drzwi, a wtedy na płytką estradę wszedł, poprawiając muszkę, Dyrektor Service Culturel, witany oklaskami.

Podniósł rękę do góry, pokazał na zegarek (było piętnaście po ósmej) i w żartobliwy sposób uspokoił publiczność, by się nie obawiała: przemówienia nie będzie! (Śmiech i znowu oklaski.) Jedynie kilka zdań, tytułem zapowiedzi. Otóż ujrzymy za chwilę film, który podbił świat. I nie chodzi tu wcale o Złotą Palmę w Cannes i inne pomniejsze nagrody. Chodzi o sukces u widza, o masową widownię. Rzecz weszła na ekrany niewiele ponad rok temu, a już ją obejrzało setki tysięcy ludzi. Krytycy, socjolodzy, a nawet filozofowie zadają sobie pytanie o przyczynę tej glorii i tak wysokiej frekwencji. I dochodzą do wniosku, iż obraz ten po prostu wychodzi naprzeciw tęsknotom współczesnego człowieka, któremu się już przejadła i do reszty znudziła filozofia negacji, zwątpienia i absurdu – te wszystkie nihilizmy, alienacje, frustracje – i który powraca do wiary w prostotę uczuć i serca. „Człowiek chce być zwyczajny", powiada Claude Lelouche. „Chce kochać, cieszyć się życiem. Ma dosyć Kierkegaarda!" (Wybuch śmiechu, oklaski.) „Po latach maskarady, kłamliwych min i póz, pragnie znowu być sobą – kobietą i mężczyzną!..."

Spojrzałem na Jerzyka. Na jego prawym obliczu, które z mej perspektywy dane mi było widzieć, malowała się drwina zmieszana z politowaniem; jakby zdawał się myśleć: „Boże, co to za kretyn!"

– *Attention, s'il vous plaît!*[1] – Dyrektor przekrzyknął tymczasem gwar po ostatnich oklaskach. – Wydział do Spraw Kultury Ambasady Francuskiej zaprasza po seansie wszystkich przybyłych gości na skromną lampkę wina! A zatem, *à bientôt!* Do zobaczenia w hallu! – I zniknął za ekranem.

Po kilkunastu sekundach światło zaczęło przygasać.

Pragnienia i marzenia współczesnego człowieka o egzystencji „zwyczajnej" ucieleśniali w filmie... rajdowiec i *script-girl*. On testował na torze wyścigowe bolidy, po pracy zaś jeździł sobie białym, sportowym mustangiem; ona paradowała ze scenariuszem na planie, a poza tym wciąż sobie zaczesywała włosy. Ich naturalny styl bycia i bezpretensjonalność znajdowały swój wyraz w strojach i zachowaniach. Ona, na przykład, na planie w klimacie tropikalnym (kręcono scenę w Afryce: wielbłądy na pustyni) miała na sobie kożuch z wykładanym kołnierzem i boty po kolana; on zaś, prowadząc mustanga, a ściślej: robiąc wiraże z kontrolowanym poślizgiem na piaszczystym wybrzeżu, palił grube cygaro i czytał tygodnik «Time»; do tego jeszcze na oczach miał czarne okulary.

---

[1] Proszę o uwagę!

Tych dwoje prostolinijnych trzydziestoparolatków – Anne oraz Jean-Louis – miało za sobą małżeństwo i doświadczenia życiowe równie typowe i zwykłe. Oboje utracili swoich ślubnych partnerów. Żona Jeana-Louisa – na wieść, iż miał on na torze bardzo groźny wypadek i być może nie wróci już do poprzedniej formy (sportowej? fizycznej? męskiej?) – uległa depresji i wkrótce... skończyła samobójstwem. Małżonek Anne z kolei – aktor i w jednej osobie nieustraszony kaskader – zginął „na posterunku", spełniając powierzone mu przez filmowców zadanie. Nim jednak do tego doszło, żyli szczęśliwie i prosto. Spędzali czas, na przykład, w swej wiejskiej posiadłości (pełnej koni i byków, owiec i psów myśliwskich), siedząc razem na wielkim, nie pościelonym łożu i kultywując sztukę – muzykę i poezję: wszechstronnie uzdolniony i sprawny zarazem kaskader w obecności małżonki układał nową pieśń; grał na gitarze i śpiewał, trzymając w ustach cygaro i dymiąc nim sobie w oko; tworzony z łatwością tekst zapisywał następnie na leżącej niedbale w fałdach kremowej pościeli maszynie do pisania. Innym znów razem, w Alpach, w obszernych, białych kożuchach turlali się po śniegu. Albo się całowali na wyszczerbionych murach średniowiecznego zamczyska.

Wdowę i wdowca złączyły – cóż bardziej naturalnego! – ich małoletnie dzieci, oddane swego czasu do szkoły z internatem w miejscowości Deauville – malowniczym kurorcie na wybrzeżu Normandii, gdzie bywał też Marcel Proust. Spotkawszy się tam raz, podczas odwiedzin w niedzielę, nawiązali znajomość: w obliczu deszczowej aury, uczynny Jean-Louis zaproponował Anne, że weźmie ją swym mustangiem – wracając do Paryża. I tak się wszystko zaczęło.

Za tydzień znów się spotkali – przy tej samej okazji. Tym razem czas odwiedzin spędzili już jak rodzina. Spożyli wspólnie posiłek w miejscowej restauracji; odbyli przejażdżkę statkiem; spacerowali po plaży, ujawniając znajomość... twórczości Giacomettiego. Jean-Louis parokrotnie już-już miał dotknąć Anne, ale się powstrzymywał – zapewne ze względu na dzieci. Uczynił to dopiero, odwiózłszy ją pod dom (numer 14, Montmartre), gdy miała wysiąść z mustanga. Anne nie cofnęła ręki, ale i nie uległa czułej pieszczocie rajdowca, i Jean-Louis, nie bez żalu, choć i bez większej zgryzoty, ruszył do Monte Carlo na doroczne zawody.

W Paryżu Anne wiodła życie kobiety pracującej. Przecinała odważnie zapchane Champs-Elysées, klucząc między autami (nie po przejściu dla pieszych); zatrzymywała taksówkę; dla równowagi psychicznej kontemplowała łabędzia sunącego po wodzie i pustą ławkę w parku; wreszcie, dla odprężenia w tym wirze i zgiełku dnia, odwiedzała fryzjera.

Tymczasem Jean-Louis – jak najzwyczajniej w świecie, jak gdyby od niechcenia – zwyciężył w Monte Carlo. Anne, dowiedziawszy się o tym – przypadkiem – z telewizji, w spontanicznym odruchu nadała doń telegram prostolinijnej treści: „Brawo! Kocham cię! Anne." Choć adres podany przez nią był co najmniej nieścisły (Tor w Monte Carlo, Wyścigi), depesza jednak szczęśliwie dotarła do adresata: została mu wręczona na uroczystym bankiecie – znowu jak najzwyczajniej – przez kelnera w liberii, na platerowej tacce.

I wtedy Jean-Louis – bohater dnia i przyjęcia – rzucał precz w jednej chwili ów świat luksusu i zbytku, mody i bufonady, i gnał swym „starym" mustangiem (wyraźnie z nadmierną prędkością) na spotkanie zwyczajnej a prawdziwej miłości. Prowadząc jedną ręką, drugą starannie się golił maszynką elektryczną.

W Paryżu Anne jednak nie było. Popędził więc do Deauville. – Miał intuicję. Trafił! Chodziła tam z dziećmi po plaży.

Radosne powitanie. Euforia. Upojenie. Restauracja w hotelu. Wynajęcie pokoju.

I nagle – cóż się dzieje! Anne w objęciach kochanka, który nie szczędzi trudu, aby ją wprawić w ekstazę, jest spięta, zahamowana! Miast z nim kooperować, marszczy tragicznie brwi i zaczesuje włosy! – Nie, nic z tego nie będzie! Nie dojdzie do koniugacji!

„Dlaczego?" – pyta szeptem skonfundowany Mężczyzna.

„À cause de mon mari"[1] – odpowiada Kobieta.

„Mais il est mort!"[2] – Mężczyzna nie dając za wygraną.

To nic. To bez znaczenia. Widocznie jeszcze za wcześnie.

Wewnętrzne rozdarcie. Dramat. „Ziarnko gorczycy" Zwyczajnych...

Ponieważ jednak właśnie uczciwie je spożywają, zostaną nagrodzeni. I to wcale nie w niebie, ale na ziemi – już wkrótce. Po smętnym poranku w hotelu i bolesnym rozstaniu na peronie w Deauville Mężczyzna goni

---

[1] „Z powodu mojego męża"
[2] „Przecież on nie żyje"

mustangiem pędzący pociąg z Kobietą, wyprzedza go, dystansuje i czeka nań w Paryżu.

Tak, teraz już pewne: „miłość jest od nich silniejsza".

To w każdym razie głosiła piosenka Francisa Lai.

Oglądałem ten film naprzód z drwiącym uśmiechem, a z czasem – z irytacją i wzrastającym zdumieniem.

Bogowie! Przecież to kicz! – wzywałem na pomoc Olimp. Przecież to straszna tandeta! Sentymentalna bzdura w drobnomieszczańskim guście! – Że chodzą na to tłumy, to w końcu nic dziwnego, ale że to się podoba – elitom, *haute societé*? Że to dostaje Grand Prix na festiwalu w Cannes, a potem nominację do prześwietnego Oskara? – Dlaczego? *Pourquoi?* – Świat zupełnie zwariował!

W moje zgorszenie i smutek wplótł się w pewnym momencie niepokój o Madame. Czy jej się to też podoba? Czy ona też w tym coś widzi? Nie, to byłoby straszne! To byłaby katastrofa!

„Prawda, że to okropne?" – słałem telepatycznie rozpaczliwe zaklęcia i prośby o potwierdzenie. „Prawda, że się tym brzydzisz... że budzi to w pani odrazę? Nie możesz tego lubić... pani musi tym gardzić! Proszę dać jakiś znak! Proszę to jakoś okazać! Wzruszeniem ramion, miną... Przecież pani to umie..."

Jej zachowanie jednak było nieprzeniknione. Patrzyła w ekran bez ruchu, jej twarz (widziana z profilu) niczego nie wyrażała – ani upodobania, ani abominacji. Było to zwłaszcza widoczne w zestawieniu z Jerzykiem, który nie tylko nie krył swojej idiosynkrazji, ale w jej przeżywaniu posuwał się niekiedy – ku rozdrażnieniu sąsiadów – do form ostentacyjnych. Kręcił przecząco głową w geście politowania, prychał, cmokał z niesmakiem, zasłaniał twarz rękami.

Przywiodło mnie to do myśli, że jeśli są skłóceni, a zwłaszcza jeśli ona ma do niego awersję, to może być to przyczyną jej mimowolnej przekory. Czyli że jego niechęć, w dodatku tak impulsywna, może w jej duszy nakręcać – koniunkturę dla filmu! Zląkłem się tego na dobre, a w każdym razie na tyle, że i ku niemu zacząłem słać nieme upomnienia:

„Panie Jerzyku! Na Boga!" – zaklinałem go w duchu. „Uspokój się pan! Opamiętaj! Powściągnij pan słuszny gniew! Bo jeśli żyjecie w niezgodzie, to miast ją odwieść od złego, właśnie pchniesz ją ku niemu. Swoim pryn-cypializmem przywiedziesz ją do grzechu i pogrążysz w upadku!"

Niestety, moje apele nie odnosiły skutku. Dalej miotał się w szale, sy-kając i złorzecząc. I kto wie, czy naprawdę tą swoją zajadłością nie dopro-wadził w końcu do tego, co się stało...

Lecz zaraz! Po kolei! Nie uprzedzajmy faktów.

Kiedy seans się skończył i zapłonęło światło, wybiła dla mej misji go-dzina najtrudniejsza. Musiałem, nie tracąc ich z oczu, tak manewrować w przestrzeni, aby mnie nie spostrzegli. Karkołomne zadanie! Kino Skarb było małe. Po długiej serii zwrotów, nagłych przyspieszeń, zwolnień i prze-mykania się chyłkiem w tłumie lub pod ścianami, udało mi się w końcu – gdy wszyscy już przeszli do hallu i tam się poustawiali – zająć w miarę dogodną a bezpieczną pozycję do dalszej obserwacji.

Madame i Jerzyk stanęli nieopodal „bufetu" (trzy zestawione stoliki przykryte czarnym pluszem), na którym lśniła bateria kieliszków z białym winem.

Mojemu mentorowi nie zamykały się usta. Gadał jak nakręcony, gesty-kulował, śmiał się. Nie było wątpliwości: naigrawał się z filmu. Madame słuchała tego z narastającym znużeniem. Patrzyła przed siebie, po ludziach, odzywając się z rzadka i z dozą zniecierpliwienia, jak gdyby tej krytyki miała już wyżej uszu. „O Boże! Ile można!" zdawały się mówić jej usta. „Co się tak gorączkujesz!" On jednak nie przestawał. A gdy podeszło do nich dwoje kostycznych Francuzów (znajomych jego, nie jej, ponieważ ją przedsta-wił) i stronnik poezji Racine'a jął z jeszcze większym ferworem ścierać w proch przeniewiercę wielkiej kultury francuskiej, jego umiłowana – La Belle Victoire – Madame – skłoniwszy się uprzejmie, odłączyła od niego.

Dopiero w tym momencie ujrzałem resztę jej stroju: poniżej szkarłat-nego czy bordowego żakietu miała na sobie czarną, plisowaną spódnicę zakrywającą kolana, na nogach zaś obcisłe, ciemnobrązowe boty na za-mek błyskawiczny.

Szła wyraźnie bez celu, bo zatrzymała się zaraz i zmieniła kierunek, gdy tylko rozległ się brzęk uderzenia w kieliszek i gromki głos Dyrektora.

Zapanowało milczenie.

Dyrektor podziękował za tak liczne przybycie i gorące przyjęcie, po czym dorzucił jeszcze garść informacji o filmie, wplatając w owo *dossier* fragmenty wywiadu z Lelouchem, czytane z pisma «Arts».

Błyskotliwy reżyser mówił w nim coś takiego:

„Opowiedziałem historię mężczyzny i kobiety, historię ich miłości. Jest to swoisty rewanż za fiasko, jakie zrobił mój najwcześniejszy film. Też mówił o miłości, ale miłości młodych, niespełna dwudziestolatków. Ten mówi o ludziach dojrzałych, t r z y d z i e s t o-paroletnich. Jest to wiek szybowania. Uprzywilejowany. Człowiek niejedno już poznał, a przy tym – dalej jest świeży. Wszystko jest dlań możliwe: kariera, pieniądze, miłość. To pełnia życia. P e ł n i a! Myślałem nawet z początku, by nazwać ten film «La Mi-temps»[1]. A poza tym uważam, że lat 32..." – Dyrektor uniósł głowę znad czytanego tekstu i spojrzał z uśmiechem ku ludziom, jak gdyby chciał wśród nich wyłowić kogoś wzrokiem, po czym znów się pochylił, wracając do lektury – „że lat 32 to absolutnie cudowny, najlepszy wiek kobiety. Jest w tym okresie piękna i bardzo inteligentna."

Odłożył otwarte pismo, sięgnął po jeden z kieliszków i znów potoczywszy wzrokiem po zgromadzonych gościach, wzniósł toast za... force de l'âge.

Zamarłem.

„Zwariowałeś?!" skarciłem się jednak zaraz. „Już całkiem straciłeś rozum! To mania! Istny bzik! Wszystko odnosić do niej! We wszystkim słyszeć aluzje!"

A jednak, z drugiej strony – broniłem pierwszej reakcji – taka koincydencja? Dokładnie ta liczba lat, którą dzisiaj osiąga! I jeszcze ta force de l'âge, żywcem z de Beauvoir! Możliwe, że to przypadek? – Po co więc w takim razie, a ściślej rzecz biorąc: z a k i m rozglądał się po sali? Za nikim? Dla błazeństwa?

Nie stwierdziłem jednakże, by ją odnalazł w tłumie i złowił jej spojrzenie, a spostrzegłbym to niechybnie, bo miałem ją na widoku.

Ów zbieg okoliczności nie dawał mi spokoju. Z największą ostrożnością (z tarczą «L'Humanité» uniesioną ku twarzy) podszedłem do bufetu i niby biorąc wino, zajrzałem do pisma «Arts», które tam pozostało – otwarte na wywiadzie z „cudownym dzieckiem" kina. Znalezienie fragmentów czytanych przez Dyrektora nie wymagało trudu. Były pozakreślane. Tak, wszystko się zgadzało. Z wyjątkiem jednego – liczby. Lelouche powiedział „trente"[2]. Dwa lata dodał Dyrektor.

---

[1] «Półmetek»
[2] „trzydzieści"

Więc jednak! Miałem rację! To była świadoma gra! Datę jej urodzenia i temat magisterium mógł znać chociażby z papierów, jakie musiała złożyć, zgłaszając się na staż.

Przypomniał mi się nagle głos Dyrektora w Zachęcie podczas inauguracji: ów moment, gdy przytaczając wypowiedź Antoniusza, przerwał ją niespodzianie i dziwnie spojrzał w górę. – Na jakiej to było kwestii? Zacząłem drążyć pamięć. Czy aby nie na słowach: „o, gdy taka para..."? Wspomnienie to natychmiast przywołało następne. Nalewanie szampana podczas cocktailu w galerii. Rozmowa w teatrze, na przerwie. Odjazd błękitnym peugeotem. Wzmianka Zielonookiej o czytaniu mej pracy. (Ciekawe, czy wszystkie tak czytał? Czy w ogóle czytał inne?) Przekorne, filuterne zdanie Srebrnej Marianny wokół osoby Madame, że płeć czasem m a znaczenie; i jej błazeńska mina – dziwna i wieloznaczna.

Nie ulegało kwestii: Dyrektor uwodził Madame lub już z nią romansował. Co więcej, stosował w tej akcji podobne metody do moich. Bawił się aluzjami, posługiwał cytatem, w publiczne wystąpienia wplatał poufne znaki. (Ciekawe co sobie myślał, czytając moją pracę? Zrozumiał jej przesłanie? Zauważył podteksty? Czy zna – jak Konstanty i Jerzyk – drugie imię Madame? Czy wie o „Victoire"?)

Jednakże to, co się działo po wzniesionym toaście, zupełnie nie potwierdzało wniosku i przekonania, do których właśnie doszedłem. A nawet wręcz przeciwnie: zdawało się im przeczyć. Dyrektor w żaden sposób nie okazał jej względów, nawet nie podszedł do niej! Udzielał się wśród innych, Francuzów i Polaków, perorował, brylował, a na nią nawet nie spojrzał, choć miewał po temu okazję. Było to tym dziwniejsze, że odkąd opuściła towarzystwo Jerzyka, pozostawała sama i jakby nie wiedziała, co ma ze sobą zrobić. Paliła papierosa, czego nigdy dotychczas nie widziałem był u niej, i robiła wrażenie stropionej, zagubionej. Była to istna odwrotność jej wizerunku w Zachęcie, kiedy podczas cocktailu mówiła z ambasadorem. Właściwie nigdy dotąd nie widziałem jej takiej. Jakby straciła moc, jakby w niej coś przygasło. Dumna poza i mina wcale nie uskrzydlały; niewiele dawał papieros i elegancki strój – ów iście królewski żakiet i zgrabne, obcisłe boty. Była mała i biedna. Zdeprymowana, niepewna.

Zrobiło mi się jej żal.

„Trzydzieści dwa lata temu", myślałem patrząc na nią, schowany za kotarą przy wejściu na widownię, „gdzieś w Alpach – we Francji?, Szwajcarii? – ujrzała światło dnia. Krzyk, oddech, bicie serca i jakieś mgliste obrazy. Na zewnątrz mróz i śnieg. Biel, błękit, ostre słońce i panorama gór. Groźne, dzikie wierzchołki z nieludzkiej epoki Ziemi. Wewnątrz przytulnie, ciepło. Łagodne światło i cisza. Pod kuchnią i na kominku pali się mały ogień. Szczęście. Niewinność. Nadzieja. Punkt zero. Bezmiar czasu. I trwa ta pierwsza doba, jakby nie miała się skończyć. A potem nagle start. Zawrotne przyspieszenie. Dni. Tygodnie. Miesiące. Dziesiątki milionów sekund. Wrażenia. Przeżycia. Myśli. Setki tysięcy doświadczeń. Pęd. Coraz więcej i szybciej. Gonitwa. Zamęt. Wir. I nagle – daleko od domu. I w ogóle – nie ma domu ani nikogo bliskiego. Jest pokój z kuchnią na piętrze w nieszczęsnym, zgnojonym kraju. Ojczyzna będąca obczyzną. Błoto, zgnilizna i zaduch. I odliczanie dni. Jak do amnestii w więzieniu. Do dzisiaj. Do 'tego tu' – tej chwili w tej przestrzeni; do tego oto spojrzenia na szwajcarski zegarek (odziedziczony po matce?) i zaciągnięcia się dymem tym oto papierosem. Trzydzieści... trzydzieści dwa lata! Nie do wiary! Tak mało!"

Znów naszła mnie pokusa, ażeby do niej podejść. Tym bardziej że Dyrektor opuścił tymczasem kino, żegnając się hałaśliwie na lewo i na prawo.

„Tak jeszcze nigdy nie było!" – myślałem w podnieceniu. „Teraz już musisz to zrobić. I zrób to nareszcie – zwyczajnie. Przestań się mizdrzyć, krygować, udawać kogoś, grać. Rozluźnij się! Bądź sobą!"

„Sobą? To znaczy kim?" – odezwał się na to głos, jakże dobrze mi znany, zimny i nieprzyjemny.

„No, jak to kim? – Kimś zwykłym. Naturalnym. Prawdziwym."

„Taki ktoś nie istnieje. Wszystko jest grą i maską."

„Wszystko?"

„Z wyjątkiem bólu. I śmierci. I... rozkoszy."

Madame znowu spojrzała nerwowo na zegarek, zgasiła papierosa i ruszyła ku wyjściu. Wychynąłem ostrożnie zza aksamitnej kotary i postąpiłem w ślad za nią.

„Jak Aschenbach za Tadziem – pomyślał rozbawiony."

Gdy pchnęła oszklone drzwi i przekroczyła próg kina, z tłumu rozmawiających wystrzelił nagle Jerzyk i nakładając w biegu swój popielaty płaszcz, pośpieszył za wychodzącą. Przystanąłem jak wryty, po czym również wyszedłem i jąłem z bijącym sercem śledzić rozwój wypadków.

Madame ruszyła samotnie tym samym szlakiem, którym – przed trzema godzinami – dotarłem był do kina. To znaczy „drogą wewnętrzną", przez rozległy dziedziniec – w kierunku przechodniej bramy przy Filologii Klasycznej. Jerzyk dogonił ją po jakichś dwudziestu metrach. Przez chwilę szli ramię w ramię; on, obrócony ku niej, mówił coś impulsywnie. Naraz ona stanęła i, rzekłszy doń kilka słów kategorycznym tonem, zrobiła gwałtowny zwrot i energicznym krokiem ruszyła w przeciwnym kierunku, ku ulicy Traugutta. Jerzyk postał przez chwilę, obwisły, otępiały i ze zwieszoną głową powlókł się w głąb dziedzińca.

Trzymając bezpieczny dystans, podążyłem w ślad za nią.

Za bramą skręciła w prawo, ku Krakowskiemu Przedmieściu. W wąwozie pustej ulicy, w suchym, mroźnym powietrzu, stuk jej obcasów o chodnik brzmiał dźwięcznie i wzbudzał pogłos. Zniknęła za rogiem gmachu Wydziału Filozofii. Przyśpieszyłem, stanąłem i wyjrzałem zza węgła. Szła ku przejściu dla pieszych w kierunku ulicy Oboźnej. Minąłem Filozofię i wbiegłem na schody kościoła, skąd – skryty za cokołem figury Zbawiciela dźwigającego krzyż – mogłem nareszcie spokojniej prowadzić obserwację. Przeszła na drugą stronę Krakowskiego Przedmieścia, przecięła ulicę Oboźną i skierowała kroki w stronę Pałacu Staszica – na pomnik Kopernika.

„Dokąd idziesz, niewiasto? – krzyknął do niej w fantazji. – Do dawnej siedziby Centre? Do Złotej Sali na piętrze? Do ducha twojej matki, która cię dziś zrodziła trzydzieści dwa lata temu? – Zaprawdę, godne to i wielce sprawiedliwe, lecz o tej porze zamknięte. Dzień już skończony. Już noc."

Niewiasta, miast odpowiedzieć, zniknęła za pomnikiem. Po chwili zaś wejście Pałacu zalśniło złotym blaskiem. Nie był to jednak cud. Były to reflektory błękitnego peugeota, który wraz z trzaskiem drzwiczek wytoczył się zza cokołu, po czym wyrwał znienacka jak mustang Jeana-Louisa i pomknął, łamiąc przepisy, w stronę Nowego Światu.

Chcąc dostrzec, dokąd pojedzie – prosto, czy w prawo lub w lewo w ulicę Świętokrzyską – musiałem się wychylić, i to bardzo głęboko, za grubą balustradę. Na pewno nie skręcił w lewo – na wschód (Saska Kępa, Praga) i nie pojechał prosto – na południe (Mokotów), bo jedno i drugie bym widział. A zatem skręcił w prawo – na zachód (Ochota, Wola). Wisząc całym tułowiem nad kilkumetrową przepaścią, zacząłem się zastanawiać, dokąd mogli pojechać. I nagle w tym momencie zobaczyłem Jerzyka: wynurzywszy się z bramy przy Filologii Klasycznej, szedł ciężkim, znużonym krokiem w stronę Nowego Światu.

„Człowieku – pomyślał z żalem – czemuś pozwolił jej uciec?"

Złapałem równowagę i stanąłem na nogi. Moje spojrzenie znów padło na pomnik Kopernika. Z cyrklem i małym modelem Układu Słonecznego, spoglądał ciekawie w niebo – przejrzyste i rozjaśnione światłem księżyca w pełni. Poszedłem za jego przykładem i też zadarłem głowę, aby popatrzeć na gwiazdy. Gdzie dziś jest Wodnik? Gdzie Panna? Gdzie może być teraz Wenus? Lecz mój wzrok, zanim sięgnął horyzontu wszechświata, zderzył się naprzód z twarzą i ręką Zbawiciela, który nade mną górował. Z mego punktu widzenia, swą pochyloną głowę zdawał się nieco odwracać w kierunku Kopernika, jak gdyby chciał doń powiedzieć: „nie gap się w gwiazdy, chodź za mną", a palcem prawej ręki pokazywał na północ.

„Golgota na północy? – pomyślał, szukając w pamięci jej usytuowania na mapie Jerozolimy. – Na północnym-zachodzie, o ile się nie mylę..."

I wtedy doznałem olśnienia. No jasne! Gdzieżby indziej! Tylko tam mogli pojechać!

O tej porze w stolicy *priwislańskiego kraju* pod światłym panowaniem demokracji ludowej prawie wszystkie lokale były już dawno zamknięte, hotele zaś i siedziby służby dyplomatycznej pozostawały pod ścisłym i nieustannym nadzorem. Tylko ktoś skrajnie naiwny albo zupełny desperat, lub kto świadomie szukał kontaktu z kontrwywiadem, mógł pchać się z dyplomatą do pokoju w hotelu, a zwłaszcza do jego mieszkania wynajętego przez „Pumę"... To samo dotyczyło cudzoziemców z cenzusem, wchodzących w nieoficjalne związki z autochtonami. Jedynym w miarę pewnym pod względem dyskrecji miejscem (i to także nie zawsze) było mieszkanie prywatne obywatela polskiego. Takie zaś – w danym wypadku – mieściło się, wedle mej wiedzy, w czteropiętrowym budynku na niewielkim osiedlu, leżącym, w samej rzeczy, w północno-zachodniej Warszawie.

Ufny w „czucie i wiarę", które tchnął we mnie Zbawiciel, zszedłem drugimi schodami z tarasu przed bramą kościoła i śladem Madame ruszyłem w kierunku ulicy Oboźnej. Nie skręciłem tam jednak na pomnik Kopernika, zrażony do „szkiełka i oka", ale poszedłem dalej do pobliskiej zatoki, gdzie znajdował się postój dorożek samochodowych, jak zwały się oficjalnie w owym czasie taksówki.

Pierwszym wozem w kolejce czekających tam aut był stary model warszawy, rzadko już widywany, z krzywym, „zgarbionym" tyłem i ciężkim, brzuchatym nosem zwieńczonym toporną ozdóbką w kształcie obłego pocisku. Było mi to nie w smak. Nie lubiłem tych wozów. Wlokły się, telepały, cuchnęło w nich benzyną. Nie miałem jednak wyboru. Decydowało pierwszeństwo. Szarpnąłem za klamkę drzwiczek, wsunąłem się do środka i siadłszy podałem adres.

Kierowca starej daty w ciemnym, skórzanym kaszkiecie złamał dwukrotnie licznik.

– Taryfa nocna – oświadczył.

– Tak, wiem – odpowiedziałem. – Jestem przygotowany. – I dotknąłem dyskretnie lewej kieszeni spodni, w której trzymałem pieniądze. A gdy się upewniłem, że są na swoim miejscu, w rewanżu za nazbyt niską ocenę mej zamożności, niby rozpoczynając przyjazną pogawędkę, spytałem z obłudną troską: – Trzyma się jeszcze jakoś ta zabytkowa warszawa?

– Jaka warszawa, kolego! – prychnął kpiarsko kierowca. – Oryginalna pobieda! Rocznik 53. Jeszcze Stalina pamięta, przynajmniej jego pogrzeb.

– Pobieda?! – wykrzyknąłem i uśmiechnąłem się w duchu.

– A coś ty myślał, bracie! Nie widzisz tych ruskich liter? – uderzył palcem w szybkę, gdzie widniał napis „TANK".

Zerknąłem na deskę rozdzielczą. Istotnie, oznakowanie było w języku rosyjskim. Nawet kształt cyfr arabskich na tarczy szybkościomierza miał w sobie coś z cyrylicy. Środkowa zaś część obudowy imitowała radio: chromowane listewki na naciągniętej materii maskowały rzekomo ukryte pod spodem głośniki, a metalowa sylwetka drapacza chmur z iglicą (w rodzaju Pałacu Kultury) z czerwoną gwiazdką na czubku niby pełniła rolę wysmukłej, pionowej skali z kontrolną lampką u szczytu.

Ów sowiecki emblemat wespół z ekspresją form samych urządzeń technicznych *sdiełanych w CCCP* i estetyką detalu z okresu „kultu jednostki" podziałał na mnie co najmniej jak smak magdalenki na Prousta.

Znalazłem się w innym czasie. Tym, który pamiętałem z najwcześniejszego dzieciństwa. Ale nie byłem już w nim tamtym naiwnym malcem postrzegającym głównie powierzchnię rzeczy i ludzi i nie mającym pojęcia, co kryło i działo się w głębi; byłem, kim właśnie byłem – młodzieńcem przed maturą, wyrosłym w atmosferze Radia Wolna Europa i wychowanym przez ludzi pokroju Konstantego. Wiedziałem, co naprawdę oznacza „sierp i młot", i znakiem jakiego świata jest *krasnaja zwiezda*. I pewnie właśnie dlatego wehikuł, którym jechałem przez ciemne i wyludnione ulice centrum stolicy, przestał być nagle dla mnie „dorożką samochodową" i zmienił się na moment w drapieżny wóz ubecki gnający na nocną akcję – by kogoś aresztować. Nie takim samochodem zabrano z domu Maksa? Kto wie, może właśnie tym, nim został był taksówką?

„A teraz ściga córkę – pomyślał z przykrym dreszczem. – Za kierownicą Ricardo. Na tylnym siedzeniu pan Jones. Brakuje tylko Pedra... Święty ogień znów płonie! Powraca dawny czas!... Jadą za Victoire zamkniętą w Księstwie Warszawskim błękitnego peugeota, uciekającą w styczniu z panem Janvier na golgotę. Jadą ruską pobiedą..."

Wskazówka szybkościomierza sięgała dziewięćdziesiątki.

– No i co o tym powiesz? – odezwał się Ricardo. – Która tyle wyciągnie z tych twoich starych warszaw?

– A bo to wiarygodne? – wysunąłem watpliwość, wskazując na tarczę miernika.

– A co? – warknął zaczepnie.

– Radio też niby jest – wyłożyłem podstawy mojego sceptycyzmu – a przecież naprawdę go nie ma.

– To co innego – złagodniał. – Ruski styl. *„My wpieriod!"* Liczy się silnik, bracie! A ten jest nie do zdarcia! A wiesz, kochany, dlaczego?

– No, no? – zachęciłem go.

– Niemiecki! – wyjaśnił ze śmiechem. – Pobieda! – przedrzeźnił nazwę. – To opel! – zmienił bieg. – Wywieźli całą fabrykę! Łupy wojenne, *paniatno*?

Wjechaliśmy w rejon osiedla, gdzie mieszkała Madame. Nie chciałem podjeżdżać za blisko. Wydałem więc polecenie, aby zatrzymać wóz, gdy tylkośmy minęli przystanek autobusowy, na którym wysiadłem był parę miesięcy temu, przybywszy tam po raz pierwszy – na rozpoznanie terenu. Na taksometrze widniała kwota czterdziestu złotych i pięćdziesięciu groszy. Wyjąłem z kieszeni pieniądze i wręczyłem kierowcy dwa banknoty z Włościanką, po czym – kiedy je chował – dodałem piątkę w bilonie.

– Reszty nie trzeba – mruknąłem.

– Szacunek – skwitował kierowca. (Napiwek wysokości dziesięciu procent opłaty uchodził za bardzo godziwy.) – I powodzenia, kolego!

Odjechał. Zostałem w mroku. I ruszyłem powoli przetartym już raz szlakiem, obserwując uważnie zaparkowane auta. Będzie? Nie będzie? Było! A ściślej mówiąc – był. Nazwisko „Peugeot" jako wyraz jest rodzaju męskiego. Stał przy samym budynku, po jego prawej stronie. Ciemny, pusty, milczący. WZ 1807.

„Niezbyt rozważne – pomyślał. – A nawet ryzykowne. Zostawiać taki trop! Nie liczyć się z ciekawskim i bacznym na wszystko dozorcą, który, jeżeli nawet nie jest na drugim etacie, to wzięty na byle spytki wypaple wszystko, co wie! Ach, zgubi ich ta wygoda! Już Lenin to powiedział. Czyżby do tego stopnia podziałał na nich film, że zapomnieli, gdzie są? Że nie jest to jednak Montmartre ani tym bardziej Deauville, lecz miasto, w którym w maju pięćdziesiątego piątego, 'w reakcji na agresywną politykę Zachodu i zimnowojenne knowania rewizjonistów niemieckich', zawarto Układ Warszawski? – Powinien był, stanowczo, zaparkować gdzieś dalej!"

Spojrzałem w górę ku oknom. Pokój był rozświetlony, lecz story – zasunięte. W oknie czteroskrzydłowym widniała jednak wyraźna szczelina między nimi.

Z mocno bijącym sercem ruszyłem energicznie ku drzwiom znajomej sieni równoległego budynku i nie włączywszy światła wszedłem na trzecie półpiętro. Dobyłem tam z futerału szylkretową lornetkę i drżącymi rękami przytknąłem ją do oczu.

„Akteon za mniejszą zuchwałość został zmieniony w jelenia i rozszarpany przez psy – pomyślał rozbawiony, lecz był to humor wisielczy. Nie było mu wcale do śmiechu, jakkolwiek to, co zobaczył, nie było 'tym najstraszniejszym, co mógł zobaczyć na ziemi', jak ujął był to Żeromski w pamiętnej scenie Popiołów."

Po ustawieniu ostrości, w głębi jasnej szczeliny ukazał się fragment obrazu, który wisiał na ścianie, a przedstawiał wysmukłą, szarą wieżę kościoła. Znałem ten kształt i kreskę. Była to reprodukcja jednego z najsłynniejszych pejzaży paryskich Buffeta: stalowo-szary róg Bulwaru Saint Germain ze strzelającym w niebo stojącym tam kościołem i legendarną kawiarnią Aux Deux Magots naprzeciw – mekką paryskiej bohemy i egzystencjalizmu! Miejscem urzędowania Simone de Beauvoir!

Więc jednak było to dla niej przedmiotem jakiegoś kultu! Przynajmniej ów smętny nastrój czy klimat Dzielnicy Łacińskiej za panowania Sartre'a.

303

Nie dane mi było jednak długo roztrząsać tej sprawy, gdyż moją uwagę zajęło zupełnie coś innego. Otóż niespodziewanie rozbłysło światło w kuchni, gdzie – jak się okazało – nie wisiała zasłona, i pojawiła się tam, niemal w tej samej chwili, Madame, a za nią Dyrektor. Dalej miała na sobie szkarłatno-bordowy żakiet i apaszkę na szyi, natomiast pan Janvier był bez marynarki i muszki, a kołnierzyk koszuli w wycięciu kamizelki miał szeroko rozpięty. Madame wydobyła z lodówki pękatą butelkę szampana, podała ją panu Janvier i z szafki wiszącej na ścianie wyjęła dwa smukłe kieliszki. Dyrektor zaczął w tym czasie odkorkowywać butelkę. Nim jednak Madame zdążyła przygotować kieliszki, korek wystrzelił w górę, a za nim – pióropusz piany, który poleciał łukiem wprost na klapę żakietu. Odskoczyła raptownie, trzepocząc przesadnie rękami i śmiejąc się szeroko, on zaś przepraszająco poskoczył w jej kierunku i, nieustannie mówiąc, zaczął wycierać chusteczką zbrukane trunkiem miejsce. Zabieg ten jednak widocznie okazał się niezbyt skuteczny, bo wstrzymała po chwili starania Dyrektora i zaczęła rozpinać pozłacane guziki, po czym zdjęła okrycie i wyszła z nim z pomieszczenia (zapewne do łazienki). Dyrektor nalał tymczasem szampana do kieliszków. Kiedy zaś powróciła (tylko w bluzce z apaszką), ofiarodawczym gestem podał jej jeden z nich i, lekko uniósłszy swój, powiedział kilka słów.

„Toast urodzinowy – pomyślał oniemiały. – Ciekawe co i jak? – Zastygli na moment w bezruchu, przenikając się wzrokiem. – Teraz się pocałują – zamarł w oczekiwaniu."

Nie nastąpiło to jednak. Stuknęli się tylko szkłem, wypili po małym łyku i opuścili kuchnię, gasząc za sobą światło. Po chwili zaś w jasnej szczelinie pomiędzy zasłonami mignęły ich sylwetki.

„No i co teraz? – pomyślał. – Co robią i... co robić? Dalej tu stać męczeńsko, czekając... no właśnie, na co? Co jeszcze może się stać? Nie liczysz chyba na to, że rozsuną zasłony jak kurtynę w teatrze! A zresztą, gdyby nawet! Doprawdy, chciałbyś tego? Ujrzeć 'to najstraszniejsze, co można zobaczyć na ziemi'?! – Zaśmiał się w sobie szyderczo. – Kicz! Stoczyłeś się w końcu! I to jak! Znacznie gorzej niż czytelnik romansów! Jako b o h a t e r kiczu! Stanąwszy na szczycie poznania, sięgnąłeś dna upadku! Opamiętaj się wreszcie! Uciekaj stąd, człowieku!

Nie ruszał się jednak z miejsca. Stał z lornetką przy oczach jak zahipnotyzowany, choć wszystko, co był widział, sprowadzało się ledwie do kawałka obrazu z szarawą wieżą kościoła.

– Bez kiczu nie ma sztuki – usłyszał znajomy głos. – Tak jak bez grzechu – życia. Co czytywał Racine w młodości pod ławą szkolną? I jaki miały posmak jego afery miłosne z gwiazdami ówczesnej sceny – du Parc i Champmeslé?

– Nie wiadomo dokładnie – odparł wyzywająco.

– Owszem, wiadomo, wiadomo – padła spokojna odpowiedź. – Wystarczy trochę poczytać. Tandeta, szmira, kicz.

– Ryzykowny argument – stwierdził nie przekonany. – W ten sposób rozumując, można się znaleźć w piekle.

– Można, lecz niekoniecznie. Chodzi jedynie o to, aby stanąć na ziemi. Natomiast, jeśli się tego za wszelką cenę unika, by sobie, nie daj Boże, nie pobrudzić bucików, nie wzleci się do nieba.

– Znam tę śpiewkę. Mickiewicz.

– 'Myśl twoja nazbyt skrzydlata. Za l e k k i m zefirkiem goni.'

– Możliwe, lecz kto powiedział, że ziemia to zaraz brud albo przynajmniej kicz?

– Jak to kto, szekspirysto?

– Antoniusz to jeszcze nie Szekspir. To mogło być ironiczne. To mogło być właśnie po to, by Antoniusza ośmieszyć.

– 'Ależ pomyśl przez chwilę, ależ przez chwilę pomyśl! W końcu j e - s t e ś  na Ziemi, na to rady nie ma!'

Nie znalazł odpowiedzi.

Natomiast jego myśl, jakby na przekór powadze tego wzniosłego dialogu, który toczył ze sobą na wzór autora *Uczty*, odskoczyła raptownie niczym niesforne dziecko ku całkiem innej kwestii.

Boty! Obcisłe boty! Miała je wciąż na sobie? Czy była już w innym obuwiu? Nie mógł tego ustalić badając świeżą pamięć 'szampańskiej' sceny w kuchni. Jeżeli zaś była w innym, to co to mogło być? Kapcie? Papucie domowe? Bambosze z różowym pomponem? Czy jednak jakieś buty? Pantofle, szpilki, czółenka? Niby drobiazg, a jednak jakże treściwy i ważny! Poza tym znaczyłoby to, że – zdejmowała boty. Tak, 'zdejmowała', nie 'zdjęła'. Chodzi o samą czynność. Niby zwyczajną, prostą, a jednak jakże inną niż zdjęcie kapelusza, rękawiczek czy palta, a nawet góry kostiumu! – Uczyniła to przy nim, na oczach François? Czy też dyskretnie, na stronie – w łazience? przedpokoju? A jeśli ich jednak nie zdjęła...

Nagle stała się ciemność. Światło w pokoju zgasło.

– To teraz już wszystko jasne – próbował trzymać fason, formułując paradoks. – Przedstawienie skończone. Masz jeszcze jakieś pytania?

– Owszem, i to niejedno.

– Na przykład?

– Kto zgasił światło? I czy to pierwszy raz? I w jaki sposób przeszli... z kultury do natury?

– Za dużo chciałbyś wiedzieć – usłyszał echo repliki, z którą się spotkał na lekcji, kiedy w interrogacji posunął się za daleko, próbując ustalić jej wiek.

Nie powstrzymało to jednak nabrzmiałej udręką fali retorycznego pytania:

– Jak to jest... – mówił w myślach, patrząc w niebo na gwiazdy – jak to właściwie się dzieje, że dwoje dorosłych ludzi odrzuca raptem formę i godzi się na żywioł, który ich upokarza? (Gdyby nie upokarzał, czyż gasiliby światło?) Jak do tego dochodzi? Jak można to uzgodnić, wypowiedzieć słowami?

– Słowa są niepotrzebne – znowu usłyszał głos. – Przestaje się mówić... Czytać.

– Czytać?! – nie pojął sam siebie.

– Czymkolwiek to bywa w życiu. I jakikolwiek tekst. Jak Francesca z Paolem księgę o Lancelocie. Nie pamiętasz tej sceny z drugiego kręgu Piekła?

Pamiętał bardzo dobrze. Z lektury Konstantego, gdy raz, w deszczowy dzień, pozostali w schronisku. Dziwił się wtedy, dlaczego akurat to mu czytał, komentując szczegóły. (Jak okazało się później, miało to związek z Claire.)

– Trzeba więc z d r a d z i ć   S ł o w o – powiedział prawie na głos.

– Dlaczego zdradzić? Sprawić... aby stało się Ciałem.

– To zdrada. To jest   z d r a d a!

– Tak zaczyna się świat. Inaczej się nie zacznie.

– Nie w glorii, ale w hańbie...

– W ciemności i milczeniu.

I wtedy zapłakał nad sobą.

A kiedy po długim czasie poczynania-konania na nowo rozbłysło światło – inne, słabsze, gdzieś z boku (zapewne nocnej lampki?), a wkrótce potem –

w sieni, ukazując kochanka zbiegającego po schodach, wziął się w garść, wyprostował i, niczym Heyst na mostku, znów podniósł lornetkę do oczu. Dyrektor, w rozpiętym płaszczu i z pochyloną głową, ćmiąc papierosa w ustach, szedł w kierunku peugeota wolnym, znużonym krokiem.

– Jak Antek po ciężkim dniu pracy – pomyślał wycieńczony, aby się podnieść na duchu."

Klucz w zamku do mieszkania przekręciłem najciszej, jak to było możliwe, a wszedłszy do przedpokoju, nie zapaliłem światła. Precyzyjnymi ruchami (jak w mimicznej etiudzie) zdjąłem wierzchnie ubranie i ruszyłem na palcach w kierunku mego pokoju. Gdy jednak po omacku dotykałem już klamki, rozbłysło światło u matki i zaraz ona sama pokazała się w drzwiach.

– O której wracasz do domu? – zapytała surowo.

– Przepraszam... nie wiedziałem – uderzyłem w ton skruchy.

– Co? Czego nie wiedziałeś?

– Że to potrwa tak długo.

– O czym ty mówisz? Co potrwa?

– No, dyskusja i cocktail... W kinie Skarb, na Traugutta... Po tym pokazie zamkniętym... No, tego filmu Lelouche'a.

– Dyskusja? Po filmie Lelouche'a? I do tego ci była potrzebna ta lornetka? – wskazała głową na rękę, w której trzymałem futerał.

– Ach, lornetka... nie-nie... – uniosłem ją odruchowo. – To całkiem co innego... Kolega mi właśnie oddał.

– Kolega ci oddał. Lornetkę – cedziła wolno wyrazy. – Na pokazie Lelouche'a – przeniknęła mnie wzrokiem. – I chcesz, bym w to uwierzyła?

– Tak byłoby najlepiej – powiedziałem ze smutkiem i pchnąłem drzwi do pokoju, po czym, zdesperowany, zamknąłem się w nim na klucz.

## Sen mara...

Nie mogłem zasnąć. Leżałem. A w głowie miałem zamęt. Obrazy, wyobrażenia, nieznane dotąd uczucia. Wszystko to wirowało jak w źle zmontowanym filmie. Obsesyjnie, natrętnie, nie do opanowania. Wreszcie, nad ranem, mnie zmogło. Sen jednak, w jaki zapadłem, nie był pokrzepiający ani tym bardziej słodki. Chociaż zaczynał się błogo.

Leciałem samolotem. Za oknem wierzchołki gór, ośnieżone iglice iskrzące się w ostrym słońcu, a obok mnie – Madame. Lecimy do Genewy. Dostałem pierwszą nagrodę w konkursie na szkic literacki o romantycznych podróżach i zaproszono mnie właśnie na ceremonię wręczenia, na której mam się stawić wraz z moim profesorem. Rozpiera mnie radość i duma. Wygrałem! Jadę na Zachód! I to gdzie! Do Szwajcarii! W krainę mitycznych Alp! Lecz nade wszystko – z kim! I jako kto! W jakiej roli! W y b a w i c i e l a! „Heysta". Człowieka, dzięki któremu wydostała się wreszcie z bolszewickiej niewoli. Wyczuwam jej podziw i wdzięczność. I nieśmiałe zamysły budzące się na tym tle:

„Język... Literatura...", zdają się mówić jej oczy, „to wszystko on już zna. Jest utalentowany. Nie potrzebuje pomocy. Lecz życie... namiętności... świat uczuć, zmysłów, rozkoszy", uśmiecha się pobłażliwie, „o tym nie ma pojęcia! W t y m można by mu pomóc. Nauczyć go miłości i sprowadzić na ziemię. Stać się dla niego boginią potężniejszą niż matka! Urodzić go raz jeszcze. Sprawić, by się odrodził! Być jego pierwszą wiktorią!"

Cięcie jak w filmie. Przeskok.

Wchodzimy na Mont Blanc albo na masyw Gotharda, gdzie biją źródła Renu. Jesteśmy już u szczytu. Widzę schronisko Vallota (znane mi z fotografii). Ona idzie przede mną. Naraz przystaje, patrzy, po czym odwraca się i pokazuje w górę.

– Tam... Widzisz? O tam... – mówi z dziwnym uśmiechem. – Miałam się tam urodzić. Nie doszło jednak do tego. Marzenie mojego ojca nie zostało spełnione. Niech jego woli zatem stanie się zadość inaczej. Niech będzie tam przynajmniej poczęty jego wnuk, a mój syn pierworodny. Ty mi go dasz. Dziś w nocy. A dam mu na imię Artur. Będzie piękny jak ja, a smutny jak twoja dusza. I będzie pisał jak... Simone de Beauvoir. Chodź do mnie! – mówi tonem nie znoszącym sprzeciwu i podaje mi rękę jak Bóg Michała Anioła do stworzonego Adama.

Trzymając się za ręce idziemy wyżej i wyżej.

Słońce krwawo zachodzi, z nim – dzień ostatni niewiedzy.

Lecz cóż to? Gdzie jesteśmy? To wcale nie są Alpy. To Tatry! Znajoma grań. Biało-czerwone słupki. Tablica ostrzegawcza: „Uwaga! Granica Państwa".

– Halo, obywatelu! – słyszę tubalny głos i wyrasta przede mną rosły, wąsaty sierżant. – Dokumenty poproszę.

Przeszukuję nerwowo kieszenie kurtki i spodni i wręczam mu bilet miesięczny.

– Nie jestem kontrolerem – burczy na mnie milicjant i gdy mówi te słowa, zjawia się przy nim dwóch mężczyzn w ortalionowych kurtkach z blaszanymi krążkami zwisającymi spod klap i jeden z nich bierze bilet.

– Z miesięcznym za granicę? – krzywi się pogardliwie.

– Przez z i e l o n ą granicę – wtrąca z naciskiem drugi.

– Dowód lub paszport proszę! – żąda surowo sierżant.

Znów przeszukuję kieszenie i, w braku tych dokumentów, podaję mu niezawodną legitymację szachową.

– Co to jest? – pyta sierżant.

– Karta Klubu Marymont. Mam turniej na Słowacji. Jestem mistrzem juniorów.

– Po pierwsze, nie żadnym mistrzem – słychać skądś głos Kuglera – lecz co najwyżej wice-. Po wtóre zaś, jest to tytuł uzyskany psim swędem. – I ze skalnego okna wyłania się Karakan, a za nim – wataha „czerni".

Są dziwnie poubierani. Mają na sobie czarne, wyszmelcowane portki i czerwone koszule.

Hiszpańscy bojownicy? Szlachetni Dąbrowszczacy? Nie! To „ludzie z marmuru" poprzebierani za zbójców. Górnicy, hutnicy, chłopi z rzeźb spod Pałacu Kultury i arkad MDM-u, o tępych, brutalnych twarzach i monstrualnych łapach.

Kugler zaś w prawej ręce, niczym oskard lub czekan, trzyma potężny młot, a zamiast lewej – ma hak, niczym Kapitan Hook.

– Idziecie więc, powiadacie, na turniej do Słowacji – mówi z błazeńską powagą. – I na to wam potrzebna ta lornetka polowa – wskazuje ruchem głowy na mój tors, gdzie, istotnie, spoczywa ów przyrząd optyczny zawieszony na szyi. – I co, liczycie na to, że ktoś wam w to uwierzy? – uśmiecha się szyderczo. – Może mamusia. Nie ja. Te szalbierstwa nie przejdą!

– No *pasaran! No more!* – krzyczy aktyw bojowców.

– Sami słyszycie – Karakan wskazuje hakiem na bandę. – Głos ludu. Który żąda, by wreszcie was zdemaskować.

– Zdemaskować! Ukarać! – podchwytuje chór „czerni".

– Nie mam wyboru. Muszę – rozkłada obłudnie ręce i rozpoczyna orację w stylu mów Wyszyńskiego (Andrieja, prokuratora):

– Pragniecie zatem wiedzieć, szanowni towarzysze, kim jest ów „mistrz szachowy", „wirtuoz" i „taternik", ów „uzdolniony wszechstronnie artysta estradowy, chodzący drogą cnoty i miłujący prawdę"? Służę wam odpowiedzią. Niech mówią same fakty. Zacznijmy od dzieciństwa.

Kiedy lud pracujący i młodzież miast i wsi krzewiły w naszym kraju masową turystykę, organizując wycieczki i marsze szlakiem Lenina, on osobno, „prywatnie", z niejakim panem Konstantym z burżuazyjnej rodziny (używającym bryczesów!), chadzał „własnymi drogami" i wylegiwał się w „dwójce" w schronisku nad Morskim Okiem.

Kiedy pionierzy-junacy z obozów i hufców SP ćwiczyli tężyznę fizyczną, odgruzowując miasta i pomagając w polu, on osobno, „prywatnie" uczęszczał na lekcje muzyki do „pani od fortepianu" z obszarniczej rodziny (noszącej aksamitkę!) i chuchał w białe rączki.

Kiedy w klubie szachowym, w którym i ja grywałem, juniorzy studiowali Botwinnika i Tala, on, inaczej niż wszyscy, wpatrzony w instruktora z inteligenckiej rodziny (chodzącego na co dzień z piersiówką wódki w kieszeni!) fascynował się Retim i wkuwał Capablancę.

Idźmy dalej, jak pisze i mawia towarzysz Stalin.

Czego się ten pięknoduch uczy w domu rodzinnym? Może marksizmu, biologii, historii WKP(b)? Może choćby języka naszego Wielkiego Brata? Literatury radzieckiej? – Bujać to my, towarzysze! My nie wierzymy w cuda! On uczy się f r a n c u s k i e g o! Tego symbolu kultury inteligencji mieszczańskiej, ziemiaństwa i burżuazji, tego reliktu przeszłości, co poszła na śmietnik Historii! A resztę czasu spędza, słuchając Wolnej Europy! Wdychając miazmaty Zachodu!

Jakie ziarno i gleba, taki owoc i plon! Tak wychowana jednostka jest spaczona i zła. Sieje wokół anarchię. Buntuje. Knuje zdradę.

Dowody? Jest ich bez liku! Weźmy trzy dla przykładu.

Od czego ów „artysta" zaczyna swą „karierę", znalazłszy się w kolektywie? Jaki czyni użytek ze swoich białych rączek, tych wychuchanych paluszków, którymi się nauczył przebierać po klawiaturze? Może taki, by wspomóc nauczyciela śpiewu? Udzielać się na chórze? Wspierać i dopingować nasz „Tercet egzotyczny" w szlachetnej rywalizacji o Złotego Słowika? O nie! On woli jazz. On zakłada s w ó j zespół. Dla niego bożyszczem jest Tyrmand, renegat i potwarca, który uciekł na Zachód.

Było tak? Świadek Eunuch!

– Jeśli nie jeszcze gorzej! – dochodzi skądś głos Eunucha.

– Ledwo tej wrogiej hydrze – ciągnie dalej Karakan – ukręciliśmy łeb, odrasta on gdzie indziej. W zespole teatralnym, który opanowuje. – Co się tam gra? Jakie sztuki? A zwłaszcza, jakich autorów? Radzieckich czy choćby rosyjskich? Czy nawet ojczystych, polskich? A skąd! Wyłącznie zachodnich. Ajschylosów, Szekspirów. Odwetowca Goethego! Działalność ta zostaje surowo zakazana.

Świadek Soliter! Tak było?

– Było o wiele gorzej – słychać głos Solitera.

– No właśnie! Lecz dywersant nie liczy się z zakazem. Forsuje swój wrogi projekt i, mydląc oczy jury, wyłudza pierwszą nagrodę. Dostaje poza tym prezent w postaci zegarka na rękę produkcji NRD, naszego sojusznika i przyjaciela w bloku. Co robi z tym cennym przedmiotem, uznając go za zbyteczny? Oddaje potrzebującym? Wymienia na inne dobro? Przynajmniej spienięża w komisie? Nie! Barbarzyńsko go niszczy, dając w ten sposób upust swej głębokiej pogardzie dla przemysłu lekkiego krajów socjalistycznych i narażając na szwank dobrosąsiedzkie stosunki.

I trzeci z wybranych dowodów.

Mimo tej jawnej wrogości wobec naszego ustroju i zgoła aktów terroru, my, w swej wspaniałomyślności i wierze w dobro człowieka, wciąż go nie odrzucamy. Przeciwnie, dajemy mu szansę, wyciągamy doń rękę. Niech weźmie udział w obchodach trzydziestej rocznicy wybuchu Hiszpańskiej Wojny Domowej. Niech przyda się wreszcie na coś. Niech zagra jakże nam drogie rewolucyjne pieśni. – Co robi z tą wielkoduszną, zaszczytną propozycją? Naprzód szydzi, jak umie, i robi sobie kpiny. Następnie wyłudza cynicznie sowitą gratyfikację w postaci zwolnienia z lekcji. A wreszcie, uknuwszy spisek, dopuszcza się sabotażu!

Sprawdziliśmy w naszych aktach, kim był Joaquin Rodrigo. I co się okazało? To zagorzały Frankista! I co reakcyjny element wykrzykiwał na sali po owych wstawkach muzycznych? Rewolucyjne hasła? *„Arriba parias”*? „Precz z Franco”?

Świadkowie bojownicy!

– Krzyczano „więcej flamenco!” – odpowiadają chórem socjalistyczni zbójcy.

– Szanowni towarzysze! – niezmordowany Kugler kontynuuje mowę.
– Zadajmy teraz pytanie zupełnie zasadnicze. Czy działał w pojedynkę?
Czy pozostawał z kimś w zmowie?
     – Na pewno był w zmowie ten tchórz!
     – Tak jest! A wiecie z kim? To się nie mieści w głowie! – Z tą, z którą
teraz tu stoi! Z piękną panią dyrektor! O, zdrada sięga wysoko!
Świadku Soliter, powiedzcie, czy wasza przełożona była na akademii
ku czci Hiszpańskiej Wojny?
     – Nie była. Przez cały czas świeciło puste miejsce.
     – No właśnie! A dlaczego? Bo ta progenitura pachołka krwawego Franco,
która nienawiść do ludu wyssała z mlekiem matki, do tego stopnia nie cierpi
pokoju i sił postępu, że na widok i dźwięk samych symboli i haseł walki o wyzwolenie uciemiężonych mas jak wściekła suka się jeży i toczy pianę z py-
ska. I bała się, że ów odruch, nad którym nie panuje, zdradzi ją, zdemaskuje.
     No dobrze, zapytacie, lecz w takim razie dlaczego w ogóle się znalazła
na odcinku oświaty, i to aż tak wysoko, na kierowniczej pozycji. Jest to
kluczowe pytanie!
     Zostało to wymuszone przez wrogie nam mocarstwo, burżuazyjną Fran-
cję, odstręczającym szantażem. Dano nam, mianowicie, jasno do zrozumienia, że jeśli nam zależy na docencie Dołowym i jego wszechstronnym
rozwoju, to musimy się zgodzić na jej kandydaturę.
     Świadek Gromek! Czy tak? Czy potwierdzicie to?
     – Tak, w całej rozciągłości – odzywa się głos magistra.
     – Świadek Dołowy! A wy?
     – Nie mogę temu zaprzeczyć, choć nie byłbym tak surowy. Ze wzglę-
du na interes... handlu zagranicznego i przemysłu lekkiego (końcówki do
długopisów!).
     – Macie szlachetne serce! Lecz nie czas żałować róż, gdy płoną lasy.
     Pozostaje ostatnia fundamentalna kwestia. Czemuż to „słodkiej" Fran-
cji tak bardzo na tym zależy? Jaki ma w tym interes?... Choć należałoby
chyba inaczej postawić pytanie: czymże pani dyrektor tak się jej za-
służyła, że pozyskała dla siebie tak niebywałe poparcie?
     Przemilczmy tę ohydę. Niechaj nazwa tej zbrodni nie kala naszych
ust! To najstraszliwsza ze zdrad!
     Czy jednak nasz „wirtuoz" przejmuje się tym? Gorszy? Czy budzi w nim
odrazę akt sprzedajnej miłości? Gdzieżby tam! Wręcz przeciwnie! To go

312

elektryzuje! Zaciera po cichu ręce. Jak stręczyciel, jak człowiek o moralności alfonsa węszy w tym zysk dla siebie! Może przyda się na coś i dostanie coś w zamian? A jeśli nie dostanie, szantażem wymusi haracz. Przecież wie doskonale, że cały ów „eksperyment" z wykładowym francuskim to jedna wielka lipa. Że chodzi wyłącznie o to, aby piąta kolumna wyjeżdżała na Zachód na wywrotowe szkolenie.

Naprzód więc daje jej znaki, iż godny jest zaufania (w demonstracyjny sposób okazuje swą wrogość do demokracji ludowej), a potem, jak pies łańcuchowy, wysługuje się jej. Smaży kunsztowne prace, by mogła się wykazać przed swymi mocodawcami; trenuje elokwencję na popis przed wizytacją; wkuwa na pamięć wiersze, by błyszczeć „erudycją"...

Nie czeka długo na odzew i judaszowe srebrniki.

Naprzód, w dowód ufności, dostaje od niej klucz... do drzwi jej gabinetu! Następnie – kartę wstępu na snobistyczne imprezy, na których się celebruje burżuazyjną sztukę. Wreszcie wybija godzina! Za jej rekomendacją zostaje zaproszony na kurs szpiegowski w Tours. Dokąd udają się razem przez zieloną granicę.

To tyle, towarzysze. Teraz wszystko już wiecie. Kim jest w rzeczywistości ta romantyczna parka, te farbowane lisy, ziejące nienawiścią i sadystycznym jadem na naszą partię i rząd...

Na czoło grupy zbójników wychodzi Karol Broda i niczym przewodnik chóru zaczyna mówić wierszem:

> Co z nimi zrobić? Puścić ich wolno?
> Czy zastosować ucisk i gwałt?

I niczym Władysław Broniewski na wiecu w Zagłębiu Dąbrowskim zwraca się do zebranych:

> Wy, co wdrażacie reformę rolną,
> Zadecydujcie!
> – UCISK I GWAŁT!

– odpowiadają *unisono* „czerwono-czarni", unosząc wysoko pięści.

I Karol Broda wydaje na mnie wyrok:

> Za wielkopaństwo, za kumoterstwo,
> za rozjątrzanie ludowych ran -
> niech zginie marnie i poprzez ś m i e r ć s t w o
> spełni wytyczną: „*No pasaran!*"

– A co z nią? – pyta Kugler wskazując na Madame, jakby się zastanawiał nad rozwiązaniem sceny.

I ledwo wymawia te słowa, z jasnego, czystego nieba zlatuje wolno „Lucy" – Lucylla Różogrodek w kostiumie i makijażu Dolores Ibarruri, i swoim zmysłowym głosem wygłasza sentencję wyroku, wskazując na bandę zbójców:

> Niechaj te dzielne młodzieńce
> Pochwycą ją zaraz pod ręce.
> Niech popatrzą na nią wilkiem.
> Niech z nią poigrają chwilkę.
> Niech rozciągną ją na ziemi.
> Niech i c h darzy wdzięki swemi.

A na to Kugler powoli unosi młot do góry i krzyżuje go z hakiem, i mówi, zawłaszczając i profanując tekst narodowej świętości:

> Bo słuchajcie i zważcie, *rebiata*,
> Że z mocy naszego rozkazu,
> Kto cnoty nie odda ni razu,
> Nie będzie na Zachód nam latał!

Czuję, że to koniec. Jeszcze chwila i ujrzę „to najstraszniejsze, co można zobaczyć na ziemi". I postanawiam działać.

– Możesz mnie zlikwidować – mówię wyzywająco – lecz nigdy nie zwyciężysz. Jestem od ciebie lepszy. – I widzę, że ta potwarz odnosi pewien skutek, bo Kugler sinieje z wściekłości.

– Zaraz się przekonamy! – krzyczy łyknąwszy haczyk. – Mefisto, szachownica!

I już usłużny Mefisto ustawia figury i pionki.

– Chwileczkę! – wstrzymuję go. – Ustalmy naprzód warunki. Rewanż za piękne oczy? Wybijcie to sobie z głowy!

– O co chcesz grać? – pyta Kugler.

– O Victoire – odpowiadam.

– O co?! – wykrzywia twarz w grymasie niezrozumienia.

– O nią – mówię spokojnie, wskazując głową Madame. – Jeżeli wygram, jest moja.

– Niech ci będzie, pajacu – wybucha szyderczym śmiechem. – O: t a k ci się to uda! – i zgina rękę z hakiem w geście „takiego wała".

Gramy. Zdobywam przewagę i robię z niej użytek. Wkrótce na szachownicy zostają same króle i moje dwa białe piony. Oddycham z ulgą.

Zwycięstwo! To tylko kwestia czasu. Dosłownie kilku ruchów. Przesuwam spokojnie piona z linii siódmej na ósmą i zmieniam go na hetmana.
– Szach – rozpoczynam atak.
– I mat! – wykrzykuje Kugler zbijając mi króla królem.
– To nielegalny ruch – stwierdzam tonem wyższości. – To nie jest gra błyskawiczna.
– Trzeba to było powiedzieć, gdy zaczynaliśmy grać – Kugler z obłudną grzecznością rozkłada szeroko ręce (to znaczy, sierp i młot).
Rzucam się z krzykiem na niego:
– Ty kanalio! Ty draniu! – Ale mój głos zagłusza jakiś straszliwy dźwięk wdzierający się w uszy.
Gwizd „czerni" w czerwonych koszulach? Telefon do Kuglera?
Nie, to budzik Pobieda nastawiony na siódmą.
Zbudziłem się zlany potem.

## The Day After

Przytomność, do której wróciłem, nie była bezwzględnie lepsza od sennego koszmaru. Zresztą, w pierwszym momencie nie miałem zupełnej pewności, czy aby nie śnię dalej. Wypadki ubiegłej nocy, które się rozegrały między projekcją filmu a senną fantasmagorią, wydawały się również jakby nie z tego świata. Gdy jednak, doszedłszy do siebie, nie mogłem już powątpiewać, iż zaszły w rzeczywistości, poczułem się nieszczególnic, o ile nie fatalnie.

Jeśli moje poznanie, do którego doszedłem za sprawą Konstantego, porównywałem do wrażeń, jakie się uzyskuje w wyniku lądowania na powierzchni planety, to świadomość obecną mogłem sobie przedstawić na podobieństwo wiedzy, jaką posiada geolog i górnik w jednej osobie. Zszedłem w głąb, do podziemi. Jakby przez krater wulkanu.

I cóż mi to dawało? Boską wszechmoc? Przewagę? Przeciwnie. Smak przegranej. Udrękę i beznadzieję. Droga do wiadomości okazała się szlakiem prowadzącym do zguby. Miast znaleźć wodę życia, znalazłem się w ogniu piekielnym.

Zadana mi tortura była wielostopniowa. Po pierwsze palił mnie wstyd zmieszany z upokorzeniem. Lecz to było jeszcze drobnostką. O wiele dotkliwszy ból wywoływała świadomość, że sprawa jest beznadziejna: wszystko, co się dawało pomyśleć jako możliwe (rozmowy, gry językowe, wyróżnienia, sympatia), straciło wartość szansy na zadośćuczynienie; co zaś czyniłoby zadość, nie dawało się myśleć inaczej jak niemożliwe. Ale najboleśniejsza była zraniona duma, i to bynajmniej nie „męska" (w porażce z Dyrektorem), ale – umysłu czy duszy, w starciu z sercem i ciałem. Ugiąłem się. Jak Hipolit. „Dałem się unieść prądowi." Zdradziłem rozum i mądrość. Uległem namiętności. Cóż za haniebny upadek!

Byłem jak zdjęty z krzyża. Najbliższa przyszłość, życie – wszystko straciło sens. Matura? Wyższe studia? Kariera artystyczna? Nie miało to żadnej wartości. Było jak „miedź brzęcząca". Nawet rozsądna myśl, iż te „cierpienia Werthera" mogą przecież stanowić materiał dla twórczości, nie przynosiła pociechy.

Przynieść ją mogło tylko coś takiego jak to, o czym marzył żarliwie zbolały Tonio Kröger po niefortunnym tańcu z beztroską Ingeborgą, i później, gdy po latach spotkał ją w Danii na balu. I chociaż dobrze wiedziałem (nie tylko od narratora tej ubóstwianej noweli), iż takie rzeczy na ziemi raczej się nie zdarzają, wstałem, ubrałem się i wiedziony nadzieją bezprzykładnego cudu powlokłem się do szkoły.

„Spotkać ją. Coś powiedzieć. Zyskać najbłahszą łaskę", myślałem idąc ulicą w szarym świetle poranka pod chmurnym, burym niebem. „Spojrzenie, ciepłe słowo, najniewinniejszy gest. Może – zdrobnienie imienia? – W każdym razie ją ujrzeć. Patrzyć, patrzyć. Zobaczyć... jak się wygląda nazajutrz..."


Francuski był w sobotę zawsze na czwartej lekcji. Nie czekałem jednakże do tego czasu bezczynnie. Na pauzach schodziłem na dół, w pobliże gabinetu, by szybciej nasycić wzrok upragnionym widokiem. Nie spełniło to jednak założonego celu. Madame się nie pokazała. Wreszcie, zdesperowany, wynalazłszy naprędce jakiś głupawy pretekst („odbędą się dziś zajęcia? bo słyszałem, że nie"), podszedłem do gabinetu i nacisnąłem klamkę. Drzwi jednak nie puściły. Gabinet był zamknięty. Powtórzyłem ten manewr z pokojem nauczycielskim. Tam również jej nie było. Stropiony, wróciłem do klasy i tam czekałem w napięciu na koniec długiej pauzy. Dzwonek wreszcie uderzył, ale na jego sygnał nie przybyła Madame. Do klasy wkroczyła Żmija, ogłaszając zastępstwo.

Więc jednak! Co się stało? – Poczułem falę gorąca i szybsze bicie serca. – Co to wszystko oznacza?, myślałem w podnieceniu. Miała dziś nie przyjść do szkoły? Zapowiedziała to wcześniej? Czy odwołała zajęcia dopiero dzisiaj rano, tłumacząc się, na przykład, niespodziewaną chorobą? – Każda z tych możliwości była intrygująca i otwierała drogę domysłom i spekulacjom. – Jeżeli uprzedziła, mogłoby to wskazywać, iż wszystko, co się stało, miała zaplanowane, a zwłaszcza, że b y ł a   ś w i a d o m a   potrzeby dnia wolnego po gorączce i pasji urodzinowej nocy. Jeśli zaś dała znać dopiero dzisiaj rano... To mogło znaczyć wszystko!

Po chwili ekscytacji popadłem w odrętwienie. „Umrzeć... zasnąć... nic więcej" – błąkał mi się po głowie monolog księcia Danii. Nie być, stanowczo nie być! Choćby i śnić najgorsze, byleby nie tę jawę. Zapomnieć o wszystkim, zatonąć – w odmętach nieświadomości.

Z uwodzicielskich objęć melancholii i śmierci wyrwała mnie gwałtownie – wiedziona niezawodnym instynktem naturalisty – nieustraszona Żmija.

– I czym się tak martwimy? – spytała stanąwszy przede mną. – Wzrok błędny, lica blade, jak mawiają poeci. Pewnieśmy znowu po nocy... czytali jakie romanse. A może chodzi o to, że nie ma francuskiego? Że zamiast się upajać musującym *esprit* trzeba naraz spożywać gliniasty chleb materii?

– Zupełnie nie rozumiem, co panią profesor skłania, by czynić mi te uwagi – rzekłem z zimną grzecznością. – Czy ja pani przeszkadzam?

– Ależ nic podobnego! – zaprzeczyła szyderczo. – Chodzi mi tylko o to, by cię sprowadzić na ziemię. Abyś z posępnych wyżyn swych górnolotnych myśli sfrunął tu, na nizinę, i uczestniczył w lekcji. Chcę cię zjednać dla siebie. A widząc, że się martwisz, pocieszyć i uspokoić: nie ma powodu do obaw! Nie będę cię pytać z królika.

Klasa buchnęła śmiechem, a mnie – pociemniało w oczach.

„Dość tego!" pomyślałem. „Właściwie z jakiej racji mam znosić takie zniewagi!"

– No, jeśli nie... – powiedziałem z udanym rozczarowaniem – to nic mnie tu już nie trzyma. – I podniósłszy się z miejsca, ruszyłem w kierunku drzwi.

Zapadła głucha cisza.

– Zastanów się, co robisz! – syknęła za mną Żmija.

– Właśnie to uczyniłem – odpowiedziałem spokojnie i opuściłem klasę. Moje opanowanie było jednak pozorne. Wewnętrznie – dygotałem. Całkiem puściły mi nerwy. W obawie, że w tym stanie mogę się natknąć na kogoś lub że na rozkaz Żmii wyruszy za mną pogoń, wpadłem do toalety i tam, zaryglowany, czekałem, aż mi przejdzie. Wreszcie, doszedłszy do siebie, przemknąłem się do szatni i zanim zabrzmiał dzwonek na koniec czwartej lekcji, byłem już poza szkołą.

Aby całkiem ochłonąć i rozważyć w spokoju powstałą sytuację, udałem się tradycyjnie do parku Żeromskiego. Wyglądał zupełnie inaczej, niż kiedy tam byłem ostatnio, po owej pamiętnej potyczce, od której się wszystko zaczęło. Zamiast gamy kolorów mieniących się pastelowo na tle błękitnego nieba w promieniach złotego słońca jawiła się monotonna, stalowo-bura szarość poprzecinana gdzieniegdzie pasmami czerni i bieli. Nagie gałęzie i pnie, spłachetki brudnego śniegu, plamy spowiałej trawy. „Jak z Bernarda Buffeta”, uśmiechnąłem się gorzko, mijając moją ławkę.

Od chwili, gdy na niej siedziałem, minęły trzy miesiące. Plan, który wówczas powziąłem, wypełniłem z nawiązką. Poznałem z grubsza nie tylko koleje życia Madame, lecz również jej skryte zamiary i dwuznaczne działania służące ich spełnieniu. Gdyby mi kto przepowiedział, że dojdę do takiej wiedzy, z pewnością bym nie wierzył, a jeśli byłbym uwierzył, to zacierałbym ręce: myślałem bowiem wówczas, że z takimi kartami wygram niejedną grę. Nie brałem był pod uwagę, że poznanie mnie zmieni; że uzyskawszy środki do osiągnięcia celu, utracę przekonanie co do niego samego; że kiedy będę już mógł prowadzić ową grę – pełną aluzji, podtekstów, niewinnych prowokacji – nie będę widział w niej sensu ani miał na nią ochoty.

Z tym wszystkim, co wiedziałem, mógłbym, doprawdy, wiele – począwszy od płochych zabaw i igrania słowami, po mroczną, występną akcję o posmaku szantażu. Siła uderzeniowa, którą dysponowałem, nie cieszyła mnie jednak. A świadomość użytku, jaki mógłbym z niej zrobić, napawała mnie wstrętem – podobnie jak Jerzyka możliwość upokorzenia i zastraszenia Docenta, a nawet jeszcze bardziej, bo Jerzyk Docentem gardził, a ja Madame – wielbiłem. „Wielbiłem” zresztą to mało albo nie najważniejsze (uczucia bywają przyczyną najpodlejszych postępków). Mimo pewnych zastrzeżeń co do jej charakteru i gustu literackiego (Simone de Beauvoir), wynikających zresztą z nader wątpliwych danych, darzyłem ją szacunkiem. Była silna i dumna. I jakby niepodległa znieprawionej i szpetnej rzeczywistości polskiej, tworzonej w ponurym obłędzie przez demokrację ludową. Całym swoim jestestwem mówiła „nie" temu światu. Wyglądem, manierami, językiem, inteligencją. Była niemym wyrazem, że tkwimy w bagnie i w bzdurze, a można żyć inaczej. Przyznawałem jej słuszność. Widziałem w niej gwiazdę Północy.

I właśnie stąd się brał konflikt, który rozdzierał mi serce. Bo będąc po jej stronie, byłem przeciwko sobie. Jej dobro kłóciło się z moim, czy wręcz je wykluczało. Chcąc sprzyjać j e j, powinienem – zaniechać dalszej gry. Poddać partię. Ustąpić. Jak rycerz Toggenburg z Schillerowskiej ballady.

Uzmysłowiłem sobie, ku własnemu zdumieniu, że przyszłoby mi to łatwiej, gdybym był jeszcze wiedział, że ona do Dyrektora nie czuje nic poważnego, że chodzi z nim do łóżka z próżności, ze snobizmu, nawet z wyrachowania. Tak, wolałem występek i zimną kalkulację niż szczery poryw serca. O cynizm mógłbym mieć żal, ale bym go wybaczał. Trudniej było znieść – miłość. To ona, paradoksalnie, była niewybaczalna.

Dopiero teraz w pełni zaczynałem rozumieć scenę zazdrości Fedry.

Owładnęło mną nagle nierozumne pragnienie, by dowiedzieć się tego. – Już tylko tyle, nic więcej, myślałem gorączkowo. Stwierdzić to jakoś, ustalić, po czym – „iść do klasztoru". – Ba, ale jak to zrobić?! Przecież to nie jest coś, co się daje zobaczyć. Aby do tego dojść, potrzeba języka, rozmowy, zwierzeń... *des confessions*... A to jest nierealne.

Nie tylko! – zaświtał mi nagle iście diabelski pomysł. I s t n i e j ą okoliczności, które to mogą ujawnić. Próba ognia dla serca: wiadomość o śmierci tego, kto jest nam szczególnie bliski, albo że jego życiu zagraża niebezpieczeństwo. To niezawodny środek na ujawnienie uczuć. Reakcja na ten bodziec, zwłaszcza pierwsza reakcja, stanowi jakąś odpowiedź.

Tak – układałem w szaleństwie kolejny zdradziecki plan – pojechać tam jeszcze raz i z automatu na dole zadzwonić do niej do domu; zmieniając głos i styl podać się za lekarza z ostrego dyżuru w szpitalu albo za pielęgniarza z karetki pogotowia i zapytać, czy zna... ciemnowłosego mężczyznę... zapewne cudzoziemca... prawdopodobnie Francuza... Niestety, nic nie wiadomo, bo nie ma dokumentów... Jedyny trop prowadzący do

319

ustalenia danych to kawałek papieru z numerem telefonu, pod który właśnie się dzwoni... Lecz może to jakaś pomyłka?... fałszywy ślad... przypadek... – I wtedy, gdy padnie wreszcie nieuniknione pytanie: „lecz o co właściwie chodzi?" a raczej: „c o  s i ę  s t a ł o?" – zadane jakim tonem? spokojnym? histerycznym? (to będzie już jakiś znak!) – zaanonsować z żalem: miał poważny wypadek... jest na reanimacji... – I dalej, urzędowo: czy może pani nam pomóc i podać jakieś dane?... nazwisko?... adres?... kontakt?... Dokąd należy zadzwonić i kogo powiadomić?... A może pani sama... jest zainteresowana? – I zobaczyć, co zrobi... Wybiegnie? Weźmie taksówkę? Pojedzie do szpitala?... Czy zlekceważy sprawę, a w każdym razie – nie wyjdzie?

Wykonać taką etiudę – aktorską i głosową – nie było dla mnie zadaniem przekraczającym siły. Dziesiątki razy robiłem kawały telefoniczne i miałem na tym polu nie lada osiągnięcia: udało mi się nabierać nawet bliskich znajomych. Tak więc nie bałem się, że nie podołam temu – że opuści mnie wena albo zdradzi wymowa. Zresztą, gdyby mi nawet ta maskarada nie wyszła i moja rozmówczyni nie dałaby jej wiary – mało prawdopodobne, by skojarzyła ją ze mną. Nie miała przecież pojęcia, jak wiele o niej wiem, i nie słyszała mnie wcześniej przez membranę słuchawki. Jej myśl – prędzej czy później – pobiegłaby w inną stronę. I w ogóle nie ku komuś (takiej czy innej osobie), ale ku... Urzędowi. Ku Służbie Bezpieczeństwa. Tego rodzaju numer był tylko do niej podobny. A skoro tak, to ja... wystąpiłbym w jej roli. Stałbym się mimowolnie wcieleniem prześladowcy. Taka byłaby cena tego eksperymentu.

To właśnie mnie powstrzymało przed wykonaniem akcji. Świadomość, że w ten sposób wpisywałbym się w jej życie jako narzędzie lub goniec cimnych sił tego świata, jako „pan Jones", „Ricardo", „straszliwy osiłek Pedro" – choćby i nie prawdziwie, i z gwarancją, że sprawa nigdy nie wyjdzie na jaw – nie, na taką świadomość nie mogłem sobie pozwolić. Jej życie bowiem dla mnie uobecniało mit – owo „kiedyś", „gdzie indziej", epokę i świat herosów, o których marzyłem i śniłem, do których aspirowałem i pragnąłem nawiązać, z którymi jednak, niestety, wciąż nie mogłem się spotkać. Była i „niegdyś", i „tam"; przedłużeniem Przeszłości i przybliżeniem Dali; czasoprzestrzenią Legendy. Była materią, z której mogła powstać Opowieść. Wyznaczyć sobie w niej rolę haniebną i plugawą byłoby klęską totalną.

Pojechałem do domu. Na szczęście nikogo nie było. Rzuciłem się na łóżko i próbowałem zasnąć. Bezskutecznie. W mej głowie odbywał się sabat czarownic. Nie wytrzymując napięcia, zacząłem w biurku ojca szukać środków nasennych (używał fanodormu). Nie znalazłem ich jednak. Natrafiłem natomiast na napoczętą butelkę duńskiego aierkoniaku. Nie bacząc na konsekwencje (różnorodnej natury), wypiłem jej zawartość w niespełna pół godziny. Przez chwilę poczułem się lepiej. Wszystko zaczęło mnie śmieszyć – mój stan, moje tęsknoty, cały ten „romans" z Madame. Lecz wkrótce mnie zemdliło i przez kanalizację zwróciłem trunek naturze. Wtedy nareszcie zasnąłem. Kamiennym snem bez snów.

Następny dzień, niedziela, nie był o wiele lepszy. Nic się nie wydarzyło, co tchnęłoby we mnie nadzieję.

# ROZDZIAŁ SZÓSTY

## Roboty ręczne

Los uśmiechnął się do mnie dopiero w poniedziałek, choć żaden znak na niebie nie zapowiadał tego. Przeciwnie, trwała zła passa: dzień zaczął się fatalnie. (Być może była to reszta na dnie czary goryczy, którą musiałem wypić, aby okupić los.)

Ledwo przybyłem do szkoły, doszły mnie gromkie echa mojej scysji ze Żmiją. Zapowiadały najgorsze. Według zgodnych relacji, nauczycielka biologii, po moim samowolnym, ostentacyjnym wyjściu, miała wpaść w istny szał („dostała ataku wścieklizny", jak określano rzecz w skrócie): miotała się, srożyła, stwierdzała jadowicie, że mnie-w-tej-szkole-już-nie-ma, a w każdym razie matury w-tym-roku-nie-dostanę. Na radzie pedagogicznej postawi na ostrzu noża sprawę tego wybryku! – I, rzeczywiście, od razu musiała narobić wrzasku, bo przybiegł wychowawca – historyk, zwany Kadłubkiem (tyleż ze względu na związek ze słynnym dziejopisem, co na swoją posturę: był bardzo niski i drobny) – i polecił mnie szukać; gdy zaś nie znaleziono, rozpoczął dochodzenie, które miało na celu ustalić przebieg zajścia. Niektórzy uważali, że zdawał się był mi sprzyjać, próbując wynaleźć coś, co mogłoby mnie tłumaczyć lub przynajmniej złagodzić kwalifikację czynu. Wiadomo było skądinąd, że nie przepada za Żmiją i nieraz drze z nią koty, natomiast mnie raczej lubi, a w każdym razie ceni. Inni jednak twierdzili, że to tylko pozory – był najwyżej bezstronny i nie robił niczego, by dolać oliwy do ognia.

Jakkolwiek rzecz się miała, nie ulegało kwestii, że ponad moją głową zebrały się czarne chmury i wkrótce uderzy grom. Klasa widziała we mnie czcigodnego zuchwalca, który miał pecha i wpadł, i czeka jak skazaniec na wykonanie wyroku. Okazywano mi serce, współczucie, solidarność. Częstowano tępioną w szkole gumą do żucia, a zwłaszcza papierosami. – Nie martw się, zapal sobie – pocieszał mnie Prometeusz. – I nie bój się, nic ci nie zrobią! A gdyby nawet, to co? Najwyżej przezimujesz. No i co w tym strasznego? Będziesz miał rok spokoju.

Wbrew tej całej sensacji i złowróżbnym prognozom, które mnie przytłaczały, grom jakoś nie uderzał. Nie wzywano mnie nigdzie, nie odsyłano do domu, abym wrócił dopiero w towarzystwie rodziców, i nikt mnie oficjalnie o niczym nie powiadamiał. Lekcje zwyczajnie, ospale, toczyły się zgodnie z planem, który w tym dniu przewidywał – na koniec – roboty ręczne.

Był to przedmiot, za którym – jak najoględniej mówiąc – raczej nie przepadałem. Nie miałem zamiłowania ani specjalnych zdolności do prac praktyczno-technicznych; wszelkie majsterkowanie śmiertelnie mnie nudziło i w moim wykonaniu dawało marne efekty. Poza tym nie znosiłem tak zwanego „warsztatu", gdzie miały miejsce zajęcia. Znajdował się on w piwnicy, obok kotłowni szkoły; panował w nim półmrok i zaduch, cuchnęło smarami i klejem. Przebywanie w tym wnętrzu wpędzało mnie w depresję, a trujące opary i okropne hałasy przyprawiały o ostrą, wielogodzinną migrenę. Na szczęście nauczyciel, który prowadził zajęcia, cieszący się sympatią i zwany Robociarzem, nie miał na swoim punkcie przewrażliwionej ambicji (jak choćby Żmija czy Eunuch) i nie zainteresowanych albo niewydarzonych, tak zwane „dwie lewe ręce", traktował z tolerancją. Stawiał im tróję („państwowy") i wymagał jedynie obecności na lekcji.

Tym razem, jak na złość – wskutek pewnego zadania, jakim go obarczono – było nieco inaczej. Zlecono mu mianowicie przygotowanie studniówki, która się właśnie zbliżała, a to obejmowało, i to w poważnej mierze, wykonanie wystroju dla sali gimnastycznej, gdzie miała się odbyć zabawa, i jakichś dekoracji do planowanej szopki. W tym zakresie, rzecz jasna, najbardziej chciał się wykazać, zaostrzył więc dyscyplinę i zagnał nas do roboty.

Przypadło mi w udziale piłowanie gałęzi do imitacji ogniska. Zupełnie mi to nie szło i Robociarz co chwila strofował mnie i łajał:

– Co to ma być! Człowicku! – kręcił z niesmakiem głową. – Nawet piłować nie umiesz! Do czego ty się nadajesz! Zobaczysz, przekonasz się:

323

nie zechce cię żadna kobita! – Przejmował ode mnie piłę, ustawiał ją na gałęzi pod odpowiednim kątem i kilkoma sprawnymi, płynnymi posunięciami przerzynał ją z łatwością. – Patrz – mówił do mnie – i ucz się! O tak... tak się to robi! Miarowo i lekuchno. I nie ma żadnej siły: każda deska ci puści.

Brałem od niego narzędzie i próbowałem powtórzyć, co mi zademonstrował. Niestety, już za drugim lub trzecim pociągnięciem ostrze się zacinało lub w niebezpieczny sposób wyskakiwało z rowka. I właśnie wskutek tego trafiło mnie wreszcie w rękę, którą trzymałem konar; dokładniej: w dolną część wskazującego palca.

Cięcie było głębokie. Zaczęło obficie krwawić.

– Zranił się! – krzyknął Mefisto, węsząc w wypadku pretekst do urwania się z zajęć.

– Czułem, że tak się to skończy – rzekł posępnie Robociarz i zakomenderował: – Brać go, do ambulatorium! Spirytus albo jodyna i zastrzyk przeciw tężcowi! No, jazda! Na co czekacie!

Drugim obok Mefista skwapliwym sanitariuszem okazał się Prometeusz. Odskoczył jak oparzony od wirującej tokarki i niczym rączy jeleń rzucił mi się z pomocą. Chwycili mnie pod ramiona i z poważnymi minami, mającymi wyrażać odpowiedzialność i troskę, wyprowadzili z warsztatu – jak towarzysza broni, rannego na polu bitwy.

– Rękę do góry! Do-gó-ry! – krzyknął za nami Robociarz. – Trzymajcie mu rękę w górze! Bo całkiem się wykrwawi i lepiej nie mówić, co będzie...

Gabinet lekarski, jak zwykle, gdy była potrzebna pomoc, okazał się zamknięty. Usiedliśmy na ławce służącej za poczekalnię, po chwili zaś Prometeusz pobiegł do kancelarii, aby zasięgnąć języka. Powrócił z wiadomością, że lekarz i pielęgniarka udali się przed południem po zakup medykamentów i dotąd nie powrócili. Lecz pani sekretarka (kobieta starej daty w rogowych okularach), podając tę informację robiła ponoć miny i przewracała oczami, co miało wyrażać jej dystans do tego wytłumaczenia. – Tak ją powiadomiono, to znaczy ci, których nie ma, lecz ona w to nie wierzy. Jak bowiem można wierzyć w tego rodzaju bajeczki, gdy gołym okiem widać, iż lekarz i pielęgniarka od dawna się mają ku sobie. Co do niej, sekretarki, nie ma zresztą nic przeciw, byleby tylko „te rzeczy" nie odbywały się kosztem zdrowia szkolnej młodzieży. No, ale cóż, niestety, takie są dzisiaj czasy, nie mówiąc o porządkach, jakie panują w tej szkole, odkąd... – nie dokończyła, znów robiąc wymowną minę, tym razem pod adresem gabinetu Madame.

Relacja Prometeusza spięła mnie jak ostroga. Wiedziałem, że Madame nie cieszy się sympatią wśród personelu szkoły, nie przyszło mi jednak do głowy, że może otaczać ją wrogość. Jeżeli sekretarka, będąca jej podwładną, i to niskiego szczebla, pozwala sobie czelnie na tego rodzaju uwagi, i to do kogo, do ucznia!, to znaczy coś więcej niż tyle, że się niczego nie boi. To znaczy, że sieje bunt; że z pełną premedytacją uprawia krecią robotę. Skoro zaś tak, to Madame może być zagrożona. A jeśli jest zagrożona, to taka sytuacja, jaka właśnie powstała, może być gwoździem do trumny. Ktoś z wrogów, na przykład Soliter, puszcza do kuratorium tak zwaną „notatkę służbową", czyli po prostu donos, że w szkole panuje chaos i zaczyna być groźnie („poważnie ranny uczeń daremnie szuka pomocy w gabinecie lekarskim, bo nie ma dyscypliny i lekarz sobie bimba"), a tam, w kuratorium i wyżej, tylko na to czekają! Odpowiednia komórka zna przecież tło polityczne nominacji Madame i pewnie ma przykazane, aby ukręcić łeb sprawie, nim „eksperyment" w ogóle zdąży przynieść wyniki. Chodzi jedynie o to, aby mieć dobre alibi wobec strony francuskiej. „Jesteśmy elastyczni, zgodziliśmy się na wszystko, cóż, skoro wasz kandydat, być może niezrównany pod względem merytorycznym, nie ma kwalifikacji do kierowania placówką. Powierzona mu szkoła znalazła się w ruinie! Na t a k i e eksperymenty, musicie nas zrozumieć, pozwolić sobie stanowczo, bezwzględnie nie możemy." Gdy więc przychodzi „notatka" zrobiona przez Solitera, jest to sygnał do boju. Zostaje zarządzona nadzwyczajna inspekcja i wszelkie niedostatki, a zwłaszcza uchybienia, które i tak miały miejsce, idą na konto Madame. I w trybie natychmiastowym zostaje odwołana.

Na ile ów czarny scenariusz, który powstał mi w głowie, był skutkiem upływu krwi i osłabienia umysłu, na ile zaś pozostawał całkiem prawdopodobny, trudno ocenić i orzec; w każdym razie jak oścień popchnął mnie do działania.

Udając, że tracę siły i za chwilę zemdleję, zwróciłem się do Mefista zamierającym głosem (niczym zraniony Hamlet, przed zgonem, do Horacego):

– Idź po Madame... Niech wie... niech wie, co tutaj się dzieje... To pachnie prokuratorem... Zobaczymy, co zrobi...

Tym razem nie musiałem specjalnie go przekonywać. Cokolwiek sobie myślał, pomknął z misją jak strzała.

Czekając na rozstrzygnięcie, myślałem z gorzkim uśmiechem, że oto los kpi ze mnie, parodiując mój pomysł wystawienia Madame na „próbę ognia dla serca".

„Knułeś zdradziecki spisek przeciwko Dyrektorowi", zdawał się szeptać do mnie przez lekko zmąconą świadomość, „chciałeś werbalnie go zgładzić lub choćby okaleczyć, by się przekonać w ten sposób, czy ona do niego coś czuje, czy ma zajęte serce... A czemuż to tak nieśmiało podchodzić do zagadnienia? Taką okrężną drogą? Nie lepiej sprawdzić wprost, czy ma serce dla ciebie? Serce to rzecz pojemna, pomieści niejednego. Czyż panna Champsmeslé, mając licznych kochanków, nie wielbiła Racine'a? Cóż więc tu ma do rzeczy uczucie do Dyrektora? Przede wszystkim jest ważne, czy ma uczucie dla ciebie. I właśnie po to został zrządzony ten wypadek, byś mógł się o tym przekonać..."

Wtem moich uszu doszedł znajomy stuk obcasów.

„Nie, to maligna", myślałem, czując, że tracę siły. „Wskutek upływu krwi mam omamy słuchowe."

Nie był to jednak omam. Bo oto Prometeusz, czuwający nade mną, zerwał się naraz z miejsca i zgiął się w kornym ukłonie; następnie przypadł do mnie podniecony Mefisto; a wreszcie – niewątpliwie – ujrzałem przed sobą Madame.

Miała na sobie kostium z jasnego tweedu w kratkę, białą, jedwabną bluzkę ze srebrną broszką pod szyją i brązowe buciki na niewysokim obcasie, o długich, wysmukłych czubkach i wąskim pasku z klamerką obejmującym zgrabnie stopę poniżej kostki. Brwi, powieki i usta podkreślał dyskretny makijaż, a głowę koronowała szlachetna, zadbana fryzura.

– No i co to ma być? – zaczęła z nutą ironii, która zdawała się jednak maskować zdenerwowanie. – Życie ci już niemiłe?

– Mówiąc szczerze, nie bardzo – odpowiedziałem cicho.

– Za wcześnie – oceniła. – No wstawaj, na co czekasz?

– Na pomoc. Na lekarza – rzekłem wyzywająco, nie wiedząc, do czego zmierza. – Niestety, bezskutecznie.

Puściła to mimo uszu.

– Pomóżcie mu wstać – mruknęła do moich opiekunów – bo widać już sam nie może. I do mnie, do gabinetu... – dodała, ruszając przodem.

Mefisto i Prometeusz znowu podjęli czynności dobrych Samarytan, jeden chwytając mnie w pasie i zakładając sobie moje ramię na bark, a drugi – ranną rękę ściskając mocno w przegubie i wznosząc ją do góry. W takiej konfiguracji, godnej pędzla Grottgera, wkroczyliśmy w inny świat gabinetu Madame.

– Tu go posadźcie – rzekła torując drogę ku sofie, po czym podeszła do krzesła stojącego za stołem i zdjęła z oparcia torebkę, która tam, jak poprzednio, nie domknięta, wisiała.

Mefisto i Prometeusz, spełniwszy jej polecenie, stali jak skamieniali, śledząc w napięciu jej ruchy.

– No a wy, co? Widownia? – wstrzymała nagle rękę, którą grzebała w torebce i którą jakby już właśnie miała z niej coś wydobyć. – Na zajęcia! Z powrotem! Wasza misja skończona.

– Pan od robót nas prosił – Mefisto rozpaczliwie próbował utrzymać pozycję – żebyśmy pomagali.

– Dziękuję, poradzę sobie – odpowiedziała kpiąco i dopiero gdy wyszli, podjęła przerwaną czynność.

Z torebki wyjęła flakonik z kwadratową nalepką, na której widniał napis „CHANEL No 5" (jak okazało się wkrótce, nie było to *parfum*, lecz *eau de toilette* z fabrycznym rozpylaczem), po czym, znów tam sięgnąwszy, tym razem dwiema rękami, jakby wyrwała z głębi spory kawałek waty. „Nosi watę w torebce", nazwałem spostrzeżenie, jak gdyby było w tym coś godnego odnotowania, nie miałem jednak czasu na rozwinięcie tej myśli, bo oto była już przy mnie, a ściślej, siedziała naprzeciw.

– No, pokaż, coś tam zmajstrował – powiedziała figlarnie – z tym nieszczęsnym paluszkiem. Da się go uratować, czy nic tylko amputacja?

Nie będąc całkiem pewien, czy to, co się ze mną dzieje od wejścia do gabinetu, dzieje się rzeczywiście, czy może znów mi się śni, wyciągnąłem przed siebie zranioną lewą ręką, Madame zaś energicznie ujęła ją od spodu (też lewą), pod przegubem, przyciągnęła ku sobie i popatrzyła uważnie.

– *Oh là là!* Niewesoło – stwierdziła z kpiarską troską. – Nieźle się urządziłeś!

Nie poznawałem jej. Była inną osobą. Czy ja wiem?... Amazonką?... Herkulesem w spódnicy?... Czupurną sanitariuszką o męskim usposobieniu?... Nigdy bym nie przypuszczał, że w takiej sytuacji zachowa się w ten sposób. Byłbym myślał, że zblednie, straci się, wpadnie w popłoch; albo że jeszcze bardziej wbije się w pychę i dumę i taki krwawy kłopot będzie ją drażnił i brzydził. Tymczasem mój wypadek swoiście ją ożywiał. Jakby dodawał sił albo wyzwalał ukryte; a jednocześnie – rozluźniał, rozpogadzał, „rozmrażał". Była zaradna, sprawna, na swój sposób żołnierska, a przy tym swobodna jak nigdy, bezpośrednia... rubaszna!

– To teraz się przekonamy, czy jesteś mężczyzną, czy nie – sięgnęła po flakonik. – Uprzedzam, będzie bolało! – I zaczęła na przemian spryskiwać i przecierać kawałkiem waty ranę.

Istotnie, nie było to miłe. Piekło niesamowicie. Opanowałem jednak odruch bezwarunkowy i zachowałem spokój. Natomiast nie mogłem sobie poradzić z zamętem w głowie.

Oto działo się coś, czego w najśmielszych myślach, w najśmielszych wyobrażeniach, nie brałem był pod uwagę. Siedziałem z nią sam na sam w jej cichym gabinecie, a ona własnoręcznie opatrywała mi ranę, używając do tego francuskiej wody Chanel. Trzymała mnie mocno za rękę, wypowiadała słowa porażająco dwuznaczne (choć bez takiej intencji) i była w swoisty sposób ode mnie uzależniona: udzielana mi pomoc leżała w jej interesie.

Dla mojej świadomości, skażonej literaturą i skłonnej do mitomanii, była to sytuacja na granicy perwersji. Krew, wata, uścisk dłoni i zadawanie bólu, lecz dla mojego dobra, a przy tym bez współczucia, bez rozczulania się, przeciwnie, jakby z uciechą i dziwną ciekawością – to wszystko miało posmak najwystępniejszej przygody. Hańbiła mnie, gwałciła, wystawiała na próbę moje opanowanie i zdawała się czerpać z tego jakąś przyjemność, a w każdym razie jak gdyby ekscytowało ją to.

„Proszę, nie reagujesz!" zdawało mi się, że słyszę jej rozpętane myśli. „Nie syczysz... nawet nie drgnąłeś... Świetnie! Wzmogę torturę. Muszę złamać ten opór! Musisz mi wreszcie ulec i wydać z siebie choć jęk. Inaczej nie przestanę. Ze mną nie możesz wygrać. Z Wiktorią się nie wygrywa. No, krzyknij wreszcie! Krzycz teraz! Nie zniosę tego dłużej!"

Nie krzyknąłem. Nie drgnąłem. Zamknąłem tylko oczy, aby lepiej czuć dotyk i słyszeć własne myśli. Dostarczały mi one najprzeróżniejszych słów, wyrażeń i całych zdań, którymi mógłbym spełnić ideę mej Wielkiej Gry: za pomocą języka przeżywać to, co się działo, jako coś całkiem innego; przemieniać magią mowy – „wodę" pierwszej pomocy w „wino" miłosnej ekstazy; stwarzać przez nazywanie; urzeczywistniać Słowem.

W najmniejszym jednak stopniu nie miałem na to ochoty. Nie widziałem w tym sensu; widziałem – czczą błazenadę. Chciałem czegoś innego. Rzeczywistości, prawdy. Pragnąłem wcielenia Słowa czy Słowa wcielonego. Tego jednak się bałem.

– I coś tak zaniemówił? – odezwała się nagle. – Zawsze tak elokwentny!... Tylko mi tutaj nie mdlej! – podniosła nieco głos. – Otwórz oczy! Spójrz na mnie! Nie zostawiaj mnie samej...

– Pani nie wolno tak mówić – odpowiedziałem sennie, parafrazując pamiętne, bezgłośne upomnienie, jakiego Aschenbach udzielił był Tadziowi za jego uśmiech Narcyza.

– Jak mówić? – zapytała. – Mnie nie wolno? Dlaczego? – Znów prysnęła „Chanelem". – Co w tym, co powiedziałam, było niestosownego?

– By mówić do mnie w ten sposób – zacząłem z udręką w głosie – musiałaby pani do mnie... musiałaby pani mnie... musiałaby pani m i e ć p r a w o – nie byłem jednak w stanie prościej wyrazić swej myśli.

– Prawo? O czym ty mówisz? Zupełnie cię nie rozumiem. Gdy mówisz po francusku, wyrażasz się precyzyjniej.

– W obcej mowie jest łatwiej. Hans Castorp też, gdy chciał...

– Kto taki? – zmarszczyła brwi.

„Nie czytała! To straszne!"

– Taki jeden. *Un boche*[1]. Postać fikcyjna. W Alpach.

– Ah, „*la Montagne magique*"!... Oui, oui... J'ai lu, j'ai lu...[2] Odetchnąłem bezgłośnie.

– No więc co on tam chciał? – podjęła po chwili ciszy.

– Powiedzieć coś ważnego. No i właśnie w tym celu użył języka obcego.

– Chcesz mówić po francusku? *Vas-y! Ça me ferait plaisir!*[3]

– Nie jestem tego pewien. Chyba że...

– Chyba że co?

– Że podobało się pani wypracowanie o gwiazdach. À *propos*, już od dawna miałem panią zapytać: co jest z moim zeszytem? Czemu do mnie nie wrócił?

– A miał? – uśmiechnęła się. – Myślałam, że to laurka. Laurek się nie zwraca.

---

[1] Pewien szwab.
[2] Ach, *Czarodziejska góra*!... Tak, tak... Czytałam, czytałam...
[3] Mów! Zrobi mi to przyjemność!

Zamurowało mnie. Przemogłem jednak tę słabość.

– To prawda – powiedziałem – lecz reaguje się jakoś. Mówi się coś... komentuje... kwituje w jakiś sposób.

– Czyż nie dostałeś piątki? – zagrała urażoną. – Jako jedyny w szkole! To się nie liczy? To mało?

– No oczywiście, że mało – odrzekłem z pretensją w głosie niczym skrzywdzony kochanek. – O wiele, o wiele za mało! Komuś, kto marzy i pisze, nie na stopniu zależy.

– A na czym? – zrobiła „dzióbek" i jęła delikatnie dmuchać na skaleczenie. – O czym marzy, kto pisze? Nie o uznaniu? O sławie?

– Nie tylko i nie głównie. I nie na tym etapie, na jakim ja się znajduję.

– C'est-à-dire?[1]

– Edukacji. Stawiania pierwszych kroków. W takim okresie potrzeba czegoś całkiem innego.

– Quoi?, j'aimerais le savoir.[2]

– Nauki. Pomocnej ręki.

– Nie uczę cię? Nie pomagam? – przyłożyła do rany większy kawałek waty i przycisnęła go mocno, by zatamować krwotok.

– Nie tak, jak tego pragnie miłośnik filologii i adept de belles lettres[3]. Nie tak, jak na przykład nasz fizyk robi to z Rożkiem Goltzem.

– A jak i c o on z nim robi? – rzekła z błazeńską zgrozą.

– Jak to co! – odfuknąłem. – Program drugiego roku studiów uniwersyteckich. Mechanikę kwantową i teorię względności. Zostaje z nim po lekcjach. Spotykają się w domu. Jeżdżą na jakieś sympozja i olimpiady fizyczne.

– Niestety, olimpiady romanistycznej nie ma, nic na to nie poradzę.

– Lecz jest literatura, o której można mówić. I którą można czytać... Jak Francesca z Paolem – dodałem nieco ciszej.

– Jak kto? – poruszyła głową.

– Takich dwoje. Un couple...[4] Przed wiekami. W Italii.

– Nie wiem, o kogo ci chodzi.

---

[1] To znaczy?
[2] Czego, chciałabym wiedzieć.
[3] literatury pięknej
[4] Pewna para...

– Dante o nich wspomina.

– Ah, „la Divine Comédie"...[1] Nie czytałam w całości. Znam tylko Piekło i Czyściec. Ci twoi pewnie są w Raju.

– Niestety nie. W drugim kręgu... de la Cité dolante[2].

– Więc co mi proponujesz! – uśmiechnęła się kpiarsko i wyjęła z torebki białą, złożoną chusteczkę. – Żebym znalazła się w piekle?

– „L'enfer c'est les autres", on dit...[3] Od tego nie ma ucieczki.

Parsknęła krótkim śmiechem.

– Sam widzisz: wszystko znasz! – Rozpostarła chusteczkę, po czym złożyła ją w trójkąt i zrolowała starannie, tworząc wąziutki pasek o strzałkowatych końcach. – I czegóż ja właściwie miałabym jeszcze cię uczyć? Co miałabym z tobą... czytać? – Zaczęła owijać mi rękę.

– O, nie brakuje książek! – uśmiechnąłem się smutno. – Chociażby Lancelota...

– Ah, „Lancelot"!... oui, oui... „albo rycerz na wozie"... Chrétien de Troyes...

– Zgadza się – powiedziałem, stwierdzając z przerażeniem, że wpadam w ton Jerzyka.

– Czemu akurat to?... Średniowieczna legenda... Czy wiesz, jakie to trudne?

– Wiem. I właśnie dlatego...

– Liczysz na moją pomoc.

– Vous l'avez dit, madame.[4]

– Stanowczo mnie przeceniasz – związała końce chustki i zacisnęła węzeł. – Ja uczę tylko języka. Jestem, jak to komicznie wyraził twój kolega, seulement une lectrice de français. Miałam zresztą wrażenie, że mu podpowiadałeś – spojrzała mi w oczy przekornie.

– I poszła pani w końcu na tę wystawę Picassa? – oddałem natychmiast wet za wet, z nieporuszoną twarzą.

– „W końcu"? Dlaczego „w końcu"? Byłam na samym początku.

– A powiedziała pani...

– Co powiedziałam? – przerwała.

[1] Ach, Boska Komedia...
[2] Miasta udręczenia
[3] „Piekło to inni", podobno...
[4] Rzekłaś, pani.

- *„Je n'y suis pas allée".*
- I powiedziałam prawdę.
- Jak to należy rozumieć?
- Że byłam na otwarciu, lecz nie widziałam obrazów. A przecież, jak rozumiem, o to ci tylko chodziło.
- Mnie?
- Twojemu koledze – odegrała poprawkę.
- Niech mi pani wybaczy, lecz czegoś tu nie rozumiem.
- Słucham, o co ci chodzi? – Na jej ustach wciąż gościł ironiczny uśmieszek, który dodawał jej czaru.
- Jak można być na otwarciu i nie oglądać obrazów?
- A cóż w tym nadzwyczajnego? – wzruszyła ramionami. – To nawet naturalne. Pożyjesz, przekonasz się.
- To po co w ogóle chodzić?
- Bywają różne powody.
Przeszedł mnie zimny dreszcz i już-już miałem wystrzelić: „Szczęśliwy los Kleopatry?", lecz ugryzłem się w język.
- Zresztą, nie lubię Picassa – dodała po krótkiej pauzie.
Przyniosło to pewną ulgę.
- Szczerze mówiąc, ja też – szukałem porozumienia.
- No widzisz, jak się składa... – powiedziała figlarnie.
- A kogo pani lubi? – znowu uległem pokusie ryzykowniejszej gry. – Bo ja Bernarda Buffeta.
Nie drgnęła jej nawet powieka.
- Zwłaszcza te jego martwe, stalowe pejzaże Paryża... – ciągnąłem flegmatycznie. – Zna pani to malarstwo?
- No pewnie, kto by nie znał!
- I co? – spojrzałem jej w oczy. – Podziela pani mój gust?
- To nie jest wielkie malarstwo – odrzekła kręcąc głową. – Lecz, owszem, ma pewien urok.
Chciałem iść o krok dalej („A kościół Saint Germain? To także tylko urok?"), lecz powstrzymałem się, wpadając na lepszy pomysł.
- Wie pani, kogo jeszcze, i to szczególnie, lubię?
- Spośród malarzy, rozumiem...
- Tak – uśmiechnąłem się.
- Skąd miałabym wiedzieć? Powiedz.

– Alberta Giacomettiego – stwierdziłem, gasząc uśmiech. – A o nim...
co pani sądzi?

– Ciekawy – skinęła głową. – Tajemniczy... Subtelny...

– Podobno jego twórczość odniosła w ostatnim czasie niewiarygodny
sukces i jest na ustach wszystkich.

– *Je ne suis pas au courant*[1] – rozłożyła ramiona.

– Czytałem o tym w gazetach – kłamałem z kamienną twarzą. – A poza tym słyszałem, że mówi się o niej nawet... w jakimś melodramacie.

– W melodramacie? – spytała.

– No, tego... jak mu tam? – grałem zaćmienie pamięci. – Zwanego
*l'enfant prodige du cinéma français*...[2] – zacytowałem słowa z podtytułu
wywiadu ogłoszonego w «Arts».

– Lelouche'a?

– *Voilà!* – znów spojrzałem jej w oczy.

Uniosła nieco głowę i zmrużyła powieki, po czym prychnęła przez nos
i rzekła z drwiącym uśmiechem:

– Możliwe... Co za bzdure! – dodała kręcąc głową.

– Przepraszam, co jest brednią? – udałem, że nie rozumiem.

– Widzieć w tym przejaw mody.

– Widziała pani ten film? – zagrałem zaskoczenie.

– Owszem, zdarzyło mi się – odrzekła obojętnie.

– Gdzie? Kiedy? Jakim cudem? U nas go jeszcze nie grają!

– Nie grają. A ja widziałam.

– No i co?! – zagadnąłem z prawdziwą ciekawością.

– O co właściwie pytasz?

– No... o ogólne wrażenie.

– Przecież wiesz: melodramat.

– Podziela pani ten pogląd?

– Pogląd? Na temat gatunku?

– Różnie się o tym mówi – odzyskiwałem nareszcie pełną swobodę i swa-
dę. – Niektórzy uważają, że to jest polemika z filozofią negacji. Odpowiedź na egzystencjalizm, „te wszystkie nihilizmy, alienacje, frustracje"...

Zaśmiała się perliście.

---

[1] Nic o tym nie słyszałam
[2] cudownym dzieckiem kina francuskiego

– Więc pani się z tym nie zgadza!... – w mój głos, wbrew mojej woli, wkradła się nuta nadziei.

– Nie wiem, o co ci chodzi.

– O pani sąd... ocenę.

Wzruszyła ramionami.

– Głupiutkie... – powiedziała. – Rozrywkowe... Niewinne...

– Niewinne? – nie wytrzymałem.

– Nie widzę w tym nic zdrożnego... Kolorowe obrazki. Flirt towarzyski. Bajka.

Na chustce owiniętej wokół mej lewej dłoni ujrzałem plamkę krwi. Uniosłem nieco rękę i wyciągnąłem przed siebie w demonstracyjnym geście.

– No i co teraz będzie? – spytałem z udaną troską. – Taka ładna chusteczka.

– Możesz ją sobie zachować – odpowiedziała z uśmiechem. – Niech będzie to rewanż za zeszyt.

– To miłe z pani strony – cofnąłem ranną rękę i, znów spojrzawszy jej w oczy, dorzuciłem przekornie: – Wierzę, że nie jest to chustka od jakiegoś Otella.

– Ani od Antoniusza – odrzekła filuternie, po czym wstała, podeszła do małego stolika, na którym stał telefon, i podniósłszy słuchawkę, wcisnęła czerwony guzik łączący z kancelarią.

Zleciła sekretarce sprowadzenie taksówki. Niech ktoś pójdzie na postój i podjedzie pod szkołę. Pod główne wejście. Prędko.

Znów poczułem niepokój i szybsze bicie serca. Dla kogo zamówiła? Dla mnie? Dla siebie? Nas dwojga? Chce mnie odwieźć do domu? Jechać na pogotowie?

Cokolwiek zamierzała, jedno było bezsporne: mój czas dobiegał końca. Małe czerwone ramiączko, tak zwana „chorągiewka", na tarczy mego zegara, który tykał bezgłośnie tej „partii gabinetowej", stało prawie w zenicie i wkrótce miało opaść. Myślałem gorączkowo, jak rozegrać końcówkę.

Wszystko, co do tej pory stało się moim udziałem – opatrywanie ręki, słowna szermierka, rozmowa, która dała odpowiedź na tyle doniosłych pytań – wykraczało nie tylko poza horyzont mych planów, lecz nawet, i to znacznie, poza horyzont marzeń. Jakże blado wypadał choćby ów zręczny dialog, jaki roiłem był sobie, leżąc niegdyś na łóżku („Co wtedy... co wtedy, mój chłopcze?"), w porównaniu z tym oto, który właśnie wybrzmiewał. A przecież wydawał się wtedy tak niezrównany i piękny, że całkiem nierealny. A jednak mimo to, mimo iż tak wysoko dane mi było wzlecieć, odczuwałem niedosyt. Owo jej nowe oblicze, jakie ukazywała w szczególnej sytuacji, pogodne i naturalne, męskie i czułe zarazem, pełne uroczej przekory i dowcipnego wdzięku, wzbudzało dławiące pragnienie... no właśnie, czego?... Czego?!... Czym miałoby być spełnienie tej dojmującej tęsknoty? Jak miałoby się ziścić?

Nagle doznałem olśnienia.

Zbić króla królem!... Tknąć!... Zwrócić się do niej *per* „ty"... A potem przestać mówić, a potem... „nie czytać już"... Oto forma spełnienia czy zadośćuczynienia.

Przystąpiłem do akcji.

– Była pani na *Fedrze*? – zrobiłem pierwszy ruch. – Na gościnnych występach Comédie Française? – zastygłem w oczekiwaniu.

– Oczywiście, że byłam. – (Znów odetchnąłem bezgłośnie.) – Nie być na takim spektaklu!

– Na którym pani była? Na pierwszym czy na drugim?

– Na pierwszym, na premierze.

– Ja byłem niestety na drugim – skłamałem, by nie płoszyć.

– Niestety?

– Bądź co bądź, premiera to premiera.

– Nie sądzę, by w tym wypadku miało to jakieś znaczenie.

Ruszyłem królem naprzód:

– Fantastyczne, nieprawdaż?

– Owszem, udane – odrzekła, znowu grzebiąc w torebce.

– Te typy!... Ten rytm mówienia! – celebrowałem zachwyt. – Te zatrzymane obrazy!... Nie mogłem potem spać. Do dzisiaj to za mną chodzi.

– Jesteś nazbyt podatny na czarodziejstwa sztuki – stwierdziła, nie patrząc na mnie. – Więcej umiaru. Dystansu.

– Właściwie ma pani rację – udałem, że ustępuję. – Jakkolwiek, z drugiej strony... zna pani coś innego, co byłoby tego godne?

– Czego?

335

– Zachwytu... Miłości.

Uniosła wzrok znad torebki.

– Teatr natury: ż y c i e – włożyła do kieszeni zamkniętą prawą rękę (jakby w niej coś trzymając) i przysiadła na stole jak Srebrnowłosa Marianna.

– Zgoda – odpowiedziałem czując, że sprzyja mi wena – zgoda, lecz pod warunkiem, że będzie miało formę. A tę może mu nadać jedynie sztuka... L'art. Czym byłby ów „teatr życia", gdyby nie maski i stroje, powabne słowa i śpiew, gdyby nie cały ten czar, za którym stoi artysta?! Bezbarwną magmą lub kiczem. Wegetacją i nudą.

– Przesada, gruba przesada – patrzyła na mnie z góry z przyjaznym pobłażaniem.

– Przesada? To proszę pomyśleć, kim bylibyśmy wszyscy... co tam my!... nawet o n i, bohaterowie *Fedry*, i czym byłaby ich tragedia, gdyby odjąć im wszystko, co dostali w posagu od swoich twórców, artystów?... od starożytnych począwszy, a na Racinie kończąc. Bez fundamentu kultury, bez tabu i obyczaju, a zwłaszcza bez języka, bez mowy kunsztownie wiązanej, Hipolit byłby samcem, w którym budzi się żądza, a Fedra... goniącą się suką. A tak ma pani... Boga i stwarzanego Adama w stylu Michała Anioła lub wzniosłą alegorię ludzkiego niespełnienia... A skoro już o tym mowa – w obawie, że zbraknie mi czasu, przyśpieszyłem gwałtownie tempo rozwoju akcji – która z tych scen... na pani... zrobiła większe wrażenie? Wyznanie Hipolita czy też wyznanie Fedry?

„Tylko mów prawdę, proszę", opuściłem powieki, wyświetlając w pamięci obraz Madame w teatrze, gdy biła brawo po scenie molestowania pasierba i odebrania mu miecza.

– To drugie – usłyszałem. – A na tobie?

– To pierwsze – wróciłem do gabinetu.

– Tak myślałam.

– Dlaczego?

– Bo widzę, że lubisz słodycz... Wbrew temu, co deklarujesz.

– A pani woli gorycz? – zmodulowałem niechcący pamiętne zdanie Jerzyka.

– W sztuce tak. W życiu nie – wyjęła rękę z kieszeni i poprawiła spódnicę.

Uznałem, że nie ma co zwlekać.

Wstałem, podszedłem do półki, na której stała „plejada", i wyciągnąłem z szeregu tom z dramatami Racine'a. Znalazłem szybko *Fedrę*, a w niej
pierwszą rozmowę Hipolita z Arycją.
– Zrobi pani coś dla mnie?... – zbliżyłem się do stołu – by osłodzić mi
życie... – wskazałem na ranną rękę.
– Zależy co – odparła.
– Ach, nic nadzwyczajnego!... Proszę mi to przeczytać – podałem otwartą książkę i wróciłem na sofę.
Spojrzała w tekst i zaczęła (podaję w tłumaczeniu):

> Pani, zanim ruszę w drogę,
> Nie zostawić ci dobrej nowiny nie mogę.

– Trochę dalej – szepnąłem niczym reżyser lub sufler.
Przerwała i podjęła od drugiej kwestii Arycji:

> Usłyszawszy to wszystko, pełna zadziwienia,
> Boję się, że to tylko senne przywidzenia.
> Czy to jawa? Jak mogę...

– Przepraszam, jeszcze dalej.
– No więc odkąd właściwie? – spytała zniecierpliwiona.
– Od „Ja panią, nienawidzieć?"
Odnalazła to miejsce i po raz trzeci zaczęła:

> Cokolwiek o mej dumie by się powiedziało,
> Przecież nie żadne monstrum na świat mnie wydało.
> Jaka się wściekłość dzika, jakie zaślepienie
> Nie uśmierzy przy tobie na pierwsze wejrzenie?
> Z jakim zapamiętaniem urok twój chłonąłem...

– Co, panie? – wtrąciłem z pamięci padającą w tym miejscu ekskla-
mację Arycji.
Spojrzała na mnie z uśmiechem i pociągnęła dalej:

> Zbyt daleko już się posunąłem.
> Widzę, że się mój rozum w szaleństwo przemienia.
> Lecz skoro już złamałem pieczęcie milczenia,
> Trzeba iść dalej, pani, trzeba ci objawić
> To, czego dłużej w sobie nie zdołam już trawić.
> Stoi oto przed tobą książę nieszczęśliwy,
> Dumy nazbyt zuchwalej gorzki przykład żywy.
> Ja, co przeciw miłości wzniośle zbuntowany,
> Wyszydzałem kochanków skutych w jej kajdany;

Ja, co z bezpiecznych brzegów pragnąłem bez drżenia
Śledzić sztorm i słabnących rozbitków cierpienia,
Dziś, podległy tym wspólnym prawom i potrzebie,
Całkiem w mym pomieszaniu nie poznaję siebie!...

Podniosła wzrok znad książki:
– Wystarczy, czy jeszcze dalej?
– Jeszcze ostatnie linijki.

Przetrzymała spojrzenie zatopione w mych oczach i pokręciła głową,
jakby chciała powiedzieć „niebezpiecznie się bawisz", po czym wróciła
do tekstu:

Ale może tym droższy ten dar ci się stanie:
Pomyśl, że w obcej mowie składam ci wyznanie...

Znowu przerwała lekturę.
– Mimo wszystko  j a  czytam – powiedziała przekornie.
– Dobrze, to teraz ja – poprosiłem o książkę.
Zsunęła się ze stołu i podała mi ją, po czym znowu usiadła na foteliku
przede mną.
– Przepraszam, ale właściwie to ja powinienem tu siedzieć, a pani na
moim miejscu – manewrowałem w ten sposób, by mieć ją po prawej stronie.
– Dlaczego? – zdziwiła się.
– Zgodnie z obrazem Charona. Kto tutaj jest królem? Pani. A zatem
proszę na sofę – wstałem wskazując miejsce. – Ja zaś, jako Racine, usiądę
na fotelu.
– Masz jednak jeszcze zielono, zupełnie zielono w głowie – podniosła
się i przesiadła. – No więc co mi przeczytasz? – przybrała na chwilę pozę
Ludwika czternastego. – Byle ładnie, rytmicznie – podniosła palec do góry
w geście kpiarskiej przestrogi. – Wiesz, że w aleksandrynie trzeba dodawać sylaby, których w potocznym języku nigdy się nie wymawia...
– *Mais Votre Altesse!*[1] Jak bym nie mógł!
– *Allez-y donc, Seigneur.*[2]
Przełożyłem stronicę, odsłaniając tym samym tekst „wielkiej arii" Fe-
dry, i zacząłem go czytać:

---

[1] Ależ Wasza Wysokość!
[2] No to do dzieła, Panie.

Ach, okrutny, dobrześ mnie zrozumiał.
Dość wyznałam, by twoje rozproszyć zwątpienie.
Dobrze! poznaj więc Fedry całe udręczenie:
Kocham! Jednakże nie myśl, że ku tobie płonę
Nie odczuwając winy, biorąc się w obronę;
Ale że i trucizna szalonej miłości,
Która mąci mi rozum, płynie z mej słabości.
Biada temu na kogo pomsta Niebios spada!
Mnie bardziej niźli ciebie mierzi moja zdrada.
Niech bogowie zaświadczą: to oni w mym łonie
Wzniecili zgubny ogień, którym ród mój płonie...

Znałem ten tekst na pamięć, a nawet jeszcze więcej – miałem go wyćwiczony jak popisowy numer. Panowałem nad wszystkim, nad wymową, rytmiką i logiką wywodu. Słowa mówiły się same, nie wymagając ode mnie wytężonej uwagi. I kiedy tak płynęły, gdy usłyszałem naraz jakby kogoś innego, jakbym to mówił nie ja, lecz ktoś moimi ustami, znowu poczułem ów dreszcz – ambicji i woli zwycięstwa – jaki mnie już przeszywał w podobnych sytuacjach, gdy przy pomocy sztuki – poczji lub muzyki – chciałem ujarzmić życie: zjednać dla siebie Prospera w Biurze Organizacji; poskromić krewką „czerń" podczas wręczania nagród w Miejskim Domu Kultury; zapanować nad salą na akademii „ku czci". I przyszło mi do głowy, że tego rodzaju dreszcz mógł przechodzić Racine'a, gdy pisał swoje tragedie, a zwłaszcza gdy później je czytał – aktorkom i królowi. Był nieśmiały, niepewny i nie miał błękitnej krwi; kobiety i majestat, w ogóle świat i życie, były dla niego jak Goliat – nieokiełznanym olbrzymem, który nad nim górował; do walki z nim przystępował wyposażony jedynie w iskrę bożą – dar słowa. Aby z nim wygrać, musiał... porazić go, zaczarować, obezwładnić urokiem.

Stało się dla mnie jasne, że moja godzina – bije. Teraz!... Teraz lub nigdy – może do tego dojść! Przekroczę zaklęty krąg rzeczywistości mitycznej. Zdobędę ją, dotknę, poznam.

Świadomy siły efektu, jaki zwykło to czynić na słuchaczach lub widzach, uniosłem wzrok znad tekstu nie przestając go mówić, zamknąłem wolno tom i położyłem na stole, po czym, spojrzawszy jej w oczy, ciągnąłem dalej z pamięci z imponującą swobodą:

Oto me serce. Przebij. Tutaj cios mi zadaj.
Czuję, jak się wyrywa naprzeciw twej ręce,
Niecierpliwe, by z grzechu oczyścić się w męce.

Patrzyła na mnie z uwagą, dalej się uśmiechając tym swoim przekornym uśmiechem, lecz w oczach jej lśnił wreszcie blask zadziwienia i czci. „Ładnie piszesz, Racine", promieniowała myślą Ludwika czternastego, „a jeszcze ładniej mówisz... Mów dalej... Jeszcze, jeszcze..."
Nie przestawałem, mówiłem:

> Uderz. Albo, jeżeli to niegodne ciebie,
> Jeśli nie chcesz mnie, w gniewie, wspomóc w tej potrzebie
> Lub ręki sobie kazić moją krwią nikczemną,
> Użycz chociaż żelaza. Zlituj się nade mną.
> Daj.

I niby naśladując pamiętny gest Fedry z Comédie Française, chwyciłem prawą ręką przegub lewej Madame.

I wtedy stało się coś, co mnie z kolei wprawiło w zupełne osłupienie. Otóż ona – być może w mimowolnym odruchu, a może chcąc podkreślić, że widzi w tym tylko grę i sama ją podejmuje, dla podtrzymania konwencji, dla wspólnej błazenady – obróciła w imadle mej prawej, gorącej dłoni swą chłodną, szczupłą rękę i cofnęła ją nieco, tak aby spotkać się z moją, i uścisnęła ją, od dołu, silnym uściskiem. Był to gest właśnie taki, na jaki w swej rozpaczy zdawała się liczyć Fedra, przetrzymując w swej ręce nadgarstek Hipolita – gest ludzkiej solidarności; ów gest, którego tamten wyniośle jej poskąpił.

W interpretacji Madame cały ten manewr jednak oznaczał coś innego. Nie był wyrazem współczucia, miłosierdzia czy łaski. Był korekturą, szlifem, oswojeniem mej akcji (wbrew licznym cudzysłowom nieokrzesanej i dzikiej) – lekcją, podobną do tej, jakiej dopiero co udzielał mi był Robociarz – bezowocnie na szczęście – w zakresie trzymania piły.

„Nie tak, całkiem nie tak", zdawała się mnie poprawiać tym ujmującym gestem. „Naucz się wreszcie, głuptasie, że jeśli już świętokradczo sięgasz po moją rękę, po rękę niewiasty w ogóle, to czyń to przynajmniej jawnie, odważnie, z odkrytą przyłbicą, a nie w przebraniu, podstępnie i połowicznie zarazem, udając przed samym sobą, że robisz coś innego. Rzecz, o którą ci chodzi, wygląda o tak, w ten sposób: twoja prawica na wierzchu, moja lewica pod spodem. Dłonie stykają się, a palce obejmują. Oto rytuał zaślubin."

– *C'est extraordinaire!* – maskowałem emocję rzekomym entuzjazmem natury estetycznej i niby na tej fali wyrzekłem wreszcie słowo „zbijające jej króla": – *Tu as fait justement ce qu'Hippolite n'avait pas fait.*[1]
– „*Tu*"?[2] – podchwyciła natychmiast. – Zapędziłeś się w roli lub... muszę cofnąć ci piątkę, bo najwyraźniej przestałeś odróżniać osoby i liczby.

– *Mais la concordance des temps etait irréprochable*[3] – odpowiedziałem z uśmiechem i chciałem dalej coś mówić, by jeszcze, choćby o chwilę, przedłużyć tę komunię, gdy nagle drzwi gabinetu otwarły się gwałtownie i ukazali się w nich – zdyszani, w wierzchnich okryciach – Mefisto i Prometeusz.

– Taksówka... – zaczął któryś i zamarł jak porażony, widząc, co był zobaczył.

Puściłem rękę Madame.

– Przynieście mu ubranie – powiedziała spokojnie, jak gdyby nigdy nic. – Zawsze trzeba wam wszystko polecać i przypominać?

Odeszli skonsternowani, ona zaś się podniosła, zamknęła na powrót drzwi, po czym z prawej kieszeni tweedowego żakietu wyjęła pięćdziesiąt złotych.

– Gdzie mieszkasz? – zapytała.

Wymieniłem ulicę.

– Powinno ci wystarczyć – podała mi banknot z Rybakiem.

– To jest o wiele za dużo – rzekłem oszołomiony.

– Tak dobrze znasz ceny?... Skąd?... Rozbijasz się taksówkami?

– Nie trzeba się zaraz rozbijać...

– Przestań, proszę, i weź to! – przerwała mi w pół słowa, a skoro w dalszym ciągu nie wyciągałem ręki, postąpiła krok naprzód i wsunęła mi banknot do górnej kieszeni bluzy. – A teraz... *adieu, mon prince.*

I znów otworzyła drzwi.

# Końcówka

Po tych wypadkach długo nie mogłem dojść do siebie. Trawiłem je w pamięci jak wąż, który połknął za dużo. Leżąc na łóżku, na wznak, z za-

---

[1] To nadzwyczajne! (...) Zrobiłaś dokładnie to, czego nie zrobił był Hipolit.
[2] „Ty"?
[3] Ale następstwo czasów było bez zarzutu

mkniętymi oczami, raz po raz, obsesyjnie, odtwarzałem to wszystko, co zaszło w gabinecie, usiłując w tym znaleźć jakiś przewodni sens – odpowiedź na pytanie, co to właściwie było, co się właściwie stało. Jak należy rozumieć zachowanie Madame – tę całą niebywałą, zadziwiającą odmianę? Jako rolę podjętą wskutek zdenerwowania czy lęku o stanowisko i związaną z nim przyszłość? Robienie dobrej miny do tak zwanej złej gry? Serwitut na rzecz ofiary, aby ją obłaskawić i nie dopuścić przez to, aby podniosła larum? Czy – jako zrzucenie maski? Odsłonięcie nareszcie prawdziwszego oblicza? Jeżeli zaś to drugie, cóż miałoby to znaczyć? Co kierowało nią, że poszła na ową grę, daleko wykraczającą poza ramy i formy właściwe pierwszej pomocy? Kaprys? Próżność? Ciekawość? Czy może jednak... sympatia? Utajona, tłumiona...

Gubiłem się w dociekaniach. Raz wydawało mi się, że była to z jej strony zimna, kobieca sztuczka, obliczona na efekt oszołomienia mnie i zamknięcia mi ust; za chwilę znów miałem wrażenie, że było to jednak szczere i stanowiło wyraz pewnej słabości do mnie, na której ujawnienie nie mogła lub nie chciała dotychczas sobie pozwolić, aż oto – pozwoliła, korzystając z dogodnej do tego sytuacji.

To drugie domniemanie było tak pożądane, że z czasem wzięło górę. A to wzbudziło wkrótce potrzebę potwierdzenia – dowodu, który zarazem, niejako z natury rzeczy, stanowiłby powtórzenie znanego już tematu, czyli słodkiej melodii duetu w gabinecie. Pomysł, na jaki wpadłem, aby osiągnąć ów cel, odznaczał się prostotą właściwą arcydziełom: nie iść nazajutrz do szkoły; nieobecnością wywołać niepokój o mój los i stworzyć przez to warunki dla kroków wywiadowczych – drogą telefoniczną. Jeśli zadzwoni ktoś inny – na zlecenie lub nie – przedstawić własny stan w jak najczarniejszych barwach i sprawić, by obraz ten przekazano Madame; jeśli zaś ona sama odezwie się w słuchawce, nie straszyć jej zanadto, lecz i nie uspokajać, a w każdym razie tak mówić, by ją uwikłać w rozmowę i znów z niej coś wydobyć – ton miły uchu i sercu.

Powziąwszy postanowienie, oddałem się bez reszty wymyślaniu „debiutów" oraz „list dialogowych".

Trud ten okazał się jednak całkowicie daremny. Przez cały następny dzień nikt do mnie nie zadzwonił – ani by się dowiedzieć o moje samopoczucie, ani z innego powodu. Przełknąłem gorzki smak niespełnionej nadziei i licząc mimo wszystko na jakiś dalszy ciąg, z ręką spowitą w bandaż i tkwiącą na temblaku (co było zbytkiem dbałości o gojenie się rany) udałem się w środę do szkoły.

Wbrew moim przypuszczeniom, iż znowu, jak ostatnio, po incydencie ze Żmiją, przywita mnie w klasie przychylność, choć tym razem zapewne podszyta ironią i wścibstwem, które będę zmuszony odpierać i poskramiać, spotkała mnie obojętność, a nawet rodzaj chłodu. Nie tylko że nie zwracano się do mnie z żadnym pytaniem, ani o stan mojej ręki, ani tym bardziej o to, co działo się w gabinecie, lecz w ogóle jakby stroniono od mego towarzystwa. Zdawała się mnie otaczać dziwna zmowa milczenia. Odnosiłem wrażenie, że w mojej obecności gasną wszelkie rozmowy, a jednocześnie, że jestem przedmiotem szeptów i spojrzeń rzucanych mi ukradkowo. Zachowanie to miało znamiona urazy, zawodu. Jak gdyby towarzystwo czuło się oszukane lub wystrychnięte na dudka.

„Zdawało się, że jest z nami", mówiły oczy i miny, „że dzieli ten sam los skrzywdzonych i poniżonych, a on tymczasem w najlepsze wiedzie podwójne życie. Jest cichym faworytem tej dumnej Francuzicy, dopuszczanym do łask, o jakich nam się nie śni! No, to teraz już jasne, dlaczego tak się stawia, na tyle sobie pozwala, i wszystko uchodzi mu płazem. Patrzcie go, paź królowej!"

W tym stanie rzeczy mój głód na „drugie danie" z Madame lub choćby na mały „deser" w postaci zapytania (na stronie oczywiście) o rekonwalescencję przerodził się niespodzianie w potrzebę znacznie skromniejszą: chciałem już tylko wiedzieć, co przyniosą najbliższe zajęcia z francuskiego. Jak ona po tym wszystkim będzie się do mnie odnosić? Jak w ogóle się zachowa? I jak to będzie widziane, a raczej – obserwowane?

Odpowiedź, jakiej w tej mierze udzieliło mi życie, nie była budująca. Madame, przybywszy do klasy, nie poświęciła mi nawet krzty zainteresowania, a potem w swym zachowaniu wróciła do formuły trzymania mnie na dystans. Skończyły się polecenia, abym poprawiał innych albo bym odpowiadał, kiedy ktoś nie potrafił. Znów jakby mnie nie było. Jak po zaborze zeszytu. Klasa zaś w dalszym ciągu pozostawała nieufna. We wszystkim widziano pozór, mistyfikację, grę. Lekceważono fakt, że nie odzywa się do mnie, nie dawano mu wiary, a „skrzydło radykalnę" dostrzegło w nim nawet przejaw, o ile zgoła nie dowód, iż łączą nas stosunki co najmniej poufałe. „Nie mówi nic do niego", zdarzyło mi się raz w szatni podsłuchać cichą rozmowę, „bo wie, że głos ją zdradzi. Jak ludzie żyją ze sobą, to słychać to potem w mowie."

Ta atmosfera plotek, podejrzliwości i kpin mało mnie obchodziła. Trapiła mnie natomiast, i to dogłębnie, Madame – ten jej kolejny zwrot, to jakby zerwanie ze mną.

„Co się stało? Dlaczego? O co w tym wszystkim chodzi?" – odmawiałem codziennie długą litanię pytań. Wystraszyła się jednak? Poczuła się urażona? Co kryje się za tą zmianą, za tym zaniemówieniem? – A może tak to już jest? – szukałem pocieszenia w mitycznych twierdzeniach i prawdach. Może taka jest cena... bezwstydu i rozkoszy? Może w ten właśnie sposób płaci się za spełnienie? – „Poszedłeś za daleko...", znowu odezwał się głos, mój stary, dobry znajomy. „Posmakowałeś boskości... Dotknąłeś jej... Poznałeś... Cena tego jest jedna: chmura na Pańskim obliczu... wygnanie z Raju... padół."

Myślałem, co można zrobić, aby to jakoś wyjaśnić. Szukałem dróg odwołania. Lecz czas sposobny po temu zaczął raptem się kurczyć. Ledwo minęła studniówka, a już na horyzoncie pojawiła się meta regularnej nauki. Kończyły się zwykłe lekcje, zaczynał okres powtórzeń całego materiału tylko głównych przedmiotów, okres korepetycji i przygotowań na studia. Zbliżała się matura. Przestałem widywać Madame.

Dochodziły mnie o niej tylko pewne sygnały; a to że ma już zgodę na wprowadzenie reformy, a to że przyjmowała delegację Francuzów, a to że rozpoczęła rozmowy w kuratorium w sprawie wymiany kadry na francuskojęzyczną. Dochodziły też słuchy o rzeczach mniejszej wagi, choć akurat dla mnie ważniejsze. Zwłaszcza jedna wiadomość miała ogromne znaczenie. Otóż poczciwy Kadłubek powiedział mi w zaufaniu, że dopuszczenie do matury zawdzięczam w dużej mierze, o ile nie wyłącznie, „naszej pani dyrektor", która wolała przyjąć dymisję „pani biolog", niż spełnić jej żądanie względem mojej osoby. Na radzie pedagogicznej, na której „stanęła ta sprawa", doszło do istnej burzy. A kiedy „pani dyrektor" ucięła w końcu dyskusję, forsując swoją decyzję, Żmija wstała i wyszła, głośno trzaskając drzwiami. Co do niego, Kadłubka, przyjął to z wielką ulgą – nie tylko ze względu na mnie, również ze względu na siebie, bo szczerze jej nie znosił.

Madame ujrzałem znowu dopiero podczas matury.

W granatowym blezerze, plisowanej spódnicy w szkocką, zieloną kratę i czarnych bucikach na słupku przechadzała się wolno pomiędzy rzędami ławek, przy których pisaliśmy prace. Czasami, tu i ówdzie, zatrzymywała się i spoglądała z góry na zaczerniany papier; czasami zdawała się nawet dawać komuś wskazówki albo zwracać uwagę na popełnione błędy. Przy mojej jednak ławce lub choćby gdzieś w pobliżu nie przystanęła nigdy. W ogóle jakby stroniła od rzędu, w którym siedziałem.

Wyglądała kwitnąco. Opalona, młodzieńcza. Pewnie na ferie wiosenne pojechała gdzieś w góry... Ciekawe, czy z Dyrektorem? Znów zakłuło mnie serce i nie mogłem się skupić. Aż powiedziałem sobie: „Trzeba wreszcie z tym skończyć. To nie ma żadnego sensu. Nic nie napiszesz i nie zdasz."

Napisałem i zdałem. A nawet otrzymałem maturę z wyróżnieniem.

Nie to jednak jest ważne. Ważne jest, co się stało na balu maturalnym – w nocy świętego Jana, najkrótszej nocy w roku.


Szedłem na tę zabawę bez przekonania, niechętnie. Hałaśliwa muzyka, podniecenie i tańce, podlewane pokątnie tanim winem lub wódką, nie należały do uciech, za którymi szalałem; tego rodzaju imprezy co najmniej nudziły mnie, o ile nie męczyły. Tym razem perspektywę pogarszało to jeszcze, że moje stosunki z klasą, czy, ściślej mówiąc, z grupą, z którą niegdyś trzymałem, pozostawały chłodne i nic nie zapowiadało, by miały nagle wrócić do dawnej komitywy. Stwarzało to zagrożenie, że będę sterczał sam, nie wiedząc, co z sobą począć, z nieprzyjemnym uczuciem bezsensu i odrzucenia. Jeśli więc jednak szedłem, to po trosze z inercji – bo „wszyscy szli", bo „się szło" – a w pewnym stopniu z przekory, z masochistycznej chęci udowodnienia sobie, że jestem wyobcowany, niezdolny do normalności, skazany na samotność.

Co się tyczy Madame, starałem się o niej nie myśleć. Udawałem przed sobą, że jest to sprawa zamknięta, i nie zastanawiałem się, czy w ogóle będzie na balu. W każdym razie decyzja, by mimo wszystko tam iść, nie miała z nią nic wspólnego.

Rzecz zaczynała się późno, o dziewiątej wieczorem, i miała trwać do rana. Porządek przewidywał następujące punkty:

– uroczysta kolacja z alkoholem „legalnym" (płaski kieliszek szampana i lampka białego wina);

– zabawa taneczna w auli z wynajętym zespołem wokalno-instrumentalnym „Skowyczące Pantery", zakrapiana obficie napitkiem „nielegalnym" (wódka i wino „Alpaga" przemycone zawczasu i ukryte przemyślnie w szatni i w toaletach).

Rzeczywistość zaczęła potwierdzać moje prognozy.

Tak jak przewidywałem, znalazłem się „na boku". Nie żeby się zaraz odwracano ode mnie czy wyraźnie stroniono od mego towarzystwa, jednakże większość osób tworzyła pary lub grupy, była zajęta sobą i nastawiona bez reszty na tańce i upojenie, a nie na konwersację czy choćby wspólne żarty. Mój los dzieliły tylko brzydkie, nudne dziewczyny i mroczny Rożek Goltz, besserwisser i dziwak – geniusz matematyczny.

Snułem się bezcelowo po korytarzach i salach, w których wrzała zabawa, grając przed otoczeniem, a głównie przed samym sobą wyniosłego artystę, który gardzi pospólstwem i jego igrzyskami, który jest ponad to i „cierpi za miliony". Brakowało mi tylko romantycznego kostiumu, najlepiej czarnego płaszcza lub czarnej peleryny, którą bym się owijał niczym René Chateaubriand lub przynajmniej Wyspiański na słynnym weselu Rydla. Niestety, prawie nikt nie zwracał na mnie uwagi, a ci, którym się to zdarzało, patrzyli na mnie kpiąco albo z politowaniem („nie pije, nie pali, nie tańczy, nie ma dziewczyny – frajer!").

Zacząłem myśleć o wyjściu, lecz właśnie w owym czasie zobaczyłem Madame. Siedziała przy długim stole w pokoju nauczycielskim (którego składane drzwi były otwarte na oścież), otoczona z dwóch stron „ciałem pedagogicznym" i przedstawicielami komitetu rodzicielskiego. Stół był przykryty białym, wykrochmalonym obrusem, i zastawiony serwisem do kawy i słodyczy. Lśniły też na nim srebrne, dzbankowate termosy i butelki z Vermouthem. Madame miała na sobie kremową, obcisłą suknię, z dekoltem i bez rękawów, jej szyję zaś zdobiła obwódka drobnych pereł. Siedziała w centralnym miejscu i w chwili, gdy ją spostrzegłem, wznosiła właśnie toast za dalszy rozwój szkoły i... udane wakacje.

Patrzyłem na tę scenę z załomu korytarza, sam skryty przed oczami uczestników biesiady, i przyszło mi naraz na myśl: „Ona pije za wyjazd! Ona się z nimi żegna, choć oni tego nie wiedzą. To jest ostatnia wieczerza!"

I dalej, kabotyńsko, ciągnąłem wewnętrzny monolog:

„Żegnaj, boska istoto, okrutna swą urodą! Po com cię w ogóle ujrzał! O, czemuś się zjawiła na drodze mego życia! Zbyt piękna i promienna, by nie rozniecić pożaru. Zbyt dumna i daleka, ażeby go ugasić. Gdybyś tu była nie przyszła i nie dała się widzieć, mój los byłby znacznie prostszy. Tańczyłbym teraz z pewnością z jedną z mych rówieśniczek, może nawet i z samą... Lucyllą Różogrodek, w każdym razie z istotą skrojoną na moją miarę, rumianą, zziajaną, chętną, cuchnącą młodym potem, i wielce prawdopodobne, iż skradłbym jej na koniec soczystego całusa. A tak stoję tu w mroku, zbolały, zrujnowany, wyobcowany... przegrany. Wygrałaś! Lecz cóż ci po tym?... Bywaj, Królowo Śniegu! Bywaj, La Belle Victoire!"

Ruszyłem wolnym krokiem wymarłym korytarzem i wróciłem do auli, gdzie kipiała zabawa, by dalej się obnosić ze swym piętnem odmieńca. W jednym z rogów, z daleka od „Skowyczących Panter", siedział, sam, Rożek Goltz – pochylony nad książką. Poczułem do niego sympatię i przysiadłem się doń.

– Co czytasz? – zagadnąłem.

– *Wyspy fizyki* – odrzekł unosząc głowę znad kartek. – Całkiem pouczające – dodał swym dziwnym stylem.

– Co to jest? – zapytałem. – Rzecz nie wygląda mi raczej na pracę naukową.

– Bo nie jest – odparł Rożek. – To są opowiadania.

– Opowiadania? – spojrzałem z większą uwagą na druk. – Czytasz opowiadania?

– A co w tym nadzwyczajnego? Jeżeli mówią prawdę... Nie czytam tylko fikcji. Zwłaszcza tych polskich bzdur, których nas tu uczono.

– To o czym jest ta prawda? – wskazałem głową na książkę.

-- Masz, przejrzyj sobie, proszę – podał mi ją i wstał. – Pójdę się czegoś napić.

Wydana świeżo pozycja, jakichś dwóch polskich autorów, była zbiorem nowelek osnutych wokół faktów z życia wielkich fizyków ostatniego stulecia; w historie te wplatano przystępne wyjaśnienia ich odkryć naukowych. Pierwsza z nich, pod tytułem *Panna Krüger z Hamburga*, miała za temat Einsteina – jego teorię względności, koncepcję czasoprzestrzeni – i przedstawiała to wszystko przez pryzmat i na tle jego wyjazdu z Niemiec, opanowanych przez nazizm.

Zręcznie łączono wykład abstrakcyjnych idei dotyczących niejako konstytucji wszechświata, jego najpierwszych praw i zasady istnienia, z nastrojem nostalgii i żalu z powodu rozstania z kimś, czekania na jakąś wiadomość, od której wiele zależy, i zawodu, goryczy, gdy wreszcie przychodzi – zła.

Kosmos i ludzkie uczucia. Entropia, „ucieczka" gwiazd, a tu, na Ziemi – obłęd, okrutny, niszczycielski, i też, jakże inna – ucieczka.

Było to ładne i smutne, i ani się spostrzegłem, gdy dojechałem do końca. Zacząłem czytać dalej.

Nagle muzyka ucichła i przez skrzeczący głośnik ozwał się Karol Broda:

– Koleżanki! Koledzy! – grzmiał swym tubalnym głosem. – Wybiła właśnie dwunasta! Korona balu! Szczyt! Nasz ostatni egzamin... Ostatni sprawdzian!... Test!... Nasi nauczyciele, nasi surowi mentorzy raz jeszcze chcą nas wyrwać!... Spokojnie, kochani, spokojnie!... Tym razem na parkiet! Do tańca!... Prosimy! Orkiestra, tusz!

– Byleby coś wolnego! – krzyknął siwy Kadłubek.

Sala buchnęła śmiechem.

– No jasne, że wolnego! – podchwycił Karol Broda. – The Beatles: *Yesterday*!

Rozległ się krzyk radości i dzikie pohukiwania, a „Skowyczące Pantery" trąciły struny gitar.

– Boże, co za małpiarnia! – mruknął nade mną Rożek. (Czytając, nie spostrzegłem, kiedy do mnie powrócił.)

– Fakt – pokiwałem głową z niejakim roztargnieniem i znów się pochyliłem nad *Wyspami fizyki*.

– Uważaj, idzie do ciebie – znów usłyszałem głos Rożka, tym razem jakby ściszony.

Podniosłem wzrok i zamarłem. Tak, to była Madame. Zakołatało mi w głowie. „Nie, przecież takie rzeczy na ziemi się nie zdarzają...", zdążył się jeszcze we mnie odezwać Tomasz Mann, ale nie miałem czasu, by podjąć z nim dyskusję, bo oto już stała przede mną i mówiła przekornie:

– Papużki-nierozłączki!... – Rzucała kpiarskie spojrzenie to na mnie, to na Rożka. – A ten to tylko by czytał! – wskazała mnie ruchem głowy. – Trudno, nie ma tak łatwo! Porywam ci przyjaciela – powiedziała do Rożka, a widząc, że się nie ruszam, zrobiła surową minę i rzekła do mnie władczo: – No proszę, na co czekasz? Odmawiasz mi tego tańca?

Wstałem i półprzytomny uniosłem lewą rękę (podobnie jak to uczynił Hipolit wobec Arycji), a gdy złożyła na niej swą prawą, chłodną dłoń, lewą zaś – na mym prawym, nieco spadzistym ramieniu, z sercem bijącym jak młot dotknąłem jej kibici.

– *Yesterday, all my troubles seemed so far away...*[1] – rozległ się słodki dyszkant *à la* Paul McCartney czołowego *vocalu* wśród „Skowyczących Panter".

Zrobiliśmy pierwsze kroki. Nie szło mi to za dobrze. Byłem oszołomiony, nie wiedziałem, gdzie patrzeć. Jej twarz – jej oczy i usta – miałem przed sobą nie dalej niż dziesięć centymetrów, odurzał mnie zapach jej perfum (tym razem nie Chanel, lecz równie luksusowych), a jeszcze na dobitek, jakby tych wszystkich wrażeń ciągle było za mało, palce mej prawej ręki wyczuwały pod suknią, pod jej wiotką materią, pasek i sprzączkę stanika. Mignęła mi w pamięci czarno-biała przebitka z *Kobiety i mężczyzny*, która ukazywała ich pierwszy, pozornie niewinny dotyk: restauracja, rozmowa, oparcie krzesła Anne; na nim spoczywa przypadkiem ręka Jeana-Louisa, stykając się z jej plecami.

„To kicz", wołało coś we mnie, „jesteś w okowach kiczu!"

– No, weź się wreszcie w garść – powiedziała przez zęby – i zacznij mnie jakoś prowadzić! Wszyscy się na nas patrzą. Chcesz sobie narobić wstydu? A przy okazji i mnie?

Ująłem ją nieco mocniej, lecz krok plątałem dalej.

– No no, ładna historia! – nie przestawała drwić. – Żeby mój ulubieniec... najlepszy z moich uczniów... który pisywał dla mnie takie wypracowania... nie umiał dobrze tańczyć! Zresztą, co tam pisywał! Grywał na fortepianie i recytował wiersze! Występował na scenie i wcale się nie wstydził...

– Niech pani nie żartuje.

– Żartuję? Ja nie żartuję! Wyrażam tylko zdziwienie. Bo czyż nie jest to dziwne, że ktoś, jako *mon élève...* mój podopieczny... poddany!... – bawiła się w królową – w najgłębszym mroku nocy... – zamarłem z przerażenia, myśląc że ona coś wie o moich styczniowych podchodach śmiałego Akteona; była to jednak tylko, na szczęście, metafora: – nocy roku szkolnego... poważa się na zuchwałość zupełnie niewiarygodną i chwyta mnie za rękę, zwiódłszy pięknymi słówkami... zresztą, co mówię „za rękę"!... za przegub! za nadgarstek!... czyżby nie był świadomy natury tego gestu? –

---

[1] Wczoraj, wszelkie zmartwienia zdawały się dalekie...

przeniknęła mnie wzrokiem i dokończyła zdanie: – że oto ten sam ktoś, jako absolwent... prymus... dojrzały mężczyzna z maturą... w rzęsistym świetle balu... i jeszcze bezprzykładnie przeze mnie ośmielony... tak się peszy i gubi, że trzeba go nieomal podtrzymywać na nogach...
– Nie jestem wcale speszony – bąknąłem robiąc obrót – najwyżej tylko...
– Co?! – wpadła mi w słowo z uśmiechem. – Trzęsiesz się cały... jak królik.
Pociemniało mi w oczach („i ty przeciw mnie, Brutusie?"). Przełknąłem jednak dumę i tańcząc coraz śmielej odpowiedziałem słowami, jakie wyrzekła do mnie w rozmowie w gabinecie:
– Przesada, gruba przesada – i chciałem mówić dalej, lecz znowu mi przerwała:
– No, teraz trochę lepiej! Żebyś jeszcze rytm trzymał!
– I do tego dojdziemy – odzyskiwałem luz. – Chciałem tylko powiedzieć, że jeśli w pierwszej chwili czułem się trochę nieswój, to tylko i wyłącznie z powodu zaskoczenia.
– Zaskoczenia? Też sobie! Co niby cię zaskoczyło?
– Jak to co! Pani wybór. Od naszej ostatniej rozmowy u pani w gabinecie minęło prawie pół roku, przez które pani do mnie nie odezwała się słowem... Traktowała mnie pani jak widmo, jak powietrze... A teraz ni stąd, ni zowąd, prosi mnie pani do tańca. No, sama pani przyzna...
– Nic nie przyznam... Nie gadaj! – skarciła mnie zalotnie. – Słuchaj muzyki i tańcz.
– *Yesterday, love was such an easy game to play*[1] – zawodził pierwszy *vocal* „Skowyczących Panter".
– Czyż nie pachnie to kiczem? – zagrałem ironistę.
– Co?
– No, ten nasz słodki taniec na tle tych słodkich słów.
– Być może cię to zdziwi, lecz nie znam angielskiego... A poza tym... czasami... kicz bywa całkiem miły. Nie trzeba się go wyrzekać. Gdyby nie było kiczu, nie byłoby wielkiej sztuki. Gdyby nie było grzechu, nie byłoby i życia.
– I czy nie byłoby lepiej?

---

[1] Wczoraj, miłość była jak łatwa gra

– Och, mam już dość tych bzdur! – fuknęła zniecierpliwiona. – Po tym tańcu wychodzę. Moja rola skończona. Obowiązki służbowe zostały dopełnione – mówiła jakby do siebie. – *Fini, c'est fini... c'est la fin*[1], idę do domu. Odpocząć.

– *Oh, I believe in yesterday...*[2] – kończył rzewnie „Paul" ze „Skowyczących Panter".

– A jeśli mój przemądrzały „umiłowany uczeń" – kończyła też Madame – pragnie być dżentelmenem i odprowadzić swą panią... swoją panią profesor... niech czeka na nią za kwadrans – spojrzała na zegarek, zdejmując lewą rękę z mego prawego ramienia – za dziesięć wpół do pierwszej. Za bramą. Przy kiosku „Ruchu".

Zamarłem i chyba zbladłem. W każdym razie poczułem, jak krew odpływa mi z głowy. „Umawia się ze mną tak, jak wtedy z Dyrektorem", pomyślałem w popłochu, a ona, spostrzegłszy widocznie moje zakłopotanie, dorzuciła przekornie:

– Chyba że świetnie się bawi i woli towarzystwo swojego przyjaciela. Niech powie jasno, proszę. Wezmę wtedy taksówkę.

– Będzie czekał – odparłem.

– To miłe z jego strony – dygnęła jak dama dworu i ruszyła ku wyjściu wśród oklasków i krzyków.

– *More* „Beatles"! *More* „Beatles"! *More* „Beatles"![3] – skandowali „Yankesi", czyli abiturienci tak zwanej „klasy angielskiej".

„Skowyczące Pantery" spełniły ich życzenie. Rozległy się pierwsze takty przeboju *Ticket to ride*[4].

Kompletnie odurzony, wróciłem na miejsce, do Rożka.

– Lubi cię pani dyrektor – powiedział z szelmowskim uśmiechem.

– Przesadzasz – z największym trudem zagrałem obojętność. – Raczej bawi się mną.

– Dobre i to – powiedział. – Wiesz, jak się wszyscy gapili?

– Gapili się, powiadasz?...

– Jeszcze jak! Nawet Kugler, ten bolszewicki pętak. A zresztą... było na co.

– Co chcesz przez to powiedzieć?

---

[1] Skończone, skończyło się... Koniec
[2] Ooh, wczoraj, wierzę w ciebie...
[3] Więcej „Beatlesów"!...
[4] *Bilet na drogę*

– Tworzycie ładną parę – uśmiechnął się obleśnie.

– Ech, Rożek, co ty gadasz! – czułem, że czerwienieję. – Aż ręce opadają! – I niby zniechęcony tą śliską konwersacją wyszedłem na korytarz.

Stanąłem przed jednym z okien i popatrzyłem w dół, na czerniejący w mroku pudełkowaty kiosk „Ruchu".

„Czemu się denerwujesz?", znów usłyszałem w głowie głos mego drugiego ja. „Powinieneś się cieszyć. Mało komu się trafia tego rodzaju historia. A niektórzy wręcz twierdzą (wiesz, oczywiście, kto), że w ogóle nikomu. A poza tym, czyś nie chciał?... Czyś nie uczynił wszystkiego, aby do tego doszło? Powiedziałeś jej wprost... więcej niż powiedziałeś: oświadczyłeś na piśmie! – 'Niech pani mi rozkazuje'. Stało się. Rozkazała. Twój ruch. Stawiaj czoło."

Zbiegłem bocznymi schodami i wyszedłem z budynku, a raczej się zeń wymknąłem, obchodząc go pod murami i opuszczając teren przez dziurę w ogrodzeniu na tyłach naszego boiska, po czym okrężną drogą dotarłem do kiosku „Ruchu".

Było gorąco, lecz rześko. Bezchmurne niebo, pełnia. Spojrzałem w górę, ku gwiazdom. Panna... Wodnik... i „Północ" na dyszlu Małego Wozu. „Stoją od wieków w miejscu, a jednak... uciekają", odezwała się echem lektura *Wysp fizyki*, a jednocześnie się rozległ znajomy stuk obcasów.

Wychynąłem zza kiosku.

– No, jesteś – powiedziała. – A zaczynałam już myśleć, żeś mnie wystawił do wiatru.

– Ja panią? Co za pomysł!

– Nigdy nic nie wiadomo... co strzeli uczniowi do głowy.

Miała na sobie luźny, płócienny, biały żakiet, a na prawym ramieniu – przewieszoną torebkę, tę którą nosiła do szkoły, większą i pakowniejszą niż ta, z którą była w Zachęcie, w teatrze i w kinie Skarb. Poza tym – dopiero teraz zwróciłem na to uwagę – jej nogi nie były nagie (jak innych nauczycielek, nawet tych mocno starszych, i oczywiście dziewczyn), lecz spowijały je cienkie, przezroczyste pończochy.

Ruszając, spojrzałem mimowolnie w kierunku gmachu szkoły. W jednym z okien – tym samym, przez które i ja patrzyłem piętnaście minut wcześniej – widniała czyjaś sylwetka, z całą pewnością męska. W tym ułamku sekundy nie mogłem jednak stwierdzić, czy był to Rożek, czy Kugler, a na dłuższą lustrację nie miałem warunków i czasu.

– Zamierzasz więc... – zaczęła po kilkunastu krokach, któreśmy przeszli w milczeniu, jakby nawiązywała do przerwanego wątku, w rzeczywistości jednak nigdy nie podjętego – zamierzasz więc studiować filologię romańską.

– Skąd pani wie? – zapytałem.

– Jak to skąd? – odpaliła. – Czyż podania na studia wszystkich abiturientów nie idą przez moje ręce i nie są osobiście przeze mnie opiniowane lub choćby sygnowane?

– No, tak... – przyznałem. – Zamierzam. I co niby z tego wynika?

– Nic... Robisz słusznie... Zdasz... Dostaniesz się na pewno, o to jestem spokojna.

– A o co pani nie jest? – spytałem patrząc w ziemię, a okiem wewnętrznym widząc mój zeszyt z wypracowaniem tkwiący w kopercie z plastiku, w błyszczącym segregatorze, na biurku Zielonookiej.

Zaśmiała się pod nosem.

– Z tobą na jedną chwilę nie można przestać uważać. Łapiesz za każde słowo.

– Wcale nie łapię. Pytam.

– A potem... co chcesz robić? – wróciła do tematu chłodnym, zdawkowym tonem.

– Kiedy... potem? – spytałem, udając, że nie rozumiem.

– No, po skończeniu studiów.

Tym razem przed oczami pojawił mi się Jerzyk.

– „Jakie mam plany życiowe” – zacytowałem go.

– Można to i tak nazwać.

– Nie wie pani? – mruknąłem z lekkim odcieniem żalu. – Chcę pisać. Być pisarzem.

– A, słusznie! – przytaknęła, znowu się uśmicchając. – Panna!... Ma gęsie pióro.

– Dobrze pani pamięta.

– I z tego zamierzasz żyć? – spojrzała w moją stronę, unosząc nieco brwi.

– Wie pani – powiedziałem z akcentem wyniosłości – ja w ten sposób nie myślę... Tymi kategoriami. Ja po prostu c h c ę tego A czy mi się to uda, a zwłaszcza przyniesie dochód, to już jest inna sprawa. O to na razie nie dbam.

– Maksymalista... – rzekła z ironicznym uznaniem. – Chce wszystko albo nic.

– Można i tak powiedzieć – przyjąłem tę uwagę i, po chwili wahania, zagrałem ofensywniej: – Moim imieniem właściwie... powinien być „Maksymilian". Zabawne, nawet w dzieciństwie chciałem nazywać się Maks.

Nie drgnęła jej nawet powieka.

– Jak Robespierre – powiedziała z szyderczą aprobatą. – A także... Maksym Gorki.

– Nie dlatego – odrzekłem. – Może być pani pewna.

– Mam nadzieję – mruknęła. – I o czym to tak chcesz pisać?

– Ach, o przeróżnych rzeczach... Na przykład o podróży Joanny Schopenhauer z przyszłym Arturem w łonie: z Anglii, przez Niemcy, do Gdańska. Albo o Hölderlinie, mym ulubionym poecie: o jego pieszej wędrówce z Bordeaux do domu, przez Alpy, gdzie zwidział mu się Dionizos... Albo o perypetiach markiza de Custine podczas jego wojaży po Rosji mikołajewskiej...

– No no, ambitne plany – stwierdziła z ożywieniem. – I chcesz to pisać po polsku?

– A niby po jakiemu?

– Byłoby jeszcze ambitniej zrobić to po francusku. Zresztą, zdawało mi się, że właśnie w tym języku robisz sobie notatki i gromadzisz wypisy – spojrzała na mnie z ukosa, uśmiechając się chytrze.

– Proszę mi szczerze powiedzieć – odpowiedziałem z uśmiechem – zrobiła pani wtedy tę kontrolę zeszytów, bo chciała pani sprawdzić, co ja tam wypisuję, nie uważając na lekcjach.

– Czemu nie miałabym wziąć tylko twojego zeszytu?

– Żeby mi nie pokazać, że to panią obchodzi.

– Sądzisz, że obchodziło?

– Takie miałem wrażenie.

– Wrażenie!... Prawo artysty. A wracając do rzeczy, to jak ma być z tym pisaniem: po polsku czy po francusku?

– Powiedziałem: po polsku.

– Myślałam, że ci się marzy kariera i sława światowa... – rzekła z zawodem w głosie.

– Co to ma z tym wspólnego?! Jeżeli to, co napiszę, będzie naprawdę dobre, wypłynie, prędzej czy później, również na szersze wody.

– Wypłynie lub nie wypłynie – powiedziała z przekąsem. – A jeśli... to później, niż prędzej. Później. Może za późno?

– Co pani chce przez to powiedzieć?

– Doprawdy, nic szczególnego. Tyle, że zanim twe dzieło „wypłynie na szersze wody", jak to ładnie nazwałeś, musi się najpierw ukazać w języku oryginału, to znaczy, t u znaleźć wydawcę, i... zostać przetłumaczone. To jest dość długa droga.

– Co, a gdybym od razu napisał po francusku...

– Pamiętasz, co raz na lekcji – przerwała mi w pół zdania – powiedział twój przyjaciel?

– Rożek? – parsknąłem śmiechem. – On różne rzeczy mówił. Pamiętam głównie to, co raz napisał w pracy o Antku z noweli Prusa.

– I cóż to był za aforyzm?

– Osobliwa przestroga przed nazbyt ciężką pracą.

– Mnie chodzi o to, co rzekł wtedy, gdy się rozbrykał. Że jedynym pisarzem polskiego pochodzenia, który się wybił w świecie i wszędzie jest czytany, jest autor *Lorda Jima*, który nie pisał po polsku. Wiesz, ile on miał lat, kiedy wyjechał z kraju?

– Nie wiem dokładnie. Dziesięć?

– Tyle co ty... Rok mniej. I nie znał angielskiego.

– Czytała pani *Zwycięstwo*? – wykorzystałem okazję.

– Nie... „*Victoire*"? *Non* – uśmiechnęła się blado, jakby do własnych myśli.

– Szkoda. Niech pani przeczyta.

– Uczynię to niezwłocznie, gdy tylko... – nie dokończyła.

– Gdy tylko co? – podjąłem.

– Gdy tylko wrócę do domu – zrobiła „wielkie oczy" i uśmiechnęła się kpiarsko.

Zbliżaliśmy się do bloków, za którymi już zaraz leżało znajome osiedle. Znowu szliśmy w milczeniu.

„Co ona kombinuje?", myślałem gorączkowo. „Do czego właściwie zmierza? Po co ten cały wywiad? Jeszcze nigdy w ten sposób nie rozmawiała ze mną! Mimo ironii – poważnie. – Co będzie? Co zaraz będzie? I – j a k ma do tego dojść?"

– O ile dobrze pamiętam – przerwała wreszcie ciszę – ty, w tym waszym spektaklu, za który was wyróżniono, mówiłeś fragment *Końcówki*.

Zgadza się, czy coś mylę?

– Owszem, a skąd pani wie? – (Znowu zbiła mnie z tropu.) – O ile  j a
dobrze pamiętam, nie oglądała go pani.

– Nie tylko  t y  wszystko wiesz – spojrzała na mnie znacząco. – Ja
także wiem... niejedno – uśmiechnęła się chytrze. – Choć akurat w tym
wypadku sprawa jest bardzo prosta: mój zastępca, pan... no! – pstryknęła
lekko palcami, grając ostentacyjnie zapomnienie nazwiska – no, jakże wy
go tam zwiecie?

– Soliter.

– *Voilà!* Otóż po prostu pan S. pokazał mi twój scenariusz.

– Ach, więc to pani sprawka! – zaśmiałem się jadowicie. – To  p a n i
kazała zatrzymać! No no, ładnych rzeczy człowiek się dowiaduje.

– Ja? – wykrzyknęła wesoło. – Nie mam z tym nic wspólnego.

– Jak to nie? Przecież słyszę: pokazał pani scenariusz...

– I co niby z tego wynika?

– Po co miałby to robić, jeśli nie tylko po to, by pani podjęła decyzję?

– Podjęłam. Pozytywną.

– Więc dlaczego był „szlaban"?

– Zaczął mnie przekonywać, że to jest zbyt ponure... za mało patrio-
tyczne... i w ogóle jakieś takie... nie bardzo... „defetystyczne"!

– No i co pani na to?

– „Jeśli tak pan uważa", powiedziałam spokojnie, „to niech pan to
zatrzyma".

– Asekuranctwo – stwierdziłem.

– Możliwe. Choć, z drugiej strony, czasem jest lepiej ustąpić, zwłaszcza
w niewielkiej sprawie, by kiedy indziej wygrać... coś znacznie ważniejszego.

– Ciekawy jestem, co – rzekłem wyzywająco.

– Harmonijną współpracę – odparła z kamienną twarzą. – Nie mówiąc
już o czymś takim – spojrzała na mnie twardo – by móc cię wyciągnąć
z opałów, w jakie przez swój „maksymalizm", czyli najczystszą głupotę,
wpadłeś u pani biolog.

– Ona mnie obrażała! – zapiałem histerycznie. – I z pani... podkpiwa-
ła – dodałem lizusowsko.

– I co, mój niezłomny rycerz musiał się unieść honorem!

– Takie są jego zwyczaje – owinąłem się w myślach, z rozmachem,
peleryną.

– To znaczy, że nie czytał uważnie *Lancelota*!
– To prawda – podchwyciłem. – Chciałem go czytać z panią.
– No dobrze, ale nie o tym mam zamiar teraz mówić. Interesuje mnie, czy pamiętasz tę sztukę?
– *Końcówkę*? No, jako tako.
– Czytałeś w oryginale?
– Nie, tylko w tłumaczeniu.
– No tak...
– Co w tym złego?
– To, że nie możesz jej znać, nawet znając na pamięć.
– No, to już chyba przesada. A co, tak marny jest przekład?
– *Pour en dire le moins.*[1]
– No więc?
– Ciekawa jestem, czy pamiętasz coś z kwestii... jedynej tam roli żeńskiej.
– Nell?
– Proszę, znasz imię! Brawo! A jakiś tekst?
Włączyłem swą małpią pamięć, lecz ani jednego słowa nie mogłem z niej wydusić.
Zapadła chwila ciszy.
– Tak też myślałam – rzekła przerywając ją wreszcie. – Pewnie! Któż by pamiętał, co tam ględzi kobieta, w dodatku kaleka i stara! Pamięta się, oczywiście, co mówią mężczyźni, prawda?
– A Fedra?
– To „mężczyzna", jak o tym dobrze wiadomo – odbiła z kpiącym uśmiechem. – „Pragnie niemożliwego". Jak twoja Panna z Zodiaku – rzuciła mi spojrzenie. – Natomiast Nell jest kobietą. Nie umownie. Bezwzględnie.
Błysnęło mi coś nareszcie:
– „Co tam, staruszku? Masz chęć?"
Kpina na jej obliczu przeszła w politowanie.
– Czy coś nie tak? – spytałem.
– Owszem, tak. Jak najbardziej – mówiła z cierpką ironią. – I to już wszystko. Tak?

---

[1] Najdelikatniej mówiąc.

– To chyba jej pierwsza kwestia – zacząłem się tłumaczyć. – Dlatego zapamiętałem. A poza tym jest śmieszna.

– *Rien n'est plus drôle que le malheur...*[1] – powiedziała powoli, spoglądając mi w oczy, jakby m n i e miała na myśli.

– Przepraszam, to miało być o mnie?

– Ale skąd! – zaprzeczyła. – To tylko inny cytat.

– O ten pani chodziło?

– Niezupełnie – mruknęła, błądząc myślami gdzie indziej.

Znowu zapadła cisza. Moje napięcie rosło. Szliśmy już przez osiedle. Do pokonania zostało kilka krótkich alejek. Bezwiednie, mimowolnie, wyrywałem do przodu.

– A ty dokąd? – spytała i zatrzymała się, gdy jako pierwszy skręciłem w pewną odnogę chodnika, który najkrótszą drogą prowadził pod jej dom.

– A, nie wiem... – zacząłem się jąkać. – Tak jakoś mi się poszło... Szukałem w pamięci słów i... zamyśliłem się.

Przyjrzała mi się uważnie, po czym ruszyła prosto. Podążyłem w ślad za nią.

– Widzisz – zaczęła znowu jakby przerwany wątek – to też jest taki pisarz, co wybrał obcy język.

– Kto? – po „wpadce" przed chwilą byłem zupełnie zgubiony.

– Kto! Autor *Końcówki*.

– Aha. No i co z tego?

– Nic. Informuję cię – wzruszyła ramionami. – Dopominałeś się, abym cię douczała... jak nasz pan fizyk Rożka... więc spełniam twe życzenie. Daję ci ekstra-lekcję. Z teorii względności... języków.

Stanęła w świetle latarni.

– No, jesteśmy na miejscu – powiedziała z uśmiechem. (Jej dom był sto metrów dalej.) – Dziękuję ci, mój rycerzu. A tu masz jeszcze *cadeau*[2] od swojej pani profesor – otworzyła torebkę i zanurzyła w niej rękę.

Z jednej z wewnętrznych kieszonek – dostrzegłem to natychmiast – wystawał kawałek okładki zielonkawej książeczki z napisem „PASZPORT SŁUŻBOWY".

Madame wyjęła tymczasem niewielki, biały tomik i podała mi go.

---

[1] Nic nie jest tak śmieszne jak nieszczęście...
[2] upominek

Na okładce widniały blado-niebieskie litery, które się układały – pod nazwiskiem autora – w piramidkę tytułu:

**Fin de partie**
suivi de
**Acte sans paroles**[1]

Dół karty zamykał napis „Les Editions de Minuit"[2], a w środku się czerniła pięcioramienna gwiazdka złączona z małym „m".

– To jakby opis sceny z Paolem i Francescą – powiedziałem półgłosem, wpatrując się w okładkę.

– Z kim? – zamknęła torebkę.

– Mówiłem pani już kiedyś. Z tymi, co raz czytając opowieść o Lancelocie, przestali w końcu czytać i... nie czytali dalej.

– Tak się na ogół dzieje – rozłożyła ramiona w geście „Tak to jest! *C'est la vie!*"

– To proszę mi jeszcze coś wpisać – szukałem rozpaczliwie jakiegoś posunięcia, które by choć o chwilę pozwalało grać dalej. – Książka bez dedykacji?

– Kto powiedział, że bez? Jest wpisana. Jak trzeba.

Odchyliłem okładkę. Na karcie tytułowej, napisany ołówkiem, widniał następujący, czterowersowy tekst:

Patrz strona trzydziesta druga, ostatnie słowo Nell.
Przymiotnik? Czy czasownik w trybie rozkazującym?
Oto ostatnie pytanie na zakończenie nauki.
*Pour mon meilleur disciple*[3]
24 czerwca

– Ołówkiem? I bez podpisu? – podniosłem wzrok znad książki.

– Istnieje jeszcze ktoś, kto mógłby ci się tak wpisać? – zapytała zalotnie.

– Właściwie... nie – odrzekłem.

– No więc o co ci chodzi? A że ołówkiem? No cóż... może któregoś dnia będziesz chciał to wymazać.

– Forma tej dedykacji... – zacząłem tajemniczo – a nawet jej prozodia... – pogłębiałem napięcie – wydaje mi się skądś znana.

---

[1] *Końcówka* po czym *Akt bez słów*
[2] „Wydawnictwo Północy"
[3] Dla mego najlepszego ucznia

359

– Skąd? – zapytała rzeczowo.

– Podobnie wpisała się komuś... – spojrzałem jej prosto w oczy, w ostatniej chwili jednak zmieniłem tor pocisku i powiedziałem spokojnie: – Joanna Schopenhauer.

– Zapewniam cię, nie czytałam – zrobiła znak przysięgi.

Zacząłem kartkować tomik, szukając wskazanej stronicy.

– Nie teraz – wstrzymała mnie, dotykając mej ręki. – Później. Gdy wrócisz do domu.

„Teraz”, rzekł do mnie głos, parafrazując Hamleta. „Jeśli ma się to stać, to teraz. Nie później. Teraz!”

Przytrzymałem jej palce i znowu spojrzałem w oczy.

– *Fin de partie* już był – zacząłem z bijącym sercem. – A teraz... *Acte sans parole* – i, jak to wiele razy widywałem na filmach, zacząłem się wolno zbliżać ustami do jej ust.

– *Non* – powstrzymała mnie, dosłownie w ostatniej chwili. – To byłby straszny kicz. A przecież tego nie lubisz.

Przełknąłem nerwowo ślinę i opuściłem głowę.

„Więc jednak nie”, pomyślałem. A wtedy powiedziała:

– *Non... Pas cette fois... Pas encore... Et pas ici bien sûr...* – A jeszcze po chwili dodała: – *Un jour... ailleurs... peut-être... Quand ton oeuvre sera finie*[1].

Podniosłem ku niej wzrok, a ona czułym gestem potargała mi włosy, po czym zrobiła zwrot, ruszyła energicznie i, skręciwszy w następną, wąską odnogę chodnika, zniknęła za rogiem budynku.

Uniosłem książkę ku oczom i odnalazłem stronicę numer 32, a na niej ostatnie słowo należące do Nell.

Słowo to brzmi: „*Déserte*”[2].


## Wiek męski – *L'âge viril*


Czy warto opowiadać, jak czułem się po tym wszystkim – po tej „Nocy Walpurgii”, jak sobie, oczywiście, tę Noc Świętojańską nazwałem? O śnie

---

[1] Nie... Nie tym razem... Jeszcze nie... I nie tu oczywiście... (...) Kiedyś... gdzie indziej... być może... Gdy twe dzieło będzie skończone
[2] Homonim: „Uciekaj; wiej stąd; uchodź” albo, jako przymiotnik: „pusta; nie zamieszkana”. W kontekście – w pierwszym znaczeniu.

nie było mowy. A następnego dnia byłem jak zaczadzony. Trapiące mnie od miesięcy pytania i niepokoje wybuchły z nową siłą.

Co to wszystko oznacza? Co ona o mnie wie – i o tym, co ja wiem o niej? I czego chce właściwie? – Jak należy rozumieć to całe postępowanie? Owo oscylowanie pomiędzy skrajnościami – między „lodem" a „żarem", traktowaniem mnie z góry lub jakbym był powietrzem a ową szczególną uwagą okazywaną mi czasem i... wieloznaczną sympatią? – No i wreszcie ten finał! Ten taniec... I upominek... No i ta dedykacja – niezależnie od tego, jakie jest jej przesłanie – jakże podobna w formie do tego, co jej matka wpisała Konstantemu w gdańskim wydaniu *Wspomnień* Joanny Schopenhauer! Czyżby znała ten wpis, czy w ogóle coś wie?... I po cóż by w ten sposób miała się bawić ze mną?... – A te ostatnie słowa?, mówione po francusku, gdy „spadłszy z wysokości" opuściłem powieki i pochyliłem głowę?... To było serio czy żartem? Z wiarą czy bez pokrycia? Wyrazem jakiejś nadziei i chęci jej podtrzymania czy bałamuctwem, drwiną, tanią, zgraną formułką wziętą z repertuaru flirtu towarzyskiego?

Jak wcześniej, tak i teraz wszystkie te dociekania, analizy, domysły zakończyły się fiaskiem. Nie doszedłem do żadnej przekonującej konkluzji, której mógłbym się trzymać. Tym razem jednak cierń, jaki ranił mi serce, był na tyle kłujący, że nie mogąc wytrzymać, postanowiłem działać.

Zadzwonić do niej – myślałem nazajutrz przed południem. – Wykorzystać nareszcie ten numer telefonu, który wtedy zdobyłem! Poprosić o spotkanie i zażądać wyjaśnień. A jeśli się wykręci, to, trudno, najść ją w domu!

„Przyszedłem. Musiałem przyjść", układałem naprędce otwierający monolog. „Musimy porozmawiać. Proszę mi wreszcie powiedzieć, jasno i bez ogródek, co pani o mnie wie, co pani o mnie myśli i o co pani chodzi. Nie może mnie pani zostawić z tyloma pytaniami. Co znaczy, żebym uciekał? Dokąd, kiedy i jak? Czemu mi pani to radzi? Co jest p a n i motywem? I wreszcie, co znaczy to 'kiedyś', kiedy ukończę dzieło? Pani w to wierzy, czy nie? Mówi pani poważnie, czy rzuca słowa na wiatr? Ja muszę taką rzecz wiedzieć."

Chwyciłem za słuchawkę i wykręciłem numer. Telefon nie odpowiadał. Zacząłem ponawiać próby, z początku co pół godziny, z czasem co parę minut. Nic. W dalszym ciągu cisza.

Wypiłem setkę wódki i pojechałem do niej.

Było słonecznie, upalnie, mniej więcej pierwsza w południe. Zasłony w obu oknach były pozasuwane. Serce zabiło mi mocniej. „Śpi, odsypia wczorajsze", myślałem, wchodząc po schodach, „wyłączyła telefon. Jest nie ubrana. Naga? W koszuli nocnej? Szlafroku?" Dzwonek (typu „ding--dong") nie wywołał jednakże oczekiwanych następstw. Żadnych kroków, odgłosów, pytania „kto tam?", otwarcia. Cisza jak makiem zasiał. Z uchem przytkniętym do drzwi długo nasłuchiwałem, czy nie jest to aby pozór i czy po jakimś czasie nie rozlegnie się wreszcie choćby najcichszy szmer. Nic jednak takiego nie zaszło.

Zupełnie jak Jean-Louis, który chcąc spotkać Anne i nie zastawszy jej w domu, popędził do Deauville, wskoczyłem do autobusu i pojechałem do szkoły.

Trwało sprzątanie po balu. Gabinet był zamknięty. Zmyśliwszy jakąś historię o brakującym podpisie na podaniu na studia, spytałem sekretarki w rogowych okularach, gdzie jest „pani dyrektor".

– Pani dyrektor nie ma – odpowiedziała pod nosem, nie fatygując się nawet, by podnieść ku mnie wzrok. – Wyjechała na staż.

– Jak to? – wyrwało mi się. Nie panowałem nad głosem ani nawet nad sensem wypowiadanych słów: – Przecież dopiero co była.

– Była, ale się zmyła – odparła z przykrym uśmiechem.

– To co ja teraz zrobię? – powiedziałem bezradnie.

– Jedź na dworzec, jak musisz – poradziła z przekąsem. – Może ją jeszcze złapiesz.

– Mówi pani poważnie? – uchwyciłem się tego jak przysłowiowej brzytwy. – Na który? – zapytałem. – Kiedy odjeżdża pociąg?

– A bo ja wiem dokładnie!... – wzruszyła ramionami. – Ja jestem od czarnej roboty – dodała z fałszywą pokorą. – Mnie się o takich rzeczach nie mówi, nie informuje. Dla kancelistki jak ja to za wysokie progi. Słyszałam tylko, przypadkiem, że podobno z Gdańskiego. Gdzieś teraz, po południu.

Wybiegłem z kancelarii i pognałem na dworzec. Z wiaduktu zobaczyłem stojący długi skład o mieszanych wagonach – europejskich i „ruskich". „Moskwa-Warszawa-Paryż, godzina 15.10", przeczytałem w przelocie na tablicy odjazdów. Lecz kiedy wbiegłem na peron, tym razem jak w złym filmie: pociąg właśnie już ruszał. Mijały mnie wagony, naprzód zielone – sowieckie, a potem w różnych kolorach: niemieckie, francuskie – „zachodnie". Widniały na nich tabliczki z nazwami miast docelowych. Najczęściej migał napis: „Paris-Nord", „Paris-Nord", „Paris-Nord"...

Z nastroju melancholii, w jaki popadłem w tych dniach, wyrwały mnie dopiero egzaminy na studia. Konieczność sprostania zadaniom, które przede mną stawiano, koncentracja uwagi na osiągnieciu celu, wir spraw, nowi ludzie, rywalizacja, „giełda" – wszystko to, w jakiejś mierze, rozproszyło mój mrok. Gdy jednak sesja minęła, przynosząc mi na koniec obywatelstwo studenta, i w drugiej połowie lipca stanąłem w obliczu wakacji, mój „nieład i wczesna udręka" wróciły na wokandę.

Żeby się z nich wyzwolić, a w każdym razie uchronić przed ich kolejnym nawrotem, postanowiłem wyjechać. Tym razem jednak nie w Tatry, jak przez ostatnie lata, tylko nad Bałtyk, do Gdańska, dokąd jeździłem dawniej, w dzieciństwie i w latach chłopięcych, i gdzie z tamtego okresu miałem pewnego kolegę, nieco starszego ode mnie, w którego towarzystwie – przynajmniej w owym czasie – czułem się dobrze i raźnie. Jarek – bo tak miał na imię – żył w innym świecie niż ja, wymiernym i pożytecznym, świecie zagadnień technicznych i praktyki życiowej; był radioamatorem, modelarzem, wędkarzem, mało go obchodziła literatura i sztuka, miał rower i motocykl, studiował budowę okrętów. Liczyłem, że ten świat – związany z życiem, prosty – wraz ze wskrzeszonym, być może, nastrojem beztroskich wakacji, któreśmy wspólnie spędzali, przyniesie mi jakąś ulgę, a może i całkiem ukoi me skołatane nerwy i pozwoli nareszcie zapomnieć o Madame.

Rachuby te i nadzieje nie okazały się złudne. Jarek, choć wyrósł i zmężniał, w istocie niewiele się zmienił. Dalej był „równym chłopakiem", pogodnym i rzeczowym, nie tkniętym jeszcze nijak przez macki i jad zepsucia. Przyjął mnie tak jak dawniej – jakby nie było przerwy w naszych letnich spotkaniach i jakby czas stał w miejscu. Znów byliśmy „kumplami", „sztubakami", „zuchami", o czystych, niewinnych sercach i dziecinnych marzeniach. Chodziliśmy, jak przed laty, na tenisa, nad morze, na długie spacery po lesie; Jarek montował radio według własnego projektu z „najlepszych tranzystorów", z którego później, wieczorem, słuchaliśmy stacji „zachodnich" i radia Luksemburg. Jeździliśmy też motorem – do stoczni i do portu, i z różnych miejsc na molo patrzyliśmy na statki – stojące, wpływające i te na horyzoncie.

Był to przyjemny czas. Beztroski i nostalgiczny. Niespodziewane, cudowne przedłużenie dzieciństwa. Wejście w krąg spraw i przeżyć, do których, jak sądziłem, nie było już powrotu.

Aż w którąś upalną niedzielę, gdy „jak za dawnych lat" snuliśmy się bez celu po starym Gdańsku-Wrzeszczu, stała się dziwna rzecz. Na ulicy Polanki Jarek zatrzymał się i wskazując na jakieś stare zabudowania, zeszpecone okropnie przez bure, tandetne baraki i mury z drutem kolczastym, powiedział kilka słów, których w najmniejszym stopniu nie spodziewałem się po nim:

– Patrz, to był kiedyś dom letni rodziny Schopenhauera... Wiesz, co się teraz tu mieści?... Półwięzienie: poprawczak. Niezły ma gust nasza władza...

Przytaknąłem milcząco, nie dając po sobie poznać, ani że mnie to obeszło, ani że w ogóle wiem coś na temat Schopenhauera. Cała ta sprawa jednak – niespodziewane ujrzenie legendarnej siedziby z jednoczesnym poznaniem jej obecnego stanu, a zwłaszcza przeznaczenia – zrobiła na mnie wrażenie i dziwnie mnie poruszyła.

Zacząłem tam powracać, już bez towarzystwa Jarka, i długo się przyglądałem – domostwu i otoczeniu. A potem poszedłem jeszcze na Stare Miasto w Gdańsku, by zobaczyć ów dom po południowej stronie ulicy Świętego Ducha, który widniał na zdjęciu w gdańskim wydaniu *Wspomnień* Joanny Schopenhauer. Nie ujrzałem go jednak. Nie istniał od końca wojny, jak później się dowiedziałem. W miejscu, gdzie stał, było pusto: zostały tylko schodki prowadzące donikąd.

I nawet nie wiem kiedy, prysnął nastrój i czar odzyskanego dzieciństwa. Przestało być nagle jasno, „zabawowo", beztrosko. Spędzanie czasu z Jarkiem zaczęło mnie nużyć i męczyć. Jego sposób myślenia, zajęcia, poczucie humoru, dopiero co tak kojące mą obolałą duszę, wydały mi się naraz infantylne, harcerskie.

Lecz co właściwie było przyczyną tej odmiany? – Niespodziewane spotkanie z domem Schopenhauerów? – Dlaczego? Co te zniszczone pamiątki miały ze mną wspólnego? – Że bardzo okrężną drogą łączyły się z Madame? Że jakąś dziwną alchemią wskrzeszały pamięć o niej? – Owszem, ale ta sprawa była bardziej złożona; i w pełni ją zrozumiałem dopiero po pewnym czasie. Na razie tkwiłem we mgle i niosła mnie jakaś fala – myśli, emocji, nastroju.

Wróciłem do Warszawy w stanie dziwnego skupienia i pobudzenia umysłu. Kłębiło mi się w głowie od różnych pomysłów, obrazów, a zwłaszcza zdań i dialogów, które się układały w kawałki opowiadania. Leżąc na swoim łóżku, obłożony książkami na temat Schopenhauera (głównie o jego życiu), drążyłem w wyobraźni niektóre dane i fakty i rozwijałem je w sceny – w rozmowy i sytuacje. Wreszcie zacząłem pisać.

Pomysł był bardzo prosty, a nawet, rzekłbym, banalny.

Spośród dziesiątków zdarzeń, o których się naczytałem, wybrałem dwa przewodnie (mówiąc technicznie, „nośne"): śmierć ojca Schopenhauera, zapewne samobójstwo o niejasnych motywach; i gwałtowne zerwanie stosunków Artura z matką – w latach dziesiątych, w Weimarze.

Oba te wydarzenia były tragiczne, przykre – przesycone goryczą, głębokim zawodem, gniewem. Ojciec rozstawał się z życiem wielopiętrowo przegrany: bo wyjechał był z Gdańska po drugim rozbiorze Polski (gdy weszli tam Prusacy) i nie mógł tego przeboleć; bo jego stosunki z żoną nie układały się dobrze; bo, wreszcie, jego syn – mimo tylu wysiłków, które zostały włożone, aby uczynić z niego godnego sukcesora wielkiej firmy handlowej – nie spełniał tych nadziei, marząc o... filozofii. Z kolei matka, Joanna, kobieta w danej chwili ponad czterdziestoletnia, która pomimo ciosów i przeciwności losu, a także własnych błędów i niefrasobliwości, zdołała jednak zachować wysoką pozycję w świecie i jakoś, po śmierci męża, ułożyć sobie życie (znajdując przyjaciela w osobie pewnego radcy i literata zarazem oraz prowadząc salon, który odwiedzał sam Goethe), zaznawała ze strony swojego *wunderkinda* straszliwych upokorzeń, zarówno na płaszczyźnie grząskich spraw majątkowych, jak i – obyczajowych: odsądzał ją od czci z powodu „tego człowieka", żądał zerwania z nim, a na koniec postawił bezwzględne ultimatum: „albo on, albo ja".

Otóż w akcję tych zdarzeń, odtwarzaną z przekazów, wplatałem retrospekcje – w formie wspomnień i myśli dwojga protagonistów – których przedmiotem był czas owej pamiętnej podróży po Europie zachodniej: odkąd Joanna odkryła, iż jest w odmiennym stanie, aż po powrót do Gdańska, rozwiązanie i połóg.

Mrok i żółć chwil bieżących kontrastowałem ostro z jasnością i błękitem ewokowanej przeszłości.

Ojciec Schopenhauera, trawiony zgryzotami, mający dosyć wszystkiego, przekonany głęboko, że jego zejście ze świata przyniesie wszystkim ulgę, zarówno jego żonie, która się stała oziębła, jak również jego synowi, którego mierziło kupiectwo, hoduje w sobie myśl targnięcia się na życie. I stojąc raz przy żurawiu zbożowego spichlerza (z którego nazajutrz miał spaść w niejasnych okolicznościach), wpatruje się długo w wodę portowego kanału i wraca bezwiednie myślą do owej nocy w Dover, gdy stał na pokładzie okrętu – podobnie, dość wysoko w stosunku do nabrzeża – i przechylony przez reling obserwował z uwagą, jak sunie powoli w górę wiszący na powrozach fotel z jego małżonką w siódmym miesiącu ciąży. I przypomina sobie swój nastrój z owej chwili – mimo pewnego napięcia, pogodny i pełen nadziei.

„Oto najdroższy ładunek, jaki mi się zdarzyło kiedykolwiek przewozić", wracają mu własne słowa, którymi z autoironią wyrażał swe uczucia. „Nie urodzi się w Anglii, tak jak tego bym pragnął – dobrze, urodzi się w Gdańsku. Zapewnię mu najlepsze warunki i wykształcenie. Od najwcześniejszych lat będzie jeździł po świecie, poznawał języki, zwyczaje. Musi być bardziej niż ja obywatelem świata. Dam mu na imię Artur."

Tymczasem znowu Joanna, podczas kolejnej rundy „rodzinnych pertraktacji", gdy niewdzięczny potomek posuwa się do inwektyw i traktuje ją zgoła jak nikczemną Gertrudę, bezwstydną i wiarołomną, wybucha głośnym szlochem i wybiega z salonu, po czym łkając w sypialni wspomina ową noc, gdy na wertepach Westfalii złamała się oś powozu i niósł ją na rękach do domu astmatyczny osiłek stawiając co chwila na ziemi.

„O, czemuż się nie stało, żem wtedy nie poroniła!", wykrzykuje z goryczą. A słysząc mitygujące ją słowa córki Adeli, dziewczyny zacnej, lecz brzydkiej: „Ależ co mama mówi!", wraca pamięcią w tę wiosnę niebawem po powrocie, kiedy zostawszy matką, czuła się najszczęśliwszą w ciągu całego życia, a urodzony syn był dla niej najpiękniejszym, najcudowniejszym dzieckiem.

Krótko mówiąc, nowelka ukazywała złudność ludzkich nadziei i marzeń. Epatowała goryczą, głęboką niewiarą w to, że szczęście rodzi szczęście lub że je można utrzymać. „Melodia życia jest smutna", zdawał się mówić narrator. „A jeśli nawet czasami przechodzi w tonację dur, to zawsze kończy się w moll. Na debiut udany, radosny zawsze należy patrzeć z perspektywy końcówki."

Co do mnie, autora tekstu, tworzenie tej historii sprawiało mi przyjemność i przynosiło ulgę. Wyzwalałem się z czegoś. Zaspokajałem tę-

sknotę za... nie wiadomo czym. Odnajdywałem formę dla porywu miłości.

Nie miało żadnego znaczenia, że to, o czym opowiadam, ma bardzo
luźny związek zarówno z moim życiem, jak i z życiem Madame. Ważne
było jedynie, że wskutek pewnego trafu czy zbiegu okoliczności stanowi
dla mnie medium – daje możność ekspresji. Że pozwala się zbliżyć do
rzeczy nieosiągalnych, że daje ujście myślom, uczuciom i epifaniom, których nieśmiałą próbką był błysk wyobraźni w kinie, gdy skryty za kotarą
obserwowałem Madame i zobaczyłem nagle jej życie w wielkim skrócie.

Nowelkę opatrzyłem ironicznym tytułem *Kształt spełnionych nadziei
albo dwie sceny z życia Artura Schopenhauera* i stwierdziłem, że chyba –
jestem już wyleczony. Myślenie o Madame nie sprawiało mi bólu. Jeśli
czegoś pragnąłem, to może jedynie tego, by przeczytała ten tekst.

Z początkiem nowego roku poszedłem więc do szkoły, by sprawdzić,
czy wróciła. Nie wierzyłem w to raczej, chciałem się jednak przekonać.
Było, jak przypuszczałem. W szkole panował chaos. Rządy sprawował
Soliter – tymczasowo lub nie. O „byłej pani dyrektor" nikt nie chciał ze
mną rozmawiać.

Moje opowiadanie dałem do przeczytania staremu Konstantemu. Był
mile zaskoczony. Zalecił kilka poprawek i wyraził opinię, że można to
publikować. Rzecz ukazała się drukiem mniej więcej pół roku później –
w jednym z pism literackich wychodzących w tym czasie.

Kończąc pierwszy rok studiów, miałem za sobą debiut.

I wtedy, a ściślej mówiąc: po kolejnych wakacjach, we wrześniu, gdy
skończyłem równo dwadzieścia lat, znowu stało się coś, co zburzyło mi
spokój.


Dzień po mych urodzinach nadeszła z Francji przesyłka. Był to niewielki pakiet; nie przyniósł go jednak listonosz, lecz doręczyciel paczek.
Musiałem nawet zapłacić jakąś należność za coś. Moje nazwisko i adres,
zarówno na naklejce, jak na blankiecie pocztowym, nie były pisane ręcznie, lecz czcionką maszynową, a w miejscu adresu zwrotnego widniała
pieczątka i logo nic nie mówiącej mi firmy. Tak więc rozpakowując ów
tajemniczy pakunek, nie miałem bladego pojęcia, ani kto mógł go nadać,
ani co kryje się w środku. Nie stało się to jasne nawet po zdjęciu papieru.

Przesyłka zawierała płaskie, czarne pudełko z kolorowym portretem paroletniego Mozarta i złotym, stylizowanym, wytłaczanym napisem: „Hommage à Wolfgang Amadeus Mozart"[1].

Coś tknęło mnie dopiero, kiedy je otworzyłem. Wewnątrz, w ozdobnej przegródce wyściełanej atłasem, leżało wieczne pióro – niezwykle eleganckie. Na złotym wąziutkim pasku obiegającym nakrętkę widniały trzy wyrazy: „Meisterstück"[2] i „Mont Blanc".

Zamarłem, lecz wciąż nie wierzyłem. Dowodu w końcu nie było.

Po chwili go odnalazłem.

W kopercie przyklejonej do spodu płaskiego pudełka tkwiła barwna pocztówka przedstawiająca Mont Blanc, a na jej stronie „pocztowej" widniały – pisane ołówkiem i znajomym mi pismem – następujące słowa:

*Tout ce qui naît d'une source pure est un mystère.*
*A peine si la poésie elle-même ose le dévoiler.*[3]

Odpowiedziałeś (sobie) na moje ostatnie pytanie?
Instrukcja znajduje się w środku.

Nerwowymi ruchami zacząłem badać pudełko, gdzie jeszcze – poza „łożyskiem", w którym leżało pióro – może być jakiś środek. Wreszcie odkryłem to miejsce: było nim „drugie dno" – pod czarnym passe-partout, ruchomym, wyjmowanym. Spoczywał tam kartonik ze złoconą obwódką, na którym się czerniło – nareszcie atramentem – sześć wypośrodkowanych i wykaligrafowanych (zapewne takim samym albo podobnym piórem) krótkich rządków wyrazów pisanych ręką Madame:

*De la part du Verseau dans la force de l'âge*
*pour la Vierge à l'âge viril*
*(depuis le Dix Septembre)*
*au lieu d'une plume d'oie*
*avec les meilleurs souhaits*
*de courage et de...*
                                    Victoire[4]

---

[1] „W hołdzie Wolfgangowi Amadeuszowi Mozartowi"
[2] „Majstersztyk"
[3] Jest zagadką, co z czystego poczęło się źródła.
Pieśń tylko, i to z trudem, może ją przeniknąć.
[4] Od Wodnika w sile wieku
dla Panny w wieku męskim
(od dziesiątego września)
zamiast gęsiego pióra

Patrzyłem na to wszystko jak zahipnotyzowny, docierając stopniowo do coraz głębszych znaczeń czy raczej implikacji, jakie przynosił ów sygnał złożony z rzeczy i słów. Bo ileż było w nim treści! Począwszy od „pierwszej przyczyny" – że w ogóle został nadany, że w ogóle pomyślała, aby zrobić mi prezent z okazji dwudziestych urodzin i wysłać go drogą pocztową; poprzez jego „wcielenie", czyli to, co nim było: pióro marki Mont Blanc, model „*Hommage à* Mozart"; aż po „orędzie", „przesłanie", czyli kunsztowny wpis.

Znała i pamiętała datę moich urodzin! Znała mój adres! – Skąd? – Mogła z papierów szkolnych. – Oznaczałoby to, że wypisała go sobie i zabrała ze sobą. Po co by to robiła? – Jeśli więc jednak nie stamtąd, to skąd i jak go zdobyła? – Następnie, pamiętała to swoje „ostatnie pytanie" zadane mi w dedykacji i pamiętała dokładnie moje wypracowanie. Podkreśleniem trzech liter czyniła subtelną aluzję do tak drobnego szczegółu, jakim był groteskowy, pseudouczony wywód, iż wyraz „*virginité*"[1] ma rzekomo pochodzić od łacińskiego „*vir*"[2]. – Od „*vir*" pochodzi „*viril*", mówiła tą małą kreską, przymiotnik, który określa właściwą ci teraz kondycję, a nie „*virginité*", przy czym tak obstawałeś.

Samym pomysłem prezentu – że ma to być właśnie pióro – nawiązywała zarówno do mojej interpretacji zajęcia gwiezdnej Panny, jak i do mego wyznania, iż chciałbym być pisarzem.

W przejawach tej nadzwyczajnej pamięci i precyzji odnajdywałem ślady – jakby dalekie echo – charakteru jej ojca z relacji Konstantego. Przypomniał mi się ów fakt z historii ich znajomości, gdy o dwunastej w południe jakiegoś szóstego sierpnia spotkali się w Szwajcarii przed jakąś małą stacyjką, umówiwszy się tam – z jego inicjatywy – osiem miesięcy wcześniej, nagle i przypadkowo, na ulicy w Warszawie.

Ale i to jeszcze nie wszystko! W mozaice złożonej ze słów jawiły się bowiem kamyki pochodzące z pokładów „geologicznych" jej życia, o których „oficjalnie" nic mi nie było wiadomo. Widokówka z Mont Blanc, fraza „*la force de l'âge*" i wreszcie ta „Victoire" użyta nie tylko w funkcji

---

z najlepszymi życzeniami
odwagi [powodzenia] i...

Wiktoria [Wiktorii]

[1] „dziewictwo"
[2] „mąż, mężczyzna"

dopełnienia „souhaits", lecz również imienia – podpisu. Oczywiście, to wszystko dawało się wytłumaczyć innymi powiązaniami. Kartkę pocztową z Mont Blanc mogła wybrać ze względu na markę wiecznego pióra, a nie z uwagi na plany i marzenia jej ojca związane z jej miejscem narodzin; „la force de l'âge" jest frazą z języka potocznego, nie trzeba zaraz czytać Simone de Beauvoir, by się nią posługiwać; a „Victoire", ostatecznie, mogło stanowić aluzję do puenty wypracowania i Zwycięstwa Conrada cytowanego obficie w „Cahier des citations".

Nie wierzyłem w to jednak. Wierzyłem, że ma to związek z głębokim nurtem jej życia. Lecz jeśli miałem słuszność, jeśli te wszystkie „stygmaty", istotnie, były ekspresją jej „danych osobistych", to powstawało pytanie, po co się tak bawiła. Czyżby wiedziała jednak, co ja wiedziałem o niej (jakim cudem? od kogo?) i w tej szczególnej formie dawała mi o tym znać? Co chciałaby przez to osiągnąć?

I wreszcie pytanie kluczowe: czy cała ta niespodzianka miała związek z „mon oeuvre" – moim niedawnym debiutem? Czyżby czytała mój tekst? Jak na niego trafiła? I cóż by to znaczyło? „Ładnie piszesz, więc teraz... napisz, proszę, coś dla mnie. W hołdzie swojej miłości... swojemu Mozartowi"?

Poszedłem do Konstantego i z głupia frant go spytałem, czy zwracał komuś uwagę na moje opowiadanie. Odpowiedział, że owszem, paru swoim znajomym. – A za granicę przypadkiem nie wysyłał nikomu? – Spojrzał na mnie zdziwiony. – Wyjąłem wówczas z kieszeni widokówkę z Mont Blanc i moje nowe pióro i podając mu je, rzekłem z kamienną twarzą:

– Dostałem to pocztą z Francji. Ma pan jakąś koncepcję, od kogo to może być?

Obejrzał pióro uważnie, kiwając z uznaniem głową; zerknął na widokówkę i uśmiechnął się blado. A kiedy ją odwrócił i popatrzył na tekst, stężał i znieruchomiał.

– I co pan o tym sądzi? – przerwałem wreszcie milczenie.

– Nie wiem, co o tym myśleć – powiedział dziwnie zmieniony.

– O czym? – wciąż udawałem pierwszego naiwnego.

Wtedy z półki nad lampą znów wyjął ów stary tomik obłożony papierem i znowu go otworzył na karcie tytułowej, po czym, nad dedykacją, która tam była wpisana, położył kartkę z Mont Blanc i długo się przyglądał zestawionym dwóm tekstom.

– Wiesz, z czego to jest cytat – zapytał tonem stwierdzenia, wskazując na dwuwiersz francuski.

– No, oczywiście – rzekłem i uśmiechnąłem się w duchu, widząc jak mój „preceptor" pada oto ofiarą własnego bumerangu, którym rzucił był przy mnie prawie dwa lata wcześniej. – Z hymnu *Ren* Hölderlina.

– Tak – mruknął w roztargnieniu – ale z którego miejsca?

I wtedy nagle mój nastrój pewnego siebie magika, który panuje nad wszystkim i bawi się sztukmistrzostwem, rozwiał się niespodzianie. Bo nie zadałem sobie dotychczas tego pytania. Cytat ów w ogóle jakoś nie zajął mojej uwagi; prześliznąłem się po nim wpatrzony w inne podteksty, traktując go, nie wiem czemu, jako rzecz oczywistą. Znajdował się bądź co bądź w „*Cahier des citations*", który miała w swych rękach. Widocznie dla mego umysłu to było wystarczające, by się niczemu nie dziwić. Tymczasem, jak oto właśnie zaczęło do mnie docierać, rzecz wcale nie była tak bardzo oczywista. W „*Cahier des citations*" ten tekst był po niemiecku i nie należał do grupy linijek wyróżnionych – podkreśleniem, a zwłaszcza dopisanym przeze mnie przekładem Konstantego – czyli tych „najważniejszych", które figurowały w dedykacji jej matki. A zatem, rzeczywiście, czemu akurat ten, a nie inny wybrała? Bo pasował do zdjęcia? Lecz przecież na Mont Blanc nie ma żadnego źródła! Te słowa się odnosiły do tajemnicy Renu, który wypływa skądinąd. I wreszcie: w jaki sposób zdobyła je po francusku? Zadała sobie trud znalezienia przekładu (jak ja swego czasu w Centre)? Przetłumaczyła sama? W jednym i drugim wypadku musiałaby znać niemiecki. Czy znała? Jak to było?

Nie dając po sobie poznać, że sam uległem konfuzji, spytałem obojętnie:

– A jakie to ma znaczenie?

– Jakie? – uśmiechnął się dziwnie. – To – stuknął lekko palcem w kartkę z tekstem francuskim – bezpośrednio poprzedza – przeniósł palec na książkę – ten tu wpisany kawałek. To są następne słowa... Skąd ona o tym wie? – powiedział prawie szeptem.

– Kto? – maskowałem się dalej.

– Kpisz, czy o drogę pytasz... – mruknął zniecierpliwiony. – Nie rozumiem, doprawdy, po co grasz tę komedię!

– Gram, bo sam nie rozumiem, o co w tym wszystkim chodzi – zdjąłem nareszcie maskę. – Myślałem, że w tej sprawie może pan maczał palce. Teraz widzę, że nie. Rozumiem, że pan nie zna jej adresu we Francji...

– A co, na kopercie nie było?

– Gdyby był, to bym panu nie zawracał tym głowy.

– Nie znam – odrzekł Konstanty. – Mówiłem ci już kiedyś, że zerwała kontakty.

– Mogła je znowu nawiązać.

– Mogła. Nie nawiązała.

– Pan Jerzyk... też nic nie wie?

– O czym? – był najwyraźniej w innej „czasoprzestrzeni".

– No, co się z nią dzieje. Gdzie mieszka.

– Nie sądzę... Zresztą, nie wiem... – poruszył ramionami, odstawiając na półkę obłożone papierem, „sczytane" *Jugendleben*... – Spytaj się go, nie możesz? Popytaj ludzi w Centre.

Spytałem. Rozpytywałem.

Kręcono przecząco głową.

# ROZDZIAŁ SIÓDMY

## Praktyki nauczycielskie

Czy opowiadać dalej? – Cóż, to jeszcze nie koniec. – A zatem opowiadam.

Czas moich lat studenckich był gorący i zły. Gorący, bo wiele się działo i stało w moim życiu; zły, bo zaborcza władza, po latach względnego umiaru w nękaniu obywateli i rujnowaniu kraju, znów pokazała kły i plugawe oblicze.

Czytałem, studiowałem, doskonaliłem warsztat; poznawałem zarazem różne rozkosze życia, korzystając ze swobód, jakie dawała dojrzałość; spiskowałem niewinnie, dojrzewałem w oporze. Tymczasem dookoła tryumfowała raz po raz podłość, nikczemność i zbrodnia. Naprzód heca żydowska i antyinteligencka; potem Czechosłowacja: przyjście jej z „bratnią pomocą"; a wreszcie zwykła rzeź w starym, moskiewskim stylu, w Gdańsku, a zwłaszcza w Gdyni.

Miałem to, czego chciałem! Mocne wrażenia! Dreszcze! Historię przez większe „H"! Nie mogłem nareszcie narzekać na nijakość i nudę.

Gorzkie to było spełnienie niedawnych pragnień i marzeń, by żyć w ciekawych czasach. Tym bardziej, że ich „krzepiącej", „inspirującej" mocy doświadczałem nie tylko z bezpiecznej perspektywy – jako czytelnik prasy, telewidz i radiosłuchacz, lecz również na własnej skórze, jako student, a zwłaszcza – początkujący autor.

Po czystce na uczelni, poziom wykładów i ćwiczeń drastycznie się obniżył; wzrosły natomiast drakońsko dyscyplina i rygor. Sławetny docent

Dołowy został dziekanem wydziału; profesor Levittoux wyjechał z kraju na stałe; Jerzyk, i tak dotychczas spychany na margines, poszedł w zupełną odstawkę. Tryumfowały miernoty, jednostki żądne kariery, zawistne, sfrustrowane. Stało się dla mnie jasne, że nie ma tam czego szukać, że trzeba się skupić na sobie i w pojedynkę, samotnie, formować własny los. Było to zresztą zbieżne z moimi aspiracjami. Pisałem. Żyłem w świecie wyobraźni i formy. Dawało mi to poczucie niezależności, wolności. Ten *modus vivendi* jednak był skuteczny do czasu. Prędzej czy później bowiem, traktując swoje zajęcie nie jako samoobronę, a w każdym razie nie głównie, lecz mimo wszystko próbę zmierzenia się ze sztuką, musiałem wyjść z samotni i owoce swej pracy zaprezentować światu. I tu zaczynał się obłęd – szkoła godności i dumy, piekło upokorzenia. Bo chociaż to, co pisałem, daleko odbiegało od historii współczesnej i nie miało właściwie nic wspólnego ze światem „przodującego ustroju", zawsze w urzędzie cenzury budziło podejrzliwość, żądanie zmian lub skrótów, a w każdym razie podjęcia tak zwanych „negocjacji", które nie mogły się skończyć inaczej niż „kompromisem", choćby w małym zakresie. Odnosiłem wrażenie, że zasadniczym celem instytucji cenzury nie jest bynajmniej stanie na straży prawomyślności, lecz metodyczne łamanie kręgosłupa autorom; uświadamianie im, że sami nic nie znaczą i wcale nie są potrzebni, i jeśli nie przystaną na dane warunki gry, przestaną w ogóle istnieć.

Cenzura jakby z góry była nastawiona na „nie", cokolwiek do niej trafiało. Autor zawsze żył w strachu, choćby napisał wierszyk o muchach i komarach. „Dlaczego właśnie muchy?" mógł usłyszeć pytanie. „I w dodatku komary? – Co, że brud i zaraza? Tościе mieli na myśli? – Nie, nie, nie może tak być! Jeśli, istotnie, wam chodzi o piękno naszej przyrody, to winny być motyle i pracowite mrówki." Gdyby zaś było odwrotnie, gdyby nieszczęsny poeta przyniósł wierszyk o mrówkach, usłyszałby z pewnością: „Dlaczego akurat mrówki? – Co, że niby nasz kraj to mrowisko, machina, a jego obywatele to wymienne roboty? Co, że u nas jednostka w ogóle się nie liczy, bo tylko jest trybikiem? – Nie nie, niedopuszczalne! Czas błędów i wypaczeń mamy dawno za sobą."

Kiedy dałem do druku swoją drugą nowelę – *Spotkanie z Dionizosem* – o długiej, pieszej wędrówce Hölderlina przez Alpy, kiedy to miał widzenie i wpadł w „czarną dziurę" umysłu, usłyszałem pytanie (Solitera bez mała), czemu za bohatera obrałem akurat postać, którą Goebbels nazywał „chorążym Trzeciej Rzeszy". Wyjaśnienia, poparte obfitą dokumentacją, wziętą z książek wydanych, rzecz jasna, w NRD, dowodzącą niezbicie, iż ze strony Goebbelsa było to świętokradztwo, przyjmowano niechętnie, bez przekonania, nieufnie. Wszystkowiedzący cenzor, wyraźnie po filozofii, puszczając wreszcie tekst po długich korowodach, dawał do zrozumienia redaktorowi pisma, iż doskonale wie, „co tu jest rozgrywane", a mianowicie: „promocja zachodnich trendów myślowych, w tym egzystencjalizmu", jako że Hölderlinem zajmował się między innymi „osławiony Heidegger, filar tego kierunku, nawiasem mówiąc, faszysta".

Było to jednak niczym w porównaniu z batalią, jaką musiałem stoczyć o dopuszczenie do druku mojej trzeciej historii z owego cyklu podróży (którego pierwszy zamysł narodził się jeszcze w szkole), a mianowicie noweli *Pan markiz de Custine* – o jego wojażu do Rosji w trzydziestym dziewiątym roku XIX wieku.

Gdy zaczynałem ją pisać, zdawałem sobie sprawę z ryzyka, na jakie idę; postać ta bowiem była jak najgorzej widziana w „ojczyźnie proletariatu", mimo iż ostrze jej dzieła godziło dokładnie w to samo, co „masy ludowe w Rosji" i rewolucjoniści „wielkiego Października", to znaczy w system carski, „ustrój wyzysku, hańby i poniżenia człowieka". Co jednak wolno masom, a zwłaszcza bolszewikom, nie wolno byle komu, a już z całą pewnością – jakiemuś Francuzowi „pańskiego pochodzenia". Przyczyna nienawiści do sławnego markiza nie tkwiła jednak bynajmniej w jego błękitnej krwi czy w tym, że był on Francuzem, ani nawet i w tym, że naruszał strzeżony, bolszewicki monopol na krytykę caratu, lecz w tym, że jego wizja Rosji mikołajewskiej, po pierwsze, odstręczała od Rosji jako takiej (co już było bluźniercze), po drugie zaś, że zza grobu, w sposób nie zamierzony, obnażała totalne i monstrualne kłamstwo, jakoby Rewolucja przyniosła wyzwolenie, a Rosja komunistyczna była ucieleśnieniem największej w dziejach wolności. Gdy się czytało „Listy" – opisy obyczajów panujących na dworze, stosunków międzyludzkich, życia na wsi i w mieście – nie można się było oprzeć uporczywemu wrażeniu, że czyta się reportaż ze Związku Sowieckiego, a nawet lęgła się myśl daleko bardziej zbrodnicza, mianowicie, że caryzm był niewinną igraszką w porównaniu z komuną – że ta ostatnia w destrukcji i w ciemiężeniu ludzi daleko prześcignęła swojego poprzednika.

Wspaniały tekst de Custine'a nie istniał w polskim przekładzie (mógł byłby się ukazać jedynie na emigracji, a w kraju tylko w okresie między dwiema wojnami, co jednak się nie stało) i w danym wypadku mój cel, jako autora noweli, różnił się dość istotnie od moich poprzednich zamierzeń. Tym razem dawałem pierwszeństwo samym faktom, historii, a nie – interpretacji i własnej wyobraźni. Swoje zadanie widziałem w przypomnieniu markiza i jego słynnej podróży, w szkicowym przedstawieniu kilku jej epizodów i przytoczeniu fragmentów co świetniejszych zapisów. Z pełną premedytacją usuwałem się w cień; pragnąłem służyć historii, dać o niej choćby sygnał, przemycić w opowiadaniu coś z tego, co w innym przekazie nie miało prawa wstępu do świadomości ludzi żyjących w PRL.

Ledwo złożyłem tekst, zaczęły się korowody. „To nie ma najmniejszych szans", mówili redaktorzy, nawet ci odważniejsi i którzy mnie popierali. „Co ci strzeliło do głowy, by pisać akurat o tym! Nie wiesz, gdzie my żyjemy?"

Upierałem się jednak, aby zaryzykować i wysłać rzecz do cenzury. W końcu tak się też stało. Odpowiedź, jaka nadeszła, nie była, wbrew prognozom, aż tak kategoryczna, niemniej żądano ode mnie poważnych skrótów i zmian. Głównie chodziło o tekst samego de Custine'a (czyli kilka cytatów, które przetłumaczyłem), ale i o niektóre moje sformułowania.

Zaczęły się negocjacje. I wtedy po raz pierwszy poznałem smak przegranej. Walka, w którą się wdałem, pod względem psychologicznym wciągała jak gra hazardowa. Paradoks polegał na tym, iż w miarę ustępowania i uginania się, pragnienie druku, miast słabnąć, stawało się coraz silniejsze. – Skoro już tyle oddałeś – odzywały się głosy, zewnętrzne i wewnętrzne – czemu się nagle upierasz przy tak nieistotnym drobiazgu? Przecież to tylko ornament! Co ci to daje? Nic! Chcesz stracić przez to całość? A jeśli tylko skreślisz albo zmienisz to słowo, podpisujemy do druku i masz kolejną pozycję.

Skreślałem, zmieniałem, kluczyłem. Ulegałem złudzeniu, że jestem od nich chytrzejszy. Trwało to tygodniami. Wreszcie tekst się ukazał. Zmieniony, nie do poznania. Czułem się podle, wstrętnie. Wyczerpany nerwowo, zniechęcony do siebie. Nawet słowa uznania, z jakimi się spotykałem, i pochwały kolegów na uniwersytecie, nie przynosiły ulgi, nie mówiąc o satysfakcji. Przeciwnik dopiął swego: dałem się uzależnić, uległem, zostałem złamany. Nie miałem do siebie szacunku.

Ów haniebny kompromis okazał się jednak korzystny (co było kolejną lekcją w tej szkole deprawacji). Druk ten bowiem przyśpieszył moją „premierę" książkową.

Kończąc czwarty rok studiów miałem w dorobku tom nowel – pod staroświeckim tytułem *Podróże romantyczne*.

I właśnie wtedy, nagle, wybuchła sprawa z Flauszem. Doktor Ignacy Flausz był kierownikiem katedry metodyki i technik nauczania języka. Katedra ta, naukowo i obsadowo słaba, z powodów politycznych czy ideologicznych stała jednak wysoko i miała mocną pozycję. W państwie socjalistycznym, „z natury rzeczy lepszym i wyższym pod każdym względem od państw burżuazyjnych", istnienie romanistyki na uniwersytecie (czy jakiejkolwiek innej filologii „zachodniej") służyło przede wszystkim szkoleniu „kadr językowych", a nie humanistów, uczonych w dziedzinie literatury. Ci, formalnie rzecz biorąc, stanowili margines – bo na cóż byli potrzebni! Potrzebni byli ludzie znający obce języki – do służby w dyplomacji i w handlu zagranicznym, oraz do prowadzenia kursów i lektoratów i nauczania w szkole.

Dlatego też doktor Flausz wraz z grupą podwładnych mu osób, choć z wyznaczonej mu roli wywiązywał się słabo (z wszystkich specjalizacji właśnie nauczycielska miała najgorszą opinię), panoszył się na wydziale i do wszystkiego się wtrącał.

Był to już człowiek niemłody („przedwojenna miernota", jak nazywał go Jerzyk), pod względem zaś charakteru przypominał Eunucha, Solitera i Żmiję, czyli nauczycieli pełnych kompleksów, drażliwych, walczących na każdym kroku o składanie im hołdów i oddawanie czci.

Wykłady, które prowadził – kompletnie jałowe i nudne – były, ku jego zgorszeniu, zaledwie „zalecone", a nie obowiązkowe. Mimo to prawie wszyscy chodzili na nie pokornie; „wieść gminna" głosiła bowiem, że za niestawiennictwo Flausz okrutnie się mści przy zaliczaniu przedmiotu. Z początku też uległem tej zbiorowej psychozie i zasiadałem w ławce. Po pewnym czasie jednak moja odporność na nudę i bezgraniczny idiotyzm wyczerpała się i niechęć wzięła górę. Ufny w literę prawa („kurs nieobowiązkowy") i własną mocną pozycję (miałem wysoką „przeciętną" z zasadniczych przedmiotów), a nadto uważając, że aby zdać kolokwium, wystarczy mi przeczytać *opus magnum* Doktora (cienki skrypt pod tytułem *Krótki kurs metodyki języka francuskiego*), przestałem uczęszczać na wykład.

Przed surowym obliczem Głównego Metodyka stawiłem się dopiero na końcowym kolokwium. Byłem raczej spokojny. „Fundamentalny" skrypt, pełen oczywistości i najzwyklejszych bredni, znałem dosyć dokładnie: mogłem całymi partiami cytować go z pamięci (był tak bałamutny i prosty). Poza tym miałem już zdane, i to z najlepszym wynikiem, wszystkie inne przedmioty, co w naturalny sposób wzmacniało moją pozycję. Wreszcie, święciłem właśnie swoje pierwsze tryumfy na niwie literackiej, co z kolei mówiło, i to dosyć wyraźnie, o moich zainteresowaniach i ambicjach życiowych.

Wszystkie te prognostyki okazały się złudne. Prawdziwe było to, co głosiła legenda. Za brak okazywania dostatecznej atencji doktorowi Flauszowi płaciło się słoną cenę.

Pytał mnie długo, złośliwie i z rzeczy wykraczających poza ramy programu. Wreszcie rzekł uroczyście, że nie jestem, niestety, przygotowany do tego, aby prowadzić lektorat, a zwłaszcza uczyć w szkole. Odpowiedziałem pół żartem, iż mogę go zapewnić, że nieszczęścia nie będzie, bo nie mam takich planów. Ta niewinna odpowiedź wyraźnie go rozdrażniła. Uśmiechnął się zgryźliwie i rzekł z obłudną troską, iż „w życiu nic nie wiadomo". Teraz wydaje mi się, że będę Bóg wie kim i że podbiję świat, a potem, jak wielu innych, zostanę zwykłym belfrem. Za to zaś, jak wypełnię tę chlubną a trudną rolę, on właśnie, doktor Flausz, bierze odpowiedzialność. Otóż niniejszym stwierdza, że spełnię ją jak najgorzej.

Dla mojej dumy artysty, świeżego debiutanta i beniaminka wydziału, było tego za wiele. Wstałem i powiedziałem, że jakoś to przeżyję, a jemu życzę szczęścia ze zdolniejszymi ode mnie.

Wybuchła z tego, rzecz jasna, monstrualna afera. Flausz domagał się dla mnie komisji dyscyplinarnej i nawet nie chciał słyszeć o zdawaniu poprawki. Powstał klasyczny klincz, jak przed laty ze Żmiją.

„Czy szkoła będzie trwać wiecznie?!" myślałem zdesperowany.

I prawdę mówiąc, nie wiem, jak by się to skończyło, gdyby w pewnym momencie nie wkroczył do akcji Jerzyk i nie pomógł mi wybrnąć z tych przykrych tarapatów. Wezwał mnie na rozmowę i nakłonił stanowczo, bym – nie zważając na to, iż nie mam zaliczenia – odbył obowiązkową praktykę nauczycielską i abym uzyskał w szkole od prowadzących zajęcia jak najlepszą opinię. Resztą on już się zajmie: pogada „stosownie" z Dołowym – z d z i e k a n e m, d o c e n t e m Dołowym – i wyjedna u niego, abym ten głupi przedmiot „ze względu na zadrażnienia, jakie przypadkiem powstały", mógł zdawać u kogoś innego, a nie u doktora Flausza.

Był to zbawienny plan. Cóż jednak oznaczał w praktyce? Po pierwsze to, że we wrześniu, miast cieszyć się wakacjami, jak przez ostatnie lata, miałem znów iść do szkoły; po drugie zaś, że musiałem solidnie się przyłożyć, by dostać wysoką notę za sprawność dydaktyczną. Zwłaszcza ta druga konieczność budziła we mnie opór, a nawet odstręczała. Ślęczeć nad podręcznikiem, robić konspekty lekcji i uczyć się, jak uczyć: gramatyki, wymowy – było to dla mnie koszmarem.

Zacząłem szukać sposobu na ominięcie tej rafy. Jak zaliczyć praktyki z oceną bardzo dobrą bez większego wysiłku, słowem, za piękne oczy? – Ależ to oczywiste! Odbyć je w dawnej szkole! Pójść tam z uśmiechem na ustach, odegrać umiejętnie przed starą profesurą powrót na łono rodziny syna marnotrawnego i wzbudzić w ten sposób sympatię; tych zaś, co uczą języka (bez wątpienia miernoty), olśnić popisem wymowy, erudycją, pamięcią i od tak uwiedzionych – uzyskać „celujący".

Złożyłem stosowne podania i na początku września, jak przez prawie połowę mego całego życia (ostatnio pięć lat wstecz), znów znalazłem się w szkole – w starych, znanych mi murach.

Idąc tam po raz pierwszy, czułem się jak bohater powieści Gombrowicza, porwany w wieku dojrzałym przez profesora Pimkę i gwałtem umieszczony w przybytku Niedojrzałości. Istotnie, to było jak sen, a raczej – koszmar senny. Ja, Duch Dwudziestotrzyletni, prawie Magister, Artysta, Autor Wydanej Książki, uznanej przez krytykę za „błyskotliwy debiut" – oto ja znowu w szkole! Niby praktykant, lecz uczeń! W każdym razie istota swoiście zdegradowana – wystawiona na żywioł niepowagi, dzieciństwa, i to zarówno ze strony pedagogicznej „starszyzny", jak podopiecznej jej „młodzi".

„Będą mnie tłamsić, miętosić", myślałem językiem Józia z pierwszych stron Ferdydurke, „pomniejszą mnie, upupią! Znów będę dzieckiem podszyty. Znów będę płonął ze wstydu."

Rzeczywistość jednakże okazała się lepsza, i to bez porównania, od tego, co zakładałem. Dawni nauczyciele przyjęli mnie rzeczowo, uprzejmie, wręcz życzliwie, bez żenujących uwag i amikoszonerii; nowi, a zwłaszcza ci, co mieli mnie ocenić i wystawić opinię – lektorzy francuskiego – robili wrażenie sensownych i traktowali mój staż jako czystą formalność. Z kolei młodzież – uczniowie, zwłaszcza z najstarszych klas, nie byli zbyt uciążliwi, rozbrykani, bezczelni. Przeciwnie, jeśli czegoś zdawało się im brakować, to właśnie tak zwanej ikry – ognia, fantazji, humoru. Byli karni, poprawni, zgaszeni, bez polotu. Wreszcie, sama praktyka nie nastręczała trudności. Sprowadzała się głównie do obecności na lekcjach i robienia notatek z ich treści i przebiegu. Sam miałem poprowadzić zaledwie cztery lekcje – na czterech różnych poziomach – i to dopiero pod koniec, po miesięcznym okresie przysłuchiwania się i biernej obserwacji.

Raczej więc się nudziłem, niż czułem zagrożony w swej świeżej dojrzałości i godności „artysty". I pewnie to właśnie sprawiło, że nagle cofnąłem się w czasie. Siedząc w ostatniej ławce jak przed pięcioma laty i przysłuchując się lekcjom, odnajdywałem w sobie dawne myśli, marzenia, a zwłaszcza – namiętności. I nawet nie wiem kiedy, odżyła we mnie Madame – jej czar i tajemnica, jej uroda i siła budzące ową tęsknotę za nie wiadomo czym.

Pamięć i myśli o niej wciągały jak narkotyk. Snułem się po zajęciach po parku Żeromskiego w słońcu „złotej jesieni" i moje serce znowu było boleśnie żywe. Gdzie ona jest? Co robi? Jak teraz by to było, gdybyśmy się spotkali? Gdyby... dalej uczyła.

Wracałem do domu posępny, stawiałem przed sobą na biurku pocztówkę z widokiem Mont Blanc, a pod nią, jak pod ołtarzem, składałem trzy relikwie: tomik z *Fin de partie*, pióro „*Hommage à* Mozart" i złożoną chusteczkę z metką „*Made in France*". Zapach wody Chanel całkiem już z niej wywietrzał, zostało tylko kilka sczerniałych plamek krwi.

„Nie mam nawet jej zdjęcia", myślałem sentymentalnie. „Kim ona była? Kim jest? Nigdy się tego nie dowiem. Czy w ogóle można wiedzieć lub poznać taką rzecz?"

Aż nagle doznałem olśnienia. Pomysł był trawestacją idei Schopenhauera. Czego nie daje się poznać od zewnątrz, obiektywnie, można to poznać od wewnątrz, traktując samego siebie jako rzecz samą w sobie.

„Przeniknę ją, zdobędę, niejako stając się nią! Poznam ją przez – wcielenie."

Znów – po raz który już w życiu! – zacząłem przygotowania. Nie miały one, rzecz jasna, wiele wspólnego z tym, do czego przekonywały zasady metodyki. Uczyłem się pewnej roli i układałem starannie scenariusz moich lekcji.

Aż wreszcie wszedłem na „scenę", to znaczy, na katedrę, i zagrałem... Zagrałem! Jak jeszcze nigdy dotąd. Z milczącego dotychczas, niepozornego studenta przeistoczyłem się raptem w błyskotliwego gwiazdora i prestidigitatora. Z mych „czarodziejskich" ust lała się strumieniami perlista francuszczyzna; na moich lekcjach nie wolno było mówić po polsku; a wszystko się toczyło w zawrotnym tempie – *presto*. Ćwiczenia, konwersacja, ani sekundy ciszy. Jeśli ktoś czegoś nie umiał lub mylił się albo dukał, przerywałem w pół słowa i kończyłem za niego. Byłem niczym dyrygent, co gra za całą orkiestrę, albo wirtuoz-solista, który nie zważa na to, że zespół sobie nie radzi czy zgoła się pogubił, i sam kontynuuje w porywającym stylu. Sypałem anegdotami, cytowałem z pamięci fragmenty wierszy i sztuk (w tym, oczywiście Racine'a), epatowałem aktorstwem, erudycją, dowcipem. Potrafiłem też czasem lekko ukłuć ironią, kiedy się spotykałem z zupełną bezradnością albo tępą niemotą. Byłem magiem, Prosperem, byłem... „nie z tego świata".

A kreacja ta niosła następujące przesłanie:

„Widzicie? Można i tak – prowadzić lekcję, uczyć. Co tam – uczyć! Szybować. Można w ten sposób żyć! Można być takim człowiekiem! – Oczywiście, nie wszystkim dana jest taka szansa. Niemniej, trzeba próbować. Trzeba próbować szczęścia. Jak? Wskazanie jest proste: uczyć się obcych języków, w ogóle – sztuki słowa! Jeśli będziecie m ó w i ć – płynnie, inteligentnie – wasz szary, ubogi świat stanie się barwny... barwniejszy. Bo wszystko pochodzi z języka. Bo wszystko od niego zależy. Bo, jak powiada *Pismo*, na początku jest Słowo."

Trzydzieści kilka par oczu wpatrywało się we mnie jak w natchnionego proroka. Z podziwem i miłością. A tu i ówdzie – z tęsknotą, rozkosznie bolesną tęsknotą – za nie wiadomo czym; i z żalem, że już odchodzę, że oto już koniec święta, że jak rzadka kometa oddalam się w otchłań kosmosu i nie wiadomo kiedy, jeżeli w ogóle, powrócę w pobliże Ziemi.

Tak, byłem Madame. Czułem ją wreszcie – sobą. Rozumiałem, kim była i jak mnie mogła postrzegać.

Lektorki francuskiego, w pokoju nauczycielskim, w obecności mych dawnych, zgorzkniałych wychowawców (w tym Solitera i Żmii), prawiły mi komplementy:

– Ależ panie kolego, ma pan wrodzony talent! Talent pedagogiczny! Powinien pan uczyć w szkole! Niech pan do nas dołączy!

Uśmiechałem się smutno, jakbym mówił w ten sposób: „Chciałbym, ale nie mogę. Wzywają mnie, niestety, inne cele i plany. Gdzie indziej jest moje miejsce."

A na to one wtedy:

– Szkoda. Naprawdę szkoda. Oby się pan nie minął ze swoim powołaniem.

Lecz rzecz prawdziwie komiczna i wzruszająca zarazem zdarzyła się dopiero ostatniego dnia praktyk, gdy po ostatniej lekcji, jaką poprowadziłem, w jednej z klas maturalnych, z entuzjastyczną opinią wręczoną mi przez lektorki, opuszczałem gmach szkoły, żegnając się z nią na zawsze.

## Wtedy to były czasy!

Przy wyjściu czekał na mnie jeden z moich „słuchaczy" – z najwyższej klasy, tej właśnie, w której przeprowadziłem ostatnią z moich lekcji. Był to chudziutki chłopiec o miłej powierzchowności i ciemnych, smutnych oczach. Zwróciłem na niego uwagę na samym początku praktyk. Wyróżniał się wyglądem i znajomością języka, a poza tym wyraźnie przyglądał mi się z uwagą i łowił moje spojrzenie. Za jego odpowiedzi, a zwłaszcza za technikę czytania tekstu *a vista* nagrodziłem go piątką – jedynego tym stopniem. Dlatego też, gdym go ujrzał, jak zbliża się w moją stronę, uśmiechnąłem się w duchu, przekonany, że pragnie podziękować mi za to i połasić się trochę, jak czynią to czasem uczniowie.

Było jednak inaczej.

– Pan się nazywa... – zaczął i wyrzekł moje nazwisko z pytajną intonacją. Potwierdziłem, zdziwiony.

– Możemy porozmawiać? – zapytał z poważną miną.

– Proszę – odpowiedziałem, przyjmując pozycję „spocznij".

– Ale nie tutaj w szkole – wykrzywił się ze wstrętem. – Tutaj nie ma warunków.

– A gdzie?... Co proponujesz? – wzruszyłem ramionami.

– Chodźmy się przejść. Do parku.

– Do parku Żeromskiego... – znowu się uśmiechnąłem, tym razem już otwarcie.

– Tam jest spokojnie. Przyjemnie. Można usiąść na ławce.

– To chodźmy – powiedziałem i wyszliśmy z budynku.

– Czytałem – odezwał się w końcu po długiej chwili milczenia. „Aha! Więc o to chodzi!" – pomyślałem z ironią. „Literatura. Poezja. Chce pisać lub już pisze. I żeby mu ocenić..."

Ale znów nie trafiłem.

– Czytałem – powtórzył głośniej. – I podobało mi się. Najbardziej te „Dwie sceny z życia Schopenhauera". Ale nie o to chodzi. Nie o tym chcę z panem mówić – szedł z pochyloną głową.

– A o czym? – coraz bardziej zaczynał mnie intrygować.

– Pan kończył tę szkołę, prawda? – spojrzał na mnie z ukosa.

– Owszem – kiwnąłem głową. – A co, mówiono wam?

Uśmiechnął się zagadkowo.

– „Modern Jazz Quartet", tak? – zagadka na jego twarzy zmieniła się w rozmarzenie.

– Co „tak"? – zrobiłem minę, że niby nie rozumiem.

– Był taki zespół, prawda?

– Owszem, był... i co z tego?

– Pan grał na fortepianie... i śpiewał... jak Ray Charles...

Nareszcie „byłem w domu". Niewiarygodne! Legenda! Klasyczny szkolny mit! Byłem herosem mitu!

A chudy, smutny chłopiec ciągnął z gorączką w oczach:

– Mieliście klub jazzowy w warsztacie robót ręcznych... grywaliście wieczorami w oparach papierosów... a parę razy do roku były upojne *jam sessions*... podobno nawet studenci przychodzili tu do was... Było tak? Niech pan powie!

Patrzyłem na niego z góry, z przyjaznym pobłażaniem.

– M i a ł o  być, marzycielu! – powiedziałem z uśmiechem. – Miało, ale nie b y ł o. Nie było żadnego klubu ani żadnych *jam sessions*, a próby się odbywały po lekcjach, w gimnastycznej, w mdlącym zaduchu potu i nie domytych nóg... Opary papierosów!... Owszem, były... w klozecie! A gdyśmy raz zagrali *Hit the Road*... Raya Charlesa i, rzeczywiście, nam wyszło, to był to łabędzi śpiew: nazajutrz, dyscyplinarnie, rozwiązano nasz zespół, a mnie obniżono, za kpiny, stopień ze sprawowania.

Słuchał tego zachłannie, jakbym mówił, Bóg wie co, a gdy skończyłem, powtórzył, jakby do siebie: „Tak tak..."

Znowu szliśmy w milczeniu.

– A ten Teatr Szekspira? – przerwał je w końcu półgłosem. – Nie powie mi pan chyba, że i tego nie było?

– Teatr Szekspira! – prychnąłem. – Jaki Teatr Szekspira!

– No ten, który pan prowadził – wyjaśnił nie zrażony. – Dostaliście pierwszą nagrodę za *Jak wam się podoba*, nie powie mi pan, że nie! Wasz dyplom, w ramce, pod szkłem, wisi na ścianie w auli.

– Tam nie jest napisane „za *Jak wam się podoba*"...

– Ojej, no to inaczej... „za *Cały świat to scena*"... Teraz już pan się zgadza?... To jest zdanie z tej sztuki.

– To prawda – powiedziałem kładąc akcent na „to". – Co jednak jeszcze nie znaczy, że graliśmy całą sztukę, a zwłaszcza, że nasze „kółko", bo tak się to nazywało, było... „Teatrem Szekspira".

– Podobno znał pan na pamięć dziesiątki monologów... a nawet potrafił pan... improwizować Szekspirem... mówić na każdy temat jedenastozgłoskowcem.

– Nie jest to wielka sztuka – użyłem z nonszalancją repliki Konstantego, jaką skwitował był niegdyś wyraz mego podziwu, iż Claire, matka Madame, czytała swobodnie gotyk.

– Nie sztuka! – zaśmiał się chłopiec. – Niech pan nie kokietuje! Nawet sam – tu wymienił sławne nazwisko ES-a – musiał się dobrze wysilić, by panu dotrzymać kroku.

– Przesada, gruba przesada – kręciłem przecząco głową. – Lecz przede wszystkim trzeba, byś wiedział takie rzeczy: to kółko teatralne, które z największym trudem udało mi się założyć, żyło krótko i marnie. Dało zaledwie jedną, i to skromną premierę, bez dekoracji, kostiumów: właśnie ów *Cały świat*... I nie był to żaden dramat, tylko tak zwana składanka: kawałki z różnych sztuk... wiązanka recytacji. Co się zaś tyczy nagrody, którąśmy rzeczywiście zdobyli na tym Przeglądzie, to nie życzyłbym ci... podobnego sukcesu.

– Dlaczego?

– Dużo by mówić. Niech ci wystarczy tyle: chciałbyś za... Dzieło Sztuki... dostać zegarek Ruhla? Z rąk wodzireja z Estrady? W Miejskim Domu

Kultury? Na oczach krewkich wyrostków przybyłych na potańcówkę? I recytować przed nimi słynny monolog Jakuba o siedmiu scenach żywota?
– Wolałbym nie.
– No widzisz. A mnie się to zdarzyło.
– Tak tak... – znów mruknął do siebie.
Wkroczyliśmy do parku. Świeciło mocne słońce. Korony drzew i krzewy mieniły się kolorami. W ciepłym, stojącym powietrzu snuły się tu i ówdzie nitki babiego lata.
– Czy mogę panu zadać jeszcze jedno pytanie? – zapytał Smutny Chłopiec.
– Mów, śmiało – rzekłem z uśmiechem.
– A nie obrazi się pan?
– Zależy, do czego zmierzasz.
– Kiedy pan chodził do szkoły... – zaczął niepewnym głosem – to dyrektorką była podobno jakaś Francuzka... czy może pół-Francuzka?... właśnie nie wiem dokładnie...
Zamarłem, chociaż nic jeszcze nie świtało mi w głowie.
– Była Polką – odrzekłem. – Tyle że dwujęzyczną. Mówiła po francusku jak rodowita Francuzka.
– Aha – powiedział cicho. – I co to była za... pani?
– Nie wiem, o co ci chodzi – ciągnąłem go za język. – Co właściwie chcesz wiedzieć?
– No... kim była. I jaka. Jak się zachowywała.
Myślałem gorączkowo, jak na to odpowiedzieć.
– Inaczej niż inni – rzekłem. – Chodziła świetnie ubrana. I była... ciekawą osobą. Bardzo inteligentną.
– I bardzo ładną podobno – spojrzał na mnie z ukosa.
– Owszem, niebrzydką – rzekłem z odcieniem zblazowania.
– No tak – westchnął nerwowo. – A czy jest prawdą, że... – urwał i przełknął ślinę – że pan... – zaczął się jąkać – no... jakby to powiedzieć...
– Najprościej – podpowiedziałem z dobroduszną ironią, a jednocześnie czułem, że serce zaczyna mi bić coraz mocniej i szybciej, bo słyszałem już w myślach drugą część tego zdania: „że pan się w niej strasznie kochał".
Lecz słowa, jakie padły, znaczyły co innego. Wykrztusił je nareszcie:
– Że miał pan z nią wielki romans.

Oniemiałem z wrażenia i zdjął mnie pusty śmiech, czego jednak zupełnie nie dałem po sobie poznać. Szedłem z kamienną twarzą i pochyloną głową, ze splecionymi rękami założonymi do tyłu, udając głęboką zadumę nad odległą przeszłością. Tymczasem gorączkowo trawiłem ów jej owoc w postaci słodkiej fikcji, który mi został podany przez niewinnego chłopca.

„Jak potężna jest siła... Woli i Wyobraźni", myślałem rozbawiony, „że rodzi się taki mit i idzie w pokolenia! Wystarczyła ta ręka... ta 'Fedra' w gabinecie, widziana przez Mefista i przez Prometeusza, i ten taniec na balu, i to spotkanie pod kioskiem, śledzone z kolei przez Rożka (przez Rożka lub Kuglera?), by powstała ta bajka, silniejsza i znacznie trwalsza od rzeczywistej historii. Więc może i Madame, może i całe j e j życie wcale nie było takie, jak mnie się przedstawiało? Może sam wszystko stworzyłem... z pomocą Konstantego, który kochał się w Claire?"

Lecz cóż właściwie jest prawdą? Rzecz sama w sobie, dla siebie? Czy też: jak nam się jawi, jak ją sobie roimy? A może jedno i drugie? Lecz jeśli tak, to co wybrać? Prawdę niejawną czy jawną, jakkolwiek byłaby względna?

A poza tym... właściwie... czyż nie był to „wielki romans"? Czyż wszystko, co się złożyło na tę banalną historię, nie jest dla niego typowe? – Ciekawość, wola poznania, niejasne pożądanie... List miłosny w postaci – wypracowania o gwiazdach... Trochę niewinnej mistyki... Śledzenie, zazdrość, „golgota" w styczniową noc pod oknem... A potem „zmartwychwstanie"... wielkie wyznanie Fedry... i ręka, „gest zaślubin"... a wreszcie „Noc Walpurgii"... taniec i nocna schadzka... i tajemne zaklęcie... zapowiedź „drugiego przyjścia"... no i ów znak „z zaświatów"...

Dalej szedłem w milczeniu, analizując swe życie. – Czy kiedykolwiek później spotkało mnie coś takiego? – Flirty, miłostki, „afery", zimne przygody ciała... Nie, to nie było to! To było „ziemskie", zwykłe. Nie miało tamtej gorączki i nie miało – poezji. Nie miało też wiele wspólnego z tym, co nazywa się szczęściem. „Bo szczęście nie polega..." – rację miał Tonio Kröger – „na tym, że jest się kochanym. Jest to zmieszane ze wstrętem zadowolenie próżności. Szczęściem jest kochać i chwytać drobne, zwodnicze zbliżenia – do tego, co się miłuje..."

– Czułem, że tak się stanie – odezwał się wreszcie „mój uczeń". – Obraził się pan na mnie.

– Nie obraziłem się – odparłem zamyślony. – Zastanawiam się tylko, co powinienem powiedzieć.

– Niech mi pan powie prawdę.

– Ba! Ale cóż jest prawda? – zadałem pytanie Piłata.

– Pan chyba wie najlepiej – popatrzył na mnie smutno.

„*Puisque ça se joue comme ça...*"[1], przypomniał mi się tekst z finału *Fin de partie*, „grajmy to właśnie tak!" i wtedy podjąłem decyzję. Zwyczajem Konstantego, zatrzymałem się nagle i mojemu rozmówcy spojrzałem prosto w oczy:

– Dżentelmen, jak dobrze wiesz, nie mówi o takich rzeczach, nawet jeżeli sprawa należy do przeszłości. Odstąpię jednak tym razem od tej świętej zasady, bo budzisz moją sympatię. Musisz mi jednak przyrzec, że nie powtórzysz nikomu...

– Nie powtórzę, na pewno! – przyobiecał skwapliwie.

– Słowo? – podniosłem poprzeczkę, wychodząc z założenia, że im usilniej będę domagać się dyskrecji, tym prędzej wszystko wygada.

– Słowo. Słowo honoru.

– Dobrze. Więc teraz słuchaj... Nie była mi obojętna. Fascynowała mnie. Pisałem pod jej kierunkiem kunsztowne wypracowania. Aż jedno z nich, na temat Michela de Nostre-Dame (o gwiazdach i znakach Zodiaku), zgłoszone przez nią na konkurs Ambasady Francuskiej dla młodzieży szkół średnich uczącej się francuskiego, zyskało wyróżnienie i dało mi prawo udziału w tak zwanej „letniej szkole" w pobliżu Tours nad Loarą. Zasada była taka, że jechało się na nią ze swoim nauczycielem, bo i on miał tam staż, w zakresie metodyki. Pojechaliśmy razem. Uczeń i pani profesor. Na koniec urządzono turniej recytatorski. Zgłosiłem się do niego. Mówiłem fragment Racine'a, monolog Hipolita, i wziąłem pierwszą nagrodę. Była nią podróż w Alpy: wycieczka do Chamonix. Pojechałem tam sam, ale po paru dniach, pamiętam, szóstego sierpnia, przyjechała i ona. Spotkaliśmy się na stacji i poszliśmy w masyw Mont Blanc. Powiedziała mi wtedy, że urodziła się tam... no, nie na samym szczycie, lecz w ogóle w tym rejonie, w pobliżu „dachu Europy". A kiedyśmy dobrnęli do schroniska Vallota, zaczęła mówić wiersz, który czytała jej matka, zanim ją urodziła i później nad kołyską...

---

[1] Jeśli gra się to tak...

Uniosłem lekko głowę i zmrużyłem powieki; i niby j ą naśladując, wcieliłem się w Konstantego (podaję w tłumaczeniu):

> Jest zagadką, co z czystego poczęło się źródła.
> Pieśń tylko, i to z trudem, może ją przeniknąć.
> Albowiem jakim się rodzisz, takim już pozostajesz;
> jakiekolwiek by były
> przeszkody i wychowanie,
> nic nie ma takiej mocy,
> jak same narodziny
> i pierwszy promień światła dla nowonarodzonego.

– Zrrrozumiałeś? – spytałem z francuskim „er" Jerzyka. – Czy mam ci przetłumaczyć?

– Zrozumiałem, to proste – odpowiedział jak ja.

– To opowiadam dalej... Wzruszenie spotęgowane rozrzedzonym powietrzem – ciągnąłem jak w natchnieniu – sprawiło, że zasłabła. Starałem się ją ocucić.

„Na co ty sobie pozwalasz?", powiedziała przekornie, gdy odzyskała przytomność.

„Ośmielam się panią ratować", odpowiedziałem z uśmiechem.

„No no!", pogroziła mi palcem. „Chyba nazbyt ofiarnie..."

Na pamiątkę tej całej, osobliwej przygody dostałem od niej pióro. Patrz, oto ono. Mont Blanc – dobyłem z wewnętrznej kieszeni mój mały „Hommage à Mozart" i podałem go chłopcu.

Wziął pióro drżącymi rękami i spojrzał na nie nabożnie, po czym odczytał półgłosem napis na złotym pasku obiegającym nakrętkę:

– Meisterstück... – I powtórzył: – Meisterstück... Meisterstück...

Wreszcie oddał mi je i podniósł ku mnie oczy. Były wielkie jak spodki i pełne bezbrzeżnej tęsknoty.

– To wszystko – powiedziałem wzruszając ramionami. – Doprawdy, „wielki romans"! – dodałem ironicznie, by do reszty go dobić.

Opuścił wolno głowę. Nie wiedział, co zrobić z rękami. Wreszcie, po długiej chwili, wyszeptał – jakby do siebie:

– Wtedy to były czasy!

Nic już na to nie rzekłem. Przemknęło mi tylko przez myśl, kiedy chowałem pióro, że może jednak wcale nie urodziłem się za późno.

# POSTSCRIPTUM

Moja opowieść skończona.

Zacząłem ją pisać w styczniu, dwudziestego siódmego, półtora roku temu, w osiemdziesiątym drugim. Od tego, co ją kończy – rozmowy ze Smutnym Chłopcem – mijało wówczas lat dziesięć, a od czerwcowej nocy, kiedy po raz ostatni widziałem był Madame – prawie piętnaście lat. Od półtora miesiąca trwał w Polsce stan wojenny. Po raz kolejny, brutalnie, łamano ludziom kręgosłup; znów wybijano im z głowy marzenia o wolności i o godniejszym życiu. „Powstanie" było stłumione, a łączność ze światem – zerwana. Po miastach jeździły czołgi, chodziły patrole wojskowe, wieczorem zapadała godzina policyjna. Żywność i inne produkty sprzedawano na kartki; aby wyjechać z miasta, trzeba mieć było przepustkę.

Od dawna nie miałem złudzeń, gdzie żyję i czym jest władza, która tutaj panuje; a odkąd, nie chcąc dłużej „układać się" z cenzurą, zacząłem był swoje prace drukować na emigracji, poznałem na własnej skórze „surowe, karcące ramię sprawiedliwości ludowej". Stało się to szczególnie dotkliwe i uciążliwe po tym, jak na Zachodzie, w latach siedemdziesiątych, ukazała się *Klęska* – ów „Conradowski romans", jak niezależna krytyka nazwała moją powieść, osnutą wokół tragicznych losów ojca Madame, będącą oskarżeniem komunistycznej Rosji o zarażenie Hiszpanii obłędem i destrukcją i cyniczne dążenie do klęski Republiki, a przez to i wyzwaniem pod adresem pisarzy, którzy tę wojnę domową ukazywali nieściśle, ogłupieni bez reszty lewicowymi mrzonkami. Trzymałem się wersji Orwella, autora z wielu względów szczególnie mi bliskiego, a w kwestii wojny hiszpańskiej – zgoła niezrównanego.

Książka wzbudziła rezonans i – rozwścieczyła władzę. Na łamach partyjnych gazet pastwiono się nade mną i mieszano mnie z błotem. Byłem co najmniej „faszystą" i „pogrobowcem Franco", a jako pisarz – zerem, „żałosnym grafomanem, który szuka poklasku i judaszowych srebrników u najskrajniejszej prawicy". W ślad za nagonką prasową przyszły dalsze szykany: bezwzględny zakaz druku i odmowa paszportu. A jeszcze później – represje: stała inwigilacja, rewizje, zatrzymania. Krąg zaczął się zacieśniać. Było to dla mnie jasne: ruszyłem temat tabu. Dotknąłem samego nerwu trędowatego molocha – nacisnąłem, gdzie boli; sięgnąłem do korzeni. Takich rzeczy „centrala" nie zwykła puszczać płazem.

„Hiszpania" jak Trójkąt Bermudzki wsysała mnie w swoją otchłań. Naprzód zginął w niej człowiek, który był prototypem mojego bohatera. Następnie jego żona. Potem przez wiele lat mściło się to na córce. Wreszcie – w ile lat później! – zagarnęło i mnie, już tylko z tego powodu, iż dotknąłem tematu. Rację miał stary Konstanty, gdy przestrzegał mnie przed tym i kazał mi przysięgać, że będę siedział cicho...

W noc trzynastego grudnia byłem poza Warszawą i to mnie uratowało przed falą internowania. Zacząłem się ukrywać. Mieszkałem po znajomych. Wreszcie, na Nowy Rok, korzystając z chwilowej nieuwagi milicji, wymknąłem się do Gdańska, a tam niezawodny Jarek wynalazł mi stałe lokum – wygodne i bezpieczne. Pokoik na mansardzie w starym, niemieckim domu z tak zwaną „wnęką kuchenną" i – z widokiem na morze.

To właśnie tam, w tej „dziupli", zacząłem to wszystko pisać. Musiałem się czymś zająć, wypełnić nadmiar czasu. A poza tym pragnąłem zanurzyć się w czymś czystym, a w każdym razie dalekim od zewnętrznego świata. Z początku więc zajęcie traktowałem „leczniczo" – by się wewnętrznie odkazić, by znaleźć równowagę. Z czasem jednak, gdy praca zaczęła nabierać rozpędu, gdy chwyciłem wiatr w żagle i zaczęło mnie nieść, zmieniłem podejście do rzeczy: przestałem pisać ot tak, przestałem się tym leczyć; zacząłem z rozmysłem t w o r z y ć – komponować, formować, wedle prawideł sztuki: siedem rozdziałów „dużych" – jak siedem dni stworzenia; i trzydzieści pięć „małych" – tyle, ile miał lat nasz „bohaterski wiek", gdy przyszła na świat Madame, i ile ja dziś kończę (legendarna „połowa drogi ludzkiego życia").

W pisaniu bardzo mi pomógł mój dziennik z tamtego czasu, który na szczęście ocalał z kataklizmu rewizji, jaką w mym domu rodzinnym przeprowadziła SB. Gdybym go wówczas nie pisał albo później utracił, rzecz nie byłaby teraz tak bogata w szczegóły.

Pisałem, warto dodać, moim „Hommage à Mozart" – w szkolnych zeszytach w kratkę.

Na to, by ta opowieść ukazała się w kraju, nie ma najmniejszych szans. Nie tylko z tego powodu, że jestem na indeksie; również – i przede wszystkim – ze względu na jej treści. Dalej trwa „wojna z narodem" i nic nie zapowiada, by miało się wkrótce coś zmienić. Uzurpatorska władza pod wodzą tego służalca zapatrzonego na Wschód – chorego na przerost ambicji i żądnego splendoru – trzyma na wszystkim rękę i łamie wszelki opór.

Rzecz – w formie maszynopisu – zostanie przekazana zaufanej osobie i w teczce dyplomatycznej powędruje na Zachód. Powinna się ukazać najdalej za pół roku.

Co do mnie, nie wiem, co dalej. Z mojego otoczenia prawie nikogo już nie ma. Stary Konstanty nie żyje. Jerzyk wyemigrował. Większość kolegów ze studiów przebywa za granicą. Rożek od paru lat jest profesorem w Princeton.

Czuję, że dalsze trwanie na tym tonącym okręcie grozi – nawet nie śmiercią, ale wyjałowieniem; uwikłaniem się w coś, co pustoszy wewnętrznie. Coraz wyraźniej i częściej słyszę znajomy głos, krzyczący we mnie słowami z legendarnego cytatu: „Skacz, George! No, dalej! Skacz!"

Czy byłby to skok „w studnię – w wieczny, głęboki dół"? Czy jednak w coś, co w przyszłości wywiodłoby mnie na szczyt, skąd znowu bym zobaczył „Słońce i inne gwiazdy"?

Nie wiem. Lecz coś mi mówi, że powinienem to zrobić. Trzeba wyruszyć w drogę.

Nie mogę jednak powtórzyć za smutnym Hipolitem: „Postanowione, jadę, drogi Teramenie", nie jestem bowiem w pełni panem swojego losu.

*Ecce opus finitum. Voici l'oeuvre finie.*[1]
Rzucam je w świat jak list w zakorkowanej butelce w odmęty oceanu. Może je gdzieś odnajdziesz, może ją gdzieś wyłowisz i dasz mi jakiś znak, moja Gwiazdo Północy, Wodniku, Victoire!

*Warszawa, 10 września 1983.*

---

[1] Oto dzieło skończone.

# SPIS TREŚCI

Społeczny Instytut Wydawniczy Znak, Kraków 2003. Wydanie III. Dodruk.
Druk i oprawa:Drukarnia Wydawnictw Naukowych S.A., ul. Żwirki 2, Łódź.